비상 독해路
수능 영어 1등급

예비 고등~고등3
수능 개념을 바탕으로 실전 감각을 길러요

| 구문 독해, 유형 독해, 종합 실전 |
기출 경향을 파악하고 학습하는 수능 예상 문제집

| 독해 기본, 독해 |
기출로 실전 감각을 키우는 기출 문제집

| 완자 VOCA PICK 고등 |
고등 필수 어휘와 수능 기출 및 고난도 어휘를 효과적으로 익히는 고등 단어장 시리즈

예비 중등~중등3
독해 전략을 바탕으로 독해력을 강화해요

| 영어 독해 1~3권 |
수능 독해력을 단계별로 단련하는 중등 독해

| 리딩 타파 1~3권 |
중학교 독해의 기본을 잡아주는 구문 독해

| 리더스뱅크 3~9권 |
독해의 기본을 잡아 주는 중등 독해

| 워드 타파 1~3권 |
중학교 학년별 어휘를 단계별로 익히는 어휘집

| 완자 VOCA PICK 중등수능 |
수능 영어 정복의 첫걸음이 되는 기출 어휘를 중학생 난이도에 맞게 수록한 단어장 시리즈

초등5~예비 중등
본격적으로 학습 독해 실력을 쌓아요

| 주니어 리더스뱅크 1~2권 |
독해의 기초를 다지는 초등 독해

중등

수능 독해

영어 독해 3

Level

미니 단어장

visang

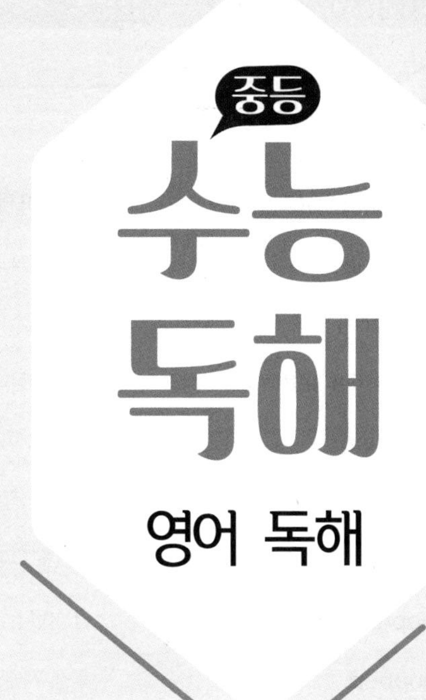

Level 3

미니 단어장

UNIT 01 글의 목적 찾기

□ on behalf of	~을 대표해서
□ field trip	현장 견학
□ practical	실제적인
□ industrial settings	산업 현장
□ blessing	승인
□ director	책임자, 장
□ shelter	보호소
□ appreciate	감사하다
□ support	후원, 지원
□ look after	~을 돌보다
□ facility	시설
□ fill up with	~으로 가득 차다
□ adopt	입양하다
□ behavioral	행동의, 행동상의
□ resident	거주인
□ after-school	방과 후의
□ retire from	~에서 은퇴하다
□ several	몇몇의
□ award	상

□ national	전국의
□ competition	대회
□ name	임명하다
□ promote	증진시키다
□ benefit	이점, 장점
□ instruction	수업, 교육
□ chief	주된, 최고위자인
□ judge	심사 위원
□ definitely	단연
□ strongly	강력하게
□ serve	~로서 일하다
□ contribution	공헌
□ workshop	워크숍, 연수
□ skill	기술
□ similar	비슷한
□ include	포함하다
□ inspiring	고무하는, 감격시키는
□ lecture	강연
□ be in contact with	~와 연락하다
□ assistance	도움
□ regards	안부

UNIT 02

내용 일치·불일치 찾기

□ decrease	줄다, 감소하다
□ drop	떨어지다
□ peak	최고점, 정점
□ opposite	정반대의
□ path	방향, 길
□ historical	역사적인
□ knowledge	지식
□ particularly	특히
□ draw one's attention	~의 관심을 끌다
□ translate	번역하다
□ escape	탈출하다
□ device	장치, 기기
□ access	접속(하다)
□ consider	생각하다, 고려하다
□ connect	접속하다, 연결하다
□ pass	추월하다
□ select	선택하다, 고르다
□ official	공식적인
□ capital	수도
□ government	정부, 행정

□ be located in	~에 위치해 있다
□ population	인구
□ consist of	~로 이루어지다
□ symbolize	상징하다
□ mixture	혼합
□ widely	널리
□ mathematician	수학자
□ astronomer	천문학자
□ devote	바치다, 전념하다
□ initially	처음에
□ optics	광학
□ telescope	망원경
□ motion	운동
□ achievement	업적
□ accurate	정확한
□ astronomical	천문학의
□ carry out	~을 수행하다
□ Saturn	토성
□ moon	위성
□ description	기술, 설명, 묘사

UNIT 03
글의 주제·제목 찾기

□ honesty	양심, 정직(성)
□ place	놓다, 두다
□ alternately	번갈아가며
□ display	놓아두다, 전시하다
□ psychology	심리
□ subtle	미묘한
□ cue	신호
□ implication	암시
□ outcome	성과
□ involve	관련되다
□ effort	노력
□ compassion	연민
□ in trouble	곤경에 처한
□ matter	문제
□ be down	낙담하다
□ occasional	때때로의
□ sacrifice	희생
□ charity	자선
□ relationship	관계
□ compliment	칭찬

□ deceive	속이다
□ please	기쁘게 하다
□ mutual	상호 간의
□ psychological	심리적인
□ interest	이익
□ awkward	어색한
□ self-esteem	자존감
□ differentiate	구별하다
□ wonder	궁금해하다
□ fall over	넘어지다
□ direction	방향
□ bend	구부러지다
□ swing	흔들리다
□ tail	꼬리
□ tendency	경향
□ off course	경로 밖으로
□ sweetener	감미료
□ motive	동기
□ ingredient	성분
□ indicate	보여 주다, 암시하다

UNIT 04

글의 주장·요지 찾기

□ dish	요리, 음식
□ entire	전체의
□ experiment	실험
□ quantity	양
□ protein	단백질
□ plate	그릇
□ wisdom	지혜
□ dessert	디저트
□ own	소유하다, 갖다
□ educational	교육적인
□ essence	본질
□ delight	즐거워하다
□ immediate	즉각적인
□ silly	실없는
□ have control over	~을 제어하다
□ praise	칭찬
□ critical	중요한
□ impact	효과
□ express	표현하다
□ praiseworthy	칭찬할 만한

□ accomplish	달성하다
□ reward	보상
□ honor	상
□ hand out	~을 부여하다
□ merit	칭찬, 장점
□ guarantee	보장하다
□ goal-oriented	목표 지향적인
□ mind-set	사고방식, 태도
□ motivate	동기를 주다
□ achieve	얻다, 달성하다
□ long-term	장기적인
□ goal-less	목표 지향적이지 않은
□ repeatedly	반복적으로
□ continuously	계속적으로
□ look forward to	~하기를 간절히 바라다
□ annual	연간의
□ statistics	통계
□ distraction	정신을 흩뜨리는 것
□ focus on	~에 집중하다
□ encourage	고무시키다, 격려하다

UNIT 05

지칭·함축 의미 파악하기

□ open plain	넓은 평원, 탁 트인 평원
□ in the distance	멀리서, 저 멀리
□ curiously	신기한 듯이, 호기심을 갖고
□ insect	곤충
□ roar with laughter	폭소하다
□ dense	빽빽한
□ horizon	지평선
□ take for granted	~을 당연하게 여기다
□ spread	펼치다
□ smooth	매끄러운
□ take a hold of	~을 붙잡다
□ end up -ing	결국 ~하다
□ backward	뒤로
□ let go	~을 놓아 주다
□ all by oneself	혼자서
□ genius	천재
□ master	대가, 달인
□ structure	구조
□ unique	특화된, 특이한
□ poem	시

□ dramatically	극적으로
□ creativity	창의성
□ effective	효과적인
□ separate	개별의, 별개의
□ approach	접근(법)
□ reserved	과묵한
□ handshake	악수하다
□ fall apart	분리되다
□ mess	엉망인 상태
□ disconnect	연결을 끊다
□ attract	마음을 끌다
□ ring false	거짓으로 들리다
□ concept	개념
□ destination	목적지
□ predict	예측하다
□ crash	추돌[충돌]하다
□ act as	~으로 작용하다
□ respond	반응하다
□ adapt	적응하다
□ similarly	마찬가지로

UNIT 06

빈칸 내용 완성하기

□ long-distance	장거리의
□ get rid of	~을 없애다
□ leading	유력한
□ theory	이론
□ ancestor	조상
□ prey	먹이, 먹잇감
□ humid	습한
□ a lack of	부족한, ~의 부족
□ civilization	문명
□ particular	특정한
□ local	지역의
□ expert	전문가
□ specialty	전문 분야
□ aspect	방면
□ attack	공격
□ defense	방어
□ gather	모으다, 수집하다
□ analyze	분석하다
□ inner	내적인
□ stillness	고요함

□ nationwide	전국적인
□ inquiry	조사
□ decisive	결정적인
□ phase	단계
□ majority	다수
□ fast-forward	빨리 감다
□ skip over	~을 뛰어 넘다
□ commercial	광고
□ advertiser	광고주
□ desperately	필사적으로
□ discourage	(못하게) 막다
□ incentive	유인책
□ contemporary	현대의
□ remarkable	주목할 만한, 놀라운
□ silence	침묵, 정적
□ precious	소중한
□ unstable	불안정한
□ inevitable	피할 수 없는
□ wound	상처
□ cast	색조, 빛깔

UNIT 07

무관한 문장 찾기

□ depending on	~에 따라
□ reach out	(손을) 뻗다
□ length	길이
□ improve	향상시키다, 나아지다
□ manufacture	제조하다
□ present	있는, 존재하고 있는
□ dairy	유제품의
□ liquid	액체(의)
□ as ~ as possible	가능한 한 ~
□ take in	섭취하다
□ require	필요하다
□ ultimate	궁극적인, 최후의
□ infinite	무한한
□ right	권리
□ declare	주장하다
□ simply	단순히
□ property	재산
□ prosper	번영하다
□ file suit	소송을 제기하다
□ acknowledge	인정하다

□ considering	~을 고려하면
□ largely	널리
□ electronic	전자의
□ ambiguous	모호한
□ misunderstand	잘못 해석하다, 오해하다
□ nonetheless	그럼에도 불구하고
□ attention	주의력
□ definite	확실한
□ non-verbal	비언어적인
□ verbal	언어적인
□ intensity	강도
□ superstition	미신
□ audience	관객
□ tragedy	비극
□ curse	저주하다
□ interaction	상호 작용
□ performance	연기
□ be set in	~을 배경으로 하다
□ legend	전설
□ accidently	우연히

UNIT 08

글의 순서 배열하기

□ general	장군
□ set ~ free	~을 해방하다; 석방하다
□ appreciation	감사하다
□ make no sense	말이 안 된다; 무의미하다
□ rub	문지르다
□ thunderstorm	뇌우
□ lightning	번개
□ flow	흐름; 흐르다
□ electricity	전기
□ atmosphere	대기
□ cling to	~에 붙다
□ scientific	과학적인
□ physical	물리적인
□ characteristic	특성, 특징
□ trace back to	~로 거슬러 올라가다
□ conclude	결론 내리다
□ combine	결합하다
□ spot	발견하다
□ finding	결과, 결론
□ desire	열망, 갈망

□ be against	~에게 불리하다
□ mail	우편으로 보내다
□ refuse	거절하다
□ attend	~에 다니다
□ debt	빚
□ pain	고통
□ hunger	굶주림, 배고픔
□ recognize	알아보다
□ foundation	토대, 기초
□ automatic	자동적인
□ memorize	암기하다
□ effortful	노력이 필요한
□ cost	대가, 희생
□ repetition	반복
□ fluency	유창성
□ sensitive	민감한, 예민한
□ attempt	시도하다
□ be free to	자유롭게 ~하다
□ pay attention to	~에 주목하다
□ pursuit	추구

UNIT 09

주어진 문장 위치 파악하기

□ obstacle	장애물
□ currently	현재
□ survival	생존
□ harsh	극심한
□ surface	표면
□ exploration	탐험
□ pose	위험을 제기하다
□ instrument	기구, 도구
□ clue	단서
□ facial	얼굴의
□ guess	추측하다
□ mood	감정, 기분
□ shaky	떨리는
□ muscle	근육
□ enable	~을 할 수 있게 하다
□ spontaneously	저절로, 자발적으로
□ emotion	감정
□ repeat	반복하다
□ advance	진출하다, 나아가다
□ eliminate	탈락시키다

□ appear	나오다, 나타나다
□ hesitation	머뭇거림, 망설임
□ concern	걱정
□ talented	재능이 있는
□ appeal	관심을 끌다
□ preschooler	취학 전의 아동
□ eagerly	열심히
□ enthusiastically	열정적으로
□ interact	상호 작용하다
□ in a word	한 마디로
□ make the most of	~을 최대한 활용하다
□ ordinary	보통의
□ boundary	경계(선)
□ grandmaster	거장
□ remarkably	대단히, 현저하게
□ seemingly	겉으로 보기에는
□ gain	이익
□ capture	잡히다
□ insane	비상식적인, 미친
□ pay off	성과를 거두다

UNIT 10

요약문 완성하기

□ base	맨 아래 부분, 바닥
□ weighted	무거운, 무거운 짐을 실은
□ estimate	추정하다; 추정, 추정치
□ steepness	가파름, 경사
□ significantly	상당히
□ involved in	~에 참가한, ~에 관련된
□ arrange	배열하다
□ promise	약속하다
□ participation	참가, 참여
□ task	업무, 과업
□ rank	순위를 매기다
□ attached	애착을 가진
□ prohibit	금지하다
□ briefly	잠시
□ versus	~에 비해
□ personality	성격
□ generous	너그러운
□ mere	단순한, 겨우
□ activate	활성화하다
□ interpersonal	사람 사이의

□ unintentional	의도하지 않은
□ awareness	인식
□ undergo	(변화 · 안 좋은 일 등을) 겪다
□ surgery	수술
□ measure	측정하다
□ fantasize	공상하다
□ positive	긍정적인
□ expectation	기대
□ idealized	이상화된
□ recover	회복하다
□ rely on	~에 의존하다
□ natural resource	천연자원
□ plentiful	풍요로운
□ harmful	해로운
□ abundant	풍부한
□ reliance	의존
□ expand	확대하다
□ trap	가두다
□ a series of	일련의
□ slow down	(속도 · 진행 등을) 늦추다

실전 모의고사 1회

□ shipment	배송
□ status	상황, 상태
□ warehouse	창고
□ lie down	눕다
□ sweat	땀을 흘리다
□ whisper	속삭이다
□ drought	가뭄
□ comment	말, 의견
□ work out	운동하다
□ reinforce	강화하다
□ revive	부흥시키다
□ dry up	고갈되다
□ disturb	당황하게 하다, 방해하다
□ barely	간신히
□ toxic	독성의
□ pile up	쌓이다
□ moderate	적절한
□ halve	절반으로 줄이다
□ portrait	인물 사진, 초상화

□ resell	다시 팔다
□ nag	잔소리를 하다
□ chore	허드렛일
□ irresponsible	무책임한
□ mandatory	의무적인
□ at first glance	언뜻 보기에는
□ competence	능력, 능숙함
□ lessen	감소시키다
□ flexibility	유연성
□ skillful	숙련된
□ resolution	굳은 다짐, 결심
□ overestimate	과대평가하다
□ circulate	순환하다
□ moisture	습기
□ clinically	임상적으로
□ exit	떠나다, 나가다
□ retrieve	되찾다, 회수하다
□ ironically	모순적이게도
□ oppose	반대하다
□ expose	노출시키다
□ become used to	~에 익숙해지다

실전 모의고사 2회

□ senior	연장자; 선배
□ crack	금이 가게 하다
□ litter	어지럽히다
□ urge	충동
□ burst into tears	눈물이 터져 나오다
□ virtually	사실상
□ discipline	훈련, 규율; 훈련시키다
□ sort through	~을 정리하다[분류하다]
□ conductor	승무원
□ distress	곤경
□ arise	일어서다
□ in itself	그 자체로
□ craft	수공예
□ overprotective	과잉보호하는
□ spare A from B	A가 B를 겪지 않게 하다
□ consequence	결과
□ potential	잠재적인; 잠재력
□ combined	결합된
□ regional	지역의, 지방의
□ accompany	동행하다

□ philosophy	철학
□ likewise	마찬가지로
□ colonize	식민지화하다
□ settle	정착하다
□ distinctive	독특한
□ stick with	~을 고수하다
□ humanity	인류
□ rare	드문, 희귀한
□ afterwards	나중에
□ consistent	한결 같은
□ cell	세포
□ shrink	수축하다, 줄다
□ typically	일반적으로, 전형적으로
□ resistant	저항하는, 거부하는
□ defend	지키다, 방어하다
□ blow	세게 때림, 강타
□ selfish	이기적인
□ temper	성질
□ scar	흉터
□ furious	화가 난

실전 모의고사 3회

□ alternative	대안(책)
□ representative	대표; 대리인
□ pale	창백한
□ sigh	한숨을 쉬다
□ occur	발생하다
□ anxiety	불안
□ factor	요인
□ determine	결정하다
□ stroll	거닐다, 산책하다
□ pioneer	선구자, 개척자
□ destiny	운명
□ renewable	재생 가능한
□ flood	잠기게 하다, 범람시키다
□ release	방류〔방출〕하다
□ genuine	참된, 진정한
□ collapse	실패하다, 무너지다
□ deeply	깊이
□ appoint	임명하다
□ manual	설명서
□ blink	깜박거리다

□ newborn	신생아
□ per	~당
□ unit	단위
□ organ	장기
□ marvelously	놀라울 만큼
□ critically	비판적으로
□ reliable	믿을 만한
□ assess	평가하다
□ bias	치우침
□ familiarity	친숙함
□ equal	동일한
□ confuse	혼동하다
□ poisonous	독성이 있는
□ species	종
□ prescribe	처방하다
□ digest	소화하다
□ procedure	절차
□ context	맥락
□ leak	새는 것, 누출
□ melt away	차츰 사라지다

실전 모의고사 4회

□ vehicle	차량
□ minimum	최소화, 최저(치)
□ beneath	~ 아래에
□ terrifying	무서운
□ distant	먼, 거리가 있는
□ speechless	말문이 막힌, 말없는
□ scratch	긁다
□ perspective	관점, 시각
□ fundamental	근본적인
□ belong	소속되다, 속하다
□ predator	포식자
□ maintenance	유지
□ closeness	친밀함
□ strikingly	눈에 띄게, 현저하게
□ puzzle	혼란시키다, 곤란하게 만들다
□ decade	10년
□ literally	말 그대로
□ booking	예약
□ float	떠다니다
□ marine	해양의

□ particle	입자, 조각
□ enormous	엄청난
□ portion	1인분의 양
□ solid	단색의
□ universal	보편적인
□ interpret	해석하다
□ outstanding	두드러진
□ flavor	풍미
□ utilize	활용하다
□ weaver	직조공
□ exist	존재하다
□ preserve	보존하다
□ fossil	화석
□ confidence	자신감, 자부심
□ be linked to	~와 연관되다
□ diverse	다양한
□ beggar	걸인, 거지
□ bother	방해하다, 신경 쓰이게 하다
□ request	요구
□ profound	심오한

실전 모의고사 5회

□ slightly	약간
□ grateful	감사하는
□ glare at	~을 노려보다[쏘아보다]
□ grip	꽉 쥐다
□ sibling	형제자매
□ neglect	소홀히 하다, 간과하다
□ detect	감지하다
□ proverb	속담
□ explode	폭발하다
□ significant	중대한
□ guilty	유죄의
□ stumble on	우연히 발견하다
□ illuminate	밝히다, (빛을) 비추다
□ soothing	진정시키는, 진정하는
□ atop	꼭대기에, 맨 위에
□ wealthy	부유한
□ orphan	고아
□ contestant	참가자
□ submit	제출하다
□ shift	이동하다

□ applaud	박수치다; 칭찬하다
□ survey	조사하다
□ abstract	추상적인
□ worthwhile	가치 있는
□ intention	의도
□ corporate	기업의
□ competent	유능한
□ seek	구하다, 추구하다
□ feather	깃털
□ flap	펄럭임
□ routine	일상
□ noteworthy	주목할 만한
□ capacity	능력
□ handle	다루다
□ replicate	반복하다; 복제하다
□ cognitively	인지적으로
□ demanding	힘든
□ thrive	번영하다
□ addiction	중독
□ inborn	타고난

memo

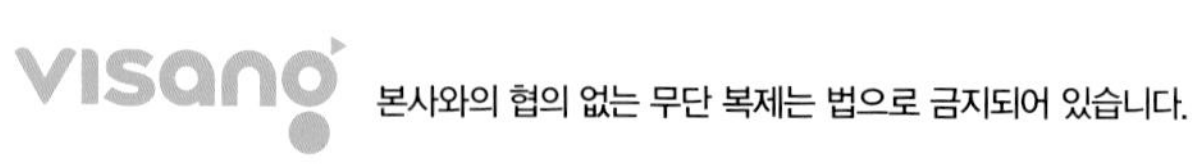

점선을 따라 자르세요

중등 수능 독해

영어 독해

Level 3

중등 수능 독해 영어가  특별한가?

1 독해 전지문을 기출 문제 100% 활용한 변형 지문으로 구성

중학교 내내 영어 독해 공부를 했지만, 실제 수능 문제를 풀지 못하는 학생이 많습니다. 왜 그런 것일까요? 일반 독해서로도 독해력을 향상시킬 수 있지만, 수능 실전 문제에 가장 강해질 수 있는 학습법은 '실제 기출 문제를 통해 기출 소재와 유형을 꾸준히 연습하는 것'이기 때문입니다.

이 책은 국가에서 전국 학생들의 실력을 알아보기 위해 실시하는 중 3, 고 1 학업 성취도 평가와 고 1, 2 학력 평가 기출 문제를 100% 활용하여 변형한 지문과 문제로 구성되어 있어서 학생들이 독해 공부와 수능 공부를 따로 하지 않고 한번에 해결할 수 있습니다.

국가 수준 학업 성취도 평가 & 전국 연합 학력 평가

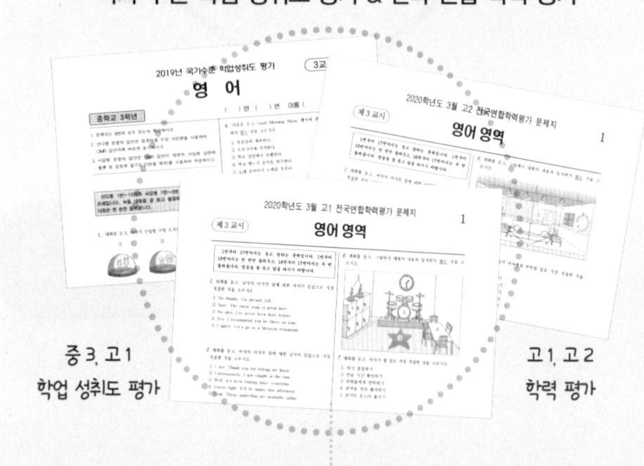

중 3, 고 1
학업 성취도 평가

고 1, 고 2
학력 평가

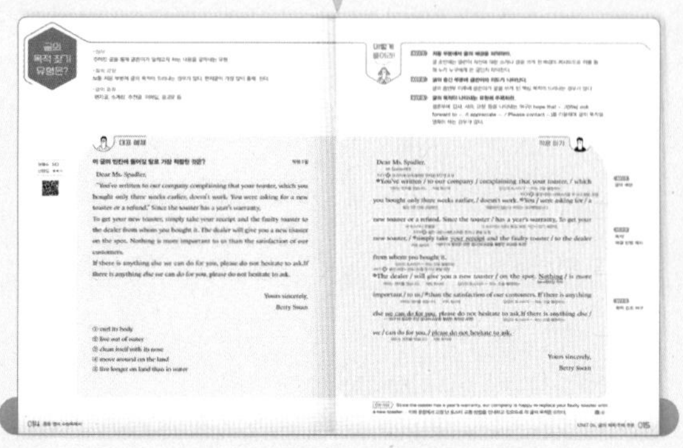

전지문 기출 독해 지문을 변형하여 구성

2 영어 학습 인공지능(AI) 시스템으로 Level별 맞춤형 독해 지문 완성

독해 학습이 가장 비효율적인 경우는 바로 자신의 수준에 맞지 않는 콘텐츠로 공부를 할 때입니다. 수능 학습도 마찬가지입니다. 이 책은 중 3, 고 1 학업 성취도 평가와 고 1, 2 학력 평가 기출 문제를 영어 학습 전문 인공지능(AI) 시스템을 활용하여 중학생 난이도에 맞게 변형하였습니다. 따라서, 중학생이 자신의 수준에 알맞은 지문으로 수능에 출제되는 글의 구조와 소재를 쉽게 익힐 수 있습니다.

고 1 학력 평가

다음 글의 제목으로 가장 적절한 것은? 고1 학력 평가

Studies from cities all over the world show the importance of life and activity as an urban attraction. People gather where things are happening and seek the presence of other people. Faced with the choice of walking down an empty or a lively street, most people would choose the street with life and activity. The walk will be more interesting and feel safer. Events where we can watch people perform or play music attract many people to stay and watch. Studies of benches and chairs in city space show that the seats with the best view of city life are used far more frequently than those that do not offer a view of other people.

Studies from cities all over the world show the importance of life and activity as an urban attraction. People gather where things are happening and seek the presence of other people. Faced with the choice of walking down an empty or a lively street, most people would choose the street with life and activity. The walk will be more interesting and feel safer. Events where we can watch people perform or play music attract many people to stay and watch. Studies of benches and chairs in city space show that the seats with the best view of city life are used far more frequently than those that do not offer a view of other people.

특허 받은 영어 학습 인공지능 시스템을 이용하여 독해 어휘와 구문의 수준을 분석, 수준에 맞게 패러프레이징

다음 글의 제목으로 가장 적절한 것은? 고1 학평 3월

Life and activity as an urban attraction are important. People gather where things are happening and want to be around other people. If there are two kinds of streets: a lively street and an empty street, most people would choose to walk the street with life and activity. The walk will be more interesting and feel safer. We can watch people perform or play music anywhere on the street. This attracts many people to stay and watch. Also, most people prefer using seats providing the best view of city life and offering a view of other people.

Level 1, 2, 3 각 수준에 알맞은 난이도 구현

“특허 받은 영어 학습 인공지능 시스템으로 개발한
최초의 **중등 수능 독해 영어 기출 문제집**”

3 수능 독해 학습의 핵심 KEY, 어휘력과 독해력을 강화하기 위한 학습법 적용

학생들이 수능 독해 지문을 읽을 때 가장 필요한 두 가지, 어휘력과 독해력을 강화할 수 있도록 학습을 설계했습니다.

어휘력 강화

처음 보는 새로운 단어도 최소한 4번 이상 반복 학습할 수 있도록 꼼꼼하게 설계되어 한 권을 마무리하면 자동으로 수능 기초 어휘와 필수 어휘를 완벽하게 암기하게 됩니다.

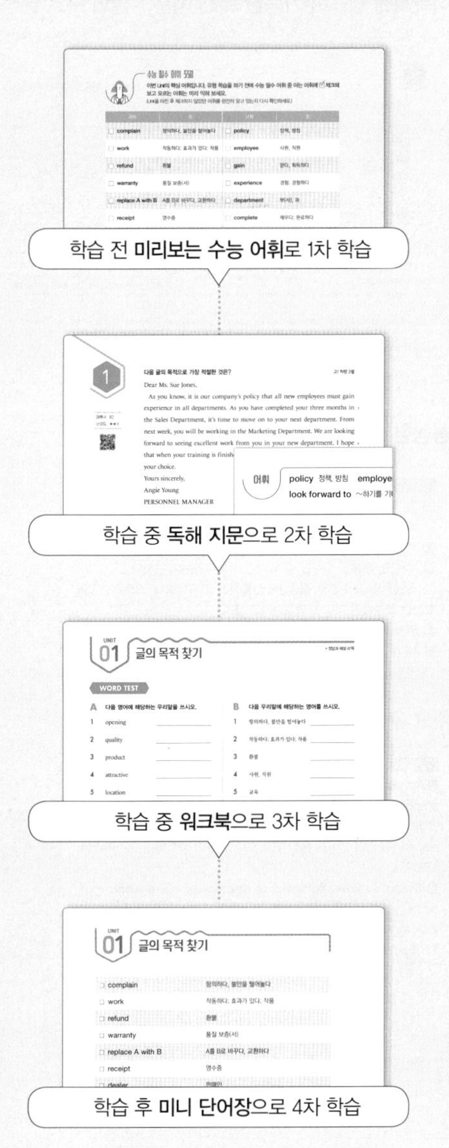
학습 전 미리보는 수능 어휘로 1차 학습
학습 중 독해 지문으로 2차 학습
학습 중 워크북으로 3차 학습
학습 후 미니 단어장으로 4차 학습

독해력 강화

중학생이 수능 독해를 학습하기 위해 필요한 내용을 기초부터 실전까지 3단계로 나누어 각 단계(Level)에 맞는 독해 학습법을 제시했습니다.

■ **단계(Level)별 독해 학습법 구현**

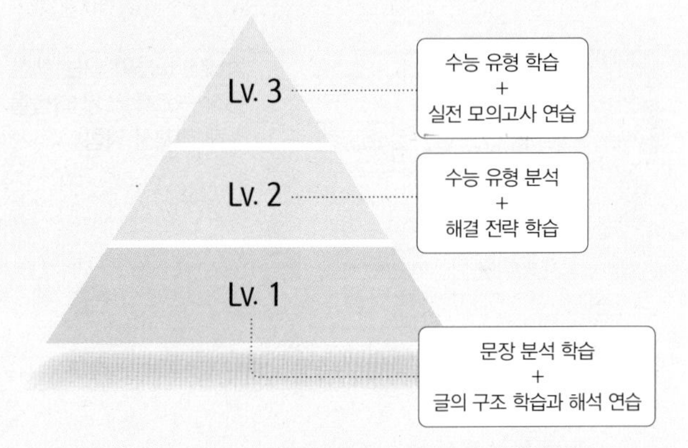
Lv. 3
수능 유형 학습 + 실전 모의고사 연습
Lv. 2
수능 유형 분석 + 해결 전략 학습
Lv. 1
문장 분석 학습 + 글의 구조 학습과 해석 연습

■ **독해력 강화 학습 프로세스 구현**

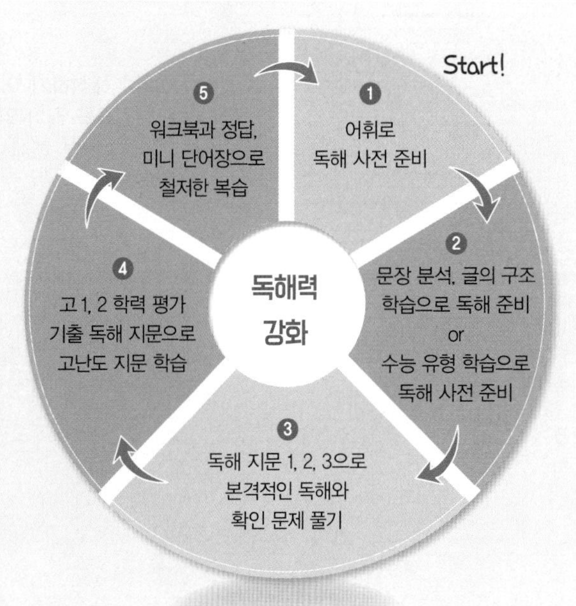
Start!
독해력 강화
① 어휘로 독해 사전 준비
② 문장 분석, 글의 구조 학습으로 독해 준비 or 수능 유형 학습으로 독해 사전 준비
③ 독해 지문 1, 2, 3으로 본격적인 독해와 확인 문제 풀기
④ 고1, 2 학력 평가 기출 독해 지문으로 고난도 지문 학습
⑤ 워크북과 정답, 미니 단어장으로 철저한 복습

4 각 책의 독해 지문에 수록된 문장 구조 학습과 독해 지문 이해를 돕는 워크북

학생들이 독해 지문 속에서 알게 됐던 문장을 쓰기 학습을 통해 다시 한번 학습하고, 해석이 어려웠던 문장을 다시 한번 해석하도록 구성되어 있어서 쉽고 효율적으로 복습을 할 수 있습니다.

문장 구조 학습

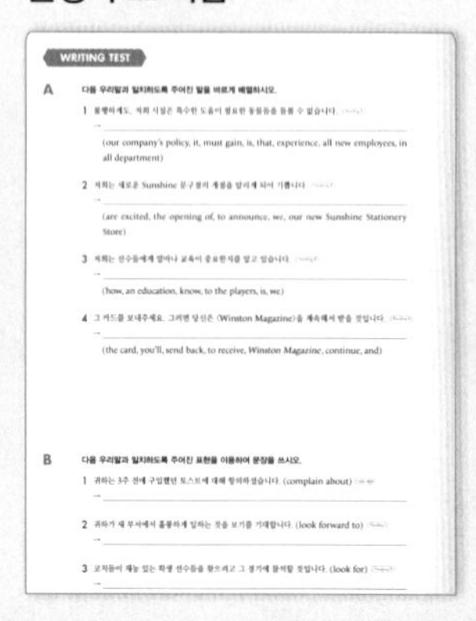

독해에 도움이 되는 핵심 문장 구조를 쓰기 학습을 통해 철저히 익힘

독해 문장 해석

학생들이 해석하기 어려워하는 문장들을 끊어 읽기해 보고 다시 한번 해석해 볼 수 있도록 함

5 수능식 지문 분석과 상세한 오답 분석이 돋보이는 정답과 해설

독해 지문에 대한 직독직해를 제공하고 글의 구조를 도식으로 쉽게 설명하여 누구나 글의 내용을 완벽하게 이해할 수 있습니다. 또한 상세하고 명확한 해설과 오답 노트, 구문 해설 등의 다양한 설명으로 독해 지문과 문제에 대한 이해력을 100%로 높일 수 있습니다.

직독직해 연습이 가능한 독해 지문 / 글의 구조 분석

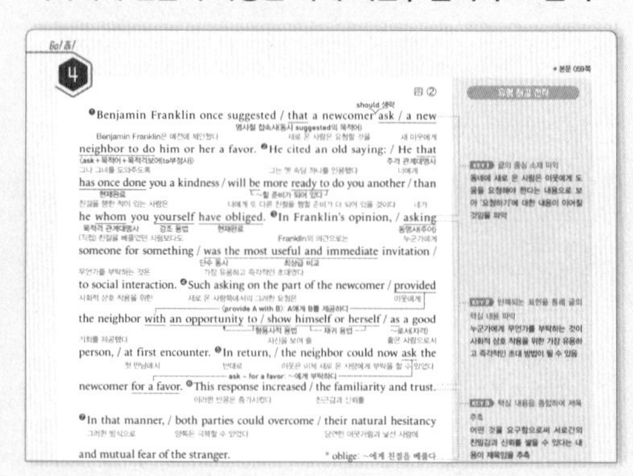

꼼꼼한 오답 노트

오답 노트

① 왜 학생들이 역사를 배워야 하는가 ➡ 역사를 배워야 하는 이유는 언급되지 않았다.
② 역사극의 필수 요소 ➡ 역사를 배우는 데 있어서 극적인 요소가 필요하다는 내용은 유추할 수 있지만 역사극과는 무관하다.
③ 전통적인 교수법의 장점 ➡ 전통적인 교수법보다 스토리텔링을 활용한 교수법이 더욱 효과적이라고 했다.
⑤ 역사에 대한 균형 잡힌 시각을 가지는 것의 중요성 ➡ 역사에 대한 시각은 언급되지 않았다.

주요 구문 해설

구문 해설

❷As you know, **it** is our company's policy **that** all new employees must gain experience in all department.
문장의 주어인 that절(that all new employees must ~ department)이 길어서 문장 뒤로 보내고 주어 자리에는 가주어 It이 쓰였다.
❺We are **looking forward to seeing** excellent work from you in your new department.
look forward to는 '~하기를 기대하다'라는 뜻으로, 여기서 to는 전치사이므로 뒤에 동명사 seeing이 쓰였다.

이 책의 시리즈 구성 한눈에 보기

Level 1

문장 분석과 글의 구조 학습

1 수능 어휘 사전 학습으로 독해 준비

2 문장 분석과 글의 구조 학습으로 독해 기본기 쌓기

3 독해 지문을 읽고 다양한 시험 유형 문제 풀기

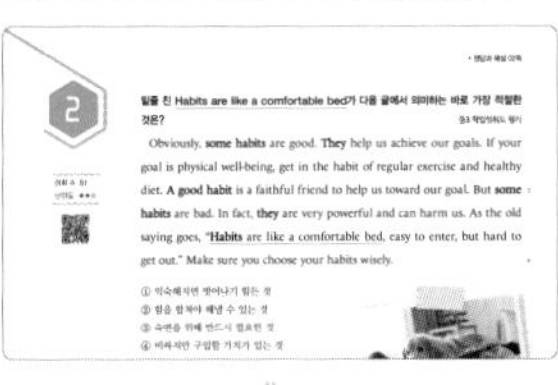

4 수능 유형을 파악하고 독해 지문 구조 파악하기

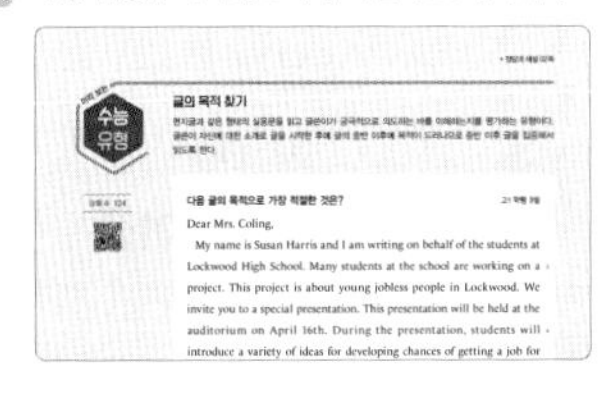

Level 2

수능 유형 분석 및 해결 전략 학습

1 수능 어휘 사전 학습으로 독해 준비

2 수능 유형 분석과 유형별 해결 전략 파악으로 수능 독해 기본기 쌓기

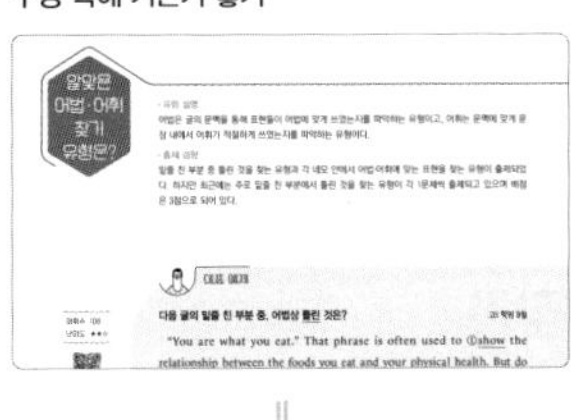

3 수능 유형별 독해 문제 및 유형에 맞는 문제 풀기

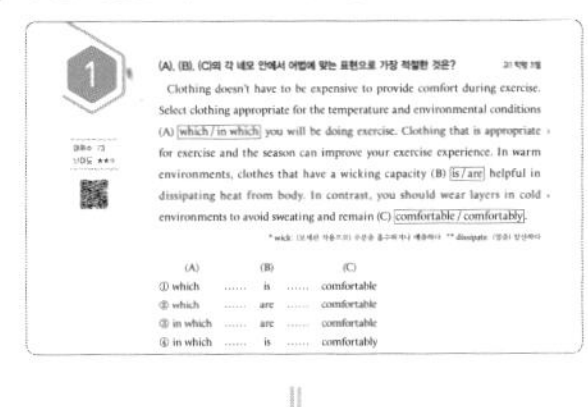

4 고난도 독해 문제 풀며 실력 향상하기

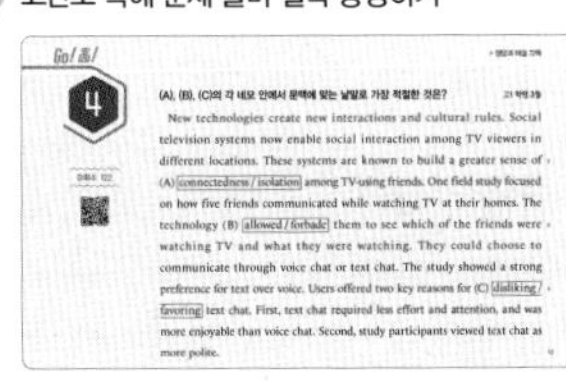

Level 3

수능 유형 학습 및 실전 모의고사 연습

1 수능 어휘 사전 학습으로 독해 준비

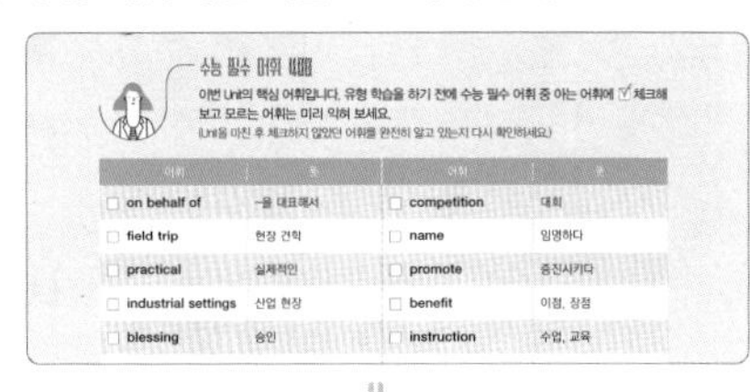

2 수능 유형 분석과 유형별 해결 전략 파악으로 수능 독해 빠르게 훑기

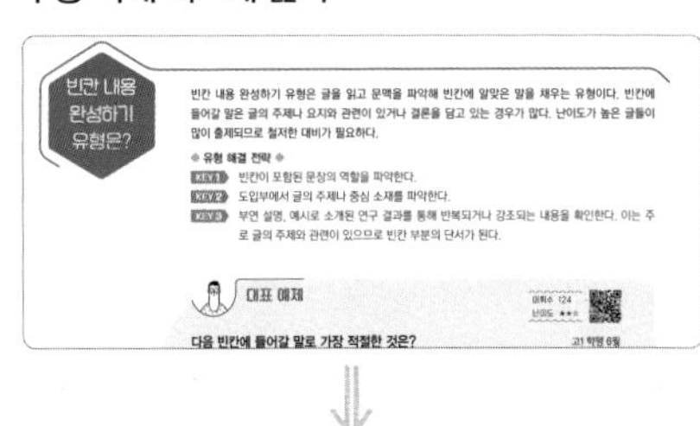

3 수능 유형별 독해 문제 풀며 유형 익히기

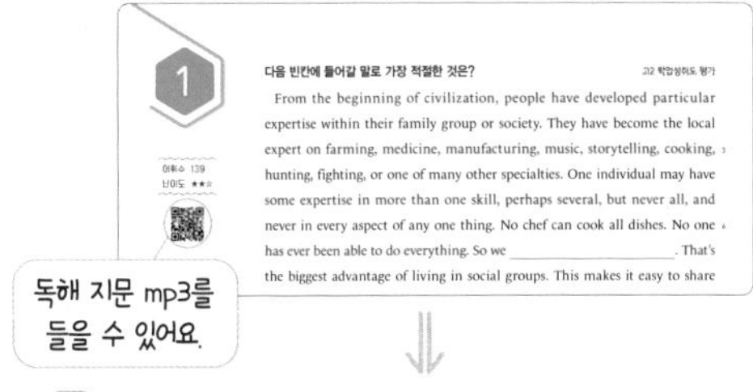

독해 지문 mp3를 들을 수 있어요.

4 고난도 독해 문제 풀며 실력 향상하기

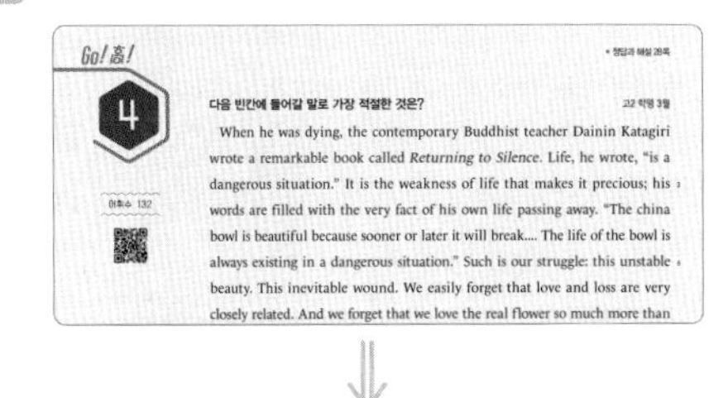

5 실전 모의고사 풀이로 실전 대비하기

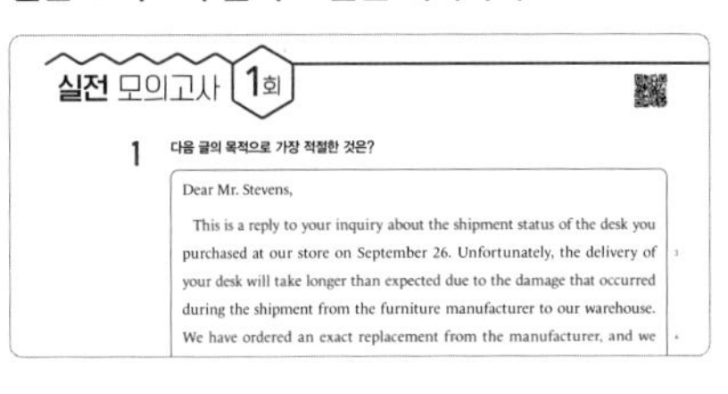

이 책의 목차 확인하고 학습 계획 짜기

PART 1
유형 학습

- 학습 전에 이 책의 학습 목차를 살펴보면서 배울 내용을 확인합시다.
- 자신의 학습 패턴에 맞게 학습 계획을 세운 후 꾸준히 학습합시다.
- 학습을 마친 후에는 학습 진행도에 체크하고 자신이 세운 계획에 맞게 학습하고 있는지를 점검해 봅시다.
- 학습 계획을 조정해야 되는 부분이 있으면 실천 가능하게 계획을 바꾸며 스스로 학습을 관리해 봅시다.

PART 2 실전 모의고사

회	단원 / 학습 내용	쪽수	학습일	학습 진행도 체크
1	**실전 모의고사 1회** ▪ 워크북: 어휘, 구문, 독해 학습하기	076 32	월 일	☐ 본책 ☐ 워크북 ☐ 미니 단어장
2	**실전 모의고사 2회** ▪ 워크북: 어휘, 구문, 독해 학습하기	088 35	월 일	☐ 본책 ☐ 워크북 ☐ 미니 단어장
3	**실전 모의고사 3회** ▪ 워크북: 어휘, 구문, 독해 학습하기	100 38	월 일	☐ 본책 ☐ 워크북 ☐ 미니 단어장
4	**실전 모의고사 4회** ▪ 워크북: 어휘, 구문, 독해 학습하기	112 41	월 일	☐ 본책 ☐ 워크북 ☐ 미니 단어장
5	**실전 모의고사 5회** ▪ 워크북: 어휘, 구문, 독해 학습하기	124 44	월 일	☐ 본책 ☐ 워크북 ☐ 미니 단어장

중학교 수능 영어 독해 어떻게 공부해야 하나요?

절대 평가 이후, 수능 영어를 중학교 때부터 준비하는 학습 트렌드가 생겼다. 그럼 중학생들은 어떻게 수능 공부를 해야 하는 것일까? 학생들의 이러한 고민을 해결해 주기 위해서 비상 영어 콘텐츠 연구팀이 전국의 영어 전문 학원 강사님과 중·고등학교 영어 선생님에게 수능 준비에 효율적인 학습법을 물었다.

중학생을 위한 수능 영어 학습법에 대한 설문 조사 결과

"수능 영어에서 가장 중요한 것은 〈어휘와 독해〉이다."

- 어휘 학습: 수능 영어 어휘는 한순간에 벼락치기 할 수 있는 수준이 아니다. **중학교 저학년 때부터 수능에 이르기까지 학습하고 있는 교재나 단어장을 꾸준히 반복 학습**하여 어휘의 폭을 넓히는 것이 매우 중요하다.
- 독해 학습: 수능 영어를 잘하기 위해서는 **중학교 때 기초를 다지는 것이 중요**하다.
  - 저학년 때는 **문장 분석과 글의 구조를 이해하는 데 집중하라!** 글의 구조 중에서는 주제문을 찾는 연습을 하는 것이 중요하다.
  - 그 다음엔 **수능 유형을 파악하고 문제 풀이 스킬을 익혀라!** 해당 유형마다 문제를 푸는 전략이 있다. 이 전략대로 푸는 법에 익숙해지도록 연습하라.
  - 마지막으로, 수능 유형과 문제 풀이 스킬을 재확인하고 **실전 연습을 하라!** 수능 유형에 대해 어느 정도 파악이 되었다면 시간과의 싸움이다. **독해 지문당 풀이 시간을 정하고 빠르고 정확하게 푸는 연습**을 꾸준히 하라.

비상 영어 콘텐츠 연구팀은 위와 같은 전국 영어 전문 학원 강사님과 중·고등학교 영어 선생님의 티칭 가이드를 토대로 중학교 1학년부터 수능 학습을 탄탄하게 준비할 수 있는 '중학생을 위한 수능 독해 영어 Level 1, 2, 3'을 개발했다.

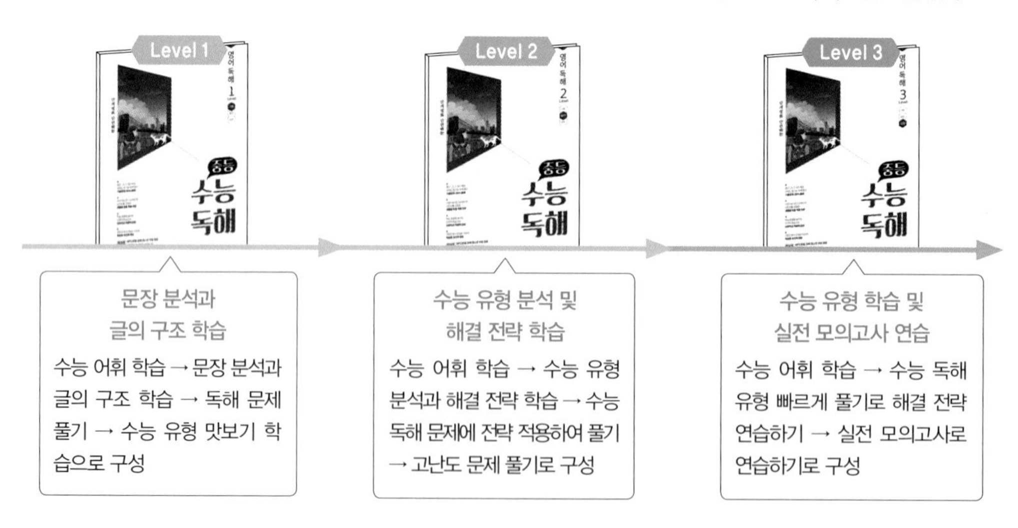

Level 1
수능 독해
Level 2
수능 독해
Level 3
수능 독해
문장 분석과 글의 구조 학습
수능 어휘 학습 → 문장 분석과 글의 구조 학습 → 독해 문제 풀기 → 수능 유형 맛보기 학습으로 구성
수능 유형 분석 및 해결 전략 학습
수능 어휘 학습 → 수능 유형 분석과 해결 전략 학습 → 수능 독해 문제에 전략 적용하여 풀기 → 고난도 문제 풀기로 구성
수능 유형 학습 및 실전 모의고사 연습
수능 어휘 학습 → 수능 독해 유형 빠르게 풀기로 해결 전략 연습하기 → 실전 모의고사로 연습하기로 구성

이제 여러분은 전국의 영어 전문 학원 강사님과 중·고등학교 영어 선생님들이 제시한 효율적인 학습법대로 공부하며 실력을 쌓기만 하면 된다. 그 학습 단계의 세 번째로 **Level 3. 수능 유형 학습 및 실전 모의고사 연습**에 대해 학습해 보자.

Level 3 수능 영어 절대 평가

I 수학 능력 시험 영어 영역 주요 정보

- **시험 시간:** 13:10~14:20
  (총 70분, 듣기 25분, 독해 45분)
- **문항 수:** 45문항
- **배점:** 100점 만점
- **문항당 배점:** 2, 3점 (3점 문항은 문제에 표기)
- **문제지 형태:** 홀수형, 짝수형 두 가지 형태로 제작 (수험 번호 홀짝 여부에 따라 해당 문제지 배부)

구분	시간	시험 준비 / 평가 영역	문항 수
3교시	13:00~13:10	– 수험생 확인 – 시험 준비 – 듣기 평가 안내방송	
	13:10~14:20 (70분)	듣기 평가(25분)	17문항
		독해 평가(45분)	28문항

II 수능 영어 절대 평가 등급

수능 영어 절대 평가는 원 점수 100점 만점을 기준으로 0점에서 100점까지 총 9등급이며, 각 등급은 아래 표와 같이 10점 단위로 나뉜다.

등급	1등급	2등급	3등급	4등급	5등급	6등급	7등급	8등급	9등급
원 점수	100~90점	89~80점	79~70점	69~60점	59~50점	49~40점	39~30점	29~20점	19~0점

III 수능 영어 독해 평가 영역

수능 영어는 고등학교 영어 I, 영어 II 과목의 소재와 독해 난이도를 바탕으로 학생들이 대학에서 학습할 수 있는 영어 능력을 어느 정도 갖추고 있는지를 평가한다. 수능 영어 독해의 평가 영역은 글의 중심 내용 파악하기, 세부 내용 파악하기, 논리적 관계 파악하기, 맥락 파악하기, 적절한 어법과 어휘 찾기 등이며 단문 독해뿐만 아니라 긴 지문과 복합 문단에 대한 독해 능력도 평가 대상이다.

Ⅳ 수학 능력 시험 영어 독해 영역 실전 준비

1. 문항별 세부 문제 유형과 소재 예시

수학 능력 시험은 오랜 기간 동안 다져온 견고한 체제의 시험이기 때문에 각 문항 번호에 나오는 문제 유형이 대체로 고정되어 있다. 따라서 시험 문제의 유형을 잘 이해하고 유형별 풀이 전략을 통해 문제를 해결하는 법을 익히는 것이 중요하다. 수능 영어의 소재는 영어 Ⅰ, 영어 Ⅱ 과목을 바탕으로 일화, 이야기, 인문, 경제, 정보 통신, 과학, 예술, 철학, 의학, 취미 등이 나오는데, 각 문항별로 어떤 소재, 어떤 종류의 글이 나오는지를 파악하는 것도 문제 풀이 방법을 찾고 배경지식을 쌓는 데 도움이 된다.

문항 번호	문제 유형	소재 예시
18	글의 목적 고르기	• 공원의 야간 소음에 대한 조치 요청 메일 • 요리대회 요리법 제출 변경 요청 메일
19	심경 및 심경 변화 고르기	• 역사 과목의 현장 학습에 대한 심경 • 서핑에 처음으로 도전한 심경
20	필자가 주장하는 바 고르기	• 어른들이 자유로운 놀이를 즐겨야 할 필요성 • 전쟁과 적을 개념화하는 것을 경계해야 하는 이유
21	밑줄 친 부분 의미 추론하기	• 지식과 창의력 사이 균형의 필요성 • 과학의 진정한 의미
22	글의 요지 고르기	• 문자 기록의 원동력이 되었던 경제 활동 • 정보 사회에서 상품 가치가 있는 정보
23	글의 주제 고르기	• 도덕성 발달에 대한 과학 설명의 어려움 • 기후 변화로부터 약소국을 지키기 위한 노력
24	글의 제목 고르기	• 생물 다양성과 침입성의 상관관계 • 큰 수로 인한 대규모 비극에 대한 무감각
25	도표 불일치 내용 고르기	• 세계 시골 인구와 도시 인구의 전기 사용 기회 • 미국 대학에 등록한 유학생 수와 출신국 순위
26	내용 불일치 고르기	• Nuer족의 생활 방식 • 작가 Marjori Kinnan Rawlings의 생애
27	안내문 불일치 고르기	• 녹차 신제품을 위한 포장 상자 디자인 대회 • 집라인 타기 홍보
28	안내문 일치 고르기	• 자선 배드민턴 경기 홍보 • 무선 충전 패드 사용법 안내
29	어법상 틀린 것 고르기	• 이집트 예술의 특징인 기념비적인 성격
30	문맥에 맞지 않는 말 고르기	• 사냥 후 먹잇감 이동을 위해 만든 배
31~34	빈칸 내용 고르기	• 과학 만능주의와 그에 대한 과학 철학의 입장 • 시간과 공간 개념을 혼동하는 이동 • 첨단 기술 제품의 미래 • 음악의 특징
35	전체 흐름과 관계 없는 문장 고르기	• 상식적인 지식이 가진 모순점 • 교통과 서비스 발달이 관광 산업에 끼친 영향
36~37	주어진 글에 이어질 글의 순서 고르기	• 우리가 영화를 즐기는 이유 • 실패로부터 회복이 빠른 아이들의 특성

38~39	주어진 문장 위치 고르기	• 철새와 텃새의 서식지 선택의 차이 • 텔레비전 광고의 장점
40	요약문 빈칸 내용 고르기	• 코끼리의 인사 행동에 담긴 의미 • 화석 연료를 선호하는 이유
41	긴 지문) 제목 고르기	• 과학 교육의 변화 • 산업 자본주의와 여가의 탄생
42	긴 지문) 문맥에 맞지 않는 말 고르기	
43	복합 문단) 주어진 글에 이어질 글의 순서 고르기	• Marie와 Nina가 함께 드라이브하며 겪은 일화
44	복합 문단) 지칭 대상 다른 것 고르기	
45	복합 문단) 내용 불일치 고르기	

2. 수능 영어 독해 실전 준비

■ 문제 풀이 시간 관리

수능 영어 시험에서 시험의 성패를 결정하는 것은 시간 전략과 어려운 유형 문제 풀이의 정확성이다. 수능 영어 시험은 총 45문항으로 70분 동안 진행되는데, 듣기를 제외하면 독해 28문항을 45분 동안 풀어야 한다. 따라서, 한 문제당 1분 30초 이내에 문제를 해결해야 한다. 하지만, 긴 독해 지문과 복합 문단 지문에서 소요되는 시간을 고려하여 다른 문제들을 더 빨리 풀어야 한다. 그러므로 평소에 독해 문제를 풀면서 시간 내에 문제 푸는 훈련을 하는 것이 중요하다.

■ 수능 시험에서 고득점을 얻으려면?

수능 시험에서 고득점을 얻으려면 기본 유형을 완전히 파악한 후에 고난도 문제 유형에 대한 공부를 좀더 집중적으로 해야 한다. 고난도 문제 유형은 주로 3점 유형으로 자주 출제되는 밑줄 친 부분의 의미 파악, 빈칸 추론, 글의 순서 파악, 주어진 문장의 위치 파악, 어법, 어휘 등이다. 이 중 빈칸 추론과 글의 순서 파악 유형은 매년 3점 문제로 출제된다.

• 빈칸 추론

빈칸 추론 유형은 글의 논리적인 흐름에 맞게 빈칸에 들어갈 적절한 단어, 어구, 절이나 문장을 고르는 유형이다. 학생들이 가장 어려워하는 유형으로 빈칸 유형은 주로 글의 요지나 주제 부분에 빈칸이 오는 경우가 많다. 이 유형을 풀 때는 글의 구조와 빈칸 주변의 단서들을 종합해서 신중하게 정답을 골라야 한다.

• 글의 순서 파악

글의 순서 파악 유형은 주어진 글에 이어질 세 개의 문단을 논리적으로 배열하여 하나의 자연스러운 글로 구성할 수 있는가를 평가하는 유형이다. 글의 주제와 흐름을 빠르게 파악하여 전후 관계를 논리적으로 판단해야 한다. 특히, 연결사와 정관사 the의 쓰임이나 지시어 등의 단서를 꼼꼼하게 파악하여 풀어야 한다.

특허 받은 영어 학습 인공지능 시스템으로 개발한 최초의 중등 수능 독해 영어 기출 문제집으로 수능 실력을 높이자!

PART 1

유형 학습

글의 목적 찾기

수능 필수 어휘 400

이번 Unit의 핵심 어휘입니다. 유형 학습을 하기 전에 수능 필수 어휘 중 아는 어휘에 ☑ 체크해 보고 모르는 어휘는 미리 익혀 보세요.
(Unit을 마친 후 체크하지 않았던 어휘를 완전히 알고 있는지 다시 확인하세요.)

어휘	뜻	어휘	뜻
☐ on behalf of	~을 대표해서	☐ competition	대회
☐ field trip	현장 견학	☐ name	임명하다
☐ practical	실제적인	☐ promote	증진시키다
☐ industrial settings	산업 현장	☐ benefit	이점, 장점
☐ blessing	승인	☐ instruction	수업, 교육
☐ director	책임자, 장	☐ chief	주된, 최고위자인
☐ shelter	보호소	☐ judge	심사 위원
☐ appreciate	감사하다	☐ definitely	단연
☐ support	후원, 지원	☐ strongly	강력하게
☐ look after	~을 돌보다	☐ serve	~로서 일하다
☐ facility	시설	☐ contribution	공헌
☐ fill up with	~으로 가득 차다	☐ workshop	워크숍, 연수
☐ adopt	입양하다	☐ skill	기술
☐ behavioral	행동의, 행동상의	☐ similar	비슷한
☐ resident	거주인	☐ include	포함하다
☐ after-school	방과 후의	☐ inspiring	고무하는, 감격시키는
☐ retire from	~에서 은퇴하다	☐ lecture	강연
☐ several	몇몇의	☐ be in contact with	~와 연락하다
☐ award	상	☐ assistance	도움
☐ national	전국의	☐ regards	안부

글의 목적 찾기 유형은 전체적인 글의 흐름을 이해하면서 필자가 독자에게 말하고자 하는 바를 찾는 유형이다. 난이도는 쉬운 편이며, 편지글, 이메일, 공고문, 추천서 등의 형식으로 자주 출제된다. 주로 글 도입부에 글을 쓰게 된 배경이 소개되고, 중후반부에 본격적인 목적이 드러난다.

◆ **유형 해결 전략** ◆

KEY 1 글 도입부에는 보내는 사람과 받는 사람의 관계, 글을 쓰게 된 배경 등이 나오므로, 도입부에서 필자가 글을 쓰게 된 동기를 파악한다.

KEY 2 글의 목적을 나타내는 핵심 표현들인 want, hope, wish, ask, need 같은 동사나 조동사, 명령문 등에 특히 유의하며 글의 목적을 파악한다.

KEY 3 글 후반부에는 글의 목적에 대한 부연 설명이 오는 경우가 많으므로, 이를 통해 목적을 재확인한다.

대표 예제

다음 글의 목적으로 가장 적절한 것은? 고1 학평 6월

Dear Mr. Anderson

On behalf of Jeperson High School, I am writing this letter to request permission to conduct an industrial field trip in your factory. We hope to give some practical education to our students as to how things are done in industrial settings. With this purpose in mind, we believe your firm is ideal to carry out such a project. But of course, we need your blessing and support. 35 students would be accompanied by two teachers. And we would just need a day for the trip. I would be grateful for your help.

Sincerely,
Mr. Ray Feynman

KEY 1 글을 쓰게 된 동기 파악

KEY 2 특정 상황과 핵심 표현에 유의해 목적 파악

KEY 3 후반부를 통해 목적 재확인

① 공장 견학 허가를 요청하려고
② 단체 연수 계획을 공지하려고
③ 입사 방법을 문의하려고
④ 출장 신청 절차를 확인하려고
⑤ 공장 안전 점검 계획을 통지하려고

● 정답과 해설 02쪽

어휘수 110
난이도 ★☆☆

다음 글의 목적으로 가장 적절한 것은? 고1 학평 9월

Dear Community Members,

As the director of Save-A-Pet Animal Shelter, I appreciate your help and support in looking after our animals. Unfortunately, our facility is unable to care for animals with special needs. Without community members who will take these pets into their homes, our shelter can quickly fill up with difficult-to-adopt cases. Because of this, we cannot bring in and help more pets. Consider adopting a pet with medical or behavioral needs, or even a senior one. Come into our adoption center and meet some of our longer-term residents. It takes an entire community to save animals' lives — we cannot do it without you!

Sincerely,
Dr. Sarah Levitz

① 반려동물 입양을 요청하려고
② 유기견 보호 센터 개설을 알리려고
③ 동물 보호 정책 강화를 요구하려고
④ 동물 구조 자원봉사자를 모집하려고
⑤ 동물 보호 단체 가입 방법을 안내하려고

어휘 **director** 책임자, 장 **shelter** 보호소 **appreciate** 감사하다 **support** 후원, 지원 **look after** ~을 돌보다 **facility** 시설 **pet** 반려동물 **fill up with** ~으로 가득 차다 **adopt** 입양하다 **behavioral** 행동의, 행동상의 **resident** 거주인

다음 글의 목적으로 가장 적절한 것은?

고1 학평 6월

어휘수 101
난이도 ★☆☆

Dear Parents,

As you know, Sandy Brown, our after-school swimming coach for six years, retired from coaching last month. So, Virginia Smith, who swam for Bredard Community College and has won several awards in national competitions, has been named the school's new swimming coach. This is her first job as a coach, and she is going to start working from next week. She will teach her class in the afternoons, and continue with our summer program. By promoting the health benefits of swimming, she hopes that more students will get healthy through her instruction.

Sincerely,
Fred Wilson
Principal, Riverband High School

① 새로운 수영 코치를 소개하려고
② 수영 강좌의 폐강을 통보하려고
③ 수영 코치의 퇴임식을 공지하려고
④ 수영부의 대회 입상을 축하하려고
⑤ 수영의 건강상 이점을 홍보하려고

어휘 **after-school** 방과 후의 **retire from** ~에서 은퇴하다 **several** 몇몇의 **award** 상 **national** 전국의 **competition** 대회 **name** 임명하다 **promote** 증진시키다 **benefit** 이점, 정점 **instruction** 수업, 교육

다음 글의 목적으로 가장 적절한 것은?

고2 학업성취도 평가

어휘수 125
난이도 ★☆☆

Dear Ms. Ellison,

This is Jason Kelly, the chief organizer of the 2019 Concord Movie Festival. I'm writing this email to invite you to be a judge in the festival this year. Last year, we were very pleased to have you as a judge in our festival. Many of our staff members have good memories of you. They also told me that you were definitely the best judge and made the 2018 movie festival a great success. They all strongly recommended you, so we would gladly like to ask you to serve as a judge again for this year's festival. We all believe that your contribution will be of great help to our festival. I look forward to hearing from you soon.

Sincerely,
Jason Kelly

① 새로운 영화제를 홍보하려고
② 영화제 지원 방안을 제안하려고
③ 영화제 심사 기준을 설명하려고
④ 영화제 일정 변경을 공지하려고
⑤ 영화제 심사 위원으로 위촉하려고

어휘 chief 주된, 최고위자인 invite 초대하다, 초청하다 judge 심사 위원 definitely 단연 strongly 강력하게 serve ~로서 일하다 contribution 공헌

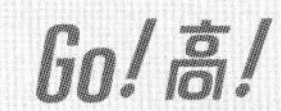

다음 글의 목적으로 가장 적절한 것은? 고2 학평 3월

어휘수 87

Dear Tony,

I'm writing to ask you for some help. For this year's workshop, we would really like to take all our staff on a trip to Bridgend to learn more about new leadership skills in the industry. I remember that your company took a similar course last year. It included an inspiring lecture by an Australian lady. Are you still in contact with her? If so, could you let me know her number or email address? I would really appreciate your assistance.

Kind regards,
Luke Schreider

① 직원 연수 진행을 부탁하려고
② 연수 강사의 연락처를 문의하려고
③ 연수에서 강연할 원고를 의뢰하려고
④ 리더십 개발 연수 참석을 권유하려고
⑤ 연수자 명단을 보내 줄 것을 요청하려고

어휘 workshop 워크숍, 연수 skill 기술 similar 비슷한 include 포함하다 inspiring 고무하는, 감격시키는 lecture 강연 be in contact with ~와 연락하다 assistance 도움 regards 안부

내용 일치·불일치 찾기

수능 필수 어휘 400

이번 Unit의 핵심 어휘입니다. 유형 학습을 하기 전에 수능 필수 어휘 중 아는 어휘에 ☑ 체크해 보고 모르는 어휘는 미리 익혀 보세요.
(Unit을 마친 후 체크하지 않았던 어휘를 완전히 알고 있는지 다시 확인하세요.)

어휘	뜻	어휘	뜻
☐ decrease	줄다, 감소하다	☐ be located in	~에 위치해 있다
☐ drop	떨어지다	☐ population	인구
☐ peak	최고점, 정점	☐ consist of	~로 이루어지다
☐ opposite	정반대의	☐ symbolize	상징하다
☐ path	방향, 길	☐ mixture	혼합
☐ historical	역사적인	☐ widely	널리
☐ knowledge	지식	☐ mathematician	수학자
☐ particularly	특히	☐ astronomer	천문학자
☐ draw one's attention	~의 관심을 끌다	☐ devote	바치다, 전념하다
☐ translate	번역하다	☐ initially	처음에
☐ escape	탈출하다	☐ optics	광학
☐ device	장치, 기기	☐ telescope	망원경
☐ access	접속(하다)	☐ motion	운동
☐ consider	생각하다, 고려하다	☐ achievement	업적
☐ connect	접속하다, 연결하다	☐ accurate	정확한
☐ pass	추월하다	☐ astronomical	천문학의
☐ select	선택하다, 고르다	☐ carry out	~을 수행하다
☐ official	공식적인	☐ Saturn	토성
☐ capital	수도	☐ moon	위성
☐ government	정부, 행정	☐ description	기술, 설명, 묘사

내용 일치·불일치 찾기 유형은 크게 전기문·일화 등의 글에 제시된 세부 내용이나 세부 정보를 파악하는 유형과 도표를 살펴보고 글의 내용이 도표 설명과 일치하는지를 파악하는 유형이 있다.

◆ 유형 해결 전략 ◆

KEY 1 도표가 등장하는 경우에는 도표 제목을 통해 주제가 무엇인지 먼저 파악한다.

KEY 2 도표는 비교 대상 및 그래프 수치가 의미하는 것이 무엇인지 파악한다. 전기문·일화 등의 글에서는 선택지를 먼저 읽고 난 다음에 글의 내용을 예측한다.

KEY 3 도표는 글 속에서 증감, 변화, 비교 표현 등을 확인하며 도표 수치와 글의 내용을 대조한다. 전기문·일화 등의 글에서는 선택지가 지문 순서대로 나오는 경우가 많으므로, 선택지와 글의 내용을 하나씩 대조하며 답을 찾는다.

대표 예제

어휘수 109
난이도 ★★☆

다음 도표의 내용과 일치하지 않는 것은? 고1 학평 6월

KEY 1 도표 제목 확인

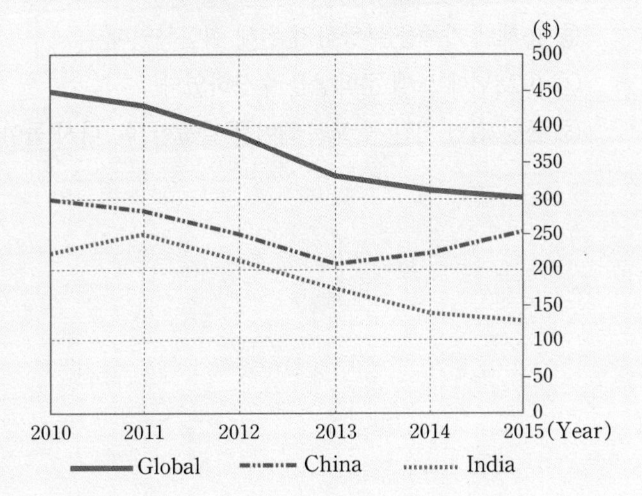

KEY 2 비교 대상 및 그래프의 수치 파악

KEY 3 증감, 변화, 비교 표현을 확인하며 도표와 대조

The above graph shows the smartphone average prices in China and India between 2010 and 2015, compared with the global smartphone average price during the same period. ① The global smartphone average price decreased from 2010 to 2015, but still stayed the highest among the three. ② The smartphone average price in China dropped between 2010 and 2013. ③ The smartphone average price in India reached its peak in 2011. ④ From 2013, China and India took opposite paths, with China's smartphone average price going down and India's going up. ⑤ The gap between the global smartphone average price and the smartphone average price in China was the smallest in 2015.

• 정답과 해설 07쪽

1

어휘수 124
난이도 ★☆☆

Sigrid Undset에 관한 다음 글의 내용과 일치하지 않는 것은? 고1 학평 6월

Sigrid Undset was born on May 20, 1882, in Denmark. She was the eldest of three daughters. She moved to Norway at the age of two. When she was young, she was strongly influenced by her father's historical knowledge. At the age of sixteen, she got a job at an engineering company to support her family. She read a lot, so she learned much about Nordic as well as foreign literature, particularly English literature. She wrote thirty six books. All of her books drew reader's attention. She received the Nobel Prize for Literature in 1928. One of her novels has been translated into more than eighty languages. She escaped Norway during the German occupation, but she returned after the end of World War II.

* Nordic: 북유럽 사람(의)

① 세 자매 중 첫째 딸로 태어났다.
② 어린 시절의 삶은 아버지의 역사적 지식에 큰 영향을 받았다.
③ 16세에 가족을 부양하기 위해 취업하였다.
④ 1928년에 노벨 문학상을 수상하였다.
⑤ 독일 점령 기간 중 노르웨이를 탈출한 후, 다시 돌아오지 않았다.

어휘 **be influenced by** ~에 의해 영향을 받다 **historical** 역사적인 **knowledge** 지식 **particularly** 특히 **draw one's attention** ~의 관심을 끌다 **translate** 번역하다 **escape** 탈출하다 **occupation** 점령

어휘수 136
난이도 ★☆☆

다음 도표의 내용과 일치하지 않는 것은? 고1 학평 6월

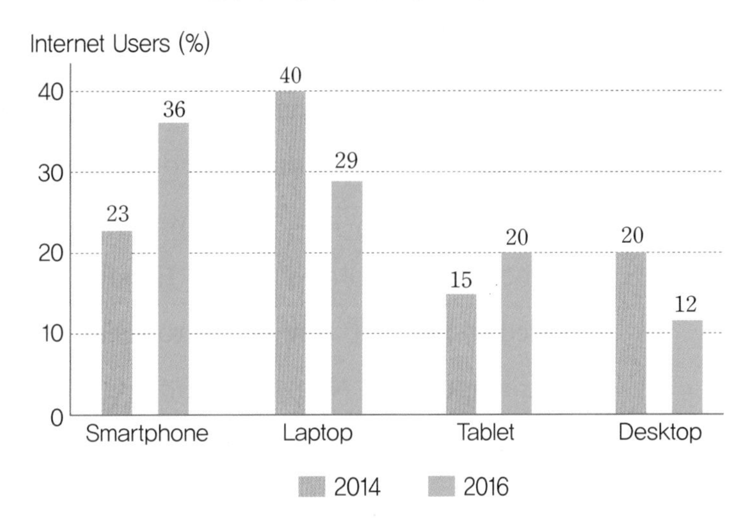

The above graph shows what devices British people considered the most important when they connected to the Internet in 2014 and 2016. ① More than a third of UK Internet users considered smartphones to be their most important device for accessing the Internet in 2016. ② In the same year, the smartphone passed the laptop as the most important device for Internet access. ③ In 2014, UK Internet users were the least likely to select a tablet as their most important device for Internet access. ④ In contrast, they were the least likely to consider a desktop as their most important device for Internet access in 2016. ⑤ UK Internet users who selected a desktop as their most important device for Internet access increased by half from 2014 to 2016.

어휘 device 장치, 기기 access 접속(하다) consider 생각하다, 고려하다 connect 접속하다, 연결하다 pass 추월하다 select 선택하다, 고르다

어휘수 124
난이도 ★★☆

Nauru에 관한 다음 글의 내용과 일치하지 않는 것은? 고1 학평 6월

Nauru is an island country in the southwestern Pacific Ocean. It is located about 800 miles to the northeast of the Solomon Islands; its closest neighbor is the island of Banaba, some 200 miles to the east. Nauru has no official capital, but government buildings are located in Yaren. With a population of about 10,000, Nauru is the smallest country in the South Pacific and the third smallest country by area in the world. The native people of Nauru consist of 12 tribes, as symbolized by the 12-pointed star on the Nauru flag, and are believed to be a mixture of Micronesian, Polynesian, and Melanesian. Their native language is Nauruan, but English is widely spoken as it is used for government and business purposes.

① 솔로몬 제도로부터 북동쪽에 위치해 있다.
② 공식 수도는 없으나 Yaren에 정부 건물이 있다.
③ 면적이 세계에서 세 번째로 작은 국가이다.
④ 원주민은 12개의 부족으로 구성되어 있다.
⑤ 모국어가 있어 다른 언어는 사용하지 않는다.

어휘 **official** 공식적인 **capital** 수도 **government** 정부, 행정 **be located in** ~에 위치해 있다 **population** 인구 **consist of** ~로 이루어지다 **symbolize** 상징하다 **mixture** 혼합 **widely** 널리

어휘수 127

Christiaan Huygens에 관한 다음 글의 내용과 일치하지 않는 것은? 고2 학평 3월

Dutch mathematician and astronomer Christiaan Huygens was born in The Hague in 1629. He studied law and mathematics at his university, and then devoted some time to his own research, initially in mathematics but then also in optics, working on telescopes and grinding his own lenses. Huygens visited England several times, and met Isaac Newton in 1689. In addition to his work on light, Huygens had studied forces and motion, but he did not accept Newton's law of universal gravitation. Huygens' wide-ranging achievements included some of the most accurate clocks of his time, the result of his work on pendulums. His astronomical work, carried out using his own telescopes, included the discovery of Titan, the largest of Saturn's moons, and the first correct description of Saturn's rings.

* grind: 갈다, 연마하다 ** pendulum: 시계추

① 대학에서 법과 수학을 공부했다.
② 1689년에 뉴턴을 만났다.
③ 뉴턴의 만유인력 법칙을 받아들였다.
④ 당대의 가장 정확한 시계 중 몇몇이 업적에 포함되었다.
⑤ 자신의 망원경을 사용하여 천문학 연구를 수행했다.

어휘 **mathematician** 수학자 **astronomer** 천문학자 **devote** 바치다, 전념하다 **initially** 처음에 **optics** 광학 **telescope** 망원경 **motion** 운동 **universal gravitation** 만유인력 **achievement** 업적 **accurate** 정확한 **astronomical** 천문학의 **carry out** ~을 수행하다 **Titan** 타이탄(토성의 위성) **Saturn** 토성 **moon** 위성 **description** 기술, 설명, 묘사

글의 주제·제목 찾기

수능 필수 어휘 400

이번 Unit의 핵심 어휘입니다. 유형 학습을 하기 전에 수능 필수 어휘 중 아는 어휘에 ☑ 체크해 보고 모르는 어휘는 미리 익혀 보세요.
(Unit을 마친 후 체크하지 않았던 어휘를 완전히 알고 있는지 다시 확인하세요.)

어휘	뜻	어휘	뜻
☐ honesty	양심, 정직(성)	☐ deceive	속이다
☐ place	놓다, 두다	☐ please	기쁘게 하다
☐ alternately	번갈아가며	☐ mutual	상호 간의
☐ display	놓아두다, 전시하다	☐ psychological	심리적인
☐ psychology	심리	☐ interest	이익
☐ subtle	미묘한	☐ awkward	어색한
☐ cue	신호	☐ self-esteem	자존감
☐ implication	암시	☐ differentiate	구별하다
☐ outcome	성과	☐ wonder	궁금해하다
☐ involve	관련되다	☐ fall over	넘어지다
☐ effort	노력	☐ direction	방향
☐ compassion	연민	☐ bend	구부러지다
☐ in trouble	곤경에 처한	☐ swing	흔들리다
☐ matter	문제	☐ tail	꼬리
☐ be down	낙담하다	☐ tendency	경향
☐ occasional	때때로의	☐ off course	경로 밖으로
☐ sacrifice	희생	☐ sweetener	감미료
☐ charity	자선	☐ motive	동기
☐ relationship	관계	☐ ingredient	성분
☐ compliment	칭찬	☐ indicate	보여 주다, 암시하다

글의 주제·제목 찾기 유형은?

글의 주제·제목 찾기 유형은 글을 통해 필자가 독자에게 전하고자 하는 중심 내용을 알아내는 유형이다. 따라서 글의 세부 내용보다는 전반적인 흐름이나 필자의 주된 생각을 잘 파악해야 한다. 이 유형은 주로 첫 번째 문장에 글의 주제가 드러나는 경우가 많으므로 글의 도입부에 유의해야 한다.

◆ **유형 해결 전략** ◆

KEY 1 글의 도입부에서 글의 중심 소재를 파악한다.

KEY 2 부연 설명이나 구체적 사례에서 등장하는 반복되는 표현을 통해 핵심 내용을 파악한다. 특히 but, however 등과 같은 역접 접속사에 주목한다.

KEY 3 앞서 파악한 핵심 내용과 부연 설명을 종합하여 글의 주제나 제목을 추측한다.

대표 예제

다음 글의 제목으로 가장 적절한 것은? 고1 학평 6월

KEY 1 글의 중심 소재 파악

KEY 2 실험 과정과 결과를 통해 핵심 내용 파악

KEY 3 핵심 내용을 종합하여 제목 추측

Near an honesty box, in which people placed coffee fund contributions, researchers at Newcastle University in the UK alternately displayed images of eyes and of flowers. Each image was displayed for a week at a time. During all the weeks in which eyes were displayed, bigger contributions were made than during the weeks when flowers were displayed. Over the ten weeks of the study, contributions during the 'eyes weeks' were almost three times higher than those made during the 'flowers weeks.' It was suggested that 'the evolved psychology of cooperation is highly sensitive to subtle cues of being watched,' and that the findings may have implications for how to provide effective nudges toward socially beneficial outcomes.

* nudge: 넌지시 권하기

① Is Honesty the Best Policy?
② Flowers Work Better than Eyes
③ Contributions Can Increase Self-Respect
④ The More Watched, The Less Cooperative
⑤ Eyes: Secret Helper to Make Society Better

• 정답과 해설 12쪽

1

어휘수 108
난이도 ★★☆

다음 글의 주제로 가장 적절한 것은? 고1 학평 6월

Like anything else involving effort, compassion takes practice. We have to try to help those who are in trouble. Sometimes offering help is a simple matter that is not out of our way — remembering to speak a kind word to someone who is down, or spending an occasional Saturday morning volunteering. At other times, helping involves some real sacrifice. "A bone to the dog is not charity," Jack London said. "Charity is the bone shared with the dog, when you are just as hungry as the dog." If we practice helping others, we'll be ready to act when those times which require real, hard sacrifice come along.

① benefits of living with others in harmony
② effects of practice in speaking kindly
③ importance of practice to help others
④ means for helping people in trouble
⑤ difficulties with forming new habits

어휘 involve 관련되다 effort 노력 compassion 연민 in trouble 곤경에 처한 matter 문제 be down 낙담하다 occasional 때때로의 sacrifice 희생 charity 자선 share 나누다, 공유하다

• 정답과 해설 13쪽

어휘수 109
난이도 ★★☆

다음 글의 주제로 가장 적절한 것은? 고1 학평 9월

Social relationships benefit from people giving each other compliments from time to time because people like to be liked and receive compliments. In that respect, social lies such as deceiving but pleasing words ("I like your new haircut.") may benefit mutual relations. Social lies are told for psychological reasons and serve both self-interest and the interest of others. They serve self-interest because liars notice that their lies could please others, or avoid an awkward situation or discussions. They serve the interest of others because hearing the truth all the time ("You look much older now than you did a few years ago.") could damage a person's confidence and self-esteem.

① ways to differentiate between truth and lies
② roles of self-esteem in building relationships
③ importance of praise in changing others' behaviors
④ balancing between self-interest and public interest
⑤ influence of social lies on interpersonal relationships

어휘 relationship 관계 benefit 이롭다 compliment 칭찬 receive 받다 deceive 속이다 please 기쁘게 하다 mutual 상호 간의 psychological 심리적인 interest 이익 awkward 어색한 self-esteem 자존감 differentiate 구별하다

어휘수 123
난이도 ★★★

다음 글의 주제로 가장 적절한 것은? 고1 학평 6월

Have you ever wondered why a dog doesn't fall over when he changes directions while running? When a dog is running and has to turn quickly, he throws the front part of his body in the direction he wants to go. His back then bends, but his hind part will still continue in the original direction. Naturally, this turning movement might result in the dog's hind part swinging wide. And this could greatly slow his rate of movement or even cause the dog to fall over as he tries to make a high-speed turn. However, the dog's tail helps to prevent this. Throwing his tail in the same direction that his body is turning serves to reduce the tendency to spin off course.

* hind: 뒤쪽의

① effects of a dog's weight on its speed
② role of a dog's tail in keeping balance
③ factors causing a dog's bad behaviors
④ importance of training a dog properly
⑤ reasons why a dog jumps on people

어휘 wonder 궁금해하다 fall over 넘어지다 direction 방향 bend 구부러지다 swing 흔들리다 rate 속도 tail 꼬리 tendency 경향 spin 돌다, 회전하다 off course 경로 밖으로 properly 올바르게, 적절하게

• 정답과 해설 13쪽

어휘수 116

다음 글의 제목으로 가장 적절한 것은? 고2 학평 3월

The government laws require sugar to be listed first on food product labels. But if a food has different sweeteners, they can be listed farther down on the list. This requirement has led the food industry to put in three different sources of sugar so that they don't have to say the food has that much sugar. So sugar doesn't appear first. Whatever the true motive, ingredient labeling doesn't tell how much sugar is in the food, certainly not in simple language. A world-famous cereal brand's label, for example, indicates that the cereal has 11 grams of sugar per serving. But nowhere does it tell consumers that more than one-third of the box contains added sugar.

① Artificial Sweeteners: Good or Bad?
② Consumer Benefits of Ingredient Labeling
③ Sugar: An Energy Booster for Your Brain
④ Truth About Sugar Hidden in Food Labels
⑤ What Should We Do to Reduce Sugar Intake?

어휘 **sugar** 설탕 **list** 목록에 올리다 **product** 제품 **sweetener** 감미료 **farther** 더 멀리 **requirement** 요구, 요구 조건 **source of sugar** 당의 원료 **appear** 나타나다, 드러나다 **motive** 동기 **ingredient** 성분 **indicate** 보여 주다, 암시하다

글의 주장·요지 찾기

수능 필수 어휘 400

이번 Unit의 핵심 어휘입니다. 유형 학습을 하기 전에 수능 필수 어휘 중 아는 어휘에 ☑ 체크해 보고 모르는 어휘는 미리 익혀 보세요.
(Unit을 마친 후 체크하지 않았던 어휘를 완전히 알고 있는지 다시 확인하세요.)

어휘	뜻	어휘	뜻
☐ **dish**	요리, 음식	☐ **accomplish**	달성하다
☐ **entire**	전체의	☐ **reward**	보상
☐ **experiment**	실험	☐ **honor**	상
☐ **quantity**	양	☐ **hand out**	~을 부여하다
☐ **protein**	단백질	☐ **merit**	칭찬, 장점
☐ **plate**	그릇	☐ **guarantee**	보장하다
☐ **wisdom**	지혜	☐ **goal-oriented**	목표 지향적인
☐ **dessert**	디저트	☐ **mind-set**	사고방식, 태도
☐ **own**	소유하다, 갖다	☐ **motivate**	동기를 주다
☐ **educational**	교육적인	☐ **achieve**	얻다, 달성하다
☐ **essence**	본질	☐ **long-term**	장기적인
☐ **delight**	즐거워하다	☐ **goal-less**	목표 지향적이지 않은
☐ **immediate**	즉각적인	☐ **repeatedly**	반복적으로
☐ **silly**	실없는	☐ **continuously**	계속적으로
☐ **have control over**	~을 제어하다	☐ **look forward to**	~하기를 간절히 바라다
☐ **praise**	칭찬	☐ **annual**	연간의
☐ **critical**	중요한	☐ **statistics**	통계
☐ **impact**	효과	☐ **distraction**	정신을 흩뜨리는 것
☐ **express**	표현하다	☐ **focus on**	~에 집중하다
☐ **praiseworthy**	칭찬할 만한	☐ **encourage**	고무시키다, 격려하다

글의 주장·요지 찾기 유형은 필자가 이야기하고자 하는 바를 찾는 유형이다. 글의 도입부에는 주로 배경 설명이 나오고, 중반부에 필자의 의도가 나타나는 경우가 많다.

◆ 유형 해결 전략 ◆

KEY 1 글의 도입부에서 핵심 소재 및 주제를 파악한다.

KEY 2 부연 설명과 반복되는 표현을 통해 필자의 관점을 파악한다. 명령문이나 부정명령문, should, have to, need와 같은 조동사들, necessary, important와 같은 형용사들이 쓰인 문장이 주장을 확실히 드러내므로 이러한 부분에 특히 주목한다.

KEY 3 후반부 내용을 종합하여 필자의 주장 및 요지를 재확인한다.

대표 예제

다음 글에서 필자가 주장하는 바로 가장 적절한 것은? 고1 학평 6월

KEY 1 핵심 소재 파악

KEY 2 필자의 관점 파악

KEY 3 주장 재확인

The dish you start with serves as an anchor food for your entire meal. Experiments show that people eat nearly 50 percent greater quantity of the food they eat first. If you start with a dinner roll, you will eat more starches, less protein, and fewer vegetables. Eat the healthiest food on your plate first. According to age-old wisdom, vegetables are the healthiest food. Therefore, eating the healthiest food first means starting with vegetables or salad. If you are going to eat something unhealthy, at least save it for last. If you do that, you can eat healthier food more before you start to eat starches or sugary desserts.

* anchor: 닻 ** starch: 녹말, 탄수화물

① 피해야 할 음식 목록을 만들어라.
② 다양한 음식들로 식단을 구성하라.
③ 음식을 조리하는 방식을 바꾸어라.
④ 자신의 입맛에 맞는 음식을 찾아라.
⑤ 건강에 좋은 음식으로 식사를 시작하라.

● 정답과 해설 17쪽

1

어휘수 98
난이도 ★☆☆

다음 글에서 필자가 주장하는 바로 가장 적절한 것은? 고1 학평 6월

Language play is good for children's language learning and development, and therefore we should strongly encourage, and even join in their language play. However, the play must be owned by the children. If it becomes another educational tool for adults to use to produce outcomes, it loses its very essence. Children need to be able to delight in creative and immediate language play, to say silly things and make themselves laugh, and to have control over the pace, timing, direction, and flow. When children are allowed to develop their language play, a range of benefits result from it.

① 아이들이 언어 놀이를 주도하게 하라.
② 아이들의 질문에 즉각적으로 반응하라.
③ 아이들에게 다양한 언어 자극을 제공하라.
④ 대화를 통해 아이들의 공감 능력을 키워라.
⑤ 언어 놀이를 통해 자녀와의 관계를 회복하라.

어휘 development 발달 own 소유하다, 갖다 educational 교육적인 outcome 결과 essence 본질 delight 즐거워하다 immediate 즉각적인 silly 실없는 have control over ~을 제어하다 pace 속도 flow 흐름

어휘수 129
난이도 ★★☆

다음 글의 요지로 가장 적절한 것은? 고1 학평 6월

Certainly praise is critical to a child's sense of self-esteem, but when given too often for too little, it kills the impact of real praise when it is called for. Everyone needs to know they are valued and appreciated, and praise is one way of expressing such feelings — but only after something *praiseworthy* has been accomplished. Awards are supposed to be *rewards* — reactions to positive actions, honors for *doing something well*! The ever-present danger in handing out such honors too lightly is that children may come to depend on them and do only those things that they know will result in prizes. If they are not sure they can do well enough to earn merit badges, or if gifts are not guaranteed, they may avoid certain activities.

① 올바른 습관은 어린 시절에 형성된다.
② 칭찬은 아이의 감성 발달에 필수적이다.
③ 아이에게 칭찬을 남발하지 않는 것이 중요하다.
④ 물질적 보상은 학습 동기 부여에 도움이 되지 않는다.
⑤ 아이에게 감정 표현의 기회를 충분히 줄 필요가 있다.

어휘 praise 칭찬 critical 중요한 impact 효과 call for ~을 필요로 하다 express 표현하다 praiseworthy 칭찬할 만한 accomplish 달성하다 reward 보상 honor 상 hand out ~을 부여하다 merit 칭찬, 장점 guarantee 보장하다

다음 글의 요지로 가장 적절한 것은?

고1 학평 6월

어휘수 122
난이도 ★★☆

A goal-oriented mind-set can create a "yo-yo" effect. Many runners work hard for months, but as soon as they cross the finish line, they stop training. The race is no longer there to motivate them. If you are focused on a particular goal, there will be nothing to motivate you after achieving it. This is why many people find themselves returning to their old habits after accomplishing a goal. The purpose of setting goals is to win the game. The purpose of building systems is to continue playing the game. True long-term thinking is goal-less thinking. It's not goal-less thinking about any single accomplishment. It is about improving repeatedly and continuously. Ultimately, if you devote yourself to the process, you'll achieve progress.

① 발전은 한 번의 목표 성취가 아닌 지속적인 개선 과정에 의해 결정된다.
② 결승선을 통과하기 위해 장시간 노력해야 원하는 바를 얻을 수 있다.
③ 성공을 위해서는 구체적인 목표를 설정하는 것이 중요하다.
④ 지난 과정을 끊임없이 반복하는 것이 성공의 지름길이다.
⑤ 목표 지향적 성향이 강할수록 발전이 빠르게 이루어진다.

어휘 goal-oriented 목표 지향적인 mind-set 사고방식, 태도 motivate 동기를 주다 achieve 얻다, 달성하다 long-term 장기적인 goal-less 목표 지향적이지 않은 repeatedly 반복적으로 continuously 계속적으로

• 정답과 해설 18쪽

어휘수 123

다음 글에서 필자가 주장하는 바로 가장 적절한 것은?

고2 학평 3월

When I started my career, I looked forward to the annual report showing statistics for each of its leaders. As soon as I received them in the mail, I'd compare my progress with the progress of all the other leaders. After about five years of doing that, I realized how harmful it was. Comparing yourself to others is really just an unnecessary distraction. The only one you should compare yourself to is you. Your mission is to become better today than yesterday. You do that by focusing on what you can do today to improve. If you do that enough and compare the you of weeks, months, or years ago to the you of today, you should be greatly encouraged by your progress.

① 남과 비교하기보다는 자신의 성장에 주목해야 한다.
② 진로를 결정할 때는 다양한 의견을 경청해야 한다.
③ 발전을 위해서는 선의의 경쟁 상대가 있어야 한다.
④ 타인의 성공 사례를 자신의 본보기로 삼아야 한다.
⑤ 객관적 자료에 근거하여 직원을 평가해야 한다.

어휘 **career** 일, 경력 **look forward to** ~하기를 간절히 바라다 **annual** 연간의 **statistics** 통계 **progress** 발전, 성장 **harmful** 해로운 **distraction** 정신을 흩뜨리는 것, (주의) 산만함 **focus on** ~에 집중하다 **improve** 나아지다, 향상하다 **encourage** 고무시키다, 격려하다

지칭·함축 의미 파악하기

수능 필수 어휘 400

이번 Unit의 핵심 어휘입니다. 유형 학습을 하기 전에 수능 필수 어휘 중 아는 어휘에 ☑ 체크해 보고 모르는 어휘는 미리 익혀 보세요.
(Unit을 마친 후 체크하지 않았던 어휘를 완전히 알고 있는지 다시 확인하세요.)

어휘	뜻	어휘	뜻
☐ open plain	넓은 평원, 탁 트인 평원	☐ dramatically	극적으로
☐ in the distance	멀리서, 저 멀리	☐ creativity	창의성
☐ curiously	신기한 듯이, 호기심을 갖고	☐ effective	효과적인
☐ insect	곤충	☐ separate	개별의, 별개의
☐ roar with laughter	폭소하다	☐ approach	접근(법)
☐ dense	빽빽한	☐ reserved	과묵한
☐ horizon	지평선	☐ handshake	악수하다
☐ take for granted	~을 당연하게 여기다	☐ fall apart	분리되다
☐ spread	펼치다	☐ mess	엉망인 상태
☐ smooth	매끄러운	☐ disconnect	연결을 끊다
☐ take a hold of	~을 붙잡다	☐ attract	마음을 끌다
☐ end up -ing	결국 ~하다	☐ ring false	거짓으로 들리다
☐ backward	뒤로	☐ concept	개념
☐ let go	~을 놓아 주다	☐ destination	목적지
☐ all by oneself	혼자서	☐ predict	예측하다
☐ genius	천재	☐ crash	추돌[충돌]하다
☐ master	대가, 달인	☐ act as	~으로 작용하다
☐ structure	구조	☐ respond	반응하다
☐ unique	특화된, 특이한	☐ adapt	적응하다
☐ poem	시	☐ similarly	마찬가지로

지칭·함축 의미 파악하기 유형은?

지칭·함축 의미 파악하기 유형은 글에서 밑줄 친 부분이 가리키는 대상이나 의미하는 것을 제대로 알고 있는지 파악하는 유형이다. 지칭 파악 유형은 밑줄 친 5개의 대명사 중 가리키는 대상이 나머지 넷과 다른 하나를 찾는 문제이고, 함축 의미 파악 유형은 밑줄 친 어구가 글 중에서 의미하는 바로 적절한 것을 고르는 문제이다.

◆ **유형 해결 전략** ◆

KEY 1 지칭 파악 유형은 도입부를 통해 전반적인 상황과 등장인물을 먼저 파악해야 하고, 함축 의미 파악 유형은 밑줄 친 부분 앞뒤 맥락을 통해 해당 부분의 의미를 추측한다.

KEY 2 지칭 파악 유형은 앞뒤 문맥을 통해 대명사가 가리키는 대상을 확인하고, 함축 의미 파악 유형은 전체 문맥을 통해 글의 핵심을 파악해야 한다. 밑줄 친 어구는 특히 글의 요지나 주제와 밀접한 연관이 있으므로 핵심 내용을 먼저 파악해야 한다.

KEY 3 지칭 파악 유형은 대명사를 원래 대상으로 바꾼 다음 문맥에 어울리는지 재확인하고, 함축 의미 파악 유형은 결론 부분을 통해 요지를 확인해 어구의 의미를 재확인한다.

대표 예제

밑줄 친 부분이 가리키는 대상이 나머지 넷과 다른 것은? 고1 학평 9월

KEY 1 상황과 등장인물 파악

KEY 2 문맥을 고려해 대명사가 가리키는 대상 확인

KEY 3 대명사를 원래 대상으로 바꾸어 정답 재확인

About fifty years ago, a Pygmy named Kenge took ① <u>his</u> first trip out of the forests of Africa and onto the open plains with an anthropologist. Buffalo appeared in the distance, and the Pygmy watched them curiously. Finally, ② <u>he</u> turned to the anthropologist and asked what kind of insects they were. "When I told Kenge that the insects were buffalo, ③ <u>he</u> roared with laughter and told me not to tell such stupid lies." The anthropologist wasn't stupid, and ④ <u>he</u> hadn't lied. Rather, because Kenge had lived his entire life in a dense jungle that offered no views of the horizon, ⑤ <u>he</u> had failed to learn what most of us take for granted, namely, that things look different when they are far away.

* anthropologist: 인류학자

• 정답과 해설 22쪽

밑줄 친 he(him)가 가리키는 대상이 나머지 넷과 다른 것은?

고1 학평 6월

어휘수 138
난이도 ★☆☆

Grandfather had worked hard building an ice rink on the lake. He had spread the snow, watered the ice, and made it smooth. "Now," said Grandfather, setting Tommy down on a wooden chair to explain things to ① him. "The first thing you will do is to hold onto the wooden chair and try to skate with it." "Okay," said Tommy, taking a hold of the back of the chair. It was a little difficult at first and ② he did end up falling a few times. However, ③ he learned pretty quickly. "I think you are ready to try to skate without the chair," said Grandfather. He walked backward on the ice, at first holding Tommy's hands, but then ④ he let go and Tommy moved toward him. Soon, Tommy was skating all by himself. Grandfather was so proud of ⑤ him.

어휘 spread 펼치다 water 물을 주다, 물을 붓다 smooth 매끄러운 take a hold of ~을 붙잡다 end up -ing 결국 ~하다 backward 뒤로 let go ~을 놓아 주다 all by oneself 혼자서

밑줄 친 these dramatically different life cycles of creativity가 다음 글에서 의미하는 바로 가장 적절한 것은?

고2 학업성취도 평가

어휘수 129
난이도 ★★☆

Although we quickly remember the young geniuses who succeeded at an early age, there are plenty of old masters who reached their goals much later. In medicine, James Watson helped to discover the structure of DNA at age twenty-five, whereas Roger Sperry found the unique functions of the right and left brains at age forty-nine. In film, Orson Welles's greatest work, *Citizen Kane*, was his first full-length film at age twenty-five, while Alfred Hitchcock made one of his most popular films, *Vertigo*, at fifty-nine. In poetry, E. E. Cummings wrote his first influential poem at twenty-two and more than half of his best work before turning forty, but Robert Frost wrote 92 percent of his most famous poems after forty. What explains these dramatically different life cycles of creativity?

① 창의성이 최고조로 발휘되는 시기는 개인마다 현저히 다르다.
② 예술적 창의성과 과학적 창의성은 성격이 서로 다르다.
③ 타인과 다른 극적인 삶을 살아야 창의적일 수 있다.
④ 나이가 들수록 창의적으로 생각하기 어려워진다.
⑤ 창의성에 대한 이해는 연령별로 다르다.

어휘 genius 천재 master 대가, 달인 structure 구조 unique 특화된, 특이한 poem 시 dramatically 극적으로 cycle 주기 creativity 창의성

밑줄 친 by reading a body language dictionary가 다음 글에서 의미하는 바로 가장 적절한 것은?

고1 학평 6월

어휘수 129
난이도 ★★★

Real, effective body language is not a group of separate actions. When people work from this rote-memory, dictionary approach, they stop seeing the bigger picture, which is all of the different things that go into understanding others. Instead, they see a person with crossed arms and think, "Reserved, angry." They see a smile and think, "Happy." They use a firm handshake to show other people "who is boss." Trying to use body language by reading a body language dictionary is like trying to speak French by reading a French dictionary. Things tend to fall apart in an unnatural mess. Like a robot, your body language signals are disconnected from one another. You end up confusing the very people you're trying to attract because your body language just rings false.

*rote-memory: 기계적 암기

① by learning body language within social context
② by comparing body language and French
③ with a body language expert's help
④ without understanding the social aspects
⑤ in a way people learn their native language

어휘 effective 효과적인 separate 개별의, 별개의 approach 접근(법) reserved 과묵한 handshake 악수하다 fall apart 분리되다 mess 엉망인 상태 disconnect 연결을 끊다 attract 마음을 끌다 ring false 거짓으로 들리다

어휘수 140

밑줄 친 creating a buffer가 다음 글에서 의미하는 바로 가장 적절한 것은? 고2 학평 3월

On one occasion my children and I were in the car, and I tried to explain the concept of buffers using a game. Imagine, I said, that we had to get to our destination three miles away without stopping. We couldn't predict what was going to happen in front of us and around us. We didn't know how long the light would stay on green or if the car in front would suddenly put on its brakes. The only way to keep from crashing was to put extra space between our car and the car in front of us. This space acts as a buffer. It gives us time to respond and adapt to any sudden moves by other cars. Similarly, we can reduce the friction of doing the essential in our work and lives simply by creating a buffer.

* buffer: 완충 지대, 완충 장치 ** friction: 마찰

① knowing that learning is more important than winning
② always being prepared for unexpected events
③ never stopping what we have already started
④ having a definite destination when we drive
⑤ keeping peaceful relationships with others

어휘 concept 개념 destination 목적지 predict 예측하다 in front of ~ 앞에 put on one's brakes 브레이크를 밟다 crash 추돌(충돌)하다 act as ~으로 작용하다 respond 반응하다 adapt 적응하다 similarly 마찬가지로 reduce 줄이다

UNIT 06 빈칸 내용 완성하기

수능 필수 어휘 400

이번 Unit의 핵심 어휘입니다. 유형 학습을 하기 전에 수능 필수 어휘 중 아는 어휘에 ☑ 체크해 보고 모르는 어휘는 미리 익혀 보세요.
(Unit을 마친 후 체크하지 않았던 어휘를 완전히 알고 있는지 다시 확인하세요.)

어휘	뜻	어휘	뜻
☐ long-distance	장거리의	☐ nationwide	전국적인
☐ get rid of	~을 없애다	☐ inquiry	조사
☐ leading	유력한	☐ decisive	결정적인
☐ theory	이론	☐ phase	단계
☐ ancestor	조상	☐ majority	다수
☐ prey	먹이, 먹잇감	☐ fast-forward	빨리 감다
☐ humid	습한	☐ skip over	~을 뛰어 넘다
☐ a lack of	부족한, ~의 부족	☐ commercial	광고
☐ civilization	문명	☐ advertiser	광고주
☐ particular	특정한	☐ desperately	필사적으로
☐ local	지역의	☐ discourage	(못하게) 막다
☐ expert	전문가	☐ incentive	유인책
☐ specialty	전문 분야	☐ contemporary	현대의
☐ aspect	방면	☐ remarkable	주목할 만한, 놀라운
☐ attack	공격	☐ silence	침묵, 정적
☐ defense	방어	☐ precious	소중한
☐ gather	모으다, 수집하다	☐ unstable	불안정한
☐ analyze	분석하다	☐ inevitable	피할 수 없는
☐ inner	내적인	☐ wound	상처
☐ stillness	고요함	☐ cast	색조, 빛깔

빈칸 내용 완성하기 유형은 글을 읽고 문맥을 파악해 빈칸에 알맞은 말을 채우는 유형이다. 빈칸에 들어갈 말은 글의 주제나 요지와 관련이 있거나 결론을 담고 있는 경우가 많다. 난이도가 높은 글들이 많이 출제되므로 철저한 대비가 필요하다.

◆ 유형 해결 전략 ◆

KEY 1 빈칸이 포함된 문장의 역할을 파악한다.

KEY 2 도입부에서 글의 주제나 중심 소재를 파악한다.

KEY 3 부연 설명, 예시로 소개된 연구 결과를 통해 반복되거나 강조되는 내용을 확인한다. 이는 주로 글의 주제와 관련이 있으므로 빈칸 부분의 단서가 된다.

대표 예제

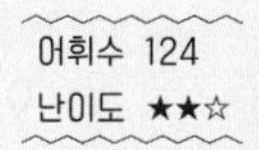

다음 빈칸에 들어갈 말로 가장 적절한 것은? 고1 학평 6월

KEY 2 글의 주제나 중심 소재 파악

KEY 3 예시를 통해 반복되거나 강조하는 내용 확인

KEY 1 빈칸이 포함된 문장의 역할 파악

Humans are champion long-distance runners. As soon as a person and a chimpanzee start running they both get hot. The chimpanzee quickly gets too hot to keep running, but a person is able to keep running. This is because humans are much better at getting rid of body heat. According to one leading theory, human ancestors lost their hair over time because less hair meant they would be cooler when running long distances. That ability let our ancestors move and run faster than their prey. Try wearing a couple of extra jackets or fur coats on a hot humid day and run a mile. Now, take those jackets off and try it again. You'll see what a difference ______________ makes.

① hot weather
② a lack of fur
③ muscle strength
④ excessive exercise
⑤ a diversity of species

• 정답과 해설 27쪽

어휘수 139
난이도 ★★☆

다음 빈칸에 들어갈 말로 가장 적절한 것은?

고2 학업성취도 평가

From the beginning of civilization, people have developed particular expertise within their family group or society. They have become the local expert on farming, medicine, manufacturing, music, storytelling, cooking, hunting, fighting, or one of many other specialties. One individual may have some expertise in more than one skill, perhaps several, but never all, and never in every aspect of any one thing. No chef can cook all dishes. No one has ever been able to do everything. So we ________________________. That's the biggest advantage of living in social groups. This makes it easy to share our skills and knowledge. Whenever we wash dishes, for example, we thank heaven that someone knows how to make dish soap and someone else knows how to provide warm water from the water tank. We're generally doing things with the help of others.

* expertise: 전문 지식

① work jointly
② learn quickly
③ demand less
④ change constantly
⑤ behave friendly

어휘 civilization 문명 develop 개발하다 particular 특정한 local 지역의 expert 전문가 specialty 전문 분야 individual 개인 aspect 방면

어휘수 130
난이도 ★★★

다음 빈칸에 들어갈 말로 가장 적절한 것은? 고1 학평 6월

The mind is essentially a survival machine. Although it is good at attack and defense against other minds, gathering, storing, and analyzing information, it is not at all creative. All true artists create from a place of no-mind, from inner stillness. Even great scientists have reported that their creative discoveries came at a time of mental quietude. A nationwide inquiry was conducted among America's most famous mathematicians, including Einstein, to find out their working methods. The surprising result was that thinking "plays only a supporting part in the brief, decisive phase of the creative act itself." So I would say that the simple reason why the majority of scientists are not creative is not because they don't know how to think, but because they don't know how to ____________!

* quietude: 정적

① organize their ideas
② interact socially
③ stop thinking
④ gather information
⑤ use their imagination

어휘 attack 공격 defense 방어 gather 모으다, 수집하다 analyze 분석하다 inner 내적인 stillness 고요함 nationwide 전국적인 inquiry 조사 decisive 결정적인 phase 단계 majority 다수

어휘수 138
난이도 ★★★

다음 빈칸에 들어갈 말로 가장 적절한 것은? 고1 학평 6월

One real concern in the marketing industry today is how to ______________ ______________ in the age of the remote control and mobile devices. With the growing popularity of digital video recorders, consumers can mute, fast-forward, and skip over commercials entirely. Some advertisers are trying to adapt to these technologies, by planting hidden coupons in frames of their television commercials. Others are desperately trying to make their advertisements more interesting and entertaining to discourage viewers from skipping their ads; still others are simply giving up on television advertising altogether. Some industry experts predict that cable providers and advertisers will eventually be forced to provide incentives in order to encourage consumers to watch their messages. These incentives may come in the form of coupons, or a reduction in the cable bill for each advertisement watched.

* mute: 음소거하다

① guide people to be wise consumers
② reduce the cost of television advertising
③ keep a close eye on the quality of products
④ make it possible to deliver any goods any time
⑤ win the battle for broadcast advertising exposure

어휘 fast-forward 빨리 감다 skip over ~을 뛰어 넘다 commercial 광고 advertiser 광고주 desperately 필사적으로 discourage (못하게) 막다 incentive 유인책 bill 요금

• 정답과 해설 28쪽

어휘수 132

다음 빈칸에 들어갈 말로 가장 적절한 것은? 고2 학평 3월

When he was dying, the contemporary Buddhist teacher Dainin Katagiri wrote a remarkable book called *Returning to Silence*. Life, he wrote, "is a dangerous situation." It is the weakness of life that makes it precious; his words are filled with the very fact of his own life passing away. "The china bowl is beautiful because sooner or later it will break.... The life of the bowl is always existing in a dangerous situation." Such is our struggle: this unstable beauty. This inevitable wound. We easily forget that love and loss are very closely related. And we forget that we love the real flower so much more than the plastic one and love the cast of twilight across a mountainside lasting only a moment. It is this very ______________ that opens our hearts.

① fragility
② stability
③ harmony
④ satisfaction
⑤ diversity

어휘 contemporary 현대의 remarkable 주목할 만한, 놀라운 silence 침묵, 정적 precious 소중한 china 자기(의), 도자기(의) bowl 그릇 struggle 고행, 분투 unstable 불안정한 inevitable 피할 수 없는 wound 상처 cast 색조, 빛깔 twilight 황혼 mountainside 산 중턱, 산허리

무관한 문장 찾기

수능 필수 어휘 400

이번 Unit의 핵심 어휘입니다. 유형 학습을 하기 전에 수능 필수 어휘 중 아는 어휘에 ☑ 체크해 보고 모르는 어휘는 미리 익혀 보세요.
(Unit을 마친 후 체크하지 않았던 어휘를 완전히 알고 있는지 다시 확인하세요.)

어휘	뜻	어휘	뜻
☐ **depending on**	~에 따라	☐ **considering**	~을 고려하면
☐ **reach out**	(손을) 뻗다	☐ **largely**	널리
☐ **length**	길이	☐ **electronic**	전자의
☐ **improve**	향상시키다, 나아지다	☐ **ambiguous**	모호한
☐ **manufacture**	제조하다	☐ **misunderstand**	잘못 해석하다, 오해하다
☐ **present**	있는, 존재하고 있는	☐ **nonetheless**	그럼에도 불구하고
☐ **dairy**	유제품의	☐ **attention**	주의력
☐ **liquid**	액체(의)	☐ **definite**	확실한
☐ **as ~ as possible**	가능한 한 ~	☐ **non-verbal**	비언어적인
☐ **take in**	섭취하다	☐ **verbal**	언어적인
☐ **require**	필요하다	☐ **intensity**	강도
☐ **ultimate**	궁극적인, 최후의	☐ **superstition**	미신
☐ **infinite**	무한한	☐ **audience**	관객
☐ **right**	권리	☐ **tragedy**	비극
☐ **declare**	주장하다	☐ **curse**	저주하다
☐ **simply**	단순히	☐ **interaction**	상호 작용
☐ **property**	재산	☐ **performance**	연기
☐ **prosper**	번영하다	☐ **be set in**	~을 배경으로 하다
☐ **file suit**	소송을 제기하다	☐ **legend**	전설
☐ **acknowledge**	인정하다	☐ **accidently**	우연히

무관한 문장 찾기 유형은 글의 흐름을 잘 이해하는지 평가하기 위한 문제로, 글의 전체 흐름과 관계 없는 문장을 찾는 유형이다. 세부 정보를 꼼꼼하게 확인하기보다는 글의 전체 흐름을 빨리 파악하는 것이 중요하다.

◆ **유형 해결 전략** ◆

KEY 1 첫 문장을 통해 글의 핵심 소재를 파악한다.
KEY 2 접속사의 등장에 주목하며 글의 전개 방식을 파악한다.
KEY 3 글의 통일성을 방해하는 갑작스러운 반전이나 비약이 나타나는 문장을 찾는다.
KEY 4 답으로 예상되는 문장을 제외하고 읽었을 때 문맥이 자연스러운지 재확인한다.

대표 예제

다음 글에서 전체 흐름과 관계 없는 문장은? 고1 학평 6월

KEY 1 핵심 소재 파악

KEY 2 글의 전개 방식 파악

KEY 3 흐름에 반하는 문장 찾기

KEY 4 문맥상 흐름 재확인

Words like 'near' and 'far' can mean different things depending on where you are and what you are doing. If you were at a zoo, then you might say you are 'near' an animal if you could reach out and touch it through the bars of its cage. ① Here the word 'near' means an arm's length away. ② If you were telling someone how to get to your local shop, you might call it 'near' if it was a five-minute walk away. ③ It seems that you had better walk to the shop to improve your health. ④ Now the word 'near' means much longer than an arm's length away. ⑤ Words like 'near', 'far', 'small', 'big', 'hot', and 'cold' all mean different things to different people at different times.

• 정답과 해설 32쪽

어휘수 119
난이도 ★★☆

다음 글에서 전체 흐름과 관계 없는 문장은? 고1 학평 3월

The water that is embedded in our food and manufactured products is called "virtual water." For example, about 265 gallons of water is needed to produce two pounds of wheat. ① So, the virtual water of these two pounds of wheat is 265 gallons. ② Virtual water is also present in dairy products, soups, beverages, and liquid medicines. ③ However, it is necessary to drink as much water as possible to stay healthy. ④ Every day, humans take in lots of virtual water, and the amount of virtual water in a product needed is different depending on the product. ⑤ For instance, to produce two pounds of meat requires about 5 to 10 times as much water as to produce two pounds of vegetables.

* virtual water: 공산품·농축산물의 제조·재배에 드는 물

어휘 embed 포함하다, 내포하다 manufacture 제조하다 gallon 갤런(용량 단위) pound 파운드(무게 단위) wheat 밀 present 있는, 존재하고 있는 dairy 유제품의 beverage 음료, 마실 것 liquid 액체(의) medicine 약, 약물 as ~ as possible 가능한 한 ~ take in 섭취하다 require 필요하다 vegetable 채소, 야채

• 정답과 해설 33쪽

어휘수 115
난이도 ★★☆

다음 글에서 전체 흐름과 관계 없는 문장은? 고1 학평 9월

Water is the ultimate common resource. Once, streams of water seemed to be infinite and the idea of protecting water was considered silly. But rules change. Time and again, governments have studied how water works and have made new rules for its use. ① Now Ecuador has become the first nation on Earth to protect nature's rights in its constitution. ② This move has declared that rivers and forests are not simply property but have a right to prosper. ③ Developing a water-based transportation system will improve Ecuador's transportation infrastructure. ④ According to the constitution, a citizen might file suit to protect a damaged water basin. ⑤ More countries are acknowledging nature's rights and are expected to follow Ecuador's lead.

* basin: (큰 강의) 유역

어휘 ultimate 궁극적인, 최후의 stream 줄기 infinite 무한한 government 국가, 정부 right 권리 constitution 헌법 declare 주장하다 simply 단순히 property 재산 prosper 번영하다 infrastructure 기반 시설 file suit 소송을 제기하다 acknowledge 인정하다

어휘수 128
난이도 ★★★

다음 글에서 전체 흐름과 관계 없는 문장은?

고1 학평 6월

Considering that we use emoticons largely in electronic communication, an important question is whether they help Internet users to understand emotions in online communication. ① Particularly character-based emoticons are much more ambiguous than face-to-face cues and easily misunderstood by different users. ② Nonetheless, research indicates that they are useful tools in online text-based communication. ③ One study of 137 instant texting users said that emoticons allowed users to correctly understand the level and direction of emotion, attitude, and attention expression. Also, it said that emoticons were a definite advantage in non-verbal communication. ④ In fact, there have been few studies on the relationships between verbal and non-verbal communication. ⑤ Similarly, another study showed that emoticons were useful in strengthening the intensity of a verbal message, as well as in the expression of sarcasm.

* sarcasm: 풍자

어휘 considering ~을 고려하면 largely 널리 electronic 전자의 ambiguous 모호한 face-to-face 면대면의, 바로 얼굴을 맞대는 cue 단서 misunderstand 잘못 해석하다, 오해하다 nonetheless 그럼에도 불구하고 attention 주의력 definite 확실한 non-verbal 비언어적인 verbal 언어적인 intensity 강도

• 정답과 해설 33쪽

어휘수 147

다음 글에서 전체 흐름과 관계 없는 문장은?

고2 학평 3월

There are many superstitions surrounding the world of the theater. ① Superstitions can be anything from not wanting to say the last line of a play before the first audience comes, to not wanting to rehearse the curtain call before the final rehearsal. ② It is said that Shakespeare's famous tragedy Macbeth is cursed. So, to avoid problems actors never say the title of the play out loud when inside a theater or a theatrical space (like a rehearsal room or costume shop). ③ The interaction between the audience and the actors in the play influences the actors' performance. ④ Since the play is set in Scotland, the secret code you say when you need to say the title of the play is "the Scottish play." ⑤ According to the legend, when you do say the title accidently, you should go outside, turn around three times, and come back into the theater.

어휘 **superstition** 미신 **surrounding** 둘러싸고 있는 **theater** 극장 **audience** 관객 **rehearse** 예행연습하다; 예행연습 **curtain call** 커튼콜(연극이 끝난 뒤 관객의 박수를 받으며 배우들이 무대 위에 나오는 것) **tragedy** 비극 **curse** 저주하다 **costume** 의상 **interaction** 상호작용 **performance** 연기 **be set in** ~을 배경으로 하다 **legend** 전설 **accidently** 우연히

UNIT 08

글의 순서 배열하기

수능 필수 어휘 400

이번 Unit의 핵심 어휘입니다. 유형 학습을 하기 전에 수능 필수 어휘 중 아는 어휘에 ☑ 체크해 보고 모르는 어휘는 미리 익혀 보세요.
(Unit을 마친 후 체크하지 않았던 어휘를 완전히 알고 있는지 다시 확인하세요.)

어휘	뜻	어휘	뜻
☐ general	장군	☐ be against	~에게 불리하다
☐ set ~ free	~을 해방하다; 석방하다	☐ mail	우편으로 보내다
☐ appreciation	감사	☐ refuse	거절하다
☐ make no sense	말이 안 된다; 무의미하다	☐ attend	~에 다니다
☐ rub	문지르다	☐ debt	빚
☐ thunderstorm	뇌우	☐ pain	고통
☐ lightning	번개	☐ hunger	굶주림, 배고픔
☐ flow	흐름; 흐르다	☐ recognize	알아보다
☐ electricity	전기	☐ foundation	토대, 기초
☐ atmosphere	대기	☐ automatic	자동적인
☐ cling to	~에 붙다	☐ memorize	암기하다
☐ scientific	과학적인	☐ effortful	노력이 필요한
☐ physical	물리적인	☐ cost	대가, 희생
☐ characteristic	특성, 특징	☐ repetition	반복
☐ trace back to	~로 거슬러 올라가다	☐ fluency	유창성
☐ conclude	결론 내리다	☐ sensitive	민감한, 예민한
☐ combine	결합하다	☐ attempt	시도하다
☐ spot	발견하다	☐ be free to	자유롭게 ~하다
☐ finding	결과, 결론	☐ pay attention to	~에 주목하다
☐ desire	열망, 갈망	☐ pursuit	추구

글의 순서 배열하기 유형은 순서가 뒤섞여 있는 문장들을 글의 내용에 맞게 순서대로 배열하는 유형이다. 기승전결이 명확한 글이 출제되며, 주어진 문장에 글의 전개 방식이 드러나는 경우가 많다.

◆ **유형 해결 전략** ◆

KEY 1 주어진 글을 통해 글의 핵심 소재를 파악하고 전개 방식을 예측한다.

KEY 2 연결사, 지시어, 관사, 대명사, 부사구 등을 단서로 글의 순서를 파악한다.

대표 예제

주어진 글 다음에 이어질 글의 순서로 가장 적절한 것은? 고1 학평 6월

KEY 1 주어진 글의 내용 및 핵심 소재 파악

> In 1824, Peru won its freedom from Spain. Soon after, Simón Bolívar, the general who had led the liberating forces, called a meeting to write the first version of the constitution for the new country.

KEY 2 단서를 통해 글의 흐름 파악

(A) "Then," said Bolívar, "I'll add whatever is necessary to this million pesos you have given me and I will buy all the slaves in Peru and set them free. It makes no sense to free a nation, unless all its citizens enjoy freedom as well."

(B) Bolívar accepted the gift and then asked, "How many slaves are there in Peru?" He was told there were about three thousand. "And how much does a slave sell for?" he wanted to know. "About 350 pesos for a man," was the answer.

(C) After the meeting, the people wanted to do something special for Bolívar to show their appreciation for all he had done for them, so they offered him a gift of one million pesos, a very large amount of money in those days.

* constitution: 헌법

① (A) – (C) – (B)
② (B) – (A) – (C)
③ (B) – (C) – (A)
④ (C) – (A) – (B)
⑤ (C) – (B) – (A)

• 정답과 해설 37쪽

주어진 글 다음에 이어질 글의 순서로 가장 적절한 것은?

고1 학평 9월

어휘수 117
난이도 ★★☆

> Use a plastic pen and rub it on your hair about ten times and then hold the pen close to small pieces of tissue paper or chalk dust.

(A) During a thunderstorm, clouds may become charged as they rub against each other. The lightning that we often see during a storm is caused by a large flow of electrical charges between charged clouds and the earth. 3

(B) This kind of electricity is produced by friction, and the pen becomes electrically charged. Static electricity is also found in the atmosphere. 6

(C) You will find that the bits of paper or chalk dust cling to the pen. What you have done there is to create a form of electricity called static electricity. 9

① (A) – (C) – (B)
② (B) – (A) – (C)
③ (B) – (C) – (A)
④ (C) – (A) – (B)
⑤ (C) – (B) – (A)

어휘 rub 문지르다 chalk dust 분필 가루 thunderstorm 뇌우 lightening 번개 flow 흐름; 흐르다 charged 전기를 띤; 충전된 earth 지면, 땅 electricity 전기 friction 마찰 static electricity 정전기 atmosphere 대기 cling to ~에 붙다

• 정답과 해설 38쪽

어휘수 132
난이도 ★★☆

주어진 글 다음에 이어질 글의 순서로 가장 적절한 것은? 고1 학평 6월

The scientific study of the physical characteristics of colors can be traced back to Isaac Newton.

(A) It was only when Newton placed a second prism in the path of the spectrum that he found something new. The composite colors produced a white beam. Thus he concluded that white light can be produced by combining the spectral colors.

(B) One day, he spotted a set of prisms at a big county fair. He took them home and began to experiment with them. In a darkened room he allowed a thin ray of sunlight to fall on a triangular glass prism.

(C) As soon as the white ray hit the prism, it separated into the familiar colors of the rainbow. This finding was not new, as humans had observed the rainbow since the beginning of time.

* composite: 합성의

① (A) – (C) – (B)
② (B) – (A) – (C)
③ (B) – (C) – (A)
④ (C) – (A) – (B)
⑤ (C) – (B) – (A)

어휘 scientific 과학적인 physical 물리적인 characteristic 특성, 특징 trace back to ~로 거슬러 올라가다 conclude 결론 내리다 combine 결합하다 spot 발견하다 county fair (정기) 시장 darkened 어두운, 캄캄한 ray 빛 한 줄기 sunlight 광선 triangular 삼각형의 separate 분리되다 finding 결과, 결론

주어진 글 다음에 이어질 글의 순서로 가장 적절한 것은?

고1 학평 6월

어휘수 129
난이도 ★★★

> In early 19th century London, a young man named Charles Dickens had a strong desire to be a writer. But everything seemed to be against him. 3

(A) Moreover, he had so little confidence in his ability to write that he mailed his writings secretly at night to editors so that nobody would laugh at him. Story after story was refused. 6

(B) He had never been able to attend school for more than four years. His father had been in jail because he couldn't pay his debts, and this young man often knew the pain of hunger. 9

(C) But one day, one editor recognized and praised him. The praise that he received from getting one story in print changed his whole life. His works have been widely read and still enjoy great popularity. 12

① (A) – (C) – (B)
② (B) – (A) – (C)
③ (B) – (C) – (A)
④ (C) – (A) – (B)
⑤ (C) – (B) – (A)

어휘 desire 열망, 갈망 be against ~에게 불리하다 moreover 게다가 confidence 자신감 mail 우편으로 보내다 refuse 거절하다 attend ~에 다니다 jail 감옥 debt 빚 pain 고통 hunger 굶주림, 배고픔 recognize 알아보다 in print 출판되어

• 정답과 해설 38쪽

주어진 글 다음에 이어질 글의 순서로 가장 적절한 것은? 고2 학평 3월

어휘수 155

Habits create the foundation for becoming a master. In chess, it is only after the basic movements of the pieces have become automatic that a player can focus on the next level of the game. Each chunk of information that is memorized opens up the mental space for more effortful thinking.

(A) You fall into stupid repetition. It becomes easier to let mistakes slide. When you can do it "good enough" automatically, you stop thinking about how to do it better.

(B) However, the benefits of habits have a cost. At first, each repetition develops fluency, speed, and skill. But then, as a habit becomes automatic, you become less sensitive to feedback.

(C) This is true for anything that you attempt. When you know the simple movements so well that you can perform them without thinking, you are free to pay attention to more advanced details. In this way, habits are the basis of any pursuit of excellence.

① (A) – (C) – (B)
② (B) – (A) – (C)
③ (B) – (C) – (A)
④ (C) – (A) – (B)
⑤ (C) – (B) – (A)

어휘 foundation 토대, 기초 automatic 자동적인 chunk 큰 덩어리, 상당히 많은 양 memorize 암기하다 effortful 노력이 필요한 cost 대가, 희생 repetition 반복 fluency 유창성 sensitive 민감한, 예민한 attempt 시도하다 be free to 자유롭게 ~하다 pay attention to ~에 주목하다 pursuit 추구

주어진 문장 위치 파악하기

수능 필수 어휘 400

이번 Unit의 핵심 어휘입니다. 유형 학습을 하기 전에 수능 필수 어휘 중 아는 어휘에 ☑ 체크해 보고 모르는 어휘는 미리 익혀 보세요.
(Unit을 마친 후 체크하지 않았던 어휘를 완전히 알고 있는지 다시 확인하세요.)

어휘	뜻	어휘	뜻
☐ **obstacle**	장애물	☐ **appear**	나오다, 나타나다
☐ **currently**	현재	☐ **hesitation**	머뭇거림, 망설임
☐ **survival**	생존	☐ **concern**	걱정
☐ **harsh**	극심한	☐ **talented**	재능이 있는
☐ **surface**	표면	☐ **appeal**	관심을 끌다
☐ **exploration**	탐험	☐ **preschooler**	취학 전의 아동
☐ **pose**	위험을 제기하다	☐ **eagerly**	열심히
☐ **instrument**	기구, 도구	☐ **enthusiastically**	열정적으로
☐ **clue**	단서	☐ **interact**	상호 작용하다
☐ **facial**	얼굴의	☐ **in a word**	한 마디로
☐ **guess**	추측하다	☐ **make the most of**	~을 최대한 활용하다
☐ **mood**	감정, 기분	☐ **ordinary**	보통의
☐ **shaky**	떨리는	☐ **boundary**	경계(선)
☐ **muscle**	근육	☐ **grandmaster**	거장
☐ **enable**	~을 할 수 있게 하다	☐ **remarkably**	대단히, 현저하게
☐ **spontaneously**	저절로, 자발적으로	☐ **seemingly**	겉으로 보기에는
☐ **emotion**	감정	☐ **gain**	이익
☐ **repeat**	반복하다	☐ **capture**	잡히다
☐ **advance**	진출하다, 나아가다	☐ **insane**	비상식적인, 미친
☐ **eliminate**	탈락시키다	☐ **pay off**	성과를 거두다

주어진 문장 위치 파악하기 유형은 주어진 문장을 글의 논리적 흐름에 맞는 위치에 넣는 유형이다. 주어진 문장 안에 문장 간의 흐름을 파악할 수 있는 단서인 연결사, 지시어, 관사, 대명사, 부사구 등이 있으니 그 어구들을 토대로 추론이 가능하다.

◆ **유형 해결 전략** ◆

KEY 1 주어진 문장을 완벽히 해석하여 앞뒤로 연결될 문장을 예측할 단서, 즉 연결사, 지시어, 관사, 대명사, 부사구 등을 찾는다.

KEY 2 첫 문장에서 핵심 소재를 찾고 전체 글의 흐름을 파악한다.

KEY 3 글의 흐름상 어색한 부분이나 단절된 부분을 찾고, 문장 간 연결고리를 통해 주어진 문장이 들어갈 곳을 찾는다.

대표 예제

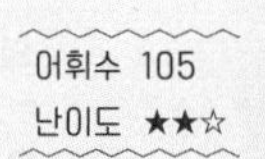

글의 흐름으로 보아, 주어진 문장이 들어가기에 가장 적절한 곳은? 고1 학평 6월

KEY 1 주어진 문장 파악

> Because of these obstacles, most research missions in space are carried out with crewless spacecraft.

KEY 2 문장 간 흐름 파악

KEY 3 문장 간 연결고리 파악

Currently, we cannot send humans to other planets. One obstacle is that such a trip would take years. (①) A spacecraft would need to carry enough air, water, and other supplies needed for survival on the long journey. (②) Another obstacle is the harsh conditions on other planets, such as extreme heat and cold. (③) Some planets do not even have surfaces to land on. (④) These explorations pose no risk to human life and are less expensive than ones involving astronauts. (⑤) The spacecraft carry instruments that test the compositions and characteristics of planets.

* composition: 구성 성분

• 정답과 해설 42쪽

글의 흐름으로 보아, 주어진 문장이 들어가기에 가장 적절한 곳은?

고1 학평 9월

어휘수 132
난이도 ★★☆

> The other main clue you might use to tell what a friend is feeling would be to look at his or her facial expression.

Have you ever thought about how you can tell what somebody else is feeling? (①) Sometimes, friends might tell you that they are feeling happy or sad. But, even if they do not tell you, you could definitely guess what kind of mood they are in. (②) You might get a clue from the tone of voice that they use. (③) For example, they may raise their voice if they are angry or talk in a shaky way if they are scared. (④) We have lots of muscles in our faces which enable us to move our face into lots of different positions. (⑤) This happens spontaneously when we feel a particular emotion.

어휘 clue 단서 tell 알아보다 facial 얼굴의 guess 추측하다 mood 감정, 기분 shaky 떨리는 muscle 근육 enable ~을 할 수 있게 하다 spontaneously 저절로, 자발적으로 emotion 감정

글의 흐름으로 보아, 주어진 문장이 들어가기에 가장 적절한 곳은? 고1 학평 6월

어휘수 132
난이도 ★★☆

> When the boy learned that he had misspelled the word, he went to the judges and told them.

Some years ago at the national spelling bee in Washington, D.C., a thirteen-year-old boy was asked to spell *echolalia*, a word that means a tendency to repeat whatever one hears. (①) Although he misspelled the word, the judges misheard him, told him he had spelled the word right, and allowed him to advance. (②) So he was eliminated from the competition after all. (③) Newspaper headlines the next day called the honest young man a "spelling bee hero," and his photo appeared in *The New York Times*. (④) "The judges said I had a lot of honesty," the boy told reporters. (⑤) He added that part of his motive was, "I didn't want to feel like a liar."

*spelling bee: 단어 철자 맞히기 대회

어휘 **misspell** 철자를 잘못 대다, 철자가 틀리다 **repeat** 반복하다 **mishear** 잘못 듣다 **advance** 진출하다, 나아가다 **eliminate** 탈락시키다 **appear** 나오다, 나타나다 **honesty** 정직함 **motive** 이유, 동기

글의 흐름으로 보아, 주어진 문장이 들어가기에 가장 적절한 곳은? 고1 학평 6월

어휘수 127
난이도 ★★★

> Throw away your own hesitation and forget all your concerns about whether you are musically talented or whether you can sing or play an instrument.

Music appeals powerfully to young children. (①) Watch preschoolers' faces and bodies when they hear rhythm and sound — they light up and move eagerly and enthusiastically. (②) They communicate comfortably, express themselves creatively, and let out all sorts of thoughts and emotions as they interact with music. (③) In a word, young children think music is a lot of fun, so do all you can to make the most of the situation. (④) They don't matter when you are enjoying music with your child. (⑤) Just follow his or her lead, have fun, sing songs together, listen to different kinds of music, move, dance, and enjoy.

어휘 hesitation 머뭇거림, 망설임 concern 걱정 talented 재능이 있는 appeal 관심을 끌다 preschooler 취학 전의 아동 eagerly 열심히 enthusiastically 열정적으로 interact 상호 작용하다 in a word 한마디로 make the most of ~을 최대한 활용하다

• 정답과 해설 43쪽

글의 흐름으로 보아, 주어진 문장이 들어가기에 가장 적절한 곳은?

고2 학평 3월

> Yet today if you program that same position into an ordinary chess program, it will immediately suggest the exact moves that Fischer made.

어휘수 137

The boundary between uniquely human creativity and machine capabilities continues to change. (①) When we look back to the chess game of 1956, the thirteen-year-old genius Bobby Fischer made a pair of moves against grandmaster Donald Byrne, which proved remarkably creative. (②) First he sacrificed his knight, seemingly for no gain, and then exposed his queen to capture. (③) On the surface, these moves seemed insane, but several moves later, Fischer used these moves to win the game. (④) His creativity was praised at the time as the mark of genius. (⑤) It's not because the computer has memorized the Fischer-Byrne game, but rather because it searches far enough ahead to see that these moves really do pay off.

어휘 **program** 작동 방식을 설정하다; 프로그램 **ordinary** 보통의 **move** (체스의) 수; 말을 움직이다 **boundary** 경계(선) **grandmaster** 거장 **remarkably** 대단히, 현저하게 **sacrifice** 희생하다 **knight** (체스의) 나이트 **seemingly** 겉으로 보기에는 **gain** 이득 **queen** (체스의) 퀸 **capture** 잡히다 **insane** 비상식적인, 미친 **praise** 칭송하다 **pay off** 성과를 거두다

요약문 완성하기

수능 필수 어휘 400

이번 Unit의 핵심 어휘입니다. 유형 학습을 하기 전에 수능 필수 어휘 중 아는 어휘에 ☑ 체크해 보고 모르는 어휘는 미리 익혀 보세요.
(Unit을 마친 후 체크하지 않았던 어휘를 완전히 알고 있는지 다시 확인하세요.)

어휘	뜻	어휘	뜻
☐ **base**	맨 아래 부분, 바닥	☐ **unintentional**	의도하지 않은
☐ **weighted**	무거운, 무거운 짐을 실은	☐ **awareness**	인식
☐ **estimate**	추정하다; 추정, 추정치	☐ **undergo**	(변화·안 좋은 일 등을) 겪다
☐ **steepness**	가파름, 경사	☐ **surgery**	수술
☐ **significantly**	상당히	☐ **measure**	측정하다
☐ **involved in**	~에 참가한, ~에 관련된	☐ **fantasize**	공상하다
☐ **arrange**	배열하다	☐ **positive**	긍정적인
☐ **promise**	약속하다	☐ **expectation**	기대
☐ **participation**	참가, 참여	☐ **idealized**	이상화된
☐ **task**	업무, 과업	☐ **recover**	회복하다
☐ **rank**	순위를 매기다	☐ **rely on**	~에 의존하다
☐ **attached**	애착을 가진	☐ **natural resource**	천연자원
☐ **prohibit**	금지하다	☐ **plentiful**	풍요로운
☐ **briefly**	잠시	☐ **harmful**	해로운
☐ **versus**	~에 비해	☐ **abundant**	풍부한
☐ **personality**	성격	☐ **reliance**	의존
☐ **generous**	너그러운	☐ **expand**	확대하다
☐ **mere**	단순한, 겨우	☐ **trap**	가두다
☐ **activate**	활성화하다	☐ **a series of**	일련의
☐ **interpersonal**	사람 사이의	☐ **slow down**	(속도·진행 등을) 늦추다

요약문 완성하기 유형은 글의 내용을 한 문장으로 요약할 때 빈칸에 알맞은 말을 찾는 유형이다. 전체 내용을 요약한 문장인만큼 글의 주제와 요지를 잘 파악해야 한다.

◆ 유형 해결 전략 ◆

KEY 1 요약문을 먼저 읽으며 글의 내용을 예측한다.

KEY 2 지문을 통해 글의 중심 내용과 핵심어를 파악한다.

KEY 3 글의 구조와 반복되는 표현, 연구 결과 등을 통해 핵심 내용을 파악한다.

대표 예제

다음 글의 내용을 한 문장으로 요약하고자 한다. 빈칸 (A), (B)에 들어갈 말로 가장 적절한 것은? 고1 학평 9월

Social psychologists at the University of Virginia asked college students to stand at the base of a hill while carrying a weighted backpack and estimate the steepness of the hill. Some participants stood next to close friends whom they had known a long time, some stood next to friends they had not known for long, some stood next to strangers, and the others stood alone during the exercise. The participants who stood with close friends gave significantly lower estimates of the steepness of the hill than those who stood alone, next to strangers, or next to newly formed friends. Furthermore, the longer the close friends had known each other, the less steep the hill appeared to the participants involved in the study.

KEY 2 글의 핵심어 파악

KEY 3 실험 결과를 통해 핵심 내용 파악

⬇

According to the study, a task is perceived as less ___(A)___ when standing next to a ___(B)___ friend.

KEY 1 요약문 읽고 글의 내용 예측

	(A)		(B)
①	difficult	......	close
②	valuable	......	new
③	difficult	......	smart
④	valuable	......	patient
⑤	exciting	......	strong

• 정답과 해설 47쪽

다음 글의 내용을 한 문장으로 요약하고자 한다. 빈칸 (A), (B)에 들어갈 말로 가장 적절한 것은?

고1 학평 6월

어휘수 139
난이도 ★★☆

In one study, researchers asked students to arrange ten posters in order of beauty. They promised that afterward the students could have one of the ten posters as a reward for their participation. However, when the students finished the task, the researchers said that the students were not allowed to keep the poster that they had rated as the third-most beautiful. Then, they asked the students to judge all ten posters again from the very beginning. What happened was that the poster they were unable to keep was suddenly ranked as the most beautiful. This is an example of the "Romeo and Juliet effect": Just like Romeo and Juliet in the Shakespearean tragedy, people become more attached to each other when their love is prohibited.

⬇

When people find they cannot ___(A)___ something, they begin to think it more ___(B)___.

	(A)		(B)
①	own	……	attractive
②	own	……	forgettable
③	create	……	charming
④	create	……	romantic
⑤	accept	……	disappointing

어휘 arrange 배열하다 promise 약속하다 afterward 후에, 나중에 participation 참가, 참여 task 업무, 과업 rank 순위를 매기다 attached 애착을 가진 prohibit 금지하다

다음 글의 내용을 한 문장으로 요약하고자 한다. 빈칸 (A), (B)에 들어갈 말로 가장 적절한 것은?

고1 학평 6월

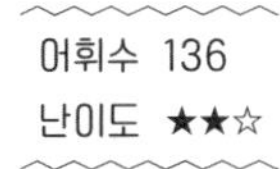

어휘수 136
난이도 ★★☆

Recent studies point to the importance of warm physical contact for healthy relationships with others. In one study, participants who briefly held a cup of hot (versus iced) coffee judged a target person as having a "warmer" personality (generous, caring); in another study, participants holding a hot (versus cold) pack were more likely to choose a gift for a friend instead of something for themselves. These findings illustrate that mere contact experiences of physical warmth activate feelings of interpersonal warmth. Moreover, this temporarily increased activation of interpersonal warmth feelings then influences judgments toward other people in an unintentional manner. Such feelings activated in one context last for a while thereafter and have influence on judgment and behavior in later contexts without the person's awareness.

⬇

Experiencing physical warmth ___(A)___ interpersonal warmth, which happens in a(n) ___(B)___ way.

	(A)		(B)
①	promotes	……	flexible
②	promotes	……	automatic
③	affects	……	inconsistent
④	minimizes	……	obvious
⑤	minimizes	……	rapid

어휘 physical 신체적인 briefly 잠시 versus ~에 비해 judge 판단하다 personality 성격 generous 너그러운 illustrate 보여 주다 mere 단순한, 겨우 activate 활성화하다 interpersonal 사람 사이의 unintentional 의도하지 않은 awareness 인식

어휘수 167
난이도 ★★★

다음 글의 내용을 한 문장으로 요약하고자 한다. 빈칸 (A), (B)에 들어갈 말로 가장 적절한 것은?

고1 학평 6월

What really works to motivate people to achieve their goals? In one study, researchers looked at how people respond to life challenges including getting a job, taking an exam, or undergoing surgery. For each of these conditions, the researchers also measured how much these participants fantasized about positive outcomes and how much they actually expected a positive outcome. What's the difference really between fantasy and expectation? While fantasy involves imagining an idealized future, expectation is actually based on a person's past experiences. So what did the researchers find? The results revealed that those who had engaged in fantasizing about the desired future did worse in all three conditions. Those who had more positive expectations for success did better in the following weeks, months, and years. These individuals were more likely to have found jobs, passed their exams, or successfully recovered from their surgery.

⬇

Positive expectations are more ___(A)___ than fantasizing about a desired future, and they are likely to increase your chances of ___(B)___ in achieving goals.

	(A)		(B)
①	effective	......	frustration
②	effective	......	success
③	discouraging	......	cooperation
④	discouraging	......	failure
⑤	common	......	difficulty

어휘 respond 대응하다, 반응하다 undergo (변화·안 좋은 일 등을) 겪다 surgery 수술 measure 측정하다 fantasize 공상하다 positive 긍정적인 expectation 기대 idealized 이상화된 engage in 참여하다 recover 회복하다

다음 글의 내용을 한 문장으로 요약하고자 한다. 빈칸 (A), (B)에 들어갈 말로 가장 적절한 것은? 고2 학평 3월

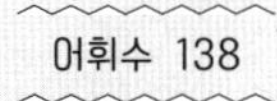

어휘수 138

Some natural resource-rich developing countries tend to rely too much on their natural resources, which results in a lower number of different types of products produced and lowers the rate of growth. Having plentiful natural resources isn't harmful to countries in itself. Many countries have abundant natural resources and have managed to grow out of their reliance on them by expanding their economic activity. That is the case of Canada, Australia, or the US. But some developing countries are trapped in their reliance on their large natural resources. They suffer from a series of problems since a heavy reliance on natural capital tends to decrease the development or use of other types of capital and as a result slow down economic growth.

⬇

Relying on rich natural resources without ____(A)____ economic activities can be a ____(B)____ to economic growth.

	(A)		(B)
①	varying	……	barrier
②	varying	……	shortcut
③	limiting	……	challenge
④	limiting	……	barrier
⑤	connecting	……	shortcut

어휘 rely on ~에 의존하다 natural resource 천연자원 plentiful 풍요로운 harmful 해로운 abundant 풍부한 reliance 의존 expand 확대하다 trap 가두다 a series of 일련의 capital 자본 slow down (속도·진행 등을) 늦추다

실전 모의고사

1

다음 글의 목적으로 가장 적절한 것은?

Dear Mr. Stevens,

This is a reply to your inquiry about the shipment status of the desk you purchased at our store on September 26. Unfortunately, the delivery of your desk will take longer than expected due to the damage that occurred during the shipment from the furniture manufacturer to our warehouse. We have ordered an exact replacement from the manufacturer, and we expect that delivery will take place within two weeks. As soon as the desk arrives, we will telephone you immediately and arrange a convenient delivery time. We regret the inconvenience this delay has caused you.

Sincerely,
Justin Upton

① 영업시간 변경을 공지하려고
② 고객 서비스 만족도를 조사하려고
③ 상품의 배송 지연에 대해 설명하려고
④ 구매한 상품의 환불 절차를 안내하려고
⑤ 배송된 상품의 파손에 대해 항의하려고

2

다음 글에 드러난 Garnet의 심경 변화로 가장 적절한 것은?

Garnet blew out the candles and lay down. It was too hot even for a sheet. She lay there, sweating, listening to the empty thunder that brought no rain, and whispered, “I wish the drought would end.” Late in the night, Garnet had a feeling that something she had been waiting for was about to happen. She lay quite still, listening. The thunder rumbled again, sounding much louder. And then slowly, one by one, as if someone were dropping pennies on the roof, came the raindrops. Garnet held her breath hopefully. The sound paused. “Don’t stop! Please!” she whispered. Then the rain burst strong and loud upon the world. Garnet leaped out of bed and ran to the window. She shouted with joy, “It’s raining hard!” She felt as though the thunderstorm was a present.

① wishful → excited
② embarrassed → proud
③ ashamed → satisfied
④ indifferent → frightened
⑤ grateful → disappointed

3 다음 글에서 필자가 주장하는 바로 가장 적절한 것은?

How do you encourage other people when they are changing their behavior? Suppose you see a friend who is on a diet and has been losing a lot of weight. It's tempting to tell her that she looks great and she must feel wonderful. It feels good for someone to hear positive comments, and this feedback will often be encouraging. However, if you end the discussion there, then the only feedback your friend is getting is about her progress toward an outcome. Instead, continue the discussion. Ask about what she is doing that has allowed her to be successful. What is she eating? Where is she working out? What are the lifestyle changes she has made? When the conversation focuses on the process of change rather than the outcome, it reinforces the value of creating a sustainable process.

* sustainable: 지속 가능한

① 상대방의 감정을 고려하여 조언해야 한다.
② 토론 중에는 지나치게 공격적인 질문을 삼가야 한다.
③ 효과적인 다이어트를 위해 구체적인 계획을 세워야 한다.
④ 지속적인 성장을 위해서는 단점보다 장점에 집중해야 한다.
⑤ 행동을 바꾸려는 사람과는 과정에 초점을 두어 대화해야 한다.

4

밑줄 친 keep Miner dollars in Miner County가 다음 글에서 의미하는 바로 가장 적절한 것은? [3점]

In 1995, a group of high school students in Miner County started planning a revival. They wanted to do something that might revive their dying community. Miner County had been failing for decades. Farm and industrial jobs had slowly dried up, and no new jobs had appeared to replace them. The students started investigating the situation. One finding in particular disturbed them. They discovered that half of the residents had been shopping outside the county, driving an hour to Sioux Falls to shop in larger stores. Most of the things that could improve the situation were out of the students' control. But they did find one thing that they could practically do: inviting the residents to spend money locally. They found their first slogan: Let's keep Miner dollars in Miner County.

* revival: 부흥

① invest dollars in industries of Miner County
② sink money in the mining industry of the county
③ prevent residents' money from leaking out of the county
④ spend lots of money to hire more residents
⑤ revive Miner County by controlling residents' money

5

다음 글의 주제로 가장 적절한 것은?

Fast fashion refers to trendy clothes designed, created, and sold to consumers as quickly as possible at extremely low prices. Fast fashion items may not cost you much at the cash register, but they come with a serious price. Tens of millions of people in developing countries, some just children, work long hours in dangerous conditions to make fast fashion. They work in factories often labeled sweatshops, and most are paid barely enough to survive. Fast fashion also hurts the environment. Clothes are manufactured using toxic chemicals and then transported around the world. This makes the fashion industry the world's second-largest polluter. And millions of tons of discarded clothing piles up in landfills each year.

* sweatshop: 노동착취공장 ** discarded: 버려진

① problems behind the fast fashion industry
② positive impacts of fast fashion on lifestyle
③ reasons why the fashion industry is growing
④ the need for improving working environment
⑤ the seriousness of air pollution in developing countries

6 다음 글의 제목으로 가장 적절한 것은?

If you want to protect yourself from colds and flu, regular exercise may be the ultimate immunity-booster. Studies have shown that moderate aerobic exercise can more than halve your risk for respiratory infections and other common winter diseases. But when you feel sick, the story changes. "Exercise is great for prevention, but it can be lousy for therapy," says David Nieman, the director of the Human Performance Lab. Research shows that moderate exercise has no effect on the duration or severity of the common cold. If you have the flu or other forms of fever-causing systemic infections, exercise can slow recovery and, therefore, is a bad idea. Your immune system is working overtime to fight off the infection, and exercise, a form of physical stress, makes that task harder.

* immunity-booster: 면역 촉진제 ** respiratory: 호흡기의 *** lousy: 나쁜

① Signs You're Exercising Too Much
② Exercising When Sick: A Good Move?
③ Power Foods That Boost Your Immunity
④ Why You Should Start Working Out Now
⑤ Cold Symptoms: Sore Throat, Cough, and More

7 Eddie Adams에 관한 다음 글의 내용과 일치하지 않는 것은?

Eddie Adams was born in Pennsylvania. He developed his passion for photography in his teens, when he became a staff photographer for his high school paper. After graduating, he joined the United States Marine Corps, where he captured scenes from the Korean War as a combat photographer. In 1958, he became staff at the *Philadelphia Evening Bulletin*, a daily evening newspaper published in Philadelphia. In 1962, he joined the Associated Press (AP), and after 10 years, he left the AP to work as a freelancer for *Time* magazine. The Saigon Execution photo that he took in Vietnam earned him the Pulitzer Prize for Spot News Photography in 1969. He shot more than 350 covers of magazines with portraits of political leaders such as Deng Xiaoping, Richard Nixon, and George Bush.

① 10대 시절에 사진에 대한 열정을 키웠다.
② 종군 사진 기자로 한국전쟁의 장면을 촬영했다.
③ 1962년부터 Time 잡지사에서 일했다.
④ 베트남에서 촬영한 사진으로 퓰리처상을 받았다.
⑤ 정치 지도자들의 잡지 표지용 사진을 촬영했다.

8 Shoes For Schools에 관한 다음 안내문의 내용과 일치하지 <u>않는</u> 것은?

SHOES FOR SCHOOLS

Your used shoes can go a long way!

Brooks High School students! Do you have old or unwanted shoes? Donate them for children in Africa. The profits from reselling the shoes will be used to build schools in Africa.

<u>WHAT</u>

* You can give away all types of shoes such as sneakers, sandals, boots, etc.

<u>WHERE</u>

* You can drop shoes off in the collection box on the first floor of the main building.

<u>WHEN</u>

* Between 8:00 a.m. and 4:00 p.m. throughout this semester
* Shoes will be picked up on Tuesdays every two weeks.

<u>HOW</u>

* The shoes you donate need to be in a plastic bag.

For more information, please call 413-367-1391.
Thank you for your participation.

① 수익금은 아프리카에 학교를 짓는 데 쓰인다.
② 모든 종류의 신발을 기증할 수 있다.
③ 신발 수거함은 본관 1층에 있다.
④ 매주 화요일에 신발을 수거한다.
⑤ 기증하는 신발은 비닐봉지에 담겨 있어야 한다.

9

다음 글의 밑줄 친 부분 중, 어법상 틀린 것은?

My dad worked very late hours as a musician — until about three in the morning — so he slept late on weekends. As a result, when I was young, we didn't have much of a relationship other than one thing. My father constantly nagged me to take care of chores like mowing the lawn and cutting the hedges, ① which I hated. He was a responsible man ② dealing with an irresponsible kid. Memories of how we interacted ③ seems funny to me today. For example, once he told me to cut the grass but I decided ④ to do just the front yard and postpone doing the back. But then it rained for a couple days and the backyard grass became so high I had to cut it with a sickle. That took so long ⑤ that by the time I was finished, the front yard was too high to mow, and so on.

* sickle: 낫

10

다음 빈칸에 들어갈 말로 가장 적절한 것은? [3점]

One CEO in one of Silicon Valley's most innovative companies has a routine that would seem boring and creativity-killing. He holds a three-hour meeting that starts at 9:00 A.M. one day a week. It is never missed or rescheduled at a different time. It is so mandatory that all the executives cannot schedule any travel that will conflict with the meeting, even in this global firm. At first glance there is nothing particularly unique about this. But what is unique is the quality of ideas that come out of ______________. Because they don't need to care about planning the meeting or think about who will or won't be there, people can focus on creative problem solving.

① consumer complaints
② the regular meetings
③ traveling experiences
④ flexible working hours
⑤ the financial incentives

11 다음 빈칸에 들어갈 말로 가장 적절한 것은? [3점]

When meeting someone in person, body language experts say that smiling can portray confidence and warmth. Online, however, smiley faces could be doing some serious damage to your career. In a new study, researchers found that using smiley faces ______________________. The study says "contrary to actual smiles, smileys do not increase perceptions of warmth and actually decrease perceptions of competence." The report also explains, "Perceptions of low competence, in turn, lessened information sharing." Therefore you shouldn't use smiley faces in an email for work. The last thing you want is for your coworkers to think that you are so unprofessional that they don't want to share information with you.

① makes you look incompetent
② causes conflict between generations
③ clarifies the intention of the message
④ results in low scores in writing tests
⑤ helps create a casual work environment

12

다음 글에서 전체 흐름과 관계 없는 문장은?

Training and conditioning for baseball focuses on developing strength, power, speed, quickness and flexibility. ① Before the 1980s, strength training was not an important part of conditioning for a baseball player. ② People viewed baseball as a game of skill and technique rather than strength, and most managers and coaches saw strength training as something for bodybuilders, not baseball players. ③ Unlike more isolated bodybuilding exercises, athletic exercises train muscle groups and functions as much as possible at the same time. ④ They feared that weight lifting and building large muscles would cause players to become less flexible, less quick and less skillful. ⑤ Today, though, experts understand the importance of strength training and have made it part of the game.

13

주어진 글 다음에 이어질 글의 순서로 가장 적절한 것은?

> No one likes to think they're average, least of all below average.

(A) Over the days and weeks from our resolution to change, we start to notice it popping up again and again. The old habit's well-practiced performance is beating our conscious desire for change into submission.

(B) This over-confidence in self-control can lead people to assume they'll be able to control themselves in situations in which, it turns out, they can't. This is why trying to stop an unwanted habit can be an extremely frustrating task.

(C) When asked by psychologists, most people rate themselves above average on all manner of measures including intelligence, looks, health, and so on. Self-control is no different: people consistently overestimate their ability to control themselves.

① (A) – (C) – (B)　② (B) – (A) – (C)　③ (B) – (C) – (A)
④ (C) – (A) – (B)　⑤ (C) – (B) – (A)

14 글의 흐름으로 보아, 주어진 문장이 들어가기에 가장 적절한 곳은?

> So a patient whose heart has stopped can no longer be regarded as dead.

Traditionally, people were declared dead when their hearts stopped beating, their blood stopped circulating and they stopped breathing. (①) So doctors would listen for a heartbeat, or occasionally conduct the famous mirror test to see if there were any signs of moisture from the potential deceased's breath. (②) It is commonly known that when people's hearts stop and they breathe their last, they are dead. (③) But in the last half-century, doctors have proved time and time again that they can revive many patients whose hearts have stopped beating by various techniques such as cardiopulmonary resuscitation. (④) Instead, the patient is said to be 'clinically dead'. (⑤) Someone who is only clinically dead can often be brought back to life.

* cardiopulmonary resuscitation: 심폐소생술(CPR)

15 다음 글의 내용을 한 문장으로 요약하고자 한다. 빈칸 (A), (B)에 들어갈 말로 가장 적절한 것은? [3점]

At the Leipzig Zoo in Germany, 34 zoo chimpanzees and orangutans participating in a study were each individually tested in a room, where they were put in front of two boxes. An experimenter would place an object inside one box and leave the room. Another experimenter would enter the room, move the object into the other box and exit. When the first experimenter returned and tried retrieving the object from the first box, the great ape would help the experimenter open the second box, which it knew the object had been transferred to. However, most apes in the study did not help the first experimenter open the second box if the first experimenter was still in the room to see the second experimenter move the item. The findings show the great apes understood when the first experimenter still thought the item was where he or she last left it.

⬇

According to the study, great apes can distinguish whether or not people have a(n) ___(A)___ belief about reality and use this understanding to ___(B)___ people.

	(A)		(B)
①	false	……	help
②	ethical	……	obey
③	scientific	……	imitate
④	irrational	……	deceive
⑤	widespread	……	correct

[16~17] 다음 글을 읽고, 물음에 답하시오.

Many high school students study and learn inefficiently because they insist on doing their homework while watching TV or listening to loud music. These same students also typically (a) <u>interrupt</u> their studying with repeated phone calls, trips to the kitchen, video games, and Internet surfing. Ironically, students with the greatest need to concentrate when studying are often the ones who surround themselves with the most distractions. These teenagers argue that they can study *better* with the TV or radio (b) <u>playing</u>. Some professionals actually (c) <u>oppose</u> their position. They argue that many teenagers can actually study productively under less-than-ideal conditions because they've been exposed repeatedly to "background noise" since early childhood. These educators argue that children have become (d) <u>used</u> to the sounds of the TV, video games, and loud music. They also argue that forcing students to turn off the TV or radio while studying will not necessarily improve their academic performance. This position is certainly not generally (e) <u>shared</u>, however. From their own experiences, many teachers and experts are sure that students studying in a noisy environment often learn inefficiently.

16

윗글의 제목으로 가장 적절한 것은?

① Successful Students Plan Ahead
② Studying with Distractions: Is It Okay?
③ Smart Devices as Good Learning Tools
④ Parents & Teachers: Partners in Education
⑤ Good Habits: Hard to Form, Easy to Break

17

밑줄 친 (a)~(e) 중에서 문맥상 낱말의 쓰임이 적절하지 <u>않은</u> 것은? [3점]

① (a) ② (b) ③ (c) ④ (d) ⑤ (e)

1 다음 글의 목적으로 가장 적절한 것은?

To whom it may concern:

My wife and I have lived in Smalltown for more than 60 years and have enjoyed Freer Park for all that time. When we were young and didn't have the money to go anywhere else, we would walk there almost every day. Now we are seniors, and my wife must use a wheelchair for extended walks. We find that the beautiful walking paths through the park are all but impassable to her. The paths are cracked and littered with rocks and debris that make it impossible to roll her chair from place to place. We hope you will devote resources to restoring the walking paths in Freer Park for all visitors.

Sincerely,

Craig Thomas

* impassable: 지나갈 수 없는, 통행할 수 없는 ** debris: 파편, 쓰레기

① 공원 산책로 복구를 요청하려고
② 노인 복지 서비스 개선을 건의하려고
③ 휠체어 대여 서비스에 대해 안내하려고
④ 청소년 야외 활동 시설에 대해 문의하려고
⑤ 공원 내 주차 공간 부족에 대해 항의하려고

2 다음 글에 드러난 'I'의 심경으로 가장 적절한 것은?

When the vote was announced, my brain just would not work out the right percentages to discover whether we had the necessary two-thirds majority. Then one of the technicians turned to me with a big smile on his face and said, "You've got it!" At that moment, the cameras outside took over and out there in the yard there was a scene of joy almost beyond belief. Then the cameras came back to those of us who were in the studio. I managed to overcome my urge to burst into tears, and expressed my joy and delight that after all these years this had happened and my thanks to my daughters and my family who had shared in the struggle so long.

① discouraged and sorrowful
② overjoyed and thrilled
③ bored and indifferent
④ jealous and furious
⑤ calm and peaceful

3

다음 글의 요지로 가장 적절한 것은?

Study the lives of the great people who have made an impact on the world, and you will find that in virtually every case, they spent a considerable amount of time alone thinking. Every political leader who had an impact on history practiced the discipline of being alone to think and plan. Great artists spend countless hours in their studios or with their instruments not just doing, but exploring their ideas and experiences. Time alone allows people to sort through their experiences, put them into perspective, and plan for the future. I strongly encourage you to find a place to think and to discipline yourself to pause and use it because it has the potential to change your life. It can help you to figure out what's really important and what isn't.

① 예술적 감수성을 키우기 위해 다양한 활동이 필요하다.
② 공동의 문제를 해결하기 위해 협동심을 발휘해야 한다.
③ 자신의 성장을 위해 혼자 생각할 시간을 가질 필요가 있다.
④ 합리적 정책을 수립하기 위해 비판적 의견을 수용해야 한다.
⑤ 성공적인 지도자가 되기 위해 규율을 엄격하게 적용해야 한다.

4 밑줄 친 부분이 가리키는 대상이 나머지 넷과 다른 것은?

Albert Einstein once boarded a train from Philadelphia. The conductor came around to punch the tickets and said, "Ticket, please." Einstein reached into his vest pocket for the ticket, but did not find it. ① He checked his jacket pocket. No ticket. He checked his brief case. But still, ② he could not find his ticket. The conductor, noting ③ his obvious distress, kindly said, "I know who you are, Dr. Einstein. Don't worry about your ticket." Several minutes later the conductor turned around from the front of the traincar to see Einstein continuing to search under ④ his seat for the missing ticket. Quickly, he hurried back to assure the gray-haired gentleman. "Dr. Einstein, Dr. Einstein, I know who you are!" ⑤ he repeated. "Please don't worry about your ticket." Dr. Einstein slowly arose from his knees and addressed the young conductor. "Son, you don't understand. I, too, know who I am. What I don't know is where I'm going."

* distress: 곤경

5 다음 글의 주제로 가장 적절한 것은? [3점]

Shopping for new things can turn into a hobby in itself. If you want to save your money, try finding pleasure in creating things rather than buying things. We get the same kind of satisfaction from making things that we do from buying things. If you draw something you're proud of or write something you enjoy, you've now got a new thing in your life that makes you happy. Buying a new gadget might give you a similar rush, but it probably won't last long. Of course, our recommendation can cost money, too. However, when you can't spend money, you can always learn more about your craft online or practice with what you already have. Even if you spend money, you're at least improving a skill rather than buying things that lose their value.

* gadget: 기계류, 기계, 장치

① misconceptions about gadget collecting as a hobby
② why creating things is better than shopping
③ negative effects of expensive hobbies
④ ways to purchase clothing wisely
⑤ shopping for clothes as a hobby

6 다음 글의 제목으로 가장 적절한 것은?

Overprotective parents spare kids from all natural consequences. Unfortunately, their kids often lack a clear understanding of the reasons behind their parents' rules. They never learn how to bounce back from failure or how to recover from mistakes because their parents prevented them from making poor choices. Rather than learning, "I should wear a jacket because it's cold outside," a child may conclude, "I have to wear a jacket because my mom makes me." Without an opportunity to experience real-world consequences, kids don't always understand why their parents make certain rules. Natural consequences prepare children for adulthood by helping them think about the potential consequences of their choices.

① Dark Sides of the Virtual World
② Let Natural Consequences Teach Kids
③ The More Choices, the More Mistakes
④ Listen to Kids to Improve Relationships
⑤ The Benefits of Overprotective Parenting

7

다음 도표의 내용과 일치하지 않는 것은?

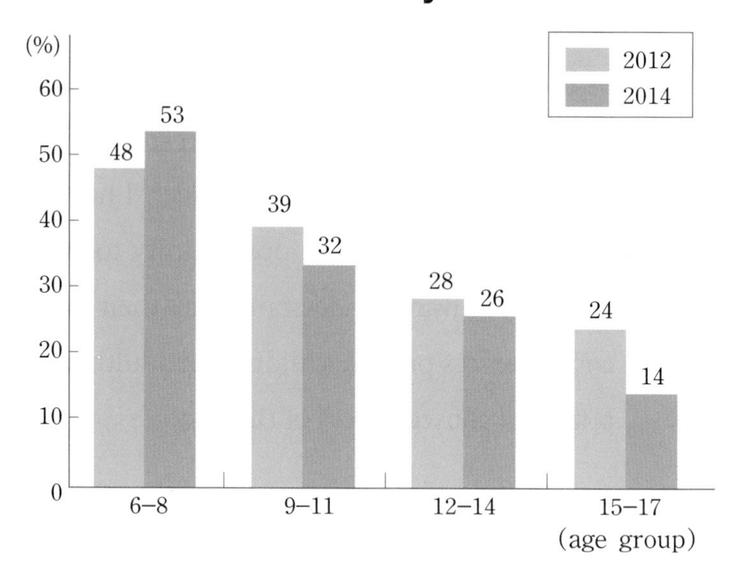

The above graph shows the percentages of children in different age groups who read books for fun at least five days a week in 2012 and 2014. ① In both years, the percentages of the 6–8 age group ranked first, followed by the 9–11 age group. ② In 2012, the percentage of the 6–8 age group was twice as large as that of the 15–17 age group. ③ In 2014, the percentage of the 6–8 age group was larger than the combined percentage of the two age groups 12–14 and 15–17. ④ The gap in the percentages between 2012 and 2014 was the smallest in the 12–14 age group. ⑤ Compared to 2012, all the age groups showed decreased percentages in 2014.

8 **Hike the Valley에 관한 다음 안내문의 내용과 일치하는 것은?**

Hike the Valley

Hike the Valley is a hiking program where we guide participants through local trails every Saturday.

Hike Information

◈ **Meeting Place**

Marshall Canyon Regional Park Main Gate

◈ **Age Requirements**

Participants should be ten years of age or older. All those under the age of 18 must be accompanied by an adult.

◈ **Participation Fee**

The fee is $8 per person. This includes a bottle of water and shuttle bus service.

◈ **Participant Requirements**

Hikers are required to wear comfortable hiking shoes or boots and bring their own lunch.

◈ **Registration**

Register in advance at the Carolyn Owens Community Center.

① 격주 토요일마다 진행된다.
② 10세 미만의 아동은 참가할 수 없다.
③ 셔틀버스 이용료는 참가비에 포함되지 않는다.
④ 점심 식사를 제공한다.
⑤ 사전 참가 신청은 불가능하다.

9

(A), (B), (C)의 각 네모 안에서 문맥에 맞는 낱말로 가장 적절한 것은?

From the beginning of human history, people have asked questions about the world and their place within it. For early societies, the answers to the most basic questions were found in (A) [religion / science]. Some people, however, weren't satisfied with the traditional religious explanations, and they began to search for answers based on reason. This (B) [consistency / shift] marked the birth of philosophy, and the first of the great thinkers that we know of was Thales of Miletus. He used reason to inquire into the nature of the universe, and encouraged others to do likewise. He passed on to his followers not only his answers but also the process of thinking (C) [rationally / irrationally]. In addition, he let them know an idea of what kind of explanation they could find satisfactory.

	(A)		(B)		(C)
①	religion	……	consistency	……	rationally
②	religion	……	shift	……	irrationally
③	religion	……	shift	……	rationally
④	science	……	shift	……	irrationally
⑤	science	……	consistency	……	rationally

10

다음 빈칸에 들어갈 말로 가장 적절한 것은? [3점]

Why doesn't the modern American accent sound similar to a British accent? After all, didn't the British colonize the U.S.? Experts believe that British residents and the colonists who settled America all sounded the same back in the 18th century. In fact, they probably all sounded like modern Americans. The accent that we think of as British today formed during the American Revolution. People of low rank who became wealthy during the Industrial revolution wanted to sound different from other commoners. These people developed new ways of speaking to set themselves apart and demonstrate their new, elevated ________________. In the 19th century, this distinctive accent was standardized and was taught to people who wanted to learn to speak fashionably.

① social status ② fashion sense ③ political pressures
④ colonial involvement ⑤ intellectual achievements

11 다음 빈칸에 들어갈 말로 가장 적절한 것은? [3점]

It's hard enough to stick with your goals, but sometimes we make goals we don't really want in the first place. We make a resolve based on what we're supposed to do, or what others think we're supposed to do, rather than what really matters to us. This makes it nearly impossible to stick to the goal. For example, reading more is a good habit when you actually want to learn more. However, if you're only doing it because you feel like that's what you're supposed to do, you're going to have a hard time reaching the goal. Instead, make goals based on ______________. Now, this isn't to say you should read less. The idea is to first consider what matters to you, then figure out what you need to do to get there.

① your moral duty
② a strict deadline
③ your own values
④ parental guidance
⑤ job market trends

12 다음 글에서 전체 흐름과 관계 없는 문장은?

Studying history can make you more knowledgeable or interesting to talk to or can lead to all sorts of brilliant vocations, explorations, and careers. ① But even more importantly, studying history helps us ask and answer humanity's Big Questions. ② If you want to know why something is happening in the present, you might ask a sociologist or an economist. ③ But if you want to know deep background, you ask historians. ④ A career as a historian is a rare job, which is probably why you have never met one. ⑤ That's because they are the people who know and understand the past and can explain its complex interrelationships with the present.

* vocation: 직업, 소명, 천직

13 주어진 글 다음에 이어질 글의 순서로 가장 적절한 것은? [3점]

> If you make a small request and have people accept it, they'll be more likely to accept a bigger request afterwards.

(A) After this, the salesperson asks you if you are interested in buying any cruelty-free cosmetics from their store. Considering that most people agree to the prior request to sign the petition, they will be more likely to purchase the cosmetics.

(B) For instance, a salesperson might request you to sign a petition to prevent cruelty against animals. This is a very small request, and most people will do what the salesperson asks.

(C) They make such purchases because the salesperson takes advantage of a human tendency to be consistent in their words and actions. People want to be consistent and will keep saying yes if they have already said it once.

* petition: 청원서

① (A) – (C) – (B) ② (B) – (A) – (C) ③ (B) – (C) – (A)
④ (C) – (A) – (B) ⑤ (C) – (B) – (A)

14 글의 흐름으로 보아, 주어진 문장이 들어가기에 가장 적절한 곳은? [3점]

> So skin cells, hair cells, and nail cells no longer produce new cells.

Do hair and fingernails continue to grow after a person dies? The short answer is no, though it may not seem that way to the casual observer. (①) That's because after death, the human body dehydrates, causing the skin to shrink, or become smaller. (②) This shrinking exposes the parts of the nails and hair that were once under the skin, causing them to appear longer than before. (③) Typically, fingernails grow about 0.1 millimeters a day, but in order to grow, they need glucose — a simple sugar that helps to power the body. (④) Once the body dies, there's no more glucose. (⑤) Moreover, a complex hormonal regulation directs the growth of hair and nails, none of which is possible once a person dies.

* dehydrate: 수분이 빠지다 ** glucose: 포도당

15 다음 글의 내용을 한 문장으로 요약하고자 한다. 빈칸 (A), (B)에 들어갈 말로 가장 적절한 것은?

Children are much more resistant to giving something to someone else than to helping them. One can observe this difference clearly in very young children. Even though one-and-a-half-year-olds will support each other in difficult situations, they are not willing to share their own toys with others. The little ones even defend their possessions with screams and, if necessary, blows. This is the daily experience of parents troubled by constant quarreling between toddlers. There was no word I heard more frequently than "Mine!" from my daughters when they were still in diapers.

* toddler: (걸음마를 배우는) 아기

⬇

Although very young children will ____(A)____ each other in difficult situations, they are unwilling to ____(B)____ their possessions.

	(A)		(B)
①	ignore	……	share
②	help	……	hide
③	ignore	……	defend
④	understand	……	hide
⑤	help	……	share

[16~18] 다음 글을 읽고, 물음에 답하시오.

(A)

A long time ago, there was a boy. He was smart, talented, and handsome. However, he was very selfish, and his temper was so difficult that nobody wanted to be his friend. Often, (a) he got angry and said hurtful things to people around him.

(B)

The number of nails the boy drove into the fence each day gradually decreased. Eventually, the boy started to understand that holding his temper was easier than driving nails into the fence. (b) He didn't need the hammer and nails anymore when he learned to hold his temper. He went to his father and shared (c) his achievement. "Now every time you hold your temper all day long, pull out one nail."

(C)

Much time passed. At last, the boy was proud of himself as all the nails were gone. He found his father and explained this. Together, they went to the fence, and (d) he said, "You did a good job, my son, but pay attention to the holes left from the nails. The fence will never be the same. The same happens when you say hurtful things to people. Your words leave scars in their hearts like those holes in the fence."

(D)

The boy's parents were concerned about his bad temper. One day, the father had an idea. He called his son and gave (e) him a hammer and a bag of nails. The father said, "Every time you get angry, take a nail, and drive it into that old fence as hard as you can." The fence was very tough, and the hammer was heavy. Nevertheless, he was so furious that during the very first day he drove in 37 nails.

16

주어진 글 (A)에 이어질 내용을 순서에 맞게 배열한 것으로 가장 적절한 것은?

① (B) – (D) – (C)
② (C) – (B) – (D)
③ (C) – (D) – (B)
④ (D) – (B) – (C)
⑤ (D) – (C) – (B)

17

밑줄 친 (a)~(e) 중에서 가리키는 대상이 나머지 넷과 다른 것은?

① (a) ② (b) ③ (c) ④ (d) ⑤ (e)

18

윗글에 관한 내용으로 적절하지 않은 것은?

① 어느 누구도 소년과 친구가 되기를 원치 않았다.
② 소년이 하루에 박은 못의 수는 점점 늘어났다.
③ 소년은 모든 못을 제거하고 스스로를 자랑스러워했다.
④ 소년의 부모는 아들의 못된 성질을 걱정했다.
⑤ 소년은 못을 박기 시작한 첫날 37개의 못을 박았다.

1 다음 글의 목적으로 가장 적절한 것은?

Dear Mr. John Smith,

I am a staff member at the Eastville Library, and I work weekday afternoons. Each day, as school closes, dozens of students come to the library to do homework, use the library's computers, or socialize in a safe place. Many of these children would otherwise go home to empty houses, and the library is the one place that provides a secure, supervised alternative to being home alone. Your proposed policy of closing libraries on Mondays as a cost cutting measure could be harmful to these children, and I'm certain there are other ways to save money. I urge you and other city council representatives to cancel the plan and to keep libraries open!

Sincerely,

Kyle Tucker

① 도서관 신설을 위한 예산 확보를 부탁하려고
② 도서관 정기 휴관 정책의 취소를 요청하려고
③ 도서관 직원의 근무 환경 개선을 제안하려고
④ 도서관 안전 점검 일정에 대해 문의하려고
⑤ 도서관 컴퓨터 추가 구입을 건의하려고

2 다음 글에 드러난 Clara의 심경으로 가장 적절한 것은?

Clara, an 11-year-old girl, sat in the back seat of her mother's car with the window down. The wind from outside blew her brown hair across her ivory pale skin — she sighed deeply. She was sad about moving and was not smiling. Her heart felt like it hurt. The fact that she had to leave everything she knew broke her heart. Eleven years — that was a long time to be in one place and build memories and make friends. She had been able to finish out the school year with her friends, which was nice, but she feared she would face the whole summer and the coming school year alone. Clara sighed heavily.

① calm and relaxed
② jealous and irritated
③ excited and amused
④ bored and indifferent
⑤ sorrowful and worried

3 다음 글에서 필자가 주장하는 바로 가장 적절한 것은?

Strong negative feelings are part of being human. Problems occur when we try too hard to control or avoid these feelings. For coping with strong negative feelings, it is helpful to take them as they are. They are messages that your mind and body sent to keep you safe. For instance, if you are afraid of a work presentation, trying to avoid your anxiety will likely reduce your confidence and increase your fear. Instead, try to accept your anxiety as a signal that you are probably nervous about public speaking — just like most other people. Then, you can lower the level of your anxiety and stress, as you increase your confidence and make the presentation much easier.

① 자신의 생각을 정확하게 전달하라.
② 타인에 대한 공감능력을 향상시켜라.
③ 익숙한 상황을 비판적 관점으로 보라.
④ 정서적 안정을 위해서 자신감을 키워라.
⑤ 부정적인 감정을 있는 그대로 받아들여라.

4 밑줄 친 "learn and live"가 다음 글에서 의미하는 바로 가장 적절한 것은? [3점]

There is a critical factor that determines whether your choice will influence that of others: the results of the choice that everyone can see. Take the case of the Adélie penguins. They are often found strolling in large groups toward the edge of the water in search of food. Yet danger awaits in the icy-cold water. There is the leopard seal, for one, which likes to have penguins for a meal. What is an Adélie to do? The penguins' solution is to play the waiting game. They wait and wait and wait by the edge of the water until one of them gives up and jumps in. At that very moment, the rest of the penguins watch with expectation to see what happens next. If the pioneer survives, everyone else will follow it into the water. If it dies, they'll turn away. One penguin's destiny alters the fate of all the others. Their strategy, you could say, is "learn and live."

* leopard seal: 표범물개

① occupy a rival's territory for safety
② discover who the enemy is and attack first
③ share survival skills with the next generation
④ support the leader's decisions for the best results
⑤ follow another's action only when it is proven safe

5 다음 글의 주제로 가장 적절한 것은?

Hydroelectric power is a clean and renewable power source. However, there are several important things to know about dams. To build a hydroelectric dam, a large area must be flooded behind the dam. Whole communities sometimes have to be moved to another place. Entire forests can be drowned. The water released from the dam can be colder than usual and this can affect the ecosystems in the rivers downstream. It can also wash away riverbanks and destroy life on the river bottoms. The worst effect of dams has been observed on salmon. They have to travel upstream to lay their eggs. If the trip is blocked by a dam, the salmon life cycle cannot be completed.

* hydroelectric: 수력 발전의 ** ecosystem: 생태계

① necessity of saving energy
② dark sides of hydroelectric dams
③ types of hydroelectric power plants
④ popularity of renewable power sources
⑤ importance of protecting the environment

6 다음 글의 제목으로 가장 적절한 것은?

Every event that causes you to smile makes you feel happy and produces feel-good chemicals in your brain. Force your face to smile even when you are stressed or feel unhappy. The facial muscular pattern produced by the smile is linked to all the "happy networks" in your brain. And then it will naturally calm you down and change your brain chemistry by releasing the same feel-good chemicals. Researchers studied the effects of a genuine and forced smile on individuals during a stressful event. The researchers had participants perform stressful tasks while not smiling, smiling, or holding chopsticks crossways in their mouths (to force the face to form a smile). The results of the study showed that smiling, forced or genuine, during stressful events reduced the stress level in the body and lowered heart rate after recovering from the stress.

* muscular: 근육의

① Causes and Effects of Stressful Events
② Personal Signs and Patterns of Stress
③ How Body and Brain React to Stress
④ Stress: Necessary Evil for Happiness
⑤ Do Forced Smiles Also Help Reduce Stress?

7 George Boole에 관한 다음 글의 내용과 일치하지 않는 것은?

George Boole was born in England in 1815. Boole had to leave school at the age of sixteen after his father's business collapsed. He taught himself mathematics, natural philosophy and various languages. He began to produce original mathematical research and made important contributions to areas of mathematics. For those contributions, in 1844, he was awarded a gold medal for mathematics by the Royal Society. Boole was deeply interested in expressing the workings of the human mind in symbolic form. And his two books on this subject, *The Mathematical Analysis of Logic* and *An Investigation of the Laws of Thought* form the basis of today's computer science. In 1849, he was appointed the first professor of mathematics at Queen's College in Ireland and taught there until his death in 1864.

① 아버지의 사업 실패 후 학교를 그만두게 되었다.
② 수학, 자연 철학, 여러 언어를 독학했다.
③ Royal Society에서 화학으로 금메달을 받았다.
④ 오늘날 컴퓨터 과학의 기초를 형성한 책들을 저술했다.
⑤ Queen's College의 교수로 임명되었다.

8 Robotic Vacuum Cleaner 사용에 관한 다음 안내문의 내용과 일치하는 것은?

Robotic Vacuum Cleaner

- User Manual -

▣ Charging the Battery

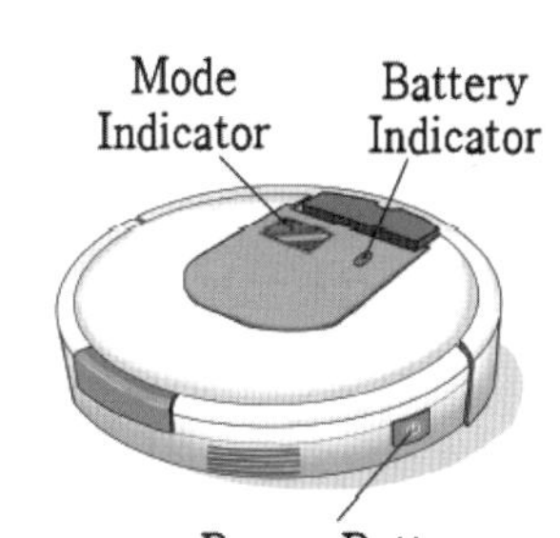

• It takes 90 minutes for the battery to be fully charged.

• The robotic vacuum can operate for 40 minutes when fully charged.

• While the robotic vacuum is charging, the battery indicator light blinks red.

• When fully charged, the battery indicator light turns blue.

▣ Operating the Vacuum

• Press the power button to turn on the vacuum.

• The following cleaning modes are provided: Auto Mode, Spot Mode, and Manual Mode.

• Turning off the vacuum will reset all settings except for the current time.

• The time can be set only with the remote control.

① 배터리를 완전히 충전하는 데 40분이 소요된다.
② 완전히 충전되면 배터리 표시등이 빨간색으로 변한다.
③ 네 가지 종류의 청소 모드를 제공한다.
④ 전원을 끄면 현재 시각이 리셋된다.
⑤ 시각은 리모컨을 사용하여 설정한다.

9

(A), (B), (C)의 각 네모 안에서 문맥에 맞는 낱말로 가장 적절한 것은? [3점]

The brain makes up just two percent of our body weight but uses 20 percent of our energy. In newborns whose growing brains (A) [warn / exhaust] them, it's no less than 65 percent. That's partly why babies sleep all the time and have a lot of body fat. The fat is there for them to use as an energy reserve when needed. Our muscles use even more of our energy, about a quarter of the total, but we have a lot of muscle. Actually, per unit of matter, the brain uses by far (B) [more / less] energy than our other organs. That means that the brain is the most expensive of our organs. But it is also marvelously (C) [creative / efficient]. Our brains require only about four hundred calories of energy a day — about the same as we get from a blueberry muffin. Try running your laptop for twenty-four hours on a muffin and see how far you get.

	(A)		(B)		(C)
①	warn	……	less	……	efficient
②	warn	……	more	……	efficient
③	exhaust	……	more	……	efficient
④	exhaust	……	more	……	creative
⑤	exhaust	……	less	……	creative

10 다음 빈칸에 들어갈 말로 가장 적절한 것은? [3점]

When reading another scientist's findings, think critically about the experiment. Ask yourself: Were observations recorded during or after the experiment? Do the conclusions make sense? Can the results be repeated? Are the sources of information reliable? You should also ask if the scientist or group conducting the experiment was unbiased. Being unbiased means that you have no special interest in the outcome of the experiment. Let's say a drug company pays for an experiment to test how well one of its new products works. Then the company has a special interest involved: It profits if the experiment shows that its product is effective. Therefore, the experimenters aren't ________________. They might ensure the conclusion is positive and benefits the drug company. When assessing results, think about any biases that may be present!

* unbiased: 편파적이지 않은

① inventive ② objective ③ untrustworthy
④ unreliable ⑤ decisive

11 다음 빈칸에 들어갈 말로 가장 적절한 것은? [3점]

Students may think they know the material, even when they don't. One of the main reasons why is that they mistake familiarity for understanding. Here is how it works: You read the chapter once, perhaps highlighting as you go. Then later, you read the chapter again, perhaps focusing on the highlighted material. As you read it over, the material is familiar because you remember it from before. And this familiarity might lead you to think, "Okay, I know that." The problem is that this feeling of familiarity is not necessarily equal to knowing the material. It may be of no help when you have to come up with an answer on the exam. In fact, familiarity can often lead to errors on multiple-choice exams because you might pick a choice that looks familiar. You find out later that it was something you had read, but ______________________________.

① you couldn't recall the parts you had highlighted
② it wasn't really the best answer to the question
③ that familiarity was based on your understanding
④ repetition enabled you to pick the correct answer
⑤ it indicated that familiarity was naturally built up

12

다음 글에서 전체 흐름과 관계 없는 문장은?

Of the many forest plants that can cause poisoning, wild mushrooms may be among the most dangerous. ① This is because people sometimes confuse the poisonous and edible varieties, or they eat mushrooms without making a positive identification of the variety. ② Many people enjoy hunting wild species of mushrooms in the spring season, because they are excellent edible mushrooms and are highly prized. ③ However, some wild mushrooms are dangerous, leading people to lose their lives due to mushroom poisoning. ④ Growing a high-quality product at a reasonable cost is a key aspect to farming edible mushrooms for profit. ⑤ To be safe, a person must be able to identify edible mushrooms before eating any wild one.

* edible: 먹을 수 있는

13

주어진 글 다음에 이어질 글의 순서로 가장 적절한 것은?

> We always have a lot of bacteria around us. They live almost everywhere: in air, soil, in different parts of our bodies, and even in some of the foods we eat. But do not worry!

(A) But unfortunately, a few of these wonderful creatures can sometimes make us sick. This is when we need to see a doctor, who may prescribe medicines to control the infection.

(B) Most bacteria are good for us. Some live in our digestive systems and help us digest our food. And some live in the environment and produce oxygen so that we can breathe and live on Earth.

(C) But what exactly are these medicines and how do they fight with bacteria? These medicines are called "antibiotics," which means "against the life of bacteria." Antibiotics either kill bacteria or stop them from growing.

* digestive system: 소화기관 ** antibiotics: 항생제

① (A) – (C) – (B)　② (B) – (A) – (C)　③ (B) – (C) – (A)
④ (C) – (A) – (B)　⑤ (C) – (B) – (A)

14 글의 흐름으로 보아, 주어진 문장이 들어가기에 가장 적절한 곳은? [3점]

> Grown-ups rarely explain the meaning of new words to children, let alone how grammatical rules work.

Our brains are constantly solving problems. (①) Every time we learn, or remember, or make sense of something, we solve a problem. (②) Some psychologists have defined all infant language-learning as problem-solving. They extend it to children and see such scientific procedures as "learning by experiment," or "hypothesis-testing." (③) Instead they use the words or the rules in conversation and leave it to children to figure out what is going on. (④) In order to learn language, an infant must make sense of the contexts in which language occurs. In other words, problems must be solved. (⑤) We have all been solving problems of this kind since childhood, usually without knowing what we are doing.

* hypothesis-testing: 가설 검증

15 **다음 글의 내용을 한 문장으로 요약하고자 한다. 빈칸 (A), (B)에 들어갈 말로 가장 적절한 것은?** [3점]

Have you noticed that some coaches get the most out of their athletes while others don't? A poor coach will tell you what you did wrong and then tell you not to do it again: "Don't drop the ball!" What happens next? In your head, you see images that you drop the ball! Naturally, your mind recreates what it just "saw" based on what it heard. Not surprisingly, you walk on the court and drop the ball. What does the good coach do? He or she points out what could be improved. But they will then tell you how you could or should perform: "I know you'll catch the ball perfectly this time." Sure enough, the next image in your mind is that you catch the ball and score a goal. Once again, your mind makes your last thoughts part of reality — but this time, that "reality" is positive, not negative.

⬇

Unlike ineffective coaches, who focus on players' ___(A)___, effective coaches help players improve by encouraging them to ___(B)___ successful plays.

	(A)		(B)
①	scores	……	complete
②	scores	……	remember
③	mistakes	……	picture
④	mistakes	……	ignore
⑤	strengths	……	achieve

[16~17] 다음 글을 읽고, 물음에 답하시오.

Researchers brought two groups of 11-year-old boys to a summer camp at Robbers Cave State Park in Oklahoma. The boys were strangers to one another and upon arrival at the camp, were randomly separated into two groups. The groups were kept apart for about a week. They swam, camped, and hiked. Each group chose a name for itself, and the boys printed their group's name on their caps and T-shirts. Then the two groups met. A series of athletic competitions were set up between them. Soon, each group considered the other an (a) <u>enemy</u>. Each group came to look down on the other. The boys started food fights and stole various items from members of the other group. Thus, under competitive conditions, the boys quickly (b) <u>drew</u> sharp group boundaries.

The researchers next stopped the athletic competitions and created several apparent emergencies whose solution (c) <u>required</u> cooperation between the two groups. One such emergency involved a leak in the pipe supplying water to the camp. The researchers assigned the boys to teams made up of members of both groups. Their job was to look into the pipe and fix the leak. After engaging in several such (d) <u>cooperative</u> activities, the boys started playing together without fighting. Once cooperation replaced competition and the groups (e) <u>started</u> to look down on each other, group boundaries melted away as quickly as they had formed.

* apparent: ~인 것으로 보이는

16

윗글의 제목으로 가장 적절한 것은?

① How Are Athletic Competitions Helpful for Teens?
② Preparation: The Key to Preventing Emergencies
③ What Makes Group Boundaries Disappear?
④ Respect Individual Differences in Teams
⑤ Free Riders: Headaches in Teams

17

밑줄 친 (a)~(e) 중에서 문맥상 낱말의 쓰임이 적절하지 <u>않은</u> 것은?

① (a) ② (b) ③ (c) ④ (d) ⑤ (e)

1

다음 글의 목적으로 가장 적절한 것은?

The upgrade of the Wellington Waste Water Treatment Facility will begin on Monday, July 30, 2018. The construction will take about 28 months and may lead to increased traffic along Baker Street due to work on and around it. Construction vehicles may also use this street to gain access to the main construction site. We sincerely apologize for any inconveniences that may be experienced. We will try to keep them to a minimum. This work is part of our continuous effort to maintain and improve the basic systems and services of our city. For any questions, please contact Ronald Brown at 022-807-4725.

① 시설 이전의 필요성을 홍보하려고
② 침수로 인한 우회로 이용을 안내하려고
③ 공사로 인한 불편에 대해 양해를 구하려고
④ 건설 현장의 안전 지침 준수를 당부하려고
⑤ 주차 공간 부족에 대한 해결책을 제시하려고

2

다음 글에 드러난 'I'의 심경으로 가장 적절한 것은?

One night, I opened the door that led to the second floor, noting that the hallway light was off. I thought nothing of it because I knew there was a light switch next to the stairs that I could turn on. What happened next was something that chilled my blood. When I put my foot down on the first step, I felt a movement under the stairs. My eyes were drawn to the darkness beneath them. Once I realized something strange was happening, my heart started beating fast. Suddenly, I saw a hand reach out from between the steps and grab my ankle. I let out a terrifying scream that could be heard all the way down the block, but nobody answered!

① scared ② bored ③ ashamed
④ satisfied ⑤ delighted

3 다음 글에서 필자가 주장하는 바로 가장 적절한 것은?

Something comes over most people when they start writing. They write in a language different from the one they would use if they were talking to a friend. If, however, you want people to read and understand what you write, write it in spoken language. Written language is more complex, which makes it more work to read. It's also more formal and distant, which makes the readers lose attention. You don't need complex sentences to express ideas. Even when specialists in some complicated field express their ideas, they don't use sentences any more complex than they do when talking about what to have for lunch. If you simply manage to write in spoken language, you have a good start as a writer.

① 구어체로 간결하게 글을 쓰라.
② 자신의 생각을 명확하게 표현하라.
③ 상대방의 입장을 고려하여 말하라.
④ 글을 쓸 때 진부한 표현을 자제하라.
⑤ 친근한 소재를 사용하여 대화를 시작하라.

4 밑줄 친 부분이 가리키는 대상이 나머지 넷과 다른 것은?

The CEO of a large company stepped out of a big black limousine. As usual, he walked up the stairs to the main entrance. ① He was just about to step through the large glass doors when he heard a voice say, "I'm very sorry, sir, but I cannot let you in without ID." The security guard, who had worked for the company for many years, looked his boss straight in the eyes, showing no sign of emotion on his face. The CEO was speechless. ② He felt his pockets to no avail. He had probably left ③ his ID at home. He took another look at the motionless security guard, and scratched his chin, thinking. Then ④ he turned on his heels and went back to his limousine. The security guard was left standing, not knowing that by this time tomorrow, ⑤ he was going to be promoted to head of security.

5 다음 글의 주제로 가장 적절한 것은?

Human beings are driven by a natural desire to form and maintain relationships with others. From this perspective, people seek relationships to fill a fundamental need. This need is the basis of many emotions, actions, and decisions throughout life. Probably, the need to belong is a product of human beings' evolutionary history as a social species. Human beings have long depended on the cooperation of others for the supply of food, protection from predators, and the learning of essential knowledge. Without the formation and maintenance of social bonds, early human beings probably would not have been able to cope with or adapt to their physical environments. Thus, seeking closeness and meaningful relationships has long been vital for human survival.

① emotion as an essential factor in evolution
② difficulties in cooperating with other people
③ ways to keep close relationships with others
④ need to build social bonds for human survival
⑤ impact of human evolution on the environment

6 다음 글의 제목으로 가장 적절한 것은? [3점]

Mammals tend to be less colorful than other animal groups, but zebras are strikingly dressed in black-and-white. What purpose do such high contrast patterns serve? The colors' roles aren't always obvious. The question of what zebras can gain from having stripes has puzzled scientists for more than a century. To try to solve this mystery, wildlife biologist Tim Caro spent more than a decade studying zebras in Tanzania. He ruled out theory after theory — stripes don't keep them cool, stripes don't confuse predators — before finding an answer. In 2013, he set up fly traps covered in zebra skin and, for comparison, others covered in antelope skin. He saw that flies seemed to avoid landing on the stripes. After more research, he concluded that stripes can literally save zebras from disease-carrying insects.

* antelope: 영양(羚羊)

① Zebras' Stripes: Nature's Defense Against Flies
② Which Mammal Has the Most Colorful Skin?
③ What Animals Are Predators of Zebras?
④ Patterns: Not for Hiding, But for Showing Off
⑤ Each Zebra Is Born with Its Own Unique Stripes

7 다음 도표의 내용과 일치하지 않는 것은?

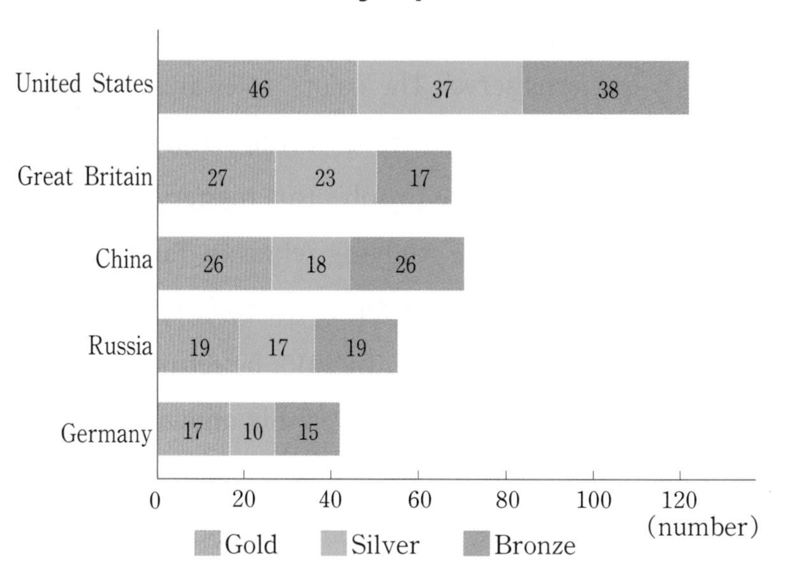

The above graph shows the number of medals won by the top 5 countries during the 2016 Summer Olympic Games, based on the medal count of the International Olympic Committee(IOC). ① Of the 5 countries, the United States won the most medals in total, about 120. ② Great Britain won more gold medals than China did. ③ China, Russia, and Germany won fewer than 20 silver medals each. ④ The number of bronze medals won by the United States was less than twice that of Germany. ⑤ Each of the top 5 countries won more than 40 medals in total.

8 **Milton Summer Dance Camp 2018에 관한 다음 안내문의 내용과 일치하는 것은?**

Milton Summer Dance Camp 2018

Milton Dance Studio is pleased to offer your kids the opportunity to learn dancing during the summer. Have your child join us for some exciting dancing!

Programs
- Classic Ballet Program: for 3–11 year olds
- Jazz Dance Program: for kids aged 12 & older

Dates, Time, & Cost
- Dates: July 23–26, 2018
- Time: 13:30–17:30
- Cost: $80 per kid

Notices
- Each class is limited to 10 kids.
- Booking is required at least 10 days in advance.

If you want more information, visit our website at www.miltondance.com.

① 12세 이상은 클래식 발레를 배운다.
② 5일간 운영된다.
③ 나이에 따라 참가비가 다르다.
④ 각 수업에는 인원 제한이 없다.
⑤ 적어도 열흘 전에 예약이 필요하다.

9 다음 글의 밑줄 친 부분 중, 어법상 틀린 것은? [3점]

Plastic degrades extremely slowly and tends to float, ① which allows it to travel in ocean currents for thousands of miles. Most plastics break down into smaller and smaller pieces when exposed to ultraviolet(UV) light, ② forming microplastics. These microplastics are very difficult to measure once they are small enough to pass through the nets typically used to collect ③ themselves. It is still poorly understood what impact they have on the marine environment and food webs. These tiny particles are known to be eaten by various animals and to get into the food chain. Because most of the plastic particles in the ocean ④ are so small, there is no practical way to clean up the ocean. One would have to filter enormous amounts of water to collect a ⑤ relatively small amount of plastic.

* degrade: 분해되다 ** microplastic: 미세 플라스틱

10 다음 빈칸에 들어갈 말로 가장 적절한 것은?

One outcome of motivation is behavior that takes considerable ______________. For example, if you are motivated to buy a good car, you will research vehicles online, look at ads, visit dealerships, and so on. Likewise, if you are motivated to lose weight, you will buy low-fat foods, eat smaller portions, and exercise. Motivation not only drives the final behaviors that bring a goal closer but also creates willingness to expend time and energy on preparatory behaviors. Thus, someone motivated to buy a new smartphone may earn extra money for it, drive through a storm to reach the store, and then wait in line to buy it.

* dealership: (자동차) 대리점 ** preparatory: 준비의

① risk ② effort ③ memory
④ fortune ⑤ experience

11

다음 빈칸에 들어갈 말로 가장 적절한 것은? [3점]

There is good evidence that in natural development, perception starts with ____________________. For example, two boxes were given to two-year-old children and chimpanzees. One of the boxes has a triangle of a particular size and shape. They soon learned that the one with a triangle always had attractive food. They applied what they learned to triangles with different appearances. The triangles were made smaller or larger or turned upside down. An outlined triangle was switched to a solid one. These changes did not seem to interfere with recognition. Similar results were obtained with rats. Karl Lashley, a psychologist, has claimed that simple transpositions of this type are universal in all animals including humans.

* transposition: 치환

① interpreting different gestures
② establishing social frameworks
③ identifying the information of colors
④ separating the self from the environment
⑤ recognizing outstanding structural features

12

다음 글에서 전체 흐름과 관계 없는 문장은?

I have seen many companies rush their products or services to market too quickly. ①There are many reasons for taking such an action, including the need to recover costs or meet deadlines. ②The problem with moving too quickly, however, is that it has a harmful impact on the creative process. ③Great ideas, like great wines, need proper aging: time to bring out their full flavor and quality. ④As a result, many companies are hiring employees regardless of their age, education, and social background. ⑤Rushing the creative process can lead to results that are below the standard of excellence that could have been achieved with additional time.

13

주어진 글 다음에 이어질 글의 순서로 가장 적절한 것은? [3점]

Trade will not occur unless both parties want what the other party has to offer.

(A) However, if the farmer is enterprising and utilizes his network of village friends, he might discover that the baker is in need of some new cast-iron trivets for cooling his bread, and it just so happens that the blacksmith needs a new lamb's wool sweater.

(B) This is referred to as the double coincidence of wants. Suppose a farmer wants to trade eggs with a baker for a loaf of bread. If the baker has no need or desire for eggs, then the farmer is out of luck and does not get any bread.

(C) Upon further investigation, the farmer discovers that the weaver has been wanting an omelet for the past week. The farmer will then trade the eggs for the sweater, the sweater for the trivets, and the trivets for his fresh-baked loaf of bread.

* cast-iron: 주철, 무쇠 ** trivet: 삼각 거치대 *** blacksmith: 대장장이

① (A) – (C) – (B) ② (B) – (A) – (C) ③ (B) – (C) – (A)
④ (C) – (A) – (B) ⑤ (C) – (B) – (A)

14

글의 흐름으로 보아, 주어진 문장이 들어가기에 가장 적절한 곳은?

Dinosaurs, however, did once live.

When I was very young, I had a difficulty telling the difference between dinosaurs and dragons. (①) But there is a significant difference between them. (②) Dragons appear in Greek myths, legends about England's King Arthur, Chinese New Year parades, and in many tales throughout human history. (③) But even if they feature in stories created today, they have always been the products of the human imagination and never existed. (④) They walked the earth for a very long time, even if human beings never saw them. (⑤) They existed around 200 million years ago, and we know about them because their bones have been preserved as fossils.

15 다음 글의 내용을 한 문장으로 요약하고자 한다. 빈칸 (A), (B)에 들어갈 말로 가장 적절한 것은? [3점]

According to an Australian study, a person's confidence in the kitchen is linked to the kind of food that he or she tends to enjoy eating. Compared to the average person, those who are proud of the dishes they make are more likely to enjoy eating vegetarian food and health food. Moreover, this group is more likely than the average person to enjoy eating diverse kinds of food: from salads and seafood to hamburgers and hot chips. In contrast, people who say "I would rather clean than make dishes." don't share this wide-ranging enthusiasm for food. They are less likely than the average person to enjoy different types of food. In general, they eat out less than the average person except for when it comes to eating at fast food restaurants.

⬇

In general, people who are confident in ___(A)___ are more likely to enjoy ___(B)___ foods than those who are not.

	(A)		(B)
①	cooking	……	various
②	cooking	……	specific
③	tasting	……	organic
④	dieting	……	healthy
⑤	dieting	……	exotic

[16~18] 다음 글을 읽고, 물음에 답하시오.

(A)

Kevin was in front of the mall wiping off his car. He had just come from the car wash and was waiting for his wife. An old man whom society would consider a beggar was coming toward him from across the parking lot. From the looks of him, (a) <u>he</u> seemed to have no home and no money. There are times when you feel generous but there are other times when you just don't want to be bothered.

* wipe off: 닦다

(B)

Kevin also needed help. Maybe not for bus fare or a place to sleep, but he needed help. He opened his wallet. And Kevin gave (b) <u>him</u> not only enough for bus fare, but enough to get a warm meal. No matter how much you have, no matter how much you have accomplished, you need help too. No matter how little you have, no matter how loaded you are with problems, even without money or a place to sleep, you can give help.

(C)

This was one of those "don't want to be bothered" times. "I hope the old man doesn't ask me for any money," Kevin thought. He didn't. He came and sat on the bench in front of the bus stop but he didn't look like he could have enough money to even ride the bus. After a few minutes he spoke. "That's a very pretty car," he said. He was ragged but (c) <u>he</u> had an air of dignity around him. Kevin said, "Thanks," and continued wiping off his car.

* ragged: 누더기를 걸친 ** dignity: 위엄

(D)

He sat there quietly as Kevin worked. The expected request for money never came. As the silence between them widened, Kevin asked, "Do you need any help?" (d) <u>He</u> answered in three simple but profound words that Kevin shall never forget: "Don't we all?" Kevin was feeling successful and important until those three words hit (e) <u>him</u>. Don't we all?

16

주어진 글 (A)에 이어질 내용을 순서에 맞게 배열한 것으로 가장 적절한 것은?

① (B) – (D) – (C)
② (C) – (B) – (D)
③ (C) – (D) – (B)
④ (D) – (B) – (C)
⑤ (D) – (C) – (B)

17

밑줄 친 (a)~(e) 중에서 가리키는 대상이 나머지 넷과 다른 것은?

① (a) ② (b) ③ (c) ④ (d) ⑤ (e)

18

윗글의 Kevin에 관한 내용으로 적절하지 않은 것은?

① 아내를 기다리고 있었다.
② 자신의 지갑을 열었다.
③ 노인이 돈을 요구하지 않기를 바랐다.
④ 버스 정류장 앞 벤치에 앉아 있었다.
⑤ 노인에게 도움이 필요한지 물었다.

1 **다음 글의 목적으로 가장 적절한 것은?**

To Whom It May Concern:

My wife and I are residents of the Lakeview Senior Apartment Complex. We have been asked by some of the residents here to see if we can help improve their ability to get around town independently. The closest bus stop is half a mile below the apartment complex, down a steep hill. Very few of the residents here feel comfortable walking all the way to (and especially from) the bus stop. We are asking if the route for bus 15 could be changed slightly to come up the hill to the complex. I can promise you several very grateful riders each day in each direction. I look forward to hearing from you soon.

Sincerely,
Ron Miller

① 버스 노선의 변경을 요청하려고
② 버스 노선 운영의 중단을 공지하려고
③ 아파트 주변 산책로 조성을 건의하려고
④ 버스 기사의 친절한 서비스에 감사하려고
⑤ 아파트 관리비 과다청구에 대해 항의하려고

2 **다음 글에 드러난 Annemarie의 심경으로 가장 적절한 것은?**

Annemarie looked up, panting, just as she reached the corner. Her heart seemed to skip a beat. "*Halte*!" the soldier ordered in a stern voice. The German word was as familiar as it was scary. Annemarie had heard it often enough before, but it had never been directed at her until now. Behind her, Ellen also slowed and stopped. Annemarie stared up. There were two of them. That meant two helmets, two sets of cold eyes glaring at her, and four tall shiny boots planted firmly on the sidewalk, blocking her path to home. And it meant two guns, gripped in the hands of the soldiers. She was motionless as she stared at the guns.

* pant: (숨을) 헐떡이다 ** stern: 단호한

① proud and satisfied
② envious and furious
③ tense and frightened
④ bored and indifferent
⑤ relieved and confident

3 **다음 글에서 필자가 주장하는 바로 가장 적절한 것은?**

Kids learn mostly by example. They model their own behavior after their parents and their older siblings. If your kids have bad eating habits, ask yourself how that happened in the first place. If you eat a poor diet yourself, neglect your health, or smoke and drink in front of them, you shouldn't be surprised when your children go down the same road. So be a good role model and set the stage for healthy eating at home and when you eat out as a family. Your actions speak louder than your words. Do not expect your kids to know for themselves what is good for them.

① 자녀의 건강한 식습관 형성을 위해 모범을 보여라.
② 가족이 함께 식사할 수 있는 시간을 확보하라.
③ 비만을 예방하기 위해 채소 섭취를 늘려라.
④ 건강을 해치는 무리한 다이어트를 피하라.
⑤ 자녀의 체질을 고려하여 식단을 짜라.

4

밑줄 친 you never miss the water till the well runs dry가 다음 글에서 의미하는 바로 가장 적절한 것은? [3점]

If you walk into a room that smells of freshly baked bread, you quickly detect the rather pleasant smell. However, stay in the room for a few minutes, and the smell will seem to disappear. In fact, the only way to detect it again is to walk out of the room and come back in. The exact same concept applies to many areas of our lives, including happiness. Everyone has something to be happy about. Perhaps they have a loving partner, good health, a satisfying job, a comfortable house, or enough food to eat. As time passes, however, they get used to what they have. And, just like the smell of fresh bread, these wonderful assets get out of their mind. As the old proverb goes, you never miss the water till the well runs dry.

① 잃어봐야 그 소중함을 깨닫는다.
② 지나가버린 일에 얽매일 필요가 없다.
③ 하찮다고 소중하지 않은 것이 아니다.
④ 물 흐르듯 자연의 이치에 순응해야 한다.
⑤ 인생사에서 아무리 작은 일이라도 놓쳐서는 안 된다.

5

다음 글의 주제로 가장 적절한 것은?

One day after the space shuttle *Challenger* exploded, Ulric Neisser asked a class of 106 students to write down exactly where they were when they heard the news. Two and a half years later, he asked them the same question. In that second interview, 25 percent of the students gave completely different answers. Half had significant errors and less than 10 percent remembered properly. This is one reason why people make mistakes on the witness stand when they have to describe a crime they saw months before. Between 1989 and 2007, 201 prisoners in the United States were proven innocent through DNA evidence. Seventy-five percent of those prisoners had been declared guilty on the basis of mistaken eyewitness accounts.

① causes of major space mission failures
② inaccuracy of information recalled over time
③ importance of protecting witnesses from threats
④ factors that improve people's long-term memories
⑤ ways to collect DNA evidence in crime investigations

6 다음 글의 제목으로 가장 적절한 것은?

In 2000, the government in Glasgow, Scotland, appeared to stumble on a remarkable crime prevention strategy. Officials hired a team to beautify the city by installing a series of blue lights in various noticeable locations. In theory, blue lights are more attractive and calming than the yellow and white lights that illuminate much of the city at night, and indeed the blue lights seemed to cast a soothing glow. Months passed and the city's crime statisticians noticed a striking trend: The locations that were newly bathed in blue experienced a dramatic decline in criminal activity. The blue lights in Glasgow, which mimicked the lights atop police cars, seemed to imply that the police were always watching. The lights were never designed to reduce crime, but that's exactly what they appeared to be doing.

* mimic: ~처럼 보이다; 모방하다

① Turn Lights off for Our Planet
② Blue Makes People Feel Lonely
③ Colorful Lights Lifting Your Spirits
④ Unexpected Outcome from Blue Lights
⑤ Cleaner Streets Lead to Lower Crime Rates

7

Edith Wharton에 관한 다음 글의 내용과 일치하지 않는 것은?

Edith Wharton was born into a wealthy family in 1862 in New York City. Educated by private tutors at home, she enjoyed reading and writing early on. After her first novel, *The Valley of Decision*, was published in 1902, she wrote many novels and some gained her a wide audience. Wharton also had a great love of architecture, and she designed and built her first real home. During World War I, she devoted much of her time to assisting orphans from France and Belgium and helped raise funds to support them. After the war, she settled in Provence, France, and she finished writing *The Age of Innocence* there. This novel won Wharton the 1921 Pulitzer Prize, making her the first woman to win the award.

① 1902년에 첫 소설이 출판되었다.
② 건축에 관심이 있어 자신의 집을 설계했다.
③ 프랑스와 벨기에의 고아를 도왔다.
④ 전쟁 중 *The Age of Innocence*를 완성했다.
⑤ 여성 최초로 Pulitzer상을 받았다.

8 The Goodtime DIY Halloween Costume Contest에 관한 다음 안내문의 내용과 일치하는 것은?

Show off your creativity by creating a DIY(do-it-yourself) Halloween costume.

Who Can Enter:

– Contestants must live in the state of Wisconsin.

Rules & Guidelines:

– Only one entry per contestant

– We will accept only one photo of you wearing the costume you made. (Videos are NOT allowed.)

– Photos must be submitted by October 25.

Prizes:

– The top 10 entries will be picked through public online voting, and our fashion designers will decide the final winners.

– First place: Tablet PC & Halloween costume set

– Second & Third places: $100 Goodtime gift certificate

① 참가 자격에 제한이 없다.
② 1인당 여러 개의 작품을 제출할 수 있다.
③ 자신이 제작한 의상을 입고 찍은 사진을 제출해야 한다.
④ 패션 디자이너들이 출품작 중 상위 10개를 선정한다.
⑤ 1등 상품으로 100달러 상당의 상품권이 주어진다.

9

다음 글의 밑줄 친 부분 중, 어법상 틀린 것은? [3점]

What could be wrong with the compliment "I'm so proud of you"? Plenty. Just as it is unwise ① to offer your child false praise, it is also a mistake to reward all of his accomplishments. Although rewards sound so ② positive, they can often lead to negative consequences. It is because they can take away from the love of learning. If you steadily reward a child for her accomplishments, she starts to focus more on getting the reward than on ③ what she did to earn it. The focus of her excitement shifts from enjoying learning itself to ④ pleasing you. If you applaud every time your child identifies a letter, she may become a praise lover who eventually ⑤ become less interested in learning the alphabet for its own sake than for hearing you applaud.

10

다음 빈칸에 들어갈 말로 가장 적절한 것은?

A study in the *Journal of Experimental Social Psychology* suggests a way to make negotiations go smoother. This study surveyed college students who negotiated the purchase of a motorcycle over an online instant messenger. The participants answered that when they believed they were physically far apart (more than 15 miles), negotiations were easier and showed more compromise than when they believed they were closer (a few feet). The experimenters explain that when people are farther apart, they consider the factors in a more abstract way. Meanwhile, they focus on the main issues rather than getting hung up on less important points. So next time you have to work out a complex deal, the researchers say, it may be worthwhile to ____________________.

① begin from a distance
② set a clear time limit
③ hide your true intentions
④ deal with smaller problems first
⑤ become familiar with each other

11

다음 빈칸에 들어갈 말로 가장 적절한 것은? [3점]

A lot of money and time is spent each year trying to teach managers how to coach their employees and give them effective feedback. Yet much of this training is ineffective, and many managers remain poor coaches. Why is that? Research sheds light on why corporate training often fails. Studies by Peter Hesling and his colleagues show that many managers ______________________. These managers judge employees as competent or incompetent at the start. They do little coaching and when employees improve, they don't take notice. What's more, they are far less likely to seek or accept critical feedback from their employees. Why bother to coach employees if they can't change and why get feedback from them if you can't change?

① provide few financial incentives
② change their decisions too often
③ do not believe in personal change
④ set their goals unrealistically high
⑤ take risks without careful consideration

12 다음 글에서 전체 흐름과 관계 없는 문장은?

A snowy owl's ears are not visible from the outside, but it has incredible hearing. The feathers on a snowy owl's face guide sounds to its ears, giving it the ability to hear things humans cannot. ① Each of its ears is a different size, and one is higher than the other. ② The differing size and location of each ear helps the owl distinguish between sounds. ③ It can hear at the same time the distant hoofbeats of a large deer, the flap of a bird's wings above it, and the digging of a small animal below it. ④ In fact, it has excellent vision both in the dark and at a distance. ⑤ After choosing which sound interests it most, the snowy owl moves its head like a large circular antenna to pick up the best reception.

* hoofbeats: 발굽소리

13 주어진 글 다음에 이어질 글의 순서로 가장 적절한 것은?

> Frank Barrett, an organizational behavior expert, explains that disrupting routines and looking at a situation from another's perspective can lead to new solutions.

(A) While everyone else was in meetings on the first day of the workshop, the airline's vice president of marketing had the beds in each leader's hotel room replaced with airline seats.

(B) After having spent that night in airline seats, the company's leaders came up with some "radical innovations." If he had not disrupted their sleeping routines and allowed them to experience their customers' discomfort, the workshop may have ended without any noteworthy changes.

(C) In a lecture, Barrett shares the story of an airline that was dealing with many complaints about their customer service. The airline's leaders held a workshop to focus on how to create a better experience for their customers.

* radical innovation: 근본적인 혁신안

① (A) – (C) – (B)　② (B) – (A) – (C)　③ (B) – (C) – (A)
④ (C) – (A) – (B)　⑤ (C) – (B) – (A)

14 글의 흐름으로 보아, 주어진 문장이 들어가기에 가장 적절한 곳은?

> In contrast, the individual who responds to anger in the same way every time has little capacity to constructively adapt his responses to different situations. 3

The goal in anger management is to increase the options you have to express anger in a healthy way. (①) By learning a variety of anger management strategies, you develop control, choices, and flexibility in how you respond to 6 angry feelings. (②) A person who has learned various ways to handle anger is more competent and confident. (③) And competence and confidence brings the strength needed to cope with situations that cause frustration and anger. 9 (④) The development of a set of such skills further enhances our sense of optimism that we can effectively handle the challenges coming to us. (⑤) Such individuals are more likely to feel frustrated and to have conflicts with 12 others and themselves.

15

다음 글의 내용을 한 문장으로 요약하고자 한다. 빈칸 (A), (B)에 들어갈 말로 가장 적절한 것은? [3점]

Timothy Wilson did an experiment in which he gave students a choice of five different art posters, and then later surveyed to see if they still liked their choices. People who were told to consciously examine their choices were least happy with their posters weeks later. People who looked at the poster briefly and then chose later were happiest. Another researcher then replicated the results in the real world with a study set in a furniture store. Furniture selection is one of the most cognitively demanding choices any consumer makes. The people who had made their selections of a study set after less conscious examination were happier than those who made their purchase after a lot of careful examination.

⬇

According to the experiments, people who thought more ___(A)___ about what to choose felt less ___(B)___ with their choices.

	(A)		(B)
①	carefully	……	satisfied
②	positively	……	disappointed
③	critically	……	annoyed
④	negatively	……	disappointed
⑤	briefly	……	satisfied

[16~17] 다음 글을 읽고, 물음에 답하시오.

A quick look at history shows that humans have not always had abundant food that is enjoyed throughout most of the developed world today. In fact, there have been numerous times in history when food has been rather scarce. As a result, people used to eat more when food was available since it was (a) questionable if they would be able to eat again. Overeating in those times was essential to ensure survival, and humans received satisfaction from eating more than needed for immediate purposes. On top of that, the biggest pleasure came from eating the highest calorie foods, resulting in a (b) longer lasting energy reserve.

Unfortunately, in some parts of the world, food is still scarce. But most of the world's population today has plenty of food available to survive and thrive. However, this abundance is new, and your body has not caught up, still naturally (c) rewarding you for eating more than needed and for eating the highest calorie foods. These are innate habits and not simple addictions. They are self-preserving mechanisms initiated by your body, ensuring your future survival, but they are (d) irrelevant now. Therefore, it is your responsibility to communicate with your body regarding the new environment of food abundance and the need to (e) strengthen the inborn habit of overeating.

* innate: 타고난

16

윗글의 제목으로 가장 적절한 것은?

① Which Is Better, Tasty or Healthy Food?
② Simple Steps for a More Balanced Diet
③ Overeating: It's Rooted in Our Genes
④ How Calorie-dense Foods Ruin Our Bodies
⑤ Our Eating Habits Reflect Our Personalities

17

밑줄 친 (a)~(e) 중에서 문맥상 낱말의 쓰임이 적절하지 않은 것은? [3점]

① (a) ② (b) ③ (c) ④ (d) ⑤ (e)

memo

" 실전과 기출문제를 통해
어휘와 독해 원리를 익히며 "

단계별로 단련하는 수능 학습!

중등

수능 독해

영어 독해 3 Level

워크북

visang

ABOVE IMAGINATION

우리는 남다른 상상과 혁신으로
교육 문화의 새로운 전형을 만들어
모든 이의 행복한 경험과 성장에 기여한다

중등

수능 독해

영어 독해

Level 3

워크북

UNIT 01

글의 목적 찾기

WORD TEST

A 다음 영어에 해당하는 우리말을 쓰시오.

1 on behalf of ____________
2 field trip ____________
3 practical ____________
4 industrial settings ____________
5 blessing ____________
6 director ____________
7 shelter ____________
8 appreciate ____________
9 support ____________
10 look after ____________
11 facility ____________
12 fill up with ____________
13 adopt ____________
14 behavioral ____________
15 resident ____________
16 after-school ____________
17 retire from ____________
18 several ____________
19 award ____________
20 national ____________

B 다음 우리말에 해당하는 영어를 쓰시오.

1 대회 ____________
2 임명하다 ____________
3 증진시키다 ____________
4 이점, 장점 ____________
5 수업, 교육 ____________
6 주된, 최고위자인 ____________
7 심사 위원 ____________
8 단연 ____________
9 강력하게 ____________
10 ~로서 일하다 ____________
11 공헌 ____________
12 워크숍, 연수 ____________
13 기술 ____________
14 비슷한 ____________
15 포함하다 ____________
16 고무하는, 감격시키는 ____________
17 강연 ____________
18 ~와 연락하다 ____________
19 도움 ____________
20 안부 ____________

WRITING TEST

A 다음 우리말과 일치하도록 주어진 말을 바르게 배열하시오.

1 불행하게도, 저희 시설은 특수한 도움이 필요한 동물들을 돌볼 수 없습니다. 〈Reading 1〉

→ ______________________________

(with, is unable to, unfortunately, care for animals, special needs, our facility)

2 그래서 전국 대회에서 여러 차례 수상한 Virginia Smith 씨가 저희 학교의 새로운 수영 코치로 임명되었습니다. 〈Reading 2〉

→ ______________________________

(so, Virginia Smith, the school's new swimming coach, who, in national competitions, has won, has been named, several awards)

3 그들은 또한 선생님께서는 단연 최고의 심사 위원이셨고, 2018년 영화제를 대단한 성공작으로 만드셨다고 제게 말했습니다. 〈Reading 3〉

→ ______________________________

(the 2018 movie festival, they also told me, a great success, that, the best judge, made, you were definitely, and)

4 그것에는 호주 출신 여성분에 의한 고무적인 강연이 포함됐습니다. 〈Reading 4〉

→ ______________________________

(an Australian lady, by, it, included, an inspiring lecture)

B 다음 우리말과 일치하도록 주어진 표현을 이용하여 문장을 쓰시오.

1 동물들의 생명을 구하는 데는 지역사회 전체가 필요합니다. (It takes ~ to부정사) 〈Reading 1〉

→ ______________________________

2 그녀는 수영이 주는 건강상의 이점을 증진시킴으로써, 더 많은 학생들이 자신의 지도를 통해 건강해지기를 바랍니다. (by -ing, get healthy) 〈Reading 2〉

→ ______________________________

3 저는 당신으로부터 곧 소식을 듣기를 기다리겠습니다. (look forward to -ing) 〈Reading 3〉

→ ______________________________

4 당신은 아직도 그녀와 연락을 하고 계십니까? (be in contact with) 〈Reading 4〉

→ ______________________________

TRANSLATION TEST

다음 문장을 끊어 읽고, 우리말로 해석하시오.

1 We hope to give some practical education to our students as to how things are done in industrial settings. 〈대표 예제〉

→ ______________________________

2 As the director of Save-A-Pet Animal Shelter, I appreciate your help and support in looking after our animals. 〈Reading 1〉

→ ______________________________

3 Consider adopting a pet with medical or behavioral needs, or even a senior one. 〈Reading 1〉

→ ______________________________

4 As you know, Sandy Brown, our after-school swimming coach for six years, retired from coaching last month. 〈Reading 2〉

→ ______________________________

5 She will teach her class in the afternoons, and continue with our summer program. 〈Reading 2〉

→ ______________________________

6 We all believe that your contribution will be of great help to our festival. 〈Reading 3〉

→ ______________________________

7 Last year, we were very pleased to have you as a judge in our festival. 〈Reading 3〉

→ ______________________________

8 They all strongly recommended you, so we would gladly like to ask you to serve as a judge again for this year's festival. 〈Reading 3〉

→ ______________________________

9 For this year's workshop, we would really like to take all our staff on a trip to Bridgend to learn more about new leadership skills in the industry. 〈Reading 4〉

→ ______________________________

10 If so, could you let me know her number or email address? 〈Reading 4〉

→ ______________________________

내용 일치·불일치 찾기

• 정답과 해설 48쪽

WORD TEST

A 다음 영어에 해당하는 우리말을 쓰시오.

1 decrease ____________
2 drop ____________
3 peak ____________
4 opposite ____________
5 path ____________
6 historical ____________
7 knowledge ____________
8 particularly ____________
9 draw one's attention ____________
10 translate ____________
11 escape ____________
12 device ____________
13 access ____________
14 consider ____________
15 connect ____________
16 pass ____________
17 select ____________
18 official ____________
19 capital ____________
20 government ____________

B 다음 우리말에 해당하는 영어를 쓰시오.

1 ~에 위치해 있다 ____________
2 인구 ____________
3 ~로 이루어지다 ____________
4 상징하다 ____________
5 혼합 ____________
6 널리 ____________
7 수학자 ____________
8 천문학자 ____________
9 바치다, 전념하다 ____________
10 처음에 ____________
11 광학 ____________
12 망원경 ____________
13 운동 ____________
14 업적 ____________
15 정확한 ____________
16 천문학의 ____________
17 ~을 수행하다 ____________
18 토성 ____________
19 위성 ____________
20 기술, 설명, 묘사 ____________

WRITING TEST

A **다음 우리말과 일치하도록 주어진 말을 바르게 배열하시오.**

1 그녀의 소설 중 한 권은 80개 이상의 언어로 번역되었다. 〈Reading 1〉

→ ____________________

(eighty languages, has been translated, of her novels, into, more than, one)

2 위 도표는 영국인들이 인터넷 접속을 할 때 어떤 장치들이 가장 중요하다고 생각했는지를 보여 준다. 〈Reading 2〉

→ ____________________

(when, what devices, British people considered, the above graph, shows, the most important, they connected to the Internet)

3 약 10,000명의 인구를 가진 Nauru는 남태평양에서 가장 작은 나라이고, 면적으로는 세계에서 세 번째로 작은 나라이다. 〈Reading 3〉

→ ____________________

(by area in the world, and the third smallest country, in the South Pacific, Nauru is, with a population of, the smallest country, about 10,000)

4 Huygens의 광범위한 업적에는 시계추에 대한 그의 연구의 결과물인, 당대의 가장 정확한 시계 중 몇몇이 포함되었다. 〈Reading 4〉

→ ____________________

(Huygens' wide-ranging achievements, the result of, included, of his time, some of the most accurate clocks, his work on pendulums)

B **다음 우리말과 일치하도록 주어진 표현을 이용하여 문장을 쓰시오.**

1 그녀는 책을 많이 읽었고, 외국 문학뿐만 아니라, 북유럽 문학에 관해 많이 배웠다. (as well as) 〈Reading 1〉

→ ____________________

2 대조적으로, 그들은 인터넷 접속을 위한 가장 중요한 장치로 데스크톱을 가장 적게 고려하는 경향이 있었다. (be the least likely to, consider A as B) 〈Reading 2〉

→ ____________________

3 12개의 꼭짓점을 가진 별이 상징하듯이 Nauru 원주민은 12개의 부족으로 이루어져 있다. (consist of) 〈Reading 3〉

→ ____________________

4 빛에 관한 그의 연구 외에도 Huygens는 힘과 운동을 연구했다. (in addition to) 〈Reading 4〉

→ ____________________

• 정답과 해설 48쪽

TRANSLATION TEST

다음 문장을 끊어 읽고, 우리말로 해석하시오.

1 The smartphone average price in India reached its peak in 2011. 〈대표 예제〉

→ ____________________

2 The gap between the global smartphone average price and the smartphone average price in China was the smallest in 2015. 〈대표 예제〉

→ ____________________

3 She was the eldest of three daughters. 〈Reading 1〉

→ ____________________

4 At the age of sixteen, she got a job at an engineering company to support her family. 〈Reading 1〉

→ ____________________

5 More than a third of UK Internet users considered smartphones to be their most important device for accessing the Internet. 〈Reading 2〉

→ ____________________

6 UK Internet users who selected a desktop as their most important device for Internet access increased by half from 2014 to 2016. 〈Reading 2〉

→ ____________________

7 Its closest neighbor is the island of Banaba, some 200 miles to the east. 〈Reading 3〉

→ ____________________

8 English is widely spoken as it is used for government and business purposes. 〈Reading 3〉

→ ____________________

9 He devoted some time to his own research, initially in mathematics but then also in optics, working on telescopes. 〈Reading 4〉

→ ____________________

10 His astronomical work, carried out using his own telescopes, included the discovery of Titan. 〈Reading 4〉

→ ____________________

UNIT 03

글의 주제·제목 찾기

WORD TEST

A 다음 영어에 해당하는 우리말을 쓰시오.

1 honesty ______
2 place ______
3 alternately ______
4 display ______
5 psychology ______
6 subtle ______
7 cue ______
8 implication ______
9 outcome ______
10 involve ______
11 effort ______
12 compassion ______
13 in trouble ______
14 matter ______
15 be down ______
16 occasional ______
17 sacrifice ______
18 charity ______
19 relationship ______
20 compliment ______

B 다음 우리말에 해당하는 영어를 쓰시오.

1 속이다 ______
2 기쁘게 하다 ______
3 상호 간의 ______
4 심리적인 ______
5 이익 ______
6 어색한 ______
7 자존감 ______
8 구별하다 ______
9 궁금해하다 ______
10 넘어지다 ______
11 방향 ______
12 구부러지다 ______
13 흔들리다 ______
14 꼬리 ______
15 경향 ______
16 경로 밖으로 ______
17 감미료 ______
18 동기 ______
19 성분 ______
20 보여 주다, 암시하다 ______

• 정답과 해설 49쪽

WRITING TEST

A 다음 우리말과 일치하도록 주어진 말을 바르게 배열하시오.

1 자선은 당신이 개만큼 배고플 때 개와 함께 나누는 그 뼈이다. 〈Reading 1〉

→ ______________________________

(as hungry as, charity, shared with the dog, is the bone, when, you are just, the dog)

2 너는 지금 몇 년 전 네가 그랬던 것보다 훨씬 나이 들어 보인다. 〈Reading 2〉

→ ______________________________

(than you did, you look, much older now, a few years ago)

3 당신은 강아지가 달리는 중에 방향을 바꿀 때 왜 넘어지지 않는지 궁금한 적이 있었는가? 〈Reading 3〉

→ ______________________________

(have you ever wondered, while running, when, why, he changes directions, a dog, doesn't fall over, ?)

4 라벨의 어디에서도 상자의 3분의 1 넘게 첨가당을 함유하고 있다는 것을 소비자들에게 알려주지 않는다. 〈Reading 4〉

→ ______________________________

(added sugar, nowhere, more than one-third, consumers, does it tell, that, of the box, contains)

B 다음 우리말과 일치하도록 주어진 표현을 이용하여 문장을 쓰시오.

1 우리는 곤경에 처한 사람들을 도우려고 노력해야 한다. (try + to부정사, be in trouble) 〈Reading 1〉

→ ______________________________

2 사회적 거짓말은 심리적 이유 때문에 말해지며 자신의 이익과 타인의 이익 모두에 부합한다. (both A and B) 〈Reading 2〉

→ ______________________________

3 이것은 강아지가 빠른 속도로 방향을 전환하려고 할 때 심지어 강아지가 넘어지게 할지도 모른다. (cause + 목적어 + to부정사) 〈Reading 3〉

→ ______________________________

4 그들은 그 식품에 설탕이 그렇게 많이 들어 있다고 말할 필요가 없다. (don't have to) 〈Reading 4〉

→ ______________________________

TRANSLATION TEST

다음 문장을 끊어 읽고, 우리말로 해석하시오.

1 Near an honesty box, in which people placed coffee fund contributions, researchers alternately displayed images of eyes and of flowers. 〈대표 예제〉

→ ______________________________

2 Contributions during the 'eyes weeks' were almost three times higher than those made during the 'flowers weeks. 〈대표 예제〉

→ ______________________________

3 Like anything else involving effort, compassion takes practice. 〈Reading 1〉

→ ______________________________

4 If we practice helping others, we'll be ready to act when those times which require real, hard sacrifice come along. 〈Reading 1〉

→ ______________________________

5 People like to be liked and receive compliments. 〈Reading 2〉

→ ______________________________

6 In that respect, social lies such as deceiving but pleasing words may benefit mutual relations. 〈Reading 2〉

→ ______________________________

7 Naturally, this turning movement might result in the dog's hind part swinging wide. 〈Reading 3〉

→ ______________________________

8 Throwing his tail in the same direction that his body is turning serves to reduce the tendency to spin off course. 〈Reading 3〉

→ ______________________________

9 This requirement has led the food industry to put in three different sources of sugar. 〈Reading 4〉

→ ______________________________

10 Whatever the true motive, ingredient labeling doesn't tell how much sugar is in the food. 〈Reading 4〉

→ ______________________________

글의 주장·요지 찾기

• 정답과 해설 50쪽

WORD TEST

A 다음 영어에 해당하는 우리말을 쓰시오.

1 dish ________
2 entire ________
3 experiment ________
4 quantity ________
5 protein ________
6 plate ________
7 wisdom ________
8 dessert ________
9 own ________
10 educational ________
11 essence ________
12 delight ________
13 immediate ________
14 silly ________
15 have control over ________
16 praise ________
17 critical ________
18 impact ________
19 express ________
20 praiseworthy ________

B 다음 우리말에 해당하는 영어를 쓰시오.

1 달성하다 ________
2 보상 ________
3 상 ________
4 ~을 부여하다 ________
5 칭찬, 장점 ________
6 보장하다 ________
7 목표 지향적인 ________
8 사고방식, 태도 ________
9 동기를 주다 ________
10 얻다, 달성하다 ________
11 장기적인 ________
12 목표 지향적이지 않은 ________
13 반복적으로 ________
14 계속적으로 ________
15 ~하기를 간절히 바라다 ________
16 연간의 ________
17 통계 ________
18 정신을 흩뜨리는 것 ________
19 ~에 집중하다 ________
20 고무시키다, 격려하다 ________

WRITING TEST

A **다음 우리말과 일치하도록 주어진 말을 바르게 배열하시오.**

1 만약 그것이 결과를 만들어내기 위해 어른들이 사용하는 또 다른 교육적 수단이 된다면, 그것은 그것의 본질을 잃게 된다. 〈Reading 1〉

→ ______________________________

(to produce outcomes, to use, for adults, if, it becomes, it loses, another educational tool, its very essence)

2 그들이 칭찬 배지를 받을 만큼 충분히 잘 할 수 있다고 확신하지 않는다면, 그들은 그러한 활동은 피할지도 모른다. 〈Reading 2〉

→ ______________________________

(if, certain activities, they are not sure, they may avoid, to earn merit badges, they can do, well enough)

3 이것이 많은 사람들이 목표를 성취한 후 옛 습관으로 되돌아가는 자신을 발견하는 이유이다. 〈Reading 3〉

→ ______________________________

(accomplishing a goal, this is why, after, many people find themselves, returning to, their old habits)

4 발전하기 위해 오늘 당신이 무엇을 할 수 있는가에 집중함으로써 당신은 그렇게 한다. 〈Reading 4〉

→ ______________________________

(by focusing on, you do that, to improve, you can do today, what)

B **다음 우리말과 일치하도록 주어진 표현을 이용하여 문장을 쓰시오.**

1 아이들은 창의적이고 즉각적인 언어 놀이에서 즐거움을 찾고, 실없는 말을 할 필요가 있다. (need to, be able to) 〈Reading 1〉

→ ______________________________

2 상은 '보상'이어야 한다. - '어떤 일을 잘한 것'에 대한 상! (be supposed + to부정사) 〈Reading 2〉

→ ______________________________

3 하지만 그들이 결승선을 통과하자마자 그들은 훈련을 중단한다. (as soon as) 〈Reading 3〉

→ ______________________________

4 당신 자신을 다른 사람과 비교하는 것은 사실 불필요하게 정신을 흩뜨리는 것일 뿐이다. (compare A to B) 〈Reading 4〉

→ ______________________________

TRANSLATION TEST

다음 문장을 끊어 읽고, 우리말로 해석하시오.

1 Experiments show that people eat nearly 50 percent greater quantity of the food they eat first. 〈대표 예제〉

→ ______________________________

2 If you are going to eat something unhealthy, at least save it for last. 〈대표 예제〉

→ ______________________________

3 However, the play must be owned by the children. 〈Reading 1〉

→ ______________________________

4 When children are allowed to develop their language play, a range of benefits result from it. 〈Reading 1〉

→ ______________________________

5 Certainly praise is critical to a child's sense of self-esteem, but when given too often for too little, it kills the impact of real praise. 〈Reading 2〉

→ ______________________________

6 The ever-present danger in handing out such honors too lightly is that children may do only those things that they know will result in prizes. 〈Reading 2〉

→ ______________________________

7 The race is no longer there to motivate them. 〈Reading 3〉

→ ______________________________

8 The purpose of building systems is to continue playing the game. 〈Reading 3〉

→ ______________________________

9 As soon as I received them in the mail, I'd compare my progress with the progress of all the other leaders. 〈Reading 4〉

→ ______________________________

10 The only one you should compare yourself to is you. 〈Reading 4〉

→ ______________________________

UNIT 05

지칭·함축 의미 파악하기

WORD TEST

A 다음 영어에 해당하는 우리말을 쓰시오.

1 open plain ____________
2 in the distance ____________
3 curiously ____________
4 insect ____________
5 roar with laughter ____________
6 dense ____________
7 horizon ____________
8 take for granted ____________
9 spread ____________
10 smooth ____________
11 take a hold of ____________
12 end up -ing ____________
13 backward ____________
14 let go ____________
15 all by oneself ____________
16 genius ____________
17 master ____________
18 structure ____________
19 unique ____________
20 poem ____________

B 다음 우리말에 해당하는 영어를 쓰시오.

1 극적으로 ____________
2 창의성 ____________
3 효과적인 ____________
4 개별의, 별개의 ____________
5 접근(법) ____________
6 과묵한 ____________
7 악수하다 ____________
8 분리되다 ____________
9 엉망인 상태 ____________
10 연결을 끊다 ____________
11 마음을 끌다 ____________
12 거짓으로 들리다 ____________
13 개념 ____________
14 목적지 ____________
15 예측하다 ____________
16 추돌[충돌]하다 ____________
17 ~으로 작용하다 ____________
18 반응하다 ____________
19 적응하다 ____________
20 마찬가지로 ____________

• 정답과 해설 51쪽

WRITING TEST

A **다음 우리말과 일치하도록 주어진 말을 바르게 배열하시오.**

1 "자", 할아버지가 그에게 상황을 설명하기 위해 Tommy를 나무로 만든 의자에 앉히면서 말했다. 〈Reading 1〉

→ ______________________________

(to him, "Now,", to explain things, said Grandfather, on a wooden chair, setting Tommy down)

2 E. E. Cummings는 그의 첫 번째 영향력 있는 시를 22세에 썼고, 자신의 명작 시들의 반 이상을 40세가 되기 전에 썼다. 〈Reading 2〉

→ ______________________________

(E. E. Cummings wrote, before turning forty, at twenty-two, more than half of, and, his first influential poem, his best work)

3 당신은 당신이 마음을 끌려고 하는 바로 그 사람들을 혼란스럽게 하는 결과를 초래한다. 〈Reading 3〉

→ ______________________________

(to attract, end up confusing, you, the very people, you're trying)

4 우리는 신호등이 얼마나 오랫동안 녹색으로 켜 있을지, 아니면 앞차의 운전자가 갑자기 브레이크를 밟을지 몰랐다. 〈Reading 4〉

→ ______________________________

(if, how long, we didn't know, the light would stay, or, on green, would suddenly put on its brakes, the car in front)

B **다음 우리말과 일치하도록 주어진 표현을 이용하여 문장을 쓰시오.**

1 그것은 처음에는 약간 어려웠고, 결국 그는 몇 차례 넘어졌다. (end up -ing) 〈Reading 1〉

→ ______________________________

2 훨씬 나중에 그들의 목표에 도달한 나이 든 대가들이 많다. (plenty of) 〈Reading 2〉

→ ______________________________

3 일이 부자연스러운 뒤죽박죽 상태로 분리되는 경향이 있다. (tend to) 〈Reading 3〉

→ ______________________________

4 우리는 멈추지 않고 3마일 떨어진 우리의 목적지까지 도착해야 했다. (have to, get to) 〈Reading 4〉

→ ______________________________

• 정답과 해설 52쪽

TRANSLATION TEST

다음 문장을 끊어 읽고, 우리말로 해석하시오.

1 About fifty years ago, a Pygmy named Kenge took his first trip out of the forests of Africa. 〈대표 예제〉

→ ______

2 Kenge had lived his entire life in a dense jungle that offered no views of the horizon. 〈대표 예제〉

→ ______

3 "Okay," said Tommy, taking a hold of the back of the chair. 〈Reading 1〉

→ ______

4 "I think you are ready to try to skate without the chair," said Grandfather. 〈Reading 1〉

→ ______

5 Orson Welles's greatest work, *Citizen Kane*, was his first full-length film at age twenty-five. 〈Reading 2〉

→ ______

6 Alfred Hitchcock made one of his most popular films, *Vertigo*, at fifty-nine. 〈Reading 2〉

→ ______

7 Instead, they see a person with crossed arms and think, "Reserved, angry." 〈Reading 3〉

→ ______

8 Trying to use body language by reading a body language dictionary is like trying to speak French by reading a French dictionary. 〈Reading 3〉

→ ______

9 The only way to keep from crashing was to put extra space between our car and the car in front of us. 〈Reading 4〉

→ ______

10 It gives us time to respond and adapt to any sudden moves by other cars. 〈Reading 4〉

→ ______

빈칸 내용 완성하기

• 정답과 해설 52쪽

WORD TEST

A 다음 영어에 해당하는 우리말을 쓰시오.

1 long-distance ______
2 get rid of ______
3 leading ______
4 theory ______
5 ancestor ______
6 prey ______
7 humid ______
8 a lack of ______
9 civilization ______
10 particular ______
11 local ______
12 expert ______
13 specialty ______
14 aspect ______
15 attack ______
16 defense ______
17 gather ______
18 analyze ______
19 inner ______
20 stillness ______

B 다음 우리말에 해당하는 영어를 쓰시오.

1 전국적인 ______
2 조사 ______
3 결정적인 ______
4 단계 ______
5 다수 ______
6 빨리 감다 ______
7 ~을 뛰어 넘다 ______
8 광고 ______
9 광고주 ______
10 필사적으로 ______
11 (못하게) 막다 ______
12 유인책 ______
13 현대의 ______
14 주목할 만한, 놀라운 ______
15 침묵, 정적 ______
16 소중한 ______
17 불안정한 ______
18 피할 수 없는 ______
19 상처 ______
20 색조, 빛깔 ______

WRITING TEST

A **다음 우리말과 일치하도록 주어진 말을 바르게 배열하시오.**

1 이것은 우리의 기술과 지식을 공유하는 것을 쉽게 만든다. 〈Reading 1〉

→ ______________________________

(it, this makes, easy, to share our skills and knowledge)

2 심지어 위대한 과학자들조차도 그들의 창의적인 발견은 마음의 정적의 시간에서 생겨났다고 말했다. 〈Reading 2〉

→ ______________________________

(a time of mental quietude, even great scientists, that, have reported, came at, their creative discoveries)

3 다른 사람들은 시청자들이 그들의 광고를 건너뛰지 못하게 하려고 자신들의 광고를 좀 더 흥미 있고 재미있게 만들려고 필사적으로 노력하고 있다. 〈Reading 3〉

→ ______________________________

(others, to make their advertisements, from skipping their ads, more interesting and entertaining, are desperately trying, to discourage viewers)

4 삶을 소중하게 만드는 것은 바로 삶의 취약함이다. 〈Reading 4〉

→ ______________________________

(it is, that, the weakness of life, makes it, precious)

B **다음 우리말과 일치하도록 주어진 표현을 이용하여 문장을 쓰시오.**

1 우리가 설거지를 할 때마다, 우리는 누군가는 주방용 세제를 만드는 법을 안다는 것을 하늘에 감사한다. (wash dishes, how to + 동사원형) 〈Reading 1〉

→ ______________________________

2 비록 그것이 다른 사람의 마음에 맞서 공격하고 방어하는 데는 능숙하더라도, 그것은 전혀 창의적이지 않다. (be good at) 〈Reading 2〉

→ ______________________________

3 결국 구매자들이 메시지를 보도록 장려하기 위해 광고주들이 유인책을 제공하도록 강요받을 것이다. (in order to + 동사원형) 〈Reading 3〉

→ ______________________________

4 그의 글은 사라지는 그 자신의 삶에 대한 바로 그 사실로 가득 차 있다. (be filled with) 〈Reading 4〉

→ ______________________________

TRANSLATION TEST

다음 문장을 끊어 읽고, 우리말로 해석하시오.

1 That ability let our ancestors move and run faster than their prey. 〈대표 예제〉

→ ______________________________

2 You'll see what a difference a lack of fur makes. 〈대표 예제〉

→ ______________________________

3 No chef can cook all dishes. 〈Reading 1〉

→ ______________________________

4 No one has ever been able to do everything. 〈Reading 1〉

→ ______________________________

5 A nationwide inquiry was conducted among America's most famous mathematicians to find out their working methods. 〈Reading 2〉

→ ______________________________

6 The simple reason why the majority of scientists are not creative is not because they don't know how to think, but because they don't know how to stop thinking! 〈Reading 2〉

→ ______________________________

7 One real concern in the marketing industry today is how to win the battle for broadcast advertising exposure. 〈Reading 3〉

→ ______________________________

8 With the growing popularity of digital video recorders, consumers can mute commercials. 〈Reading 3〉

→ ______________________________

9 Life, he wrote, "is a dangerous situation." 〈Reading 4〉

→ ______________________________

10 We forget that we love the real flower so much more than the plastic one. 〈Reading 4〉

→ ______________________________

UNIT 07

무관한 문장 찾기

WORD TEST

A 다음 영어에 해당하는 우리말을 쓰시오.

1 depending on ______________

2 reach out ______________

3 length ______________

4 improve ______________

5 manufacture ______________

6 present ______________

7 dairy ______________

8 liquid ______________

9 as ~ as possible ______________

10 take in ______________

11 require ______________

12 ultimate ______________

13 infinite ______________

14 right ______________

15 declare ______________

16 simply ______________

17 property ______________

18 prosper ______________

19 file suit ______________

20 acknowledge ______________

B 다음 우리말에 해당하는 영어를 쓰시오.

1 ~을 고려하면 ______________

2 널리 ______________

3 전자의 ______________

4 모호한 ______________

5 잘못 해석하다, 오해하다 ______________

6 그럼에도 불구하고 ______________

7 주의력 ______________

8 확실한 ______________

9 비언어적인 ______________

10 언어적인 ______________

11 강도 ______________

12 미신 ______________

13 관객 ______________

14 비극 ______________

15 저주하다 ______________

16 상호 작용 ______________

17 연기 ______________

18 ~을 배경으로 하다 ______________

19 전설 ______________

20 우연히 ______________

• 정답과 해설 53쪽

WRITING TEST

A **다음 우리말과 일치하도록 주어진 말을 바르게 배열하시오.**

1 우리의 음식과 제품에 포함된 물은 '가상의 물'이라고 불린다. 〈Reading 1〉

→ ______________________________

(that, the water, is embedded, is called "virtual water", in our food and manufactured products)

2 한때, 물줄기들은 끝없는 것처럼 보였고 물을 보호한다는 발상은 어리석게 여겨졌다. 〈Reading 2〉

→ ______________________________

(the idea, once, streams of water, of protecting water, seemed to be infinite, and, was considered silly)

3 중요한 문제는 그것들이 감정을 이해하는 데 인터넷 사용자들을 도와주는 지 아닌지이다. 〈Reading 3〉

→ ______________________________

(Internet users, an important question, they help, is, to understand emotions, whether)

4 전설에 따르면, 당신이 우연히 제목을 정말 말하게 된다면, 당신은 밖으로 나가야 한다. 〈Reading 4〉

→ ______________________________

(when, according to the legend, say the title accidently, you do, you should go outside)

B **다음 우리말과 일치하도록 주어진 표현을 이용하여 문장을 쓰시오.**

1 하지만 건강을 유지하기 위해 가능한 한 많은 물을 마시는 것이 필요하다. (as ~ as possible) 〈Reading 1〉

→ ______________________________

2 강과 숲은 단순히 재산이 아니라 번영할 권리를 가진다. (not A but B) 〈Reading 2〉

→ ______________________________

3 이모티콘이 풍자의 표현에서뿐만 아니라, 언어적 메시지의 강도를 강화하는 데에도 유용했다. (as well as) 〈Reading 3〉

→ ______________________________

4 연극에서 관객과 배우들 사이의 상호 작용은 배우들의 연기에 영향을 미친다. (between A and B) 〈Reading 4〉

→ ______________________________

TRANSLATION TEST

다음 문장을 끊어 읽고, 우리말로 해석하시오.

1 Words like 'near' can mean different things depending on where you are and what you are doing. 〈대표 예제〉

→ ______________________________

2 If you were at a zoo, then you might say you are 'near' an animal if you could reach out and touch it. 〈대표 예제〉

→ ______________________________

3 The amount of virtual water in a product needed is different depending on the product. 〈Reading 1〉

→ ______________________________

4 For instance, to produce two pounds of meat requires about 5 to 10 times as much water as to produce two pounds of vegetables. 〈Reading 1〉

→ ______________________________

5 Now Ecuador has become the first nation on Earth to protect nature's rights in its constitution. 〈Reading 2〉

→ ______________________________

6 According to the constitution, a citizen might file suit to protect a damaged water basin. 〈Reading 2〉

→ ______________________________

7 Nonetheless, research indicates that they are useful tools in online text-based communication. 〈Reading 3〉

→ ______________________________

8 Emoticons allowed users to correctly understand the level and direction of emotion. 〈Reading 3〉

→ ______________________________

9 Superstitions can be anything from not wanting to say the last line of a play to not wanting to rehearse the curtain call. 〈Reading 4〉

→ ______________________________

10 The secret code you say when you need to say the title of the play is "the Scottish play." 〈Reading 4〉

→ ______________________________

글의 순서 배열하기

• 정답과 해설 54쪽

WORD TEST

A 다음 영어에 해당하는 우리말을 쓰시오.

1 general ____________
2 set ~ free ____________
3 appreciation ____________
4 make no sense ____________
5 rub ____________
6 thunderstorm ____________
7 lightning ____________
8 flow ____________
9 electricity ____________
10 atmosphere ____________
11 cling to ____________
12 scientific ____________
13 physical ____________
14 characteristic ____________
15 trace back to ____________
16 conclude ____________
17 combine ____________
18 spot ____________
19 finding ____________
20 desire ____________

B 다음 우리말에 해당하는 영어를 쓰시오.

1 ~에게 불리하다 ____________
2 우편으로 보내다 ____________
3 거절하다 ____________
4 ~에 다니다 ____________
5 빚 ____________
6 고통 ____________
7 굶주림, 배고픔 ____________
8 알아보다 ____________
9 토대, 기초 ____________
10 자동적인 ____________
11 암기하다 ____________
12 노력이 필요한 ____________
13 대가, 희생 ____________
14 반복 ____________
15 유창성 ____________
16 민감한, 예민한 ____________
17 시도하다 ____________
18 자유롭게 ~하다 ____________
19 ~에 주목하다 ____________
20 추구 ____________

WRITING TEST

A **다음 우리말과 일치하도록 주어진 말을 바르게 배열하시오.**

1 여러분이 거기에서 했던 일은 정전기라고 불리는 전기의 한 형태를 만들어낸 것이다. 〈Reading 1〉

→ ______________________________

(is, what you have done there, to create, called static electricity, a form of electricity)

2 그는 가느다란 태양광 한 줄기가 삼각형 모양의 유리 프리즘 위에 떨어지게 했다. 〈Reading 2〉

→ ______________________________

(on a triangular glass prism, he, to fall, allowed, a thin ray of sunlight)

3 하나의 이야기가 출판되어 그가 받았던 칭찬은 그의 일생을 바꾸어 놓았다. 〈Reading 3〉

→ ______________________________

(the praise, getting one story in print, that, he received from, changed his whole life)

4 실수를 대수롭지 않게 여기기가 더 쉬워진다. 〈Reading 4〉

→ ______________________________

(to let mistakes slide, it, easier, becomes)

B **다음 우리말과 일치하도록 주어진 표현을 이용하여 문장을 쓰시오.**

1 폭풍이 치는 동안 우리가 자주 보는 번개는 커다란 전하의 흐름에 의해 생긴다. (be caused by) 〈Reading 1〉

→ ______________________________

2 색깔의 물리적 특성에 관한 과학적 연구는 Isaac Newton에게로 거슬러 올라갈 수 있다. (be traced back) 〈Reading 2〉

→ ______________________________

3 그는 아무도 자신을 비웃지 않도록 밤에 몰래 자신의 글을 편집자에게 우편으로 보냈다. (so that, laugh at) 〈Reading 3〉

→ ______________________________

4 당신은 간단한 동작을 매우 잘 알고 있어서 생각하지 않고도 당신은 그것들을 수행할 수 있다. (so ~ that, without -ing) 〈Reading 4〉

→ ______________________________

• 정답과 해설 55쪽

TRANSLATION TEST

다음 문장을 끊어 읽고, 우리말로 해석하시오.

1 He was told there were about three thousand. 〈대표 예제〉

→ ______

2 The people wanted to do something special for Bolívar to show their appreciation for all. 〈대표 예제〉

→ ______

3 During a thunderstorm, clouds may become charged as they rub against each other. 〈Reading 1〉

→ ______

4 You will find that the bits of paper or chalk dust cling to the pen. 〈Reading 1〉

→ ______

5 It was only when Newton placed a second prism in the path of the spectrum that he found something new. 〈Reading 2〉

→ ______

6 As soon as the white ray hit the prism, it separated into the familiar colors of the rainbow. 〈Reading 2〉

→ ______

7 A young man named Charles Dickens had a strong desire to be a writer. 〈Reading 3〉

→ ______

8 He had never been able to attend school for more than four years. 〈Reading 3〉

→ ______

9 It is only after the basic movements of the pieces have become automatic that a player can focus on the next level. 〈Reading 4〉

→ ______

10 You are free to pay attention to more advanced details. 〈Reading 4〉

→ ______

UNIT 09

주어진 문장 위치 파악하기

WORD TEST

A 다음 영어에 해당하는 우리말을 쓰시오.

1 obstacle ______________
2 currently ______________
3 survival ______________
4 harsh ______________
5 surface ______________
6 exploration ______________
7 pose ______________
8 instrument ______________
9 clue ______________
10 facial ______________
11 guess ______________
12 mood ______________
13 shaky ______________
14 muscle ______________
15 enable ______________
16 spontaneously ______________
17 emotion ______________
18 repeat ______________
19 advance ______________
20 eliminate ______________

B 다음 우리말에 해당하는 영어를 쓰시오.

1 나오다, 나타나다 ______________
2 머뭇거림, 망설임 ______________
3 걱정 ______________
4 재능이 있는 ______________
5 관심을 끌다 ______________
6 취학 전의 아동 ______________
7 열심히 ______________
8 열정적으로 ______________
9 상호 작용하다 ______________
10 한 마디로 ______________
11 ~을 최대한 활용하다 ______________
12 보통의 ______________
13 경계(선) ______________
14 거장 ______________
15 대단히, 현저하게 ______________
16 겉으로 보기에는 ______________
17 이익 ______________
18 잡히다 ______________
19 비상식적인, 미친 ______________
20 성과를 거두다 ______________

• 정답과 해설 55쪽

WRITING TEST

A

다음 우리말과 일치하도록 주어진 말을 바르게 배열하시오.

1 당신이 친구가 어떻게 느끼는지를 알아보기 위해 사용할 수 있는 다른 중요한 단서는 그 사람의 얼굴 표정을 주시하는 것이다. 〈Reading 1〉

→ ______________________________

(his or her facial expression, you might use, what a friend is feeling, to tell, the other main clue, would be to look at)

2 한 소년이 '들은 것은 무엇이든 반복하는 경향'을 의미하는 단어인 echolalia의 철자를 말하도록 요구 받았다. 〈Reading 2〉

→ ______________________________

(a word, a boy, was asked to spell *echolalia*, means a tendency, whatever one hears, that, to repeat)

3 당신이 음악적으로 재능이 있는지에 관한 모든 걱정을 잊어라. 〈Reading 3〉

→ ______________________________

(forget, whether, all your concerns, you are musically talented, about)

4 그것이 이러한 수가 실제로 성과를 거둔다는 것을 볼 수 있을 만큼 충분히 멀리 앞을 탐색하기 때문이다. 〈Reading 4〉

→ ______________________________

(searches, to see, far enough ahead, these moves, it, that, really do pay off)

B

다음 우리말과 일치하도록 주어진 표현을 이용하여 문장을 쓰시오.

1 우리는 우리 얼굴을 움직이게 하는 수많은 얼굴 근육들을 가지고 있다. (enable A to B) 〈Reading 1〉

→ ______________________________

2 그의 동기의 일부는 "저는 거짓말쟁이처럼 느끼고 싶지 않았어요."라는 것이었다. (feel like) 〈Reading 2〉

→ ______________________________

3 그 상황을 최대한 활용하기 위해 당신이 할 수 있는 모든 것을 해라. (make the most of) 〈Reading 3〉

→ ______________________________

4 겉으로 보기에는 이런 움직임이 비상식적으로 보였다. (on the surface) 〈Reading 4〉

→ ______________________________

• 정답과 해설 56쪽

TRANSLATION TEST

다음 문장을 끊어 읽고, 우리말로 해석하시오.

1 Because of these obstacles, most research missions in space are carried out with crewless spacecraft. 〈대표 예제〉

→ ____________________

2 A spacecraft would need to carry enough air, water, and other supplies needed for survival. 〈대표 예제〉

→ ____________________

3 Have you ever thought about how you can tell what somebody else is feeling? 〈Reading 1〉

→ ____________________

4 Even if they do not tell you, you could definitely guess what kind of mood they are in. 〈Reading 1〉

→ ____________________

5 Newspaper headlines the next day called the honest young man a "spelling bee hero." 〈Reading 2〉

→ ____________________

6 The judges said I had a lot of honesty. 〈Reading 2〉

→ ____________________

7 They let out all sorts of thoughts and emotions as they interact with music. 〈Reading 3〉

→ ____________________

8 In a word, young children think music is a lot of fun. 〈Reading 3〉

→ ____________________

9 It will immediately suggest the exact moves that Fischer made. 〈Reading 4〉

→ ____________________

10 The boundary between uniquely human creativity and machine capabilities continues to change. 〈Reading 4〉

→ ____________________

요약문 완성하기

• 정답과 해설 56쪽

WORD TEST

A 다음 영어에 해당하는 우리말을 쓰시오.

1 base ____________
2 weighted ____________
3 estimate ____________
4 steepness ____________
5 significantly ____________
6 involved in ____________
7 arrange ____________
8 promise ____________
9 participation ____________
10 task ____________
11 rank ____________
12 attached ____________
13 prohibit ____________
14 briefly ____________
15 versus ____________
16 personality ____________
17 generous ____________
18 mere ____________
19 activate ____________
20 interpersonal ____________

B 다음 우리말에 해당하는 영어를 쓰시오.

1 의도하지 않은 ____________
2 인식 ____________
3 (변화·안 좋은 일 등을) 겪다 ____________
4 수술 ____________
5 측정하다 ____________
6 공상하다 ____________
7 긍정적인 ____________
8 기대 ____________
9 이상화된 ____________
10 회복하다 ____________
11 ~에 의존하다 ____________
12 천연자원 ____________
13 풍요로운 ____________
14 해로운 ____________
15 풍부한 ____________
16 의존 ____________
17 확대하다 ____________
18 가두다 ____________
19 일련의 ____________
20 (속도·진행 등을) 늦추다 ____________

WRITING TEST

A **다음 우리말과 일치하도록 주어진 말을 바르게 배열하시오.**

1 그들은 학생들에게 모든 10개의 포스터를 아주 처음부터 다시 평가하도록 요청했다. 〈Reading 1〉

→ ______________________________

(the students, all ten posters again, they, from the very beginning, to judge, asked)

2 한 상황에서 활성화된 그런 감정은 그 이후 한동안 지속된다. 〈Reading 2〉

→ ______________________________

(last, activated, such feelings, in one context, for a while thereafter)

3 바라던 미래에 대해 공상을 했던 사람들은 세 가지 상황 모두에서 성과가 좋지 않았다. 〈Reading 3〉

→ ______________________________

(those who, in all three conditions, had engaged, did worse, the desired future, in fantasizing about)

4 경제 활동을 다양화하지 않은 채 풍부한 천연자원에 의존하는 것은 경제 성장에 장애가 될 수 있다. 〈Reading 4〉

→ ______________________________

(varying economic activities, relying on rich natural resources, without, to economic growth, can be a barrier)

B **다음 우리말과 일치하도록 주어진 표현을 이용하여 문장을 쓰시오.**

1 연구자들은 학생들에게 10개의 포스터를 아름다운 순서대로 배열하라고 요청했다. (in order of) 〈Reading 1〉

→ ______________________________

2 참가자들이 자신을 위한 무언가를 선택하는 대신에 친구를 위해 선물을 고르는 경향이 더 컸다. (be likely to) 〈Reading 2〉

→ ______________________________

3 기대는 실제로 사람의 과거 경험에 근거한다. (be based on) 〈Reading 3〉

→ ______________________________

4 천연자원이 풍부한 일부 개발도상국들은 자국의 천연자원에 지나치게 의존하는 경향이 있다. (rely on) 〈Reading 4〉

→ ______________________________

TRANSLATION TEST

다음 문장을 끊어 읽고, 우리말로 해석하시오.

1 Social psychologists asked college students to stand at the base of a hill while carrying a weighted backpack. 〈대표 예제〉

→ ______

2 Some stood next to friends they had not known for long. 〈대표 예제〉

→ ______

3 They promised that afterward the students could have one of the ten posters as a reward. 〈Reading 1〉

→ ______

4 The poster they were unable to keep was suddenly ranked as the most beautiful. 〈Reading 1〉

→ ______

5 Participants who briefly held a cup of hot coffee judged a target person as having a "warmer" personality. 〈Reading 2〉

→ ______

6 Such feelings have influence on judgment and behavior in later contexts without the person's awareness. 〈Reading 2〉

→ ______

7 What really works to motivate people to achieve their goals? 〈Reading 3〉

→ ______

8 Researchers looked at how people respond to life challenges including getting a job. 〈Reading 3〉

→ ______

9 It results in a lower number of different types of products produced. 〈Reading 4〉

→ ______

10 Having plentiful natural resources isn't harmful to countries in itself. 〈Reading 4〉

→ ______

실전 모의고사 1회

WORD TEST

A 다음 영어에 해당하는 우리말을 쓰시오.

1 shipment ____________
2 status ____________
3 warehouse ____________
4 lie down ____________
5 sweat ____________
6 whisper ____________
7 drought ____________
8 comment ____________
9 work out ____________
10 reinforce ____________
11 revive ____________
12 dry up ____________
13 disturb ____________
14 barely ____________
15 toxic ____________
16 pile up ____________
17 moderate ____________
18 halve ____________
19 portrait ____________
20 resell ____________

B 다음 우리말에 해당하는 영어를 쓰시오.

1 잔소리를 하다 ____________
2 허드렛일 ____________
3 무책임한 ____________
4 의무적인 ____________
5 언뜻 보기에는 ____________
6 능력, 능숙함 ____________
7 감소시키다 ____________
8 유연성 ____________
9 숙련된 ____________
10 굳은 다짐, 결심 ____________
11 과대평가하다 ____________
12 순환하다 ____________
13 습기 ____________
14 임상적으로 ____________
15 떠나다, 나가다 ____________
16 되찾다, 회수하다 ____________
17 모순적이게도 ____________
18 반대하다 ____________
19 노출시키다 ____________
20 ~에 익숙해지다 ____________

WRITING TEST

A **다음 우리말과 일치하도록 주어진 말을 바르게 배열하시오.**

1 그들이 실제로 할 수 있는 한 가지를 확실히 발견했다. 〈Reading 4〉

→ ______________________________

(one thing, that, they did find, they could practically do)

2 우리가 소통했던 방식에 대한 기억들이 현재 나에게는 우스워 보인다. 〈Reading 9〉

→ ______________________________

(memories of, seem funny, how we interacted, to me today)

3 이것이 원하지 않는 습관을 멈추려 노력하는 것이 매우 좌절감을 주는 일이 될 수 있는 이유이다. 〈Reading 13〉

→ ______________________________

(trying to stop, this is why, can be, an unwanted habit, an extremely frustrating task)

4 그래서 심장이 멎은 환자는 더 이상 사망한 것으로 간주될 수 없다. 〈Reading 14〉

→ ______________________________

(as dead, so a patient, has stopped, whose heart, can no longer, be regarded)

B **다음 우리말과 일치하도록 주어진 표현을 이용하여 문장을 쓰시오.**

1 당신의 책상 배송이 파손 때문에 예상된 것보다 더 오래 걸릴 것입니다. (due to) 〈Reading 1〉

→ ______________________________

2 그 대화는 결과보다 오히려 변화의 과정에 초점을 맞춘다. (focus on) 〈Reading 3〉

→ ______________________________

3 그 상황을 개선할 수 있는 대부분의 것들은 학생들이 통제할 수 없었다. (be out of control) 〈Reading 4〉

→ ______________________________

4 매 격주 화요일에 신발이 수거될 것입니다. (every two weeks) 〈Reading 8〉

→ ______________________________

5 그는 무책임한 아이를 다루는 책임감 있는 사람이었다. (deal with) 〈Reading 9〉

→ ______________________________

TRANSLATION TEST

다음 문장을 끊어 읽고, 우리말로 해석하시오.

1 We regret the inconvenience this delay has caused you. 〈Reading 1〉

→ ______________________________

2 Garnet had a feeling that something she had been waiting for was about to happen. 〈Reading 2〉

→ ______________________________

3 It feels good for someone to hear positive comments. 〈Reading 3〉

→ ______________________________

4 The Saigon Execution photo that he took in Vietnam earned him the Pulitzer Prize. 〈Reading 7〉

→ ______________________________

5 The profits from reselling the shoes will be used to build schools in Africa. 〈Reading 8〉

→ ______________________________

6 People viewed baseball as a game of skill and technique rather than strength. 〈Reading 12〉

→ ______________________________

7 So doctors would listen for a heartbeat, or occasionally conduct the famous mirror test. 〈Reading 14〉

→ ______________________________

8 The first experimenter still thought the item was where he or she last left it. 〈Reading 15〉

→ ______________________________

9 They insist on doing their homework while watching TV. 〈Reading 16~17〉

→ ______________________________

10 They've been exposed repeatedly to "background noise" since early childhood. 〈Reading 16~17〉

→ ______________________________

실전 모의고사 2회

• 정답과 해설 59쪽

WORD TEST

A 다음 영어에 해당하는 우리말을 쓰시오.

1 senior ____________
2 crack ____________
3 litter ____________
4 urge ____________
5 burst into tears ____________
6 virtually ____________
7 discipline ____________
8 sort through ____________
9 conductor ____________
10 distress ____________
11 arise ____________
12 in itself ____________
13 craft ____________
14 overprotective ____________
15 spare A from B ____________
16 consequence ____________
17 potential ____________
18 combined ____________
19 regional ____________
20 accompany ____________

B 다음 우리말에 해당하는 영어를 쓰시오.

1 철학 ____________
2 마찬가지로 ____________
3 식민지화하다 ____________
4 정착하다 ____________
5 독특한 ____________
6 ~을 고수하다 ____________
7 인류 ____________
8 드문, 희귀한 ____________
9 나중에 ____________
10 한결 같은 ____________
11 세포 ____________
12 수축하다, 줄다 ____________
13 일반적으로, 전형적으로 ____________
14 저항하는, 거부하는 ____________
15 지키다, 방어하다 ____________
16 세게 때림, 강타 ____________
17 이기적인 ____________
18 성질 ____________
19 흉터 ____________
20 화가 난 ____________

WRITING TEST

A

다음 우리말과 일치하도록 주어진 말을 바르게 배열하시오.

1 6~8세 연령대의 비율은 15~17세 연령대 비율보다 두 배만큼 컸다. 〈Reading 7〉

→ ____________________

(twice, the percentage of the 6-8 age group, of the 15-17 age group, was, that, as large as)

2 Hike the Valley는 매주 토요일 저희가 참가자들에게 지역 숲길을 안내하는 하이킹 프로그램입니다. 〈Reading 8〉

→ ____________________

(Hike the Valley, where, is a hiking program, every Saturday, we guide participants, through local trails)

3 그는 그들이 어떤 종류의 설명을 만족스럽게 여길 수 있는가에 대한 생각을 알게 해 주었다. 〈Reading 9〉

→ ____________________

(an idea of, he let them know, what kind of explanation, find satisfactory, they could)

4 그것은 그들이 과거를 알고 이해할 수 있는 사람이기 때문이다. 〈Reading 12〉

→ ____________________

(know and understand, that's because, they are, who, the people, the past)

B

다음 우리말과 일치하도록 주어진 표현을 이용하여 문장을 쓰시오.

1 Carolyn Owens Community Center에서 사전에 등록하세요. (in advance) 〈Reading 8〉

→ ____________________

2 몇몇 사람들은 그 전통적인 종교적 설명에 만족하지 못했다. (be satisfied with) 〈Reading 9〉

→ ____________________

3 그 판매원이 자기 말과 행동을 일치시키는 사람의 경향을 이용한다. (take advantage of) 〈Reading 13〉

→ ____________________

4 그들은 그들 소유의 장난감을 다른 사람들과 기꺼이 공유하려 하지 않는다. (be willing to) 〈Reading 15〉

→ ____________________

5 못으로 인해 남겨진 구멍들에 주목해 보아라. (pay attention to) 〈Reading 16~18〉

→ ____________________

TRANSLATION TEST

다음 문장을 끊어 읽고, 우리말로 해석하시오.

1 We would walk there almost every day. 〈Reading 1〉

→ ______________________________

2 I expressed my joy and delight that after all these years this had happened. 〈Reading 2〉

→ ______________________________

3 Study the lives of the great people who have made an impact on the world. 〈Reading 3〉

→ ______________________________

4 The conductor, noting his obvious distress, kindly said. 〈Reading 4〉

→ ______________________________

5 The percentages of the 6-8 age group ranked first, followed by the 9-11 age group. 〈Reading 7〉

→ ______________________________

6 A career as a historian is a rare job, which is probably why you have never met one. 〈Reading 12〉

→ ______________________________

7 People want to be consistent and will keep saying yes if they have already said it once. 〈Reading 13〉

→ ______________________________

8 Once the body dies, there's no more glucose. 〈Reading 14〉

→ ______________________________

9 The little ones even defend their possessions with screams and, if necessary, blows. 〈Reading 15〉

→ ______________________________

10 Every time you get angry, take a nail, and drive it into that old fence as hard as you can. 〈Reading 16~18〉

→ ______________________________

실전 모의고사 3회

WORD TEST

A 다음 영어에 해당하는 우리말을 쓰시오.

1 alternative ____________
2 representative ____________
3 pale ____________
4 sigh ____________
5 occur ____________
6 anxiety ____________
7 factor ____________
8 determine ____________
9 stroll ____________
10 pioneer ____________
11 destiny ____________
12 renewable ____________
13 flood ____________
14 release ____________
15 genuine ____________
16 collapse ____________
17 deeply ____________
18 appoint ____________
19 manual ____________
20 blink ____________

B 다음 우리말에 해당하는 영어를 쓰시오.

1 신생아 ____________
2 ~당 ____________
3 단위 ____________
4 장기 ____________
5 놀라울 만큼 ____________
6 비판적으로 ____________
7 믿을 만한 ____________
8 평가하다 ____________
9 치우침 ____________
10 친숙함 ____________
11 동일한 ____________
12 혼동하다 ____________
13 독성이 있는 ____________
14 종 ____________
15 처방하다 ____________
16 소화하다 ____________
17 절차 ____________
18 맥락 ____________
19 새는 것, 누출 ____________
20 차츰 사라지다 ____________

• 정답과 해설 60쪽

WRITING TEST

A **다음 우리말과 일치하도록 주어진 말을 바르게 배열하시오.**

1 매일 학교가 끝나면 수십 명의 학생들이 과제를 하기 위해 도서관으로 옵니다. 〈Reading 1〉

→ ______________________________

(school closes, as, to do homework, each day, come to the library, dozens of students)

2 그녀가 알고 있었던 모든 것을 떠나야 한다는 사실이 그녀의 마음을 아프게 했다. 〈Reading 2〉

→ ______________________________

(she had to leave everything, the fact, she knew, that, broke her heart)

3 진공청소기를 끄는 것은 현재 시각을 제외한 모든 설정을 리셋 시킬 것입니다. 〈Reading 8〉

→ ______________________________

(all settings, except for, the current time, will reset, turning off the vacuum)

4 뇌의 성장이 그것들을 소진시키는 갓 태어난 아기의 경우, 그 비율은 65퍼센트에 달한다. 〈Reading 9〉

→ ______________________________

(growing brains exhaust them, in newborns, it's, whose, no less than 65 percent)

B **다음 우리말과 일치하도록 주어진 표현을 이용하여 문장을 쓰시오.**

1 강한 부정적인 감정에 대처하기 위해서는 그 감정을 있는 그대로 받아들이는 것이 도움이 된다. (cope with) 〈Reading 3〉

→ ______________________________

2 뇌는 우리의 몸무게의 2퍼센트만을 차지한다. (make up) 〈Reading 9〉

→ ______________________________

3 그들은 무슨 일이 진행 중인지 알아내기 위해 그것을 아이들에게 맡긴다. (figure out) 〈Reading 14〉

→ ______________________________

4 어떤 코치들은 그들의 선수들을 최대한으로 활용하는 반면 다른 코치들은 그렇지 않다는 것을 알아챘는가? (get the most out of) 〈Reading 15〉

→ ______________________________

5 그들의 임무는 파이프를 조사하고 새는 곳을 고치는 것이었다. (look into) 〈Reading 16~17〉

→ ______________________________

• 정답과 해설 60쪽

TRANSLATION TEST

다음 문장을 끊어 읽고, 우리말로 해석하시오.

1 Your proposed policy of closing libraries on Mondays as a cost cutting measure could be harmful. 〈Reading 1〉

→ ______________________________

2 Her heart felt like it hurt. 〈Reading 2〉

→ ______________________________

3 Problems occur when we try too hard to control or avoid these feelings. 〈Reading 3〉

→ ______________________________

4 There is a critical factor that determines whether your choice will influence that of others. 〈Reading 4〉

→ ______________________________

5 Boole was deeply interested in expressing the workings of the human mind in symbolic form. 〈Reading 7〉

→ ______________________________

6 The robotic vacuum can operate for 40 minutes when fully charged. 〈Reading 8〉

→ ______________________________

7 That's partly why babies sleep all the time and have a lot of body fat. 〈Reading 9〉

→ ______________________________

8 Of the many forest plants that can cause poisoning, wild mushrooms may be among the most dangerous. 〈Reading 12〉

→ ______________________________

9 Antibiotics either kill bacteria or stop them from growing. 〈Reading 13〉

→ ______________________________

10 Upon arrival at the camp, the boys were randomly separated into two groups. 〈Reading 16~17〉

→ ______________________________

실전 모의고사 4회

• 정답과 해설 61쪽

WORD TEST

A 다음 영어에 해당하는 우리말을 쓰시오.

1 vehicle ______
2 minimum ______
3 beneath ______
4 terrifying ______
5 distant ______
6 speechless ______
7 scratch ______
8 perspective ______
9 fundamental ______
10 belong ______
11 predator ______
12 maintenance ______
13 closeness ______
14 strikingly ______
15 puzzle ______
16 decade ______
17 literally ______
18 booking ______
19 float ______
20 marine ______

B 다음 우리말에 해당하는 영어를 쓰시오.

1 입자, 조각 ______
2 엄청난 ______
3 1인분의 양 ______
4 단색의 ______
5 보편적인 ______
6 해석하다 ______
7 두드러진 ______
8 풍미 ______
9 활용하다 ______
10 직조공 ______
11 존재하다 ______
12 보존하다 ______
13 화석 ______
14 자신감, 자부심 ______
15 ~와 연관되다 ______
16 다양한 ______
17 걸인, 거지 ______
18 방해하다, 신경 쓰이게 하다 ______
19 요구 ______
20 심오한 ______

WRITING TEST

A 다음 우리말과 일치하도록 주어진 말을 바르게 배열하시오.

1 다음에 일어난 일은 내 간담을 서늘하게 한 어떤 것이었다. 〈Reading 2〉

→ ______________________________

(that, what happened next, chilled my blood, was something)

2 미국이 획득한 동메달 수는 독일 것의 두 배보다 적었다. 〈Reading 7〉

→ ______________________________

(the number of bronze medals, was less than, won by the United States, that of Germany, twice)

3 양쪽 모두 상대방이 제공해야 하는 것을 원하지 않으면 거래는 성립되지 않을 것이다. 〈Reading 13〉

→ ______________________________

(both parties want, will not occur, unless, what, trade, the other party has to offer)

4 여러분이 아무리 많이 이루었더라도, 여러분 역시 도움이 필요하다. 〈Reading 16~18〉

→ ______________________________

(how much, no matter, you need help, you have accomplished, too)

B 다음 우리말과 일치하도록 주어진 표현을 이용하여 문장을 쓰시오.

1 이 미세한 조각들은 다양한 동물에게 먹힌다고 알려져 있다. (be known to) 〈Reading 9〉

→ ______________________________

2 그 결과 많은 회사들은 그들의 나이와 상관없이 근로자들을 고용하고 있다. (regardless of) 〈Reading 12〉

→ ______________________________

3 제빵사가 자신의 빵을 식혀 줄 새로운 무쇠 삼각 거치대를 필요로 한다. (be in need of) 〈Reading 13〉

→ ______________________________

4 나는 공룡과 용의 차이를 구별하는 데 어려움이 있었다. (have a difficulty -ing) 〈Reading 14〉

→ ______________________________

5 일반적으로, 그들은 평균적인 사람보다 외식을 더 적게 한다. (in general) 〈Reading 15〉

→ ______________________________

TRANSLATION TEST

다음 문장을 끊어 읽고, 우리말로 해석하시오.

1 The construction may lead to increased traffic along Baker Street due to work on and around it. 〈Reading 1〉

→ ______________________________

2 I opened the door that led to the second floor, noting that the hallway light was off. 〈Reading 2〉

→ ______________________________

3 He was just about to step through the large glass doors when he heard a voice say. 〈Reading 4〉

→ ______________________________

4 Milton Dance Studio is pleased to offer your kids the opportunity to learn dancing. 〈Reading 8〉

→ ______________________________

5 These microplastics are very difficult to measure once they are small enough to pass through the nets. 〈Reading 9〉

→ ______________________________

6 There are many reasons for taking such an action, including the need to recover costs. 〈Reading 12〉

→ ______________________________

7 We know about them because their bones have been preserved as fossils. 〈Reading 14〉

→ ______________________________

8 People who are confident in cooking are more likely to enjoy various foods than those who are not. 〈Reading 15〉

→ ______________________________

9 An old man whom society would consider a beggar was coming toward him. 〈Reading 16~18〉

→ ______________________________

10 Kevin gave him not only enough for bus fare, but enough to get a warm meal. 〈Reading 16~18〉

→ ______________________________

실전 모의고사 5회

WORD TEST

A 다음 영어에 해당하는 우리말을 쓰시오.

1 slightly ____________
2 grateful ____________
3 glare at ____________
4 grip ____________
5 sibling ____________
6 neglect ____________
7 detect ____________
8 proverb ____________
9 explode ____________
10 significant ____________
11 guilty ____________
12 stumble on ____________
13 illuminate ____________
14 soothing ____________
15 atop ____________
16 wealthy ____________
17 orphan ____________
18 contestant ____________
19 submit ____________
20 shift ____________

B 다음 우리말에 해당하는 영어를 쓰시오.

1 박수치다; 칭찬하다 ____________
2 조사하다 ____________
3 추상적인 ____________
4 가치 있는 ____________
5 의도 ____________
6 기업의 ____________
7 유능한 ____________
8 구하다, 추구하다 ____________
9 깃털 ____________
10 펄럭임 ____________
11 일상 ____________
12 주목할 만한 ____________
13 능력 ____________
14 다루다 ____________
15 반복하다; 복제하다 ____________
16 인지적으로 ____________
17 힘든 ____________
18 번영하다 ____________
19 중독 ____________
20 타고난 ____________

• 정답과 해설 62쪽

WRITING TEST

A 다음 우리말과 일치하도록 주어진 말을 바르게 배열하시오.

1 당신의 아이가 스스로 그들에게 무엇이 좋은지 알 것이라고 기대하지 마라. 〈Reading 3〉

→ ____________________

(your kids, do not expect, for themselves, to know, what is good for them)

2 저희는 여러분이 제작한 의상을 입고 있는 여러분의 사진 한 장만을 받을 것입니다. 〈Reading 8〉

→ ____________________

(you made, we will accept, of you, only one photo, wearing the costume)

3 어떤 소리가 그것의 흥미를 가장 끄는지를 선택한 후, 흰올빼미는 자신의 머리를 움직인다. 〈Reading 12〉

→ ____________________

(moves its head, the snowy owl, which sound, after choosing, interests it most)

4 만약 그가 그들의 일상적 수면을 방해하지 않았다면, 그 워크숍은 주목할 만한 변화 없이 끝났을지도 모른다. 〈Reading 13〉

→ ____________________

(if, the workshop, he had not disrupted, without any noteworthy changes, their sleeping routines, may have ended)

B 다음 우리말과 일치하도록 주어진 표현을 이용하여 문장을 쓰시오.

1 그 독일어 단어는 그것이 무서운 만큼이나 익숙한 것이었다. (as + 형용사[부사] + as) 〈Reading 2〉

→ ____________________

2 그것이 애초부터 어떻게 생겼는지 당신 자신에게 질문하라. (in the first place) 〈Reading 3〉

→ ____________________

3 정확히 똑같은 개념이 우리 삶의 많은 영역에 적용된다. (apply to) 〈Reading 4〉

→ ____________________

4 그녀는 그들을 부양하기 위해 기금을 모으는 것을 도왔다. (raise fund) 〈Reading 7〉

→ ____________________

5 그 회사의 임원들은 몇몇 '근본적인 혁신안'을 생각해 냈다. (come up with) 〈Reading 13〉

→ ____________________

• 정답과 해설 62쪽

TRANSLATION TEST

다음 문장을 끊어 읽고, 우리말로 해석하시오.

1 Very few of the residents here feel comfortable walking. 〈Reading 1〉

→ ______________________________

2 Annemarie looked up, panting, just as she reached the corner. 〈Reading 2〉

→ ______________________________

3 As time passes, however, they get used to what they have. 〈Reading 4〉

→ ______________________________

4 She devoted much of her time to assisting orphans from France and Belgium. 〈Reading 7〉

→ ______________________________

5 It is because they can take away from the love of learning. 〈Reading 9〉

→ ______________________________

6 The differing size and location of each ear helps the owl distinguish between sounds. 〈Reading 12〉

→ ______________________________

7 A person who has learned various ways to handle anger is more competent and confident. 〈Reading 14〉

→ ______________________________

8 Timothy Wilson did an experiment in which he gave students a choice of five different art posters. 〈Reading 15〉

→ ______________________________

9 As a result, people used to eat more when food was available. 〈Reading 16~17〉

→ ______________________________

10 Most of the world's population today has plenty of food available to survive and thrive. 〈Reading 2〉

→ ______________________________

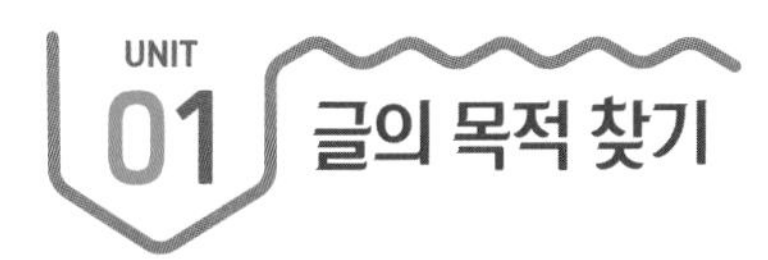

WORD TEST

• 본문 02쪽

A 1 ~을 대표해서 2 현장 견학 3 실제적인 4 산업 현장 5 승인 6 책임자, 장 7 보호소 8 감사하다 9 후원, 지원 10 ~을 돌보다 11 시설 12 ~으로 가득 차다 13 입양하다 14 행동의, 행동상의 15 거주인 16 방과 후의 17 ~에서 은퇴하다 18 몇몇의 19 상 20 전국의

B 1 competition 2 name 3 promote 4 benefit 5 instruction 6 chief 7 judge 8 definitely 9 strongly 10 serve 11 contribution 12 workshop 13 skill 14 similar 15 include 16 inspiring 17 lecture 18 be in contact with 19 assistance 20 regards

WRITING TEST

• 본문 03쪽

A
1 Unfortunately, our facility is unable to care for animals with special needs.
2 So, Virginia Smith, has won several awards in national competitions, has been named the school's new swimming coach.
3 They also told me that you were definitely the best judge and made the 2018 movie festival a great success.
4 It included an inspiring lecture by an Australian lady.

B
1 It takes an entire community to save animals' lives.
2 By promoting the health benefits of swimming, she hopes that more students will get healthy through her instruction.
3 I look forward to hearing from you soon.
4 Are you still in contact with her?

TRANSLATION TEST

• 본문 04쪽

1 We hope to give some practical education / to our students / as to how things are done in industrial settings.
저희는 저희의 학생들에게 산업 현장에서 일들이 어떻게 진행되는지에 관해 몇 가지 실제적인 교육을 제공하기를 희망합니다.

2 As the director of Save-A-Pet Animal Shelter, / I appreciate your help and support / in looking after our animals.
Save-A-Pet 동물 보호센터장으로서, 저는 저희 동물들을 돌보는 데 여러분께서 주신 도움과 후원에 감사드립니다.

3 Consider adopting a pet / with medical or behavioral needs, / or even a senior one.
건강이나 행동상의 요구가 있거나 심지어 나이가 많은 반려동물을 입양하는 것을 고려하세요.

4 As you know, / Sandy Brown, our after-school swimming coach / for six years, / retired from coaching last month.
당신이 아시는 바와 같이 6년 동안 저희의 방과 후 수영 코치였던 Sandy Brown 씨가 지난달 코치직에서 은퇴했습니다..

5 She will teach her class in the afternoons, / and continue with our summer program.
그녀는 오후마다 수업을 할 것이고, 우리의 여름 프로그램도 계속할 것입니다.

6 We all believe / that your contribution will be of great help / to our festival.
저희 모두는 당신의 공헌이 저희 영화제에 커다란 도움이 될 것으로 믿습니다.

7 Last year, we were very pleased / to have you as a judge / in our festival.
작년에 저희는 선생님을 저희 영화제에 심사 위원으로 모시게 되어 대단히 기뻤습니다.

8 They all strongly recommended you, / so we would gladly like to ask you / to serve as a judge again / for this year's festival.
그들이 모두 강력하게 선생님을 추천했으므로, 저희는 선생님께 올해 영화제를 위해서 또다시 심사 위원으로 일해 주시기를 기꺼이 요청드리고 싶습니다.

9 For this year's workshop, / we would really like to take all our staff on a trip to Bridgend / to learn more about new leadership skills in the industry.
올해 연수로, 저희는 업계의 새로운 리더십 기술에 대해 더 많이 배우기 위해 모든 직원을 데리고 Bridgend로 여행을 가고자 합니다.

10 If so, / could you let me know her number or email address?
그러시다면, 당신은 제게 그분의 전화번호 또는 이메일 주소를 알려주실 수 있으십니까?

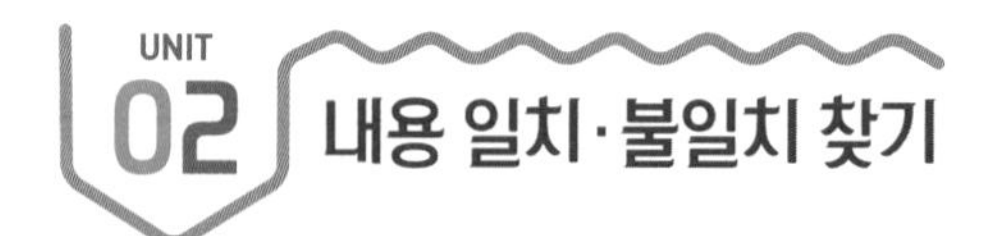

UNIT 02 내용 일치·불일치 찾기

WORD TEST

• 본문 05쪽

A 1 줄다, 감소하다 2 떨어지다 3 최고점, 정점 4 정반대의 5 방향, 길 6 역사적인 7 지식 8 특히 9 ~의 관심을 끌다 10 번역하다 11 탈출하다 12 장치, 기기 13 접속(하다) 14 생각하다, 고려하다 15 접속하다, 연결하다 16 추월하다 17 선택하다, 고르다 18 공식적인 19 수도 20 정부, 행정

B 1 be located in 2 population 3 consist of 4 symbolize 5 mixture 6 widely 7 mathematician 8 astronomer 9 devote 10 initially 11 optics 12 telescope 13 motion 14 achievement 15 accurate 16 astronomical 17 carry out 18 Saturn 19 moon 20 description

WRITING TEST

• 본문 06쪽

A
1 One of her novels has been translated into more than eighty languages.
2 The above graph shows what devices British people considered the most important when they connected to the Internet.
3 With a population of about 10,000, Nauru is the smallest country in the South Pacific and the third smallest country by area in the world.
4 Huygens' wide-ranging achievements included some of the most accurate clocks of his time, the result of his work on pendulums.

B
1 She read a lot, so she learned much about Nordic as well as foreign literature.
2 In contrast, they were the least likely to consider a desktop as their most important device for Internet access.
3 The native people of Nauru consist of 12 tribes, as symbolized by the 12-pointed star.
4 In addition to his work on light, Huygens had studied forces and motion.

TRANSLATION TEST

• 본문 07쪽

1 The smartphone average price in India / reached its peak in 2011.
인도의 스마트폰 평균 가격은 2011년에 최고점에 도달했다.

2 The gap between the global smartphone average price and the smartphone average price in China / was the smallest in 2015.
전 세계 스마트폰 평균 가격과 중국의 스마트폰 평균 가격의 차이는 2015년에 가장 적었다.

3 She was the eldest of three daughters.
그녀는 세 자매 중 첫째였다.

4 At the age of sixteen, / she got a job at an engineering company / to support her family.
16세에, 그녀는 그녀의 가족을 부양하기 위해 기술 회사에 취업했다.

5 More than a third of UK Internet users / considered smartphones / to be their most important device / for accessing the Internet.
3분의 1이 넘는 영국 인터넷 사용자들은 스마트폰을 그들의 가장 중요한 인터넷 접속 장치로 생각했다.

6 UK Internet users / who selected a desktop / as their most important device for Internet access / increased by half from 2014 to 2016.
인터넷 접속을 위한 가장 중요한 장치로 데스크톱을 선택한 영국 인터넷 사용자들은 2014년부터 2016년까지 절반만큼 증가하였다.

7 Its closest neighbor is the island of Banaba, / some 200 miles to the east.
그것의 가장 가까운 이웃은 동쪽으로 약 200마일 떨어진 Banaba 섬이다.

8 English is widely spoken / as it is used for government and business purposes.
영어는 그것이 행정 및 상업적인 목적으로 사용되기 때문에 널리 쓰인다.

9 He devoted some time to his own research, / initially in mathematics / but then also in optics, / working on telescopes.
그는 처음에는 수학에, 그 다음에는 망원경에 대한 작업을 하면서 광학에도 상당 기간을 자신의 연구에 바쳤다.

10 His astronomical work, / carried out using his own telescopes, / included / the discovery of Titan.
자신의 망원경을 사용하여 수행된 그의 천문학 연구는 타이탄의 발견을 포함했다.

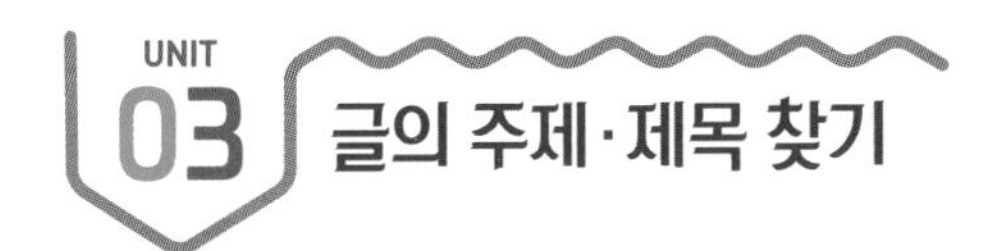

UNIT 03 글의 주제·제목 찾기

WORD TEST

• 본문 08쪽

A 1 양심, 정직(성) 2 놓다, 두다 3 번갈아가며 4 놓아두다, 전시하다 5 심리 6 미묘한 7 신호 8 암시 9 성과 10 관련되다 11 노력 12 연민 13 곤경에 처한 14 문제 15 낙담하다 16 때때로의 17 희생 18 자선 19 관계 20 칭찬

B 1 deceive 2 please 3 mutual 4 psychological 5 interest 6 awkward 7 self-esteem 8 differentiate 9 wonder 10 fall over 11 direction 12 bend 13 swing 14 tail 15 tendency 16 off course 17 sweetener 18 motive 19 ingredient 20 indicate

WRITING TEST

• 본문 09쪽

A 1 Charity is the bone shared with the dog, when you are just as hungry as the dog.
2 You look much older now than you did a few years ago.
3 Have you ever wondered why a dog doesn't fall over when he changes directions while running?
4 Nowhere does it tell consumers that more than one-third of the box contains added sugar.

B 1 We have to try to help those who are in trouble.
2 Social lies are told for psychological reasons and serve both self-interest and the interest of others.
3 This could even cause the dog to fall over as he tries to make a high-speed turn.
4 They don't have to say the food has that much sugar.

TRANSLATION TEST

• 본문 10쪽

1 Near an honesty box, / in which people placed coffee fund contributions, / researchers alternately displayed / images of eyes and of flowers.
연구자들은 사람들이 커피값 기부금을 놓는 양심 상자 가까이에 사람의 눈 이미지와 꽃 이미지를 번갈아가며 놓아두었다.

2 Contributions / during the 'eyes weeks' / were almost three times higher / than those made during the 'flowers weeks.'
'눈 주간'의 기부금이 '꽃 주간' 동안의 그것(기부금)보다 거의 세 배나 많았다.

3 Like anything else / involving effort, / compassion takes practice.
노력과 관련된 다른 것들과 마찬가지로, 연민은 연습이 필요하다.

4 If we practice helping others, / we'll be ready to act / when those times / which require real, hard sacrifice / come along.
만약 우리가 다른 사람들을 돕는 연습을 하면, 우리는 진정한 힘든 희생을 요구하는 시간이 올 때 행동할 준비가 될 것이다.

5 People like to be liked / and receive compliments.
사람들은 사랑받고 칭찬받는 것을 좋아한다.

6 In that respect, social lies / such as deceiving but pleasing words / may benefit mutual relations.
그런 점에서, 속이는 말이지만 기분 좋게 만드는 말과 같은 사회적 거짓말은 상호 관계에 도움이 될 지도 모른다.

7 Naturally, / this turning movement might result in / the dog's hind part swinging wide.
당연히 이러한 회전 움직임은 강아지 몸의 뒷부분이 크게 흔들리게 할지도 모른다.

8 Throwing his tail in the same direction / that his body is turning / serves to reduce the tendency / to spin off course.
강아지의 몸이 회전하고 있는 방향과 같은 방향으로 꼬리를 내던지는 것이 경로에서 벗어나는 경향을 줄이는 데 기여한다.

9 This requirement has led the food industry / to put in three different sources of sugar.
이 요구는 식품업계가 그 식품에 세 가지 다른 당의 원료를 넣게 만들었다.

10 Whatever the true motive, / ingredient labeling doesn't tell / how much sugar is in the food.
진짜 동기가 무엇이든, 성분 라벨은 얼마나 많은 설탕이 음식에 들어 있는지 말하지 않는다.

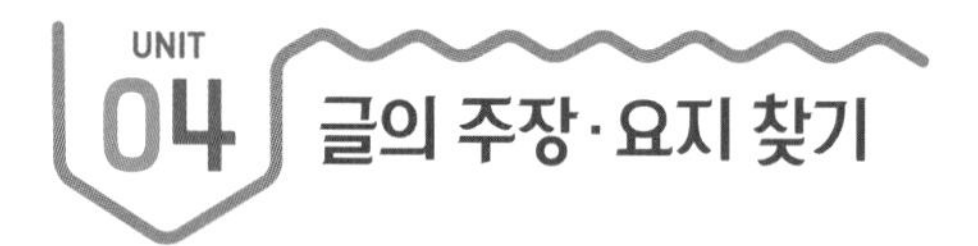

WORD TEST

● 본문 11쪽

A 1 요리, 음식 2 전체의 3 실험 4 양 5 단백질 6 그릇 7 지혜 8 디저트 9 소유하다, 갖다 10 교육적인 11 본질 12 즐거워하다 13 즉각적인 14 실없는 15 ~을 제어하다 16 칭찬 17 중요한 18 효과 19 표현하다 20 칭찬할 만한

B 1 accomplish 2 reward 3 honor 4 hand out 5 merit 6 guarantee 7 goal-oriented 8 mind-set 9 motivate 10 achieve 11 long-term 12 goal-less 13 repeatedly 14 continuously 15 look forward to 16 annual 17 statistics 18 distraction 19 focus on 20 encourage

WRITING TEST

● 본문 12쪽

A
1 If it becomes another educational tool for adults to use to produce outcomes, it loses its very essence.
2 If they are not sure they can do well enough to earn merit badges, they may avoid certain activities.
3 This is why many people find themselves returning to their old habits after accomplishing a goal.
4 You do that by focusing on what you can do today to improve.

B
1 Children need to be able to delight in creative and immediate language play, and to say silly things.
2 Awards are supposed to be *rewards* - honors for *doing something well*!
3 But as soon as they cross the finish line, they stop training.
4 Comparing yourself to others is really just an unnecessary distraction.

TRANSLATION TEST

● 본문 13쪽

1 Experiments show / that people eat nearly 50 percent greater quantity of / the food they eat first.
실험은 사람들이 제일 먼저 먹는 음식을 거의 50% 더 많이 먹는다는 것을 보여 준다.

2 If you are going to eat something unhealthy, / at least save it for last.
만약 당신이 건강에 좋지 않은 음식을 먹을 것이라면, 적어도 그것을 마지막으로 남겨둬라.

3 However, / the play must be owned / by the children.
하지만 그 놀이는 아이들의 것이어야 한다.

4 When children are allowed to develop their language play, / a range of benefits result from it.
아이들이 자신의 언어 놀이를 발전시키도록 허용될 때 광범위한 이점이 그것으로부터 생긴다.

5 Certainly praise is critical / to a child's sense of self-esteem, / but when given too often for too little, / it kills the impact of real praise.
분명 칭찬은 아이의 자존감에 중요하지만, 너무 사소한 일에 너무 자주 칭찬받으면, 그것은 진정한 칭찬의 효과를 죽인다.

6 The ever-present danger / in handing out such honors too lightly / is that children may do only those things / that they know will result in prizes.
그러한 상을 너무 가볍게 부여하는 것에 항상 존재하는 위험은 아이들이 자신이 상을 받을 것이라고 아는 일만을 하게 될 수도 있다는 것이다.

7 The race is no longer there / to motivate them.
그 경기는 더 이상 그들에게 동기를 주기 위해 거기 있지 않다.

8 The purpose of building systems / is to continue playing the game.
시스템을 구축하는 목적은 게임을 계속하기 위한 것이다.

9 As soon as I received them / in the mail, / I'd compare my progress / with the progress of all the other leaders.
내가 그것을 메일로 받자마자, 나는 다른 모든 지도자의 발전과 나의 발전을 비교하곤 했다.

10 The only one / you should compare yourself to / is you.
당신 자신과 비교해야 하는 유일한 대상은 당신뿐이다.

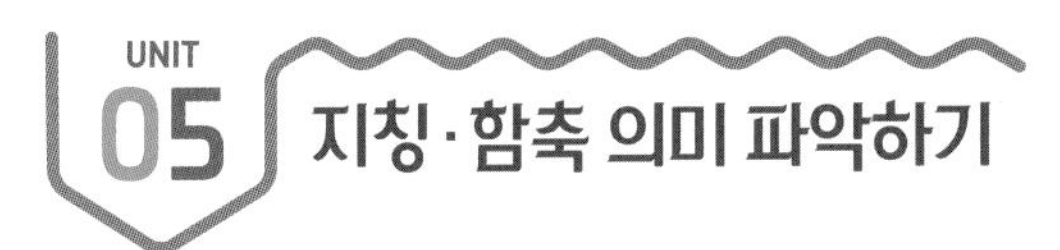

UNIT 05 지칭·함축 의미 파악하기

WORD TEST

● 본문 14쪽

A 1 넓은 평원, 탁 트인 평원 2 멀리서, 저 멀리 3 신기한 듯이, 호기심을 갖고 4 곤충 5 폭소하다 6 빽빽한 7 지평선 8 ~을 당연하게 여기다 9 펼치다 10 매끄러운 11 ~을 붙잡다 12 결국 ~하다 13 뒤로 14 ~을 놓아 주다 15 혼자서 16 천재 17 대가, 달인 18 구조 19 특화된, 특이한 20 시

B 1 dramatically 2 creativity 3 effective 4 separate 5 approach 6 reserved 7 handshake 8 fall apart 9 mess 10 disconnect 11 attract 12 ring false 13 concept 14 destination 15 predict 16 crash 17 act as 18 respond 19 adapt 20 similarly

WRITING TEST

● 본문 15쪽

A 1 "Now," said Grandfather, setting Tommy down on a wooden chair to explain things to him.
2 E. E. Cummings wrote his first influential poem at twenty-two and more than half of his best work before turning forty.
3 You end up confusing the very people you're trying to attract.
4 We didn't know how long the light would stay on green or if the car in front would suddenly put on its brakes.

B 1 It was a little difficult at first and he did end up falling a few times.
2 There are plenty of old masters who reached their goals much later.
3 Things tend to fall apart in an unnatural mess.
4 We had to get to our destination three miles away without stopping.

TRANSLATION TEST

● 본문 16쪽

1 About fifty years ago, / a Pygmy named Kenge / took his first trip / out of the forests of Africa.
약 50년 전에 Kenge라는 이름의 한 피그미 족 사람이 아프리카의 숲 밖으로 자신의 첫 여행을 떠났다.
2 Kenge had lived his entire life / in a dense jungle/ that offered no views of the horizon.
Kenge는 지평선의 광경을 보여 주지 않는 빽빽한 정글에서 평생을 살았었다.
3 "Okay," said Tommy, / taking a hold of the back of the chair.
"네." Tommy가 의자의 뒷부분을 붙잡으면서 말했다.
4 "I think / you are ready to try to skate / without the chair," / said Grandfather.
"내 생각에는 네가 의자 없이 스케이트를 타려고 노력할 준비가 된 것 같구나."라고 할아버지가 말했다.
5 Orson Welles's greatest work, *Citizen Kane*, / was his first full-length film / at age twenty-five.
Orson Welles의 명작 〈Citizen Kane〉이 25세 때 찍은 그의 첫 번째 장편 영화였다.
6 Alfred Hitchcock made / one of his most popular films, *Vertigo*, / at fifty-nine.
Alfred Hitchcock은 그의 가장 유명한 영화 중 하나인 〈Vertigo〉를 59세에 만들었다.
7 Instead, / they see a person / with crossed arms / and think, / "Reserved, angry."
대신, 그들은 팔짱을 낀 사람을 보고 '과묵하고, 화가 난' 것으로 생각한다.
8 Trying to use body language / by reading a body language dictionary / is like trying to speak French / by reading a French dictionary.
몸짓 언어 사전을 읽음으로써 몸짓 언어를 사용하려고 하는 것은 프랑스어 사전을 읽음으로써 프랑스어를 말하려고 하는 것과 같다.
9 The only way to keep from crashing / was to put extra space / between our car and the car in front of us.
추돌을 막는 유일한 방법은 우리 차와 우리 앞에 있는 차 사이에 여분의 공간을 두는 것이었다.
10 It gives us time to respond and adapt / to any sudden moves / by other cars.
그것은 우리에게 다른 차들의 갑작스러운 움직임에 반응하고 적응할 시간을 준다.

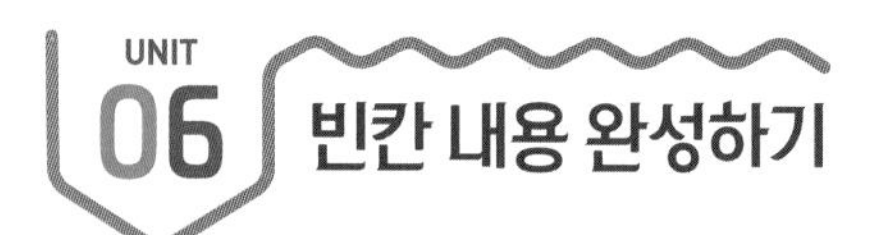

UNIT 06 빈칸 내용 완성하기

WORD TEST

● 본문 17쪽

A 1 장거리의 2 ~을 없애다 3 유력한 4 이론 5 조상 6 먹이, 먹잇감 7 습한 8 부족한, ~의 부족 9 문명 10 특정한 11 지역의 12 전문가 13 전문 분야 14 방면 15 공격 16 방어 17 모으다, 수집하다 18 분석하다 19 내적인 20 고요함
B 1 nationwide 2 inquiry 3 decisive 4 phase 5 majority 6 fast-forward 7 skip over 8 commercial 9 advertiser 10 desperately 11 discourage 12 incentive 13 contemporary 14 remarkable 15 silence 16 precious 17 unstable 18 inevitable 19 wound 20 cast

WRITING TEST

● 본문 18쪽

A 1 This makes it easy to share our skills and knowledge.
2 Even great scientists have reported that their creative discoveries came at a time of mental quietude.

3 Others are desperately trying to make their advertisements more interesting and entertaining to discourage viewers from skipping their ads.
4 It is the weakness of life that makes it precious.

B 1 Whenever we wash dishes, we thank heaven that someone knows how to make dish soap.
2 Although it is good at attack and defense against other minds, it is not at all creative.
3 Advertisers will eventually be forced to provide incentives in order to encourage consumers to watch their messages.
4 His words are filled with the very fact of his own life passing away.

TRANSLATION TEST

• 본문 19쪽

1 That ability let our ancestors / move and run faster / than their prey.
그런 능력은 우리 조상들이 그들의 먹잇감보다 더 빨리 움직이고 달리도록 해 주었다.
2 You'll see / what a difference a lack of fur makes.
당신은 털의 부족이 만드는 차이점이 무엇인지를 알 것이다.
3 No chef can cook all dishes.
어떤 요리사도 모든 음식을 다 요리할 수는 없다.
4 No one has ever been able to do everything.
어느 누구도 모든 것을 다 할 수는 없었다.
5 A nationwide inquiry was conducted / among America's most famous mathematicians / to find out their working methods.
미국의 가장 유명한 수학자들 사이에서 그들의 작업 방법을 알아내기 위해 전국적인 조사가 실시되었다.
6 The simple reason / why the majority of scientists are not creative / is not because they don't know / how to think, / but because they don't know / how to stop thinking!
대다수의 과학자들이 창의적이지 않은 단순한 이유는 그들이 생각하는 방법을 몰라서가 아니라 그들이 생각을 멈추는 방법을 모르기 때문이다!
7 One real concern in the marketing industry today / is how to win the battle for broadcast advertising exposure.
오늘날 마케팅 산업의 한 가지 실질적 관심사는 어떻게 방송 광고 노출 전쟁에서 승리하는가이다.
8 With the growing popularity of digital video recorders, / consumers can mute commercials.
디지털 영상 녹화 장치의 인기가 증가함에 따라 소비자들은 광고를 완전히 음소거할 수 있다.
9 Life, / he wrote, / "is a dangerous situation."
그는 삶이란 '위험한 상황이다'라고 썼다.
10 We forget / that we love the real flower so much more than the plastic one.
우리는 우리가 플라스틱 꽃보다 진짜 꽃을 훨씬 더 사랑한다는 것을 잊어버린다.

UNIT 07 무관한 문장 찾기

WORD TEST

• 본문 20쪽

A 1 ~에 따라 2 (손을) 뻗다 3 길이 4 향상시키다, 나아지다 5 제조하다 6 있는, 존재하고 있는 7 유제품의 8 액체(의) 9 가능한 한 ~ 10 섭취하다 11 필요하다 12 궁극적인, 최후의 13 무한한 14 권리 15 주장하다 16 단순히 17 재산 18 번영하다 19 소송을 제기하다 20 인정하다

B 1 considering 2 largely 3 electronic 4 ambiguous 5 misunderstand 6 nonetheless 7 attention 8 definite 9 non-verbal 10 verbal 11 intensity 12 superstition 13 audience 14 tragedy 15 curse 16 interaction 17 performance 18 be set in 19 legend 20 accidently

WRITING TEST

• 본문 21쪽

A 1 The water that is embedded in our food and manufactured products is called "virtual water."
2 Once, streams of water seemed to be infinite and the idea of protecting water was considered silly.
3 An important question is whether they help Internet users to understand emotions.
4 According to the legend, when you do say the title accidently, you should go outside.

B 1 However, it is necessary to drink as much water as possible to stay healthy.
2 Rivers and forests are not simply property but have a right to prosper.
3 Emoticons were useful in strengthening the intensity of a verbal message, as well as in the expression of sarcasm.
4 The interaction between the audience and the actors in the play influences the actors' performance.

TRANSLATION TEST

• 본문 22쪽

1 Words like 'near' / can mean different things / depending on where you are / and what you are doing.
'near'과 같은 단어들은 여러분이 어디에 있는지와 무엇을 하는지에 따라 여러 가지를 의미할 수 있다.

2 If you were at a zoo, / then you might say / you are 'near' an animal / if you could reach out and touch it.
만약 여러분이 동물원에 있고, 손을 뻗어 동물을 만질 수 있다면 여러분은 그 동물이 '가까이'에 있다고 말할 지도 모른다.

3 The amount of virtual water in a product needed / is different / depending on the product.
필요한 제품 속의 가상의 물의 양은 제품에 따라 다르다.

4 For instance, / to produce two pounds of meat requires / about 5 to 10 times / as much water / as to produce two pounds of vegetables.
예를 들어, 2파운드의 고기를 생산하는 데는 2파운드의 채소를 생산하는 것의 약 5배에서 10배의 물이 필요하다.

5 Now / Ecuador has become the first nation on Earth / to protect nature's rights in its constitution.
현재 에콰도르는 자연의 권리를 헌법에 도입한 지구상 첫 번째 국가가 되었다.

6 According to the constitution, / a citizen might file suit / to protect a damaged water basin.
이 법에 따라, 시민은 훼손된 강 유역을 보호하기 위해 소송을 제기할 수도 있다.

7 Nonetheless, / research indicates / that they are useful tools / in online text-based communication.
그럼에도 불구하고, 연구는 그것들이 온라인상의 텍스트 기반 의사소통에서 유용한 도구라는 것을 보여 준다.

8 Emoticons allowed users to correctly understand / the level and direction of emotion.
이모티콘이 사용자들로 하여금 감정의 정도와 방향을 정확하게 이해하게 해 주었다.

9 Superstitions can be anything / from not wanting to say the last line of a play / to not wanting to rehearse the curtain call.
미신은 연극의 마지막 대사를 말하고 싶어 하지 않는 것에서부터 커튼콜을 예행연습하고 싶어 하지 않는 것에 이르기까지 무엇이든 될 수 있다.

10 The secret code you say / when you need to say the title of the play / is "the Scottish play."
당신이 연극의 제목을 말할 필요가 있을 때 당신이 말하는 암호는 '그 스코틀랜드 연극'이다.

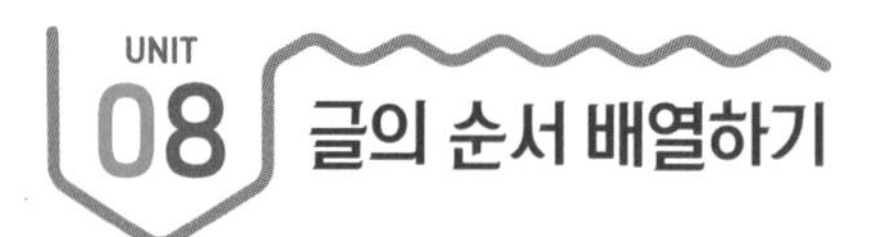

UNIT 08 글의 순서 배열하기

WORD TEST

• 본문 23쪽

A 1 장군 2 ~을 해방하다; 석방하다 3 감사 4 말이 안 된다; 무의미하다 5 문지르다 6 뇌우 7 번개 8 흐름; 흐르다 9 전기 10 대기 11 ~에 붙다 12 과학적인 13 물리적인 14 특성, 특징 15 ~로 거슬러 올라가다 16 결론 내리다 17 결합하다 18 발견하다 19 결과, 결론 20 열망, 갈망

B 1 be against 2 mail 3 refuse 4 attend 5 debt 6 pain 7 hunger 8 recognize 9 foundation 10 automatic 11 memorize 12 effortful 13 cost 14 repetition 15 fluency 16 sensitive 17 attempt 18 be free to 19 pay attention to 20 pursuit

WRITING TEST

● 본문 24쪽

A
1 What you have done there is to create a form of electricity called static electricity.
2 He allowed a thin ray of sunlight to fall on a triangular glass prism.
3 The praise that he received from getting one story in print changed his whole life.
4 It becomes easier to let mistakes slide.

B
1 The lightning that we often see during a storm is caused by a large flow of electrical charges.
2 The scientific study of the physical characteristics of colors can be traced back to Isaac Newton.
3 He mailed his writings secretly at night to editors so that nobody would laugh at him.
4 You know the simple movements so well that you can perform them without thinking.

TRANSLATION TEST

● 본문 25쪽

1 He was told / there were about three thousand.
그는 대략 3천 명이 있다고 들었다.
2 The people wanted to do something special for Bolívar / to show their appreciation for all.
사람들은 모든 것에 대한 감사의 표시를 보여 주기 위해 Bolívar를 위해 특별한 것을 해 주고 싶어 했다.
3 During a thunderstorm, / clouds may become charged / as they rub against each other.
뇌우가 치는 동안, 구름이 서로 마찰할 때 구름은 전기를 띠게 될 수도 있다.
4 You will find / that the bits of paper or chalk dust / cling to the pen.
여러분은 그 종잇조각들이나 분필 가루가 그 펜에 붙는 것을 발견할 것이다.
5 It was only when Newton placed a second prism / in the path of the spectrum / that he found something new.
Newton이 새로운 것을 발견했던 것은 바로 그가 스펙트럼의 경로에 두 번째 프리즘을 놓았을 때였다.
6 As soon as the white ray hit the prism, / it separated into the familiar colors of the rainbow.
그 백색광이 프리즘에 부딪치자마자 그것은 친숙한 무지개 색으로 분리되었다.
7 A young man / named Charles Dickens had a strong desire / to be a writer.
Charles Dickens라는 이름의 한 젊은이가 작가가 되고 싶은 강한 열망을 갖고 있었다.
8 He had never been able to attend school / for more than four years.
그는 4년이 넘도록 절대 학교에 다닐 수 없었다.
9 It is only after the basic movements of the pieces / have become automatic / that a player can focus / on the next level.
체스를 두는 사람이 다음 레벨에 집중할 수 있는 것은 오직 말의 기본적인 움직임이 자동적으로 이루어지고 나서이다.
10 You are free to pay attention / to more advanced details.
당신은 더 높은 수준의 세부 사항에 자유롭게 주목한다.

UNIT 09 주어진 문장 위치 파악하기

WORD TEST

● 본문 26쪽

A 1 장애물 2 현재 3 생존 4 극심한 5 표면 6 탐험 7 위험을 제거하다 8 기구, 도구 9 단서 10 얼굴의 11 추측하다 12 감정, 기분 13 떨리는 14 근육 15 ~을 할 수 있게 하다 16 저절로, 자발적으로 17 감정 18 반복하다 19 진출하다, 나아가다 20 탈락시키다

B 1 appear 2 hesitation 3 concern 4 talented 5 appeal 6 preschooler 7 eagerly 8 enthusiastically 9 interact 10 in a word 11 make the most of 12 ordinary 13 boundary 14 grandmaster 15 remarkably 16 seemingly 17 gain 18 capture 19 insane 20 pay off

WRITING TEST

• 본문 27쪽

A
1 The other main clue you might use to tell what a friend is feeling would be to look at his or her facial expression.
2 A boy was asked to spell *echolalia*, a word that means a tendency to repeat whatever one hears.
3 Forget all your concerns about whether you are musically talented.
4 It searches far enough ahead to see that these moves really do pay off.

B
1 We have lots of muscles in our faces which enable us to move our face.
2 Part of his motive was, “I didn't want to feel like a liar.”
3 Do all you can to make the most of the situation.
4 On the surface, these moves seemed insane.

TRANSLATION TEST

• 본문 28쪽

1 Because of these obstacles, / most research missions in space are carried out / with crewless spacecraft.
이러한 장애물들 때문에, 우주에서의 대부분의 연구 임무는 승무원이 탑승하지 않은 우주선을 사용해서 이루어진다.
2 A spacecraft would need to carry / enough air, water, and other supplies needed for survival.
우주선은 생존에 필요한 충분한 공기, 물, 그리고 다른 물자를 운반할 필요가 있을 것이다.
3 Have you ever thought / about how you can tell / what somebody else is feeling?
당신은 다른 사람이 무엇을 느끼는지를 어떻게 알아볼 수 있는지에 대해 생각해 본 적이 있는가?
4 Even if they do not tell you, / you could definitely guess / what kind of mood they are in.
비록 그들이 당신에게 말해 주지 않는다 하더라도, 그들이 어떤 종류의 감정 상태에 있는지 당신은 분명하게 추측할 수 있을 것이다.
5 Newspaper headlines the next day / called the honest young man a “spelling bee hero.”
다음 날 신문기사 헤드라인이 그 정직한 소년을 '단어 철자 맞히기 대회 영웅'으로 칭했다.
6 The judges said / I had a lot of honesty.
심판은 제가 아주 정직하다고 말했어요.
7 They let out all sorts of thoughts and emotions / as they interact with music.
그들이 음악과 상호 작용할 때 모든 종류의 생각과 감정을 표출한다.
8 In a word, / young children think / music is a lot of fun.
한마디로 말해서, 어린이들은 음악이 매우 재미있다고 생각한다.
9 It will immediately suggest the exact moves / that Fischer made.
그것은 즉시 Fischer가 두었던 바로 그 수를 제안할 것이다.
10 The boundary / between uniquely human creativity and machine capabilities / continues to change.
인간 고유의 창의력과 기계의 능력 사이의 경계가 계속 변화하고 있다.

WORD TEST

• 본문 29쪽

A 1 맨 아래 부분, 바닥 2 무거운, 무거운 짐을 실은 3 추정하다; 추정, 추정치 4 가파름, 경사 5 상당히 6 ~에 참가한, ~에 관련된 7 배열하다 8 약속하다 9 참가, 참여 10 업무, 과업 11 순위를 매기다 12 애착을 가진 13 금지하다 14 잠시 15 ~에 비해 16 성격 17 너그러운 18 단순한, 겨우 19 활성화하다 20 사람 사이의

B 1 unintentional 2 awareness 3 undergo 4 surgery 5 measure 6 fantasize 7 expectation 8 positive 9 idealized 10 recover 11 natural resource 12 rely on 13 plentiful 14 harmful 15 abundant 16 reliance 17 expand 18 trap 19 a series of 20 slow down

WRITING TEST

• 본문 30쪽

A 1 They asked the students to judge all ten posters again from the very beginning.
2 Such feelings activated in one context last for a while thereafter.
3 Those who had engaged in fantasizing about the desired future did worse in all three conditions.
4 Relying on rich natural resources without varying economic activities can be a barrier to economic growth.

B 1 Researchers asked students to arrange ten posters in order of beauty.
2 Participants were more likely to choose a gift for a friend instead of something for themselves.
3 Expectation is actually based on a person's past experiences.
4 Some natural resource-rich developing countries tend to rely too much on their natural resources.

TRANSLATION TEST

• 본문 31쪽

1 Social psychologists / asked college students to stand at the base of a hill / while carrying a weighted backpack.
사회 심리학자들은 대학생들에게 무거운 배낭을 멘 채로 언덕 아래에 서라고 요청했다.

2 Some stood next to friends / they had not known for long.
몇몇은 그들이 오랫동안 알고 지내지는 않았던 친구들 옆에 섰다.

3 They promised / that afterward the students could have one of the ten posters / as a reward.
그들은 학생들이 나중에 10개의 포스터 중 하나를 보상으로 가질 수 있다고 약속했다.

4 The poster they were unable to keep / was suddenly ranked as the most beautiful.
학생들이 가질 수 없었던 그 포스터가 갑자기 가장 아름다운 것으로 순위 매겨졌다.

5 Participants / who briefly held a cup of hot coffee / judged a target person / as having a "warmer" personality.
뜨거운 커피가 든 컵을 잠시 들고 있는 참가자들이 상대방을 '더 온화한' 성격을 가졌다고 판단했다.

6 Such feelings have influence on judgment and behavior in later contexts / without the person's awareness.
그런 감정은 그 사람이 인식하지 못한 채 그 이후의 상황에서의 판단과 행동에 영향을 미친다.

7 What really works / to motivate people to achieve their goals?
사람들로 하여금 자신의 목표를 성취하도록 동기를 부여하기 위해 무엇이 정말 효과가 있는가?

8 Researchers looked at / how people respond to life challenges / including getting a job.
연구자들은 사람들이 직장을 얻는 것을 포함하여 인생의 과제에 어떻게 대응하는가를 살펴보았다.

9 It results in a lower number of / different types of products produced.
이는 생산 제품 종류의 다양성의 수를 떨어뜨리는 결과를 초래한다.

10 Having plentiful natural resources / isn't harmful to countries in itself.
풍요로운 천연자원을 갖는 것은 그 자체가 그 국가들에게 해롭지 않다.

WORD TEST

• 본문 32쪽

A 1 배송 2 상황, 상태 3 창고 4 눕다 5 땀을 흘리다 6 속삭이다 7 가뭄 8 말, 의견 9 운동하다 10 강화하다 11 부흥시키다 12 고갈되다 13 당황하게 하다, 방해하다 14 간신히 15 독성의 16 쌓이다 17 적절한 18 절반으로 줄이다 19 인물 사진, 초상화 20 다시 팔다

B 1 nag 2 chore 3 irresponsible 4 mandatory 5 at first glance 6 competence 7 lessen 8 flexibility 9 skillful 10 resolution 11 overestimate 12 circulate 13 moisture 14 clinically 15 exit 16 retrieve 17 ironically 18 oppose 19 expose 20 become used to

WRITING TEST

• 본문 33쪽

A
1 They did find one thing that they could practically do.
2 Memories of how we interacted seem funny to me today.
3 This is why trying to stop an unwanted habit can be an extremely frustrating task.
4 So a patient whose heart has stopped can no longer be regarded as dead.

B
1 The delivery of your desk will take longer than expected due to the damage.
2 The conversation focuses on the process of change rather than the outcome.
3 Most of the things that could improve the situation were out of the students' control.
4 Shoes will be picked up on Tuesdays every two weeks.
5 He was a responsible man dealing with an irresponsible kid.

TRANSLATION TEST

• 본문 34쪽

1 We regret the inconvenience / this delay has caused you.
저희는 이 지연이 당신께 초래한 불편함에 대해 유감스럽게 생각합니다.

2 Garnet had a feeling / that something she had been waiting for / was about to happen.
Garnet은 그녀가 기다려 온 무언가가 곧 일어날 것 같은 기분이 들었다.

3 It feels good for someone / to hear positive comments.
누구든 긍정적인 말을 듣는 것은 기분이 좋다.

4 The Saigon Execution photo / that he took in Vietnam / earned him the Pulitzer Prize.
그가 베트남에서 촬영한 사이공 처형 사진은 그에게 퓰리처상을 가져다주었다.

5 The profits from reselling the shoes / will be used / to build schools in Africa.
신발을 재판매한 것에서 얻는 수익금은 아프리카에 학교를 짓는 데 쓰일 것입니다.

6 People viewed baseball / as a game of skill and technique / rather than strength.
사람들은 야구를 근력보다는 오히려 기술과 테크닉의 경기로 보았다.

7 So doctors would listen for a heartbeat, / or occasionally conduct the famous mirror test.
그래서 의사들은 심장 박동을 듣거나 이따금씩 유명한 거울 검사를 실시하곤 했다.

8 The first experimenter still thought / the item was / where he or she last left it.
첫 번째 실험자가 자신이 물건을 마지막으로 놓아둔 곳에 그 물건이 있다고 여전히 생각했다.

9 They insist on doing their homework / while watching TV.
그들은 TV를 보면서 숙제를 하겠다고 고집한다.

10 They've been exposed repeatedly / to "background noise" / since early childhood.
그들은 어린 시절부터 '배경 소음'에 반복적으로 노출되어 왔다.

WORD TEST

● 본문 35쪽

A 1 연장자; 선배 2 금이 가게 하다 3 어지럽히다 4 충동 5 눈물이 터져 나오다 6 사실상 7 훈련, 규율; 훈련시키다 8 ~을 정리하다[분류하다] 9 승무원 10 곤경 11 일어서다 12 그 자체로 13 수공예 14 과잉보호하는 15 A가 B를 겪지 않게 하다 16 결과 17 잠재적인; 잠재력 18 결합된 19 지역의, 지방의 20 동행하다

B 1 philosophy 2 likewise 3 colonize 4 settle 5 distinctive 6 stick with 7 humanity 8 rare 9 afterwards 10 consistent 11 cell 12 shrink 13 typically 14 resistant 15 defend 16 blow 17 selfish 18 temper 19 scar 20 furious

WRITING TEST

● 본문 36쪽

A
1 The percentage of the 6–8 age group was twice as large as that of the 15–17 age group.
2 Hike the Valley is a hiking program where we guide participants through local trails every Saturday.
3 He let them know an idea of what kind of explanation they could find satisfactory.
4 That's because they are the people who know and understand the past.

B
1 Register in advance at the Carolyn Owens Community Center.
2 Some people weren't satisfied with the traditional religious explanations.
3 The salesperson takes advantage of a human tendency to be consistent in their words and actions.
4 They are not willing to share their own toys with others.
5 Pay attention to the holes left from the nails.

TRANSLATION TEST

● 본문 37쪽

1 We would walk there / almost every day.
저희는 거의 매일 그곳에서 걷곤 했습니다.

2 I expressed my joy and delight / that after all these years / this had happened.
나는 이렇게 오랜 세월이 흐른 후에 이 일이 일어난 것에 대한 기쁨과 즐거움을 표현했다.

3 Study the lives of the great people / who have made an impact / on the world.
세상에 영향을 끼친 위대한 사람들의 삶을 연구하라.

4 The conductor, / noting his obvious distress, / kindly said.
승무원은 그의 분명한 곤경에 주목하며 친절하게 말했다.

5 The percentages of the 6–8 age group ranked first, / followed by the 9–11 age group.
6~8세 연령대의 비율이 첫 번째를 차지했고, 9~11세 연령대가 뒤를 이었다.

6 A career as a historian is a rare job, / which is probably / why you have never met one.
역사가와 같은 직업은 드문 직업이고, 이것이 아마 여러분이 역사가를 결코 만나 본 적이 없는 이유일 것이다.

7 People want to be consistent / and will keep saying yes / if they have already said it once.
사람들은 일관되기를 원하며 만약 자신이 이미 한번 그렇게 말했다면 계속 '예'라고 말할 것이다.

8 Once the body dies, / there's no more glucose.
일단 몸이 죽으면 더 이상 포도당은 없다.

9 The little ones even defend their possessions / with screams / and, if necessary, blows.
그 어린 아기들은 심지어 소리를 지르거나 필요하면 주먹을 날리며 자신의 소유물을 지킨다.

10 Every time you get angry, / take a nail, / and drive it into that old fence / as hard as you can.
네가 화가 날 때마다 못을 하나 가져가 저 낡은 울타리에 가능한 세게 박아라.

WORD TEST

• 본문 38쪽

A 1 대안(책) 2 대표; 대리인 3 창백한 4 한숨을 쉬다 5 발생하다 6 불안 7 요인 8 결정하다 9 거닐다, 산책하다 10 선구자, 개척자 11 운명 12 재생 가능한 13 잠기게 하다, 범람시키다 14 방류[방출]하다 15 참된, 진정한 16 실패하다, 무너지다 17 깊이 18 임명하다 19 설명서 20 깜박거리다

B 1 newborn 2 per 3 unit 4 organ 5 marvelously 6 critically 7 reliable 8 assess 9 bias 10 familiarity 11 equal 12 confuse 13 poisonous 14 species 15 prescribe 16 digest 17 procedure 18 context 19 leak 20 melt away

WRITING TEST

• 본문 39쪽

A 1 Each day, as school closes, dozens of students come to the library to do homework.
2 The fact that she had to leave everything she knew broke her heart.
3 Turning off the vacuum will reset all settings except for the current time.
4 In newborns whose growing brains exhaust them, it's no less than 65 percent.

B 1 For coping with strong negative feelings, it is helpful to take them as they are.
2 The brain makes up just two percent of our body weight.
3 They leave it to children to figure out what is going on.
4 Have you noticed that some coaches get the most out of their athletes while others don't?
5 Their job was to look into the pipe and fix the leak.

TRANSLATION TEST

• 본문 40쪽

1 Your proposed policy / of closing libraries on Mondays / as a cost cutting measure / could be harmful.
비용 절감의 방안으로 월요일마다 도서관 문을 닫는 것에 대한 당신께서 제안하신 정책은 해를 끼칠 수 있습니다.

2 Her heart felt / like it hurt.
그녀의 마음이 아픈 것 같았다.

3 Problems occur / when we try too hard / to control or avoid these feelings.
우리가 이러한 감정을 통제하거나 피하려고 지나치게 노력하면 문제가 발생한다.

4 There is a critical factor / that determines / whether your choice will influence / that of others.
여러분의 선택이 다른 사람들의 선택에 영향을 미칠지를 결정하는 중요한 한 요인이 있다.

5 Boole was deeply interested / in expressing the workings of the human mind / in symbolic form.
Boole은 인간 정신의 작용을 기호 형태로 표현하는 것에 매우 관심이 많았다.

6 The robotic vacuum can operate for 40 minutes / when fully charged.
로봇 진공청소기는 완전히 충전되면 40분 동안 작동할 수 있습니다.

7 That's partly / why babies sleep all the time / and have a lot of body fat.
그것은 부분적으로 아기들이 항상 잠을 자고 많은 체지방을 보유하는 이유이다.

8 Of the many forest plants / that can cause poisoning, / wild mushrooms may be / among the most dangerous.
중독을 일으킬 수 있는 많은 산림 식물 중에서 야생 버섯은 가장 위험한 것들 중의 하나이다.

9 Antibiotics either kill bacteria / or stop them from growing.
항생제는 세균을 죽이거나 그것들이 성장하는 것을 막는다.

10 Upon arrival at the camp, / the boys were randomly separated / into two groups.
그 소년들은 캠프에 도착하자마자 무작위로 두 그룹으로 나뉘었다.

WORD TEST

• 본문 41쪽

A 1 차량 2 최소화, 최저(치) 3 ~ 아래에 4 무서운 5 먼, 거리가 있는 6 말문이 막힌, 말없는 7 긁다 8 관점, 시각 9 근본적인 10 소속되다, 속하다 11 포식자 12 유지 13 친밀함 14 눈에 띄게, 현저하게 15 혼란시키다, 곤란하게 만들다 16 10년 17 말 그대로 18 예약 19 떠다니다 20 해양의

B 1 particle 2 enormous 3 portion 4 solid 5 universal 6 interpret 7 outstanding 8 flavor 9 utilize 10 weaver 11 exist 12 preserve 13 fossil 14 confidence 15 be linked to 16 diverse 17 beggar 18 bother 19 request 20 profound

WRITING TEST

• 본문 42쪽

A
1 What happened next was something that chilled my blood.
2 The number of bronze medals won by the United States was less than twice that of Germany.
3 Trade will not occur unless both parties want what the other party has to offer.
4 No matter how much you have accomplished, you need help too.

B
1 These tiny particles are known to be eaten by various animals.
2 As a result, many companies are hiring employees regardless of their age.
3 The baker is in need of some new cast-iron trivets for cooling his bread.
4 I had a difficulty telling the difference between dinosaurs and dragons.
5 In general, they eat out less than the average person.

TRANSLATION TEST

• 본문 43쪽

1 The construction may lead to increased traffic / along Baker Street / due to work on and around it.
그 공사는 Baker 가와 그 주변의 작업 때문에 Baker 가를 따라서 교통량의 증가로 이어질 수 있습니다.

2 I opened the door / that led to the second floor, / noting that the hallway light was off.
나는 2층으로 이어지는 문을 열었고, 복도 전등이 꺼진 것을 알아차렸다.

3 He was just about to step / through the large glass doors / when he heard a voice say.
그가 커다란 유리문을 막 통과하려 할 때 그는 말하는 목소리를 들었다.

4 Milton Dance Studio is pleased to offer your kids the opportunity / to learn dancing.
Milton Dance Studio는 아이들에게 춤을 배울 기회를 제공하게 되어 기쁩니다.

5 These microplastics are very difficult to measure / once they are small / enough to pass through the nets.
이러한 미세 플라스틱은 일단 그것들이 그물망을 통과할 만큼 충분히 작아지면 측정하기가 매우 어렵다.

6 There are many reasons / for taking such an action, / including the need to recover costs.
이런 행동을 하는 데는 비용을 만회하려는 필요를 포함한 많은 이유들이 있다.

7 We know about them / because their bones have been preserved / as fossils.
그것들의 뼈가 화석으로 보존되어 있기 때문에 우리는 그들에 대해 알고 있다.

8 People who are confident in cooking / are more likely to enjoy various foods / than those who are not.
요리에 자신 있는 사람들은 그렇지 않은 사람들보다 다양한 음식을 즐길 가능성이 더 크다.

9 An old man / whom society would consider a beggar / was coming toward him.
사회가 걸인이라고 여길 만한 한 노인이 그를 향해 다가오고 있었다.

10 Kevin gave him / not only enough for bus fare, / but enough to get a warm meal.
Kevin은 그에게 버스비를 낼 뿐만 아니라, 따듯한 식사를 할 만큼 충분히 (돈을) 주었다.

WORD TEST

• 본문 44쪽

A 1 약간 2 감사하는 3 ~을 노려보다[쏘아보다] 4 꽉 쥐다 5 형제자매 6 소홀히 하다, 간과하다 7 감지하다 8 속담 9 폭발하다 10 중대한 11 유죄의 12 우연히 발견하다 13 밝히다, (빛을) 비추다 14 진정시키는, 진정하는 15 꼭대기에, 맨 위에 16 부유한 17 고아 18 참가자 19 제출하다 20 이동하다

B 1 applaud 2 survey 3 abstract 4 worthwhile 5 intention 6 corporate 7 competent 8 seek 9 feather 10 flap 11 routine 12 noteworthy 13 capacity 14 handle 15 replicate 16 cognitively 17 demanding 18 thrive 19 addiction 20 inborn

WRITING TEST

• 본문 45쪽

A
1 Do not expect your kids to know for themselves what is good for them.
2 We will accept only one photo of you wearing the costume you made.
3 After choosing which sound interests it most, the snowy owl moves its head.
4 If he had not disrupted their sleeping routines, the workshop may have ended without any noteworthy changes.

B
1 The German word was as familiar as it was scary.
2 Ask yourself how that happened in the first place.
3 The exact same concept applies to many areas of our lives.
4 She helped raise funds to support them.
5 The company's leaders came up with some "radical innovations."

TRANSLATION TEST

• 본문 46쪽

1 Very few of the residents here / feel comfortable walking.
이곳 주민들 중 걸어 다니는 것을 편안하게 느끼는 사람은 거의 없습니다.

2 Annemarie looked up, / panting, / just as she reached the corner.
Annemarie는 막 모퉁이에 도착했을 때 숨을 몰아쉬며 올려다보았다.

3 As time passes, however, / they get used to what they have.
시간이 지남에 따라, 그들은 그들이 가진 것에 익숙해진다.

4 She devoted much of her time / to assisting orphans from France and Belgium.
그녀는 프랑스와 벨기에의 고아들을 돕는 데 많은 시간을 쏟았다.

5 It is because / they can take away / from the love of learning.
이는 그것들이 배움에 대한 사랑을 깎아내릴 수 있기 때문이다.

6 The differing size and location of each ear / helps the owl distinguish between sounds.
양쪽 귀의 다른 크기와 위치는 이 올빼미가 소리들 간에 구별을 하는 데 도움이 된다.

7 A person / who has learned various ways to handle anger / is more competent and confident.
분노를 조절하는 다양한 방식을 배운 사람은 더 유능하고 자신감이 있다.

8 Timothy Wilson did an experiment / in which he gave students / a choice of five different art posters.
Timothy Wilson은 학생들에게 다섯 개의 다른 미술 포스터에 대한 선택권을 준 실험을 했다.

9 As a result, / people used to eat more / when food was available.
그 결과, 사람들은 음식이 있을 때는 더 많이 먹곤 했다.

10 Most of the world's population today / has plenty of food available / to survive and thrive.
오늘날 세계 인구의 대부분은 생존하고 번영하기 위해 먹을 수 있는 음식이 많다.

me
mo

memo

visang
1등급을 위한 플렉스!!
수능 개념 & 기출 완성

중등 수능 독해

실전과 기출문제를 통해 어휘와 독해 원리를 익히며 단계별로 단련하는 수능 학습!

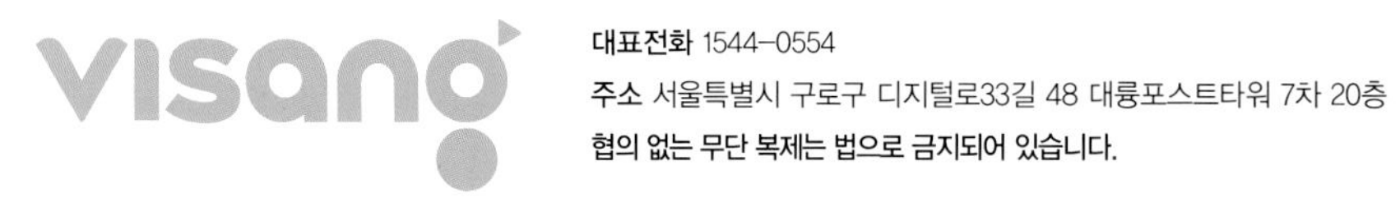

비상 누리집에서 더 많은 정보를 확인해 보세요.

http://book.visang.com/

중등 수능 독해

영어 독해

3
Level

정답과 해설

책 속의 가접 별책 (특허 제 0557442호)

정답과 해설'은 본책에서 쉽게 분리할 수 있도록 제작되었으므로
유통 과정에서 분리될 수 있으나 파본이 아닌 정상제품입니다.

ABOVE IMAGINATION

우리는 남다른 상상과 혁신으로
교육 문화의 새로운 전형을 만들어
모든 이의 행복한 경험과 성장에 기여한다

Level 3

정답과 해설

UNIT 01 글의 목적 찾기

• 본문 015쪽

대표 예제

답 ①

❶Dear Mr. Anderson

Anderson 씨께

❷On behalf of Jeperson High School, / I am writing this letter / to request permission / to conduct an industrial field trip / in your factory. ❸We hope to give some practical education / to our students / as to how things are done in industrial settings. ❹With this purpose in mind, / we believe (that) / your firm is ideal / to carry out such a project. ❺But of course, / we need your blessing and support. ❻35 students would be accompanied / by two teachers. ❼And we would just need a day / for the trip. ❽I would be grateful for your help.

(on behalf of: ~을 대표해서 / to request: 부사적 용법(목적) / to conduct: 부사적 용법(목적) / to give: 명사적 용법(목적어) / to our students: 전치사(~에게) / as to: ~에 관해 / 〈with ~ in mind〉: ~을 염두에 두고[고려할 때] / to carry out: 부사적 용법(목적) / be accompanied by: ~와 동행되다)

Jeperson 고등학교를 대표해서 / 저는 이 편지를 쓰고 있습니다 / 허가를 요청하기 위해 / 산업 현장 견학을 할 수 있도록 / 귀하의 공장에서 / 저희는 몇 가지 실제적인 교육을 제공하기를 희망합니다 / 저희의 학생들에게 / 산업 현장에서 일들이 어떻게 진행되는지에 대해 / 이러한 목적을 염두에 두고 / 저희는 믿습니다 / 귀사가 이상적이라고 / 그러한 프로젝트를 수행하기 위해 / 하지만 물론 / 저희는 귀사의 승인과 협조가 필요합니다 / 35명의 학생들이 동행될 것입니다 / 두 명의 선생님들에 의해 / 그리고 저희는 단 하루가 필요합니다 / 현장 견학을 위해 / 저는 당신의 도움에 감사하겠습니다

❾Sincerely,

진심을 담아

❿Mr. Ray Feynman

Ray Feynman 드림

유형 해결 전략

KEY 1 글을 쓰게 된 동기 파악
I am writing ~ in your factory에서 공장 견학 허가를 요청하기 위해 글을 썼음을 알 수 있음

KEY 2 특정 상황과 핵심 표현에 유의해 목적 파악
We hope to give some practical ~ settings.와 we believe your firm is ideal ~ a project를 통해 현장 교육의 필요성과 해당 공장을 선정한 이유를 설명함

KEY 3 후반부를 통해 목적 재확인
we need your ~ support, grateful for your help 등을 통해 공장 견학을 위한 협조 요청이 목적임을 재확인

해석

❶Anderson 씨께
❷Jeperson 고등학교를 대표해서, 저는 귀하의 공장에서 산업 현장 견학을 할 수 있도록 허가를 요청하기 위해 이 편지를 쓰고 있습니다. ❸저희는 저희의 학생들에게 산업 현장에서 일들이 어떻게 진행되는지에 관해 몇 가지 실제적인 교육을 제공하기를 희망합니다. ❹이러한 목적을 고려할 때, 저희는 그러한 프로젝트를 수행하기 위해 귀사가 이상적이라고 믿습니다. ❺하지만 물론, 저희는 귀사의 승인과 협조가 필요합니다. ❻두 명의 선생님이 35명의 학생들과 동행할 것입니다. ❼그리고 저희는 이 현장 견학을 위해 단 하루를 예정하고 있습니다. ❽당신의 도움에 감사하겠습니다.
❾진심을 담아
❿Ray Feynman 드림

해설

학생들의 공장 현장 견학을 위한 허가를 요청하는 내용이다. 따라서 이 글의 목적으로 가장 적절한 것은 ① '공장 견학 허가를 요청하려고'이다.

오답 노트

② 단체 연수 계획을 공지하려고 ➡ 단체 연수 계획이 아닌 산업 현장 견학에 관한 내용이다.
③ 입사 방법을 문의하려고
④ 출장 신청 절차를 확인하려고
⑤ 공장 안전 점검 계획을 통지하려고
➡ ③, ④, ⑤의 입사 방법이나 출장 신청 절차, 공장 안전 점검 계획에 대한 내용은 모두 언급되지 않았다.

구문 해설

❸We hope **to give** some practical education **to** our students as to how things are done in industrial settings.
to give ~ education은 동사 hope의 목적어로 쓰인 명사적 용법의 to부정사구이고, to our students의 to는 '~에게'를 뜻하는 전치사이다.

❹With this purpose in mind, we believe your firm is ideal **to carry** out such a project.
we believe 다음에 목적어 역할을 하는 명사절을 이끄는 접속사 that이 생략되었다. to carry out은 to부정사의 부사적 용법으로 '수행하기 위해서'라는 의미의 목적을 나타낸다.

어휘

on behalf of ~을 대표해서 **field trip** 현장 견학 **practical** 실제적인 **industrial settings** 산업 현장 **blessing** 승인

READING 1~4

● 본문 016~019쪽

 ①  ①  ⑤  ②

1

● 본문 016쪽

답 ①

❶ Dear Community Members,

친애하는 지역 주민 여러분께

❷ As the director of Save-A-Pet Animal Shelter, / I appreciate your help

~로서(자격)

Save-A-Pet 동물 보호센터장으로서 저는 여러분의 도움과 후원에

and support / in looking after our animals. ❸ Unfortunately, / our facility is

〈전치사+동명사(전치사 in의 목적어)〉 = in taking care of

감사드립니다 저희 동물들을 돌보는 데 불행하게도 저희 시설은 할 수

unable / to care for animals with special needs. ❹ Without community

~ 없이

없습니다 특수한 도움이 필요한 동물들을 돌보는 것이 지역 주민분들이 안 계시면

members / [who will take these pets into their homes], / our shelter can

주격 관계대명사절 / 주어

이런 반려동물들을 자신들의 집으로 데려가실 저희 보호소는 빨리 가득

quickly fill up / with difficult-to-adopt cases. ❺ Because of this, / we cannot

~로 가득 차다

찰 수 있습니다 입양이 어려운 친구들로 이 때문에 저희는 더 많은

bring in and help more pets. ❻ Consider adopting a pet / [with medical or

동명사(목적어) / 전치사구

반려동물들을 데려 와서 도울 수 없습니다 반려동물 입양을 고려하세요 건강이나 행동상의 요구가

behavioral needs], / or even a senior one. ❼ Come into our adoption center /

= old pet / 명령문(동사1)

있거나 심지어 나이가 많은 반려동물을 저희 입양 센터에 오세요

and meet / some of our longer-term residents. ❽ It takes an entire

동사2 / 〈It takes ~ to부정사〉: …하는 데 ~가 들다

그리고 만나보세요 저희의 몇몇 장기 체류 동물들을 전체의 지역사회가 필요합니다

community / to save animals' lives — / we cannot do it without you!

= save animals' lives

동물들의 생명을 구하는 데 저희는 그것을 여러분 없이는 할 수 없습니다!

❾ Sincerely,

진심을 담아

❿ Dr. Sarah Levitz

Sarah Levitz 드림

유형 해결 전략

KEY 1 글을 쓰게 된 동기 파악
동물 보호센터장이 지역 주민들의 도움에 관해 쓰는 글임을 확인

KEY 2 특정 상황과 핵심 표현에 유의해 목적 파악
Without community members ~ difficult-to-adopt cases에서 특수한 도움이 필요한 동물들이 입양하는 사람이 없어 보호소에 가득 차면 더 많은 동물들을 보살필 수 없게 된다는 어려움을 호소

KEY 3 후반부를 통해 목적 재확인
Consider adopting a pet, adoption center, to save animals' lives 등의 표현으로 지역 주민들에게 반려동물 입양을 권하는 것이 글의 목적임을 재확인

해석

❶ 친애하는 지역 주민 여러분께
❷ Save-A-Pet 동물 보호센터장으로서, 저는 저희 동물들을 돌보는 데 여러분께서 주신 도움과 후원에 감사드립니다. ❸ 불행하게도, 특수한 도움이 필요한 동물들을 돌보는 것은 저희 시설의 능력 밖입니다. ❹ 이런 반려동물들을 자신들의 집으로 데려가실 지역 주민분들이 안 계시면, 저희 보호소는 입양이 어려운 친구들로 빠른 시일 내에 가득 찰 수 있습니다. ❺ 이 때문에 저희는 더 많은 반려동물들을 데려와서 도울 수 없습니다. ❻ 건강이나 행동상의 요구가 있거나 심지어 나이가 많은 반려동물을 입양하는 것을 고려하세요. ❼ 저희 입양 센터에 오셔서 몇몇 장기 체류 동물들을 만나 보세요. ❽ 동물들의 생명을 구하는 데는 지역사회 전체가 필요한데요, 저희는 여러분 없이는 그것을 할 수 없습니다!
❾ 진심을 담아
❿ Sarah Levitz 드림

해설

동물 보호센터의 책임자로서 센터에 도움과 지원을 해 준 지역 주민들에게 감사를 표하고, 반려동물을 입양하라고 독려하고 있다. 따라서 이 글의 목적으로 가장 적절한 것은 ① '반려동물 입양을 요청하려고'이다.

오답 노트

② 유기견 보호 센터 개설을 알리려고
③ 동물 보호 정책 강화를 요구하려고
④ 동물 구조 자원봉사자를 모집하려고
⑤ 동물 보호 단체 가입 방법을 안내하려고
➡ ②, ③, ④, ⑤의 센터 개설, 동물 보호 정책 강화, 자원봉사자 모집, 동물 보호 단체 가입 방법에 대한 내용은 모두 언급되지 않았다.

구문 해설

❻ **Consider adopting** a pet with medical or behavioral needs, or even a senior **one**.
〈consider -ing〉는 '~하기를 고려하다'라는 뜻이다. 명령문이므로 동사원형으로 문장이 시작됐다. adopt의 목적어로 a pet과 a senior one이 등위 접속사 or로 병렬 연결되고 있다. with medical ~ needs는 a pet을 수식하는 전치사구이다. 부정대명사 one은 pet을 나타낸다.

● 본문 017쪽

답 ①

❶Dear Parents,

학부모님들께

❷As you know, / Sandy Brown, our after-school swimming coach / for six years, / retired from coaching last month. ❸So, / Virginia Smith, / [who swam for Bredard Community College / and has won several awards in national competitions], / has been named the school's new swimming coach. ❹This is her first job as a coach, / and she is going to start working / from next week. ❺She will teach her class in the afternoons, / and continue with our summer program.

(동격: Sandy Brown = our after-school swimming coach / retire from: ~에서 은퇴하다 / 주어: Virginia Smith / 주격 관계대명사절(계속적 용법) / 현재완료: has won / 동사(현재완료 수동태): has been named / ~로서(자격): as)

당신이 아시다시피 / 우리의 방과 후 수영 코치였던 Sandy Brown 씨가 / 6년간 / 지난달에 코치직에서 은퇴했습니다 / 그래서 / Virginia Smith 씨가 / Bredard Community College에서 수영을 했고 / 그리고 전국 대회에서 여러 차례 수상을 했던 / 우리 학교의 새로운 수영 코치로 임명되었습니다 / 이번이 코치로서 그녀의 첫 번째 직업입니다 / 그리고 그녀는 일을 시작할 것입니다 / 다음 주부터 / 그녀는 오후마다 수업을 할 것입니다 / 그리고 우리의 여름 프로그램에서 계속할 것입니다

❻By promoting the health benefits of swimming, / she hopes / [that more students will get healthy / through her instruction].

(〈by -ing〉: ~함으로써 / 주어: she / 동사: hopes / 명사절(목적어) / 〈get+형용사〉: ~해지다)

수영의 건강상 이점을 증진시킴으로써 / 그녀는 바랍니다 / 더 많은 학생들이 건강해지기를 / 그녀의 지도를 통해서

❼Sincerely,

진심을 담아

❽Fred Wilson

Fred Wilson 올림

❾Principal, Riverband High School

Riverband 고등학교 교장

유형 해결 전략

KEY 1 글을 쓰게 된 동기 파악
필자가 학부모들에게 방과 후 수영 코치의 은퇴를 상기시키고 있음

KEY 2 특정 상황과 핵심 표현에 유의해 목적 파악
has been named the school's new swimming coach, start working, teach her class 등을 통해 새로운 코치의 이력과 업무 내용을 소개함

KEY 3 후반부를 통해 목적 재확인
she hopes ~ through her instruction을 통해 새 코치의 부임 소감을 전하며 새 코치를 소개함을 재확인

해석

❶ 학부모님들께
❷ 아시는 바와 같이 6년 동안 저희의 방과 후 수영 코치였던 Sandy Brown 씨가 지난달 코치직에서 은퇴했습니다. ❸ 그래서 Bredard Community College에서 수영 선수 생활을 했고, 전국 수영 대회에서 여러 차례 수상한 Virginia Smith 씨가 저희 학교의 새로운 수영 코치로 임명되었습니다. ❹ 이번이 코치로서 그녀의 첫 시작이고, 다음 주부터 근무를 시작할 것입니다. ❺ 그녀는 오후마다 수업을 할 것이고, 우리 학교 여름 프로그램도 계속할 것입니다. ❻ 그녀는 수영이 주는 건강상의 이점을 증진시킴으로써, 더 많은 학생들이 자신의 지도를 통해 건강해지기를 바랍니다.
❼ 진심을 담아
❽ Fred Wilson 올림
❾ Riverband 고등학교 교장

해설

Riverband 고등학교의 교장인 Fred Wilson이 학부모들에게 지난달에 퇴직한 수영 코치를 대신할 새로운 코치가 임명되었음을 알리고 수업 내용에 대해 소개하고 있다. 따라서 이 글의 목적으로 가장 적절한 것은 ① '새로운 수영 코치를 소개하려고'이다.

오답 노트

② 수영 강좌의 폐강을 통보하려고 ➡ 새로운 수영 코치를 통해 오후 수영 강좌가 계속됨을 알리고 있다.
③ 수영 코치의 퇴임식을 공지하려고 ➡ 수영 코치가 지난달에 은퇴했음을 알렸지만 퇴임식에 대한 정보는 언급되지 않았다.
④ 수영부의 대회 입상을 축하하려고 ➡ 새로운 코치가 수영 입상 경력이 있다는 것이지 수영부의 대회 입상에 관한 것은 아니다.
⑤ 수영의 건강상 이점을 홍보하려고 ➡ 새로운 코치의 소감에서 수영의 건강상 이점에 대한 내용이 언급되지만 일부의 내용일 뿐이다.

구문 해설

❸ So, Virginia Smith, **who swam** for Bredard Community College and **has won** several awards in national competitions, **has been named** the school's new swimming coach.
주격 관계대명사 who swam ~ national competitions가 주어 Virginia Smith를 부연 설명하는데, 과거 시제 동사 swam과 현재완료 시제 동사 has won이 등위 접속사 and로 병렬 연결되었다. 문장의 동사는 has been named로 현재완료 수동태이다.

❻ **By promoting** the health benefits of swimming, she hopes **that** more students will get healthy through her instruction.
by는 전치사로, '~함으로써'라는 수단이나 방법을 나타낸다. 전치사의 목적어로는 명사나 명사상당어구가 와야 하므로 동명사 promoting이 왔다. that은 명사절을 이끄는 접속사로 that 이하는 hopes의 목적어이다.

3

● 본문 018쪽

답 ⑤

❶Dear Ms. Ellison,

Ellison 씨께

❷This is Jason Kelly, / the chief organizer of the 2019 Concord Movie Festival.

(동격) 저는 Jason Kelly입니다 / 2019년 Concord 영화제의 조직위원장인

❸I'm writing this email / to invite you to be a judge / in the festival this year.

(부사적 용법(목적) / 명사적 용법(invite의 목적격보어)) 저는 이 이메일을 쓰고 있습니다 / 선생님을 심사 위원으로 모시고자 / 올해 영화제의

❹Last year, we were very pleased / to have you as a judge / in our festival.

(as: ~로서(자격)) 작년에 저희는 정말 기뻤습니다 / 선생님을 심사 위원으로 모시게 되어 / 저희 영화제에

❺Many of our staff members / have good memories of you.

저희 조직 위원들 중 다수가 / 선생님에 대해 좋은 기억을 갖고 있습니다

❻They also told me / that you were definitely the best judge / and made the 2018 movie festival a great success.

(〈수여동사+간접목적어+직접목적어〉, (you)) 그들은 또 저에게 말합니다 / 선생님께서는 단연 최고의 심사 위원이셨고 / 그리고 2018년 영화제를 대단한 성공작으로 만드셨다고 (〈사역동사+목적어+목적격보어〉)

❼They all strongly recommended you, / so we would gladly like to ask you / to serve as a judge again / for this year's festival.

(so: 접속사, would like to: ~하고 싶다(= want to), to serve: 명사적 용법(목적격보어)) 그들이 모두 강력하게 선생님을 추천했습니다 / 그래서 저희는 기꺼이 선생님께 요청드리고 싶습니다 / 또다시 심사 위원으로 일해 주시기를 / 올해 영화제를 위해서

❽We all believe / [that your contribution will be of great help / to our festival].

(We: 주어, believe: 동사, that ~: 명사절(목적어), be of great help: 도움이 되다) 저희 모두는 믿습니다 / 선생님의 공헌이 커다란 도움이 될 것으로 / 저희 영화제에

❾I look forward to hearing from you soon.

(〈look forward to -ing〉: ~하기를 고대하다) 저는 선생님으로부터 곧 소식을 듣기를 기다리겠습니다

❿Sincerely,

진심을 담아

⓫Jason Kelly

Jason Kelly 드림

유형 해결 전략

KEY 1 글을 쓰게 된 동기 파악
영화제 조직위원장으로서 수신인에게 심사 위원으로 와 줄 것을 요청하는 편지임을 확인

KEY 2 특정 상황과 핵심 표현에 유의해 목적 파악
작년에도 심사 위원으로서 영화제를 성공으로 이끌었고, 직원들 또한 강력하게 추천하고 있다며 다시 모시려는 이유를 설명

KEY 3 후반부를 통해 목적 재확인
we would gladly like to ask you to serve as a judge again에서 심사 위원으로 모시고 싶다는 목적을 재확인

해석

❶Ellison 씨께
❷저는 2019년 Concord 영화제의 조직위원장인 Jason Kelly입니다. ❸저는 선생님을 올해 영화제의 심사 위원으로 모시고자 이 이메일을 씁니다. ❹작년에 저희는 선생님을 저희 영화제에 심사 위원으로 모시게 되어 대단히 기뻤습니다. ❺저희 조직 위원들 중 다수가 선생님에 대해 좋은 기억을 갖고 있습니다. ❻그들은 또한 선생님께서는 단연 최고의 심사 위원이셨고, 2018년 영화제를 대단한 성공작으로 만드셨다고 말합니다. ❼그들이 모두 강력하게 선생님을 추천했으므로, 저희는 선생님께 올해 영화제를 위해서 또다시 심사 위원으로 일해 주시기를 기꺼이 요청드리고 싶습니다. ❽저희 모두는 선생님의 공헌이 저희 영화제에 커다란 도움이 될 것으로 믿습니다. ❾선생님의 빠른 답변을 기다리겠습니다.
❿진심을 담아
⓫Jason Kelly 드림

해설

상대방을 영화제 심사 위원으로 다시 모시기 위한 글이다. 따라서 이 글의 목적으로 가장 적절한 것은 ⑤ '영화제 심사 위원으로 위촉하려고'이다.

오답 노트

① 새로운 영화제를 홍보하려고 ➡ 새로운 영화제에 관한 내용이긴 하지만 홍보와는 관련이 없다.
② 영화제 지원 방안을 제안하려고 ➡ 영화제 지원 방안에 대한 내용은 언급되지 않았다.
③ 영화제 심사 기준을 설명하려고 ➡ 영화제 심사 위원으로 모시기 위한 내용이지 심사 기준에 대한 내용이 아니다.
④ 영화제 일정 변경을 공지하려고 ➡ 영화제 일정 변경에 대한 내용은 언급되지 않았다.

구문 해설

❻They also told me **that** you were definitely the best judge and **made the 2018 movie festival a great success**.
They가 주어, told가 동사, me가 간접목적어, that절 이하가 직접목적어이다. that이 이끄는 명사절은 등위 접속사 and로 병렬 연결되고 있다. 이때 두 절의 주어가 모두 you이므로 and 다음 you는 생략되었다. 〈make+목적어+목적격보어〉는 '~을 …으로 만들다'라는 의미이다. 여기서 목적어는 the 2018 movie festival이고, 목적격보어는 a great success이다.

❼They all strongly recommended you, **so** we **would gladly like to ask** you to serve as a judge again for this year's festival.
so는 '그래서, 따라서'라는 의미의 접속사이다. 이때 so 앞의 절은 이유 또는 원인을 나타내고 so 뒤에 나오는 절은 결과를 나타낸다. 즉, 모두가 당신을 강력히 추천하기 때문에 다시 심사 위원으로 모시고자 한다는 내용이다. 〈would like to+동사원형〉은 '~하고 싶다'라는 뜻인데, 의미를 강조하기 위해 부사 gladly를 조동사 would와 동사 like 사이에 썼다.

4

● 본문 019쪽

답 ②

❶Dear Tony,

Tony 씨께

❷I'm writing to ask you for some help. ❸For this year's workshop, / we would really like to take all our staff on a trip to Bridgend / to learn more about new leadership skills in the industry. ❹I remember / [that your company took a similar course last year]. ❺It included an inspiring lecture / by an Australian lady. ❻Are you still in contact with her? ❼If so, / could you let me know her number or email address? ❽I would really appreciate your assistance.

(to ask: 부사적 용법(목적) / to take: 명사적 용법(목적어) / to learn: 부사적 용법(목적) / I: 주어, remember: 동사, that절: 목적어(명사절) / 〈be in contact with〉: ~와 연락하고 있다 / 〈사역동사+목적어+동사원형〉 / I would really appreciate = Thank you very much for ~)

저는 당신께 일부 도움을 요청하고자 편지를 쓰고 있습니다 올해 연수로 저희는 모든 직원을 데리고 Bridgend로 여행을 정말 가고자 합니다 업계의 새로운 리더십 기술에 대해 더 많이 배우기 위해 저는 기억합니다 귀사에서 작년에 비슷한 연수 과정을 하셨다는 것을 그것에는 고무적인 강연이 포함됐습니다 호주 출신 여성분에 의한 당신은 아직도 그분과 연락을 하고 계십니까? 그러시다면 그분의 전화번호나 이메일 주소를 알려주실 수 있나요? 저는 귀하의 도움에 정말 감사하겠습니다

❾Kind regards,

안부를 전하며

❿Luke Schreider

Luke Schreider 올림

유형 해결 전략

KEY 1 글을 쓰게 된 동기 파악
첫 문장을 통해 도움을 요청하는 편지임을 확인

KEY 2 특정 상황과 핵심 표현에 유의해 목적 파악
an inspiring lecture, Are you ~ with her? 등의 표현으로, Tony 씨의 회사가 작년에 고무적인 강의를 한 강사와 아직 연락이 되는지 문의하고 있음을 파악

KEY 3 후반부를 통해 목적 재확인
could you let me ~ or email address?에서 강사의 연락처를 받는 것이 글의 목적임을 재확인

해석

❶Tony 씨께
❷저는 당신께 일부 도움을 요청하고자 편지를 씁니다. ❸올해 연수로, 저희는 업계의 새로운 리더십 기술에 대해 더 많이 배우기 위해 모든 직원을 데리고 Bridgend로 여행을 가고자 합니다. ❹귀사에서 작년에 비슷한 연수 과정을 하셨다는 것을 기억합니다. ❺그것에는 호주 출신 여성분의 고무적인 강연이 포함된 것으로 기억합니다. ❻당신은 아직도 그분과 연락을 하고 계십니까? ❼그러시다면, 그분의 전화번호 또는 이메일 주소를 알려주실 수 있으십니까? ❽귀하께서 도와주신다면 정말 감사하겠습니다.
❾안부를 전하며
❿Luke Schreider 올림

해설

전 직원을 데리고 Bridgend로 연수를 가기 전에, 작년에 비슷한 연수 과정을 했던 회사가 그 강연의 강사와 아직 연락이 닿는지 문의하며 그 사람의 연락처를 알려줄 수 있는지 묻고 있다. 따라서 이 글의 목적으로 가장 적절한 것은 ② '연수 강사의 연락처를 문의하려고'이다.

오답 노트

① 직원 연수 진행을 부탁하려고 ➡ 직원 연수에 관한 것이긴 하지만 진행을 부탁하기 위한 것이 아니라 연수 강사의 연락처를 요청하는 내용이다.
③ 연수에서 강연할 원고를 의뢰하려고 ➡ 원고 의뢰에 관한 내용은 언급되지 않았다.
④ 리더십 개발 연수 참석을 권유하려고 ➡ 연수 참석을 권유하는 내용은 언급되지 않았다.
⑤ 연수자 명단을 보내 줄 것을 요청하려고 ➡ 연수자 명단을 요청한 것이 아니라 연수 강사의 연락처를 요청하고 있다.

구문 해설

❸For this year's workshop, we would really like **to take** all our staff **on a trip to** Bridgend **to learn** more about new leadership skills in the industry.
to take는 to부정사의 명사적 용법으로 쓰였다. 〈take A on a trip to B〉는 'A를 B로 여행차 데려가다'라는 뜻이다. 이때 to는 장소 앞에 붙는 전치사이다. to Bridgend 뒤의 to learn은 '배우기 위해서'를 뜻하는 부사적 용법의 to부정사로 목적을 나타낸다.

❹I remember **that** your company took a similar course last year.
〈주어(I)+동사(remember)+목적어(that절)〉로 이루어진 3형식 문장인데, 여기서 that절은 명사절로 문장의 목적어 역할을 한다.

❼**If so**, could you **let** me **know** her number or email address?
If so는 '그렇다면'이라는 뜻으로 If it is so에서 it is가 생략되었다. let은 '~하게 만들다, 시키다'라는 의미의 사역동사로, 목적격보어로 동사원형이 와야 하므로 know가 왔다.

내용 일치·불일치 찾기

● 본문 021쪽

대표 예제

답 ④

❶Smartphone Average Prices

스마트폰의 평균 가격

❷The above graph shows / the smartphone average prices / in China and
주어 동사
위 그래프는 보여 준다 스마트폰 평균 가격을 2010년과 2015년

India between 2010 and 2015, / compared with the global smartphone
〈between A and B〉: A와 B 사이에 ~와 비교하여
사이의 중국과 인도의 전 세계 스마트폰 평균 가격과 비교하여

average price / during the same period. ❸① The global smartphone average
같은 기간 동안 전 세계 스마트폰 평균 가격은 하락했다

price decreased / from 2010 to 2015, / but still stayed the highest / among
〈from A to B〉: A부터 B까지 최상급 비교
2010년부터 2015년까지 하지만 여전히 가장 높게 머물렀다 세 개의 비교

the three. ❹② The smartphone average price in China / dropped between
대상 중에서 중국의 스마트폰 평균 가격은 2010년과 2013년 사이에

2010 and 2013. ❺③ The smartphone average price in India / reached its
떨어졌다 인도의 스마트폰 평균 가격은 2011년에 최고점에

peak in 2011. ❻④ From 2013, China and India took opposite paths, / with
〈with+목적어+목적격보어(현재분사)〉: ~하는
도달했다 2013년부터 중국과 인도는 정반대의 방향을 보였다 중국의

China's smartphone average price going down / and India's going up.
현재분사₁(진행) 현재분사₂(진행)
스마트폰 평균 가격은 하락했고 인도의 스마트폰 평균 가격은 상승했다

❼⑤ The gap [between the global smartphone average price and the
주어 전치사구
전 세계 스마트폰 평균 가격과 중국의 스마트폰 평균 가격의 차이는

smartphone average price in China] / was the smallest in 2015.
동사 최상급 비교(주격보어)
2015년에 가장 적었다

유형 해결 전략

KEY 1 도표 제목 확인
'스마트폰의 평균 가격'에 대한 그래프

KEY 2 비교 대상 및 그래프의 수치 파악
2010년과 2015년 사이에 전 세계 스마트폰 평균 가격과 중국, 인도의 스마트폰 평균 가격을 달러 단위로 비교하고 있음

KEY 3 증감, 변화, 비교 표현을 확인하며 도표와 대조
① average price decreases (평균 가격이 하락하다)
② average price ~ drops (평균 가격이 떨어지다)
③ reach its peak (최고점에 도달하다)
④ go down[up] (하락하다[상승하다])
⑤ the gap ~ is the smallest (차이가 가장 적다)
→ ④ 도표에서 2013년부터 중국의 스마트폰 평균 가격은 하락(going down)한 것이 아니라 상승했고, 반대로 인도는 상승(going up)이 아니라 하락했음

해석

❶스마트폰의 평균 가격
❷위 그래프는 2010년과 2015년 사이의 중국과 인도의 스마트폰 평균 가격을 같은 기간의 전 세계 스마트폰 평균 가격과 비교하여 보여 준다. ❸전 세계 스마트폰 평균 가격은 2010년부터 2015년까지 하락했지만, 여전히 세 개의 비교 대상 중에서 가장 높게 머물렀다. ❹중국의 스마트폰 평균 가격은 2010년과 2013년 사이에는 떨어졌다. ❺인도의 스마트폰 평균 가격은 2011년에 최고점에 도달했다. ❻2013년부터, 중국의 스마트폰 평균 가격은 하락(→ 상승)했고 인도의 스마트폰 평균 가격은 상승(→ 하락)하는, 정반대의 방향을 보였다. ❼전 세계 스마트폰 평균 가격과 중국의 스마트폰 평균 가격의 차이는 2015년에 가장 적었다.

해설

중국의 스마트폰 평균 가격은 2013년부터 상승했고 인도의 스마트폰 평균 가격은 하락했다. 따라서 ④는 도표의 내용과 일치하지 않는다.

오답 노트

① ➡ 전 세계 스마트폰 평균 가격의 그래프는 아래쪽을 향하고 있지만, 인도와 중국의 그래프보다 위쪽에 있으므로 세 비교 대상 중에서는 가장 높다.
② ➡ 중국은 2010년부터 2013년까지 하향세이므로 가격이 하락했다는 것을 알 수 있다.
③ ➡ 인도의 그래프에서 가장 높은 가격을 보여 주고 있는 해는 2011년이다.
⑤ ➡ 전 세계 스마트폰 평균 가격의 그래프와 중국의 그래프 사이 간격이 2015년에 가장 좁아졌으므로 그때 평균 가격의 차이가 가장 적다고 할 수 있다.

구문 해설

❻From 2013, China and India took opposite paths, **with** China's smartphone average price **going** down and India's **going** up.
문장의 주어는 China and India이고, 동사는 took이다. '~하는'의 의미를 나타내는 〈with+목적어+목적격보어〉 구문이 쓰였고, 목적격보어로 진행의 의미를 나타내는 현재분사구인 going down과 going up이 왔다.
❼**The gap** between the global smartphone average ~ China **was the smallest** in 2015.
문장의 주어는 The gap이고, 동사는 was, the smallest가 주격보어이다. between ~ China는 주어를 수식해 주는 전치사구이며, the smallest는 최상급 비교 표현이다.

어휘

average 평균의 **price** 가격 **global** 전 세계의 **decrease** 줄다, 감소하다 **drop** 떨어지다 **peak** 최고점, 정점 **opposite** 정반대의 **path** 방향, 길

• 본문 022~025쪽

 ⑤  ⑤  ⑤  ③

1

• 본문 022쪽

답 ⑤

❶Sigrid Undset was born on May 20, 1882, / in Denmark. ❷She was the eldest of three daughters. ❸She moved to Norway / at the age of two. ❹When she was young, / she was strongly influenced by her father's historical knowledge. ❺At the age of sixteen, / she got a job at an engineering company / to support her family. ❻She read a lot, / so she learned much about Nordic / as well as foreign literature, / particularly English literature. ❼She wrote thirty six books. ❽All of her books drew reader's attention. ❾She received / the Nobel Prize for Literature / in 1928. ❿One of her novels has been translated / into more than eighty languages. ⓫She escaped Norway / during the German occupation, / but she returned / after the end of World War II.

* Nordic: 북유럽 사람(의)

(was born on: 〈be born on〉: ~일에 태어나다 / Sigrid Undset은 1882년 5월 20일에 태어났다 / 덴마크에서 / 그녀는 세 자매 중 / the eldest of: 〈the+최상급+of〉: ~ 중에서 가장 …한 / 첫째였다 / 그녀는 노르웨이로 이주하였다 / at the age of: ~살의 나이에 / 2세에 / was influenced by: ~에 영향을 받다(수동태) / 그녀가 어렸을 때 / 그녀는 그녀의 아버지의 역사적 지식에 크게 영향을 받았다 / 16세에 / 그녀는 기술 회사에 취업을 했다 / to support: 부사적 용법(목적) / read: 과거 시제 / 그녀의 가족을 부양하기 위해 / 그녀는 책을 많이 읽었다 / as well as: 〈A as well as B〉: B뿐만 아니라 A도 / 그래서 그녀는 북유럽 문학에 대해 많이 배웠다 / 외국문학뿐만 아니라 / All of her books: 주어 / drew: 동사 / 특히 영국 문학을 / 그녀는 36권의 책을 집필했다 / 그녀의 모든 책들은 독자의 관심을 / reader's attention: 목적어 / 끌었다 / 그녀는 수상했다 / 노벨 문학상을 / 1928년에 / has been translated: 현재완료 수동태 / 그녀의 소설 중 한 권은 번역되었다 / 80개 이상의 언어로 / but: 접속사(역접) / 그녀는 노르웨이를 탈출했다 / 독일 점령 기간 중에 / 하지만 그녀는 돌아왔다 / 제2차 세계대전이 종료된 후)

유형 해결 전략

KEY 1 선택지 먼저 읽고 글의 내용 유추
Sigrid Undset의 일생과 업적

KEY 2 선택지와 글의 내용 대조
① 세 자매 중 첫째 딸로 태어났다. ➡ 일치
② 어린 시절의 삶은 아버지의 역사적 지식에 큰 영향을 받았다. ➡ 일치
③ 16세에 가족을 부양하기 위해 취업하였다. ➡ 일치
④ 1928년에 노벨 문학상을 수상하였다. ➡ 일치
⑤ 독일 점령 기간 중 노르웨이를 탈출한 후, 다시 돌아오지 않았다. ➡ 불일치

해석

❶Sigrid Undset은 1882년 5월 20일 덴마크에서 태어났다. ❷그녀는 세 자매 중 첫째 딸이었다. ❸그녀는 2세에 노르웨이로 이주하였다. ❹그녀가 어렸을 때, 그녀는 아버지의 역사적 지식에 크게 영향을 받았다. ❺그녀는 16세에 가족을 부양하기 위해 기술 회사에 취업했다. ❻그녀는 책을 많이 읽었고, 외국 문학, 특히 영국 문학뿐만 아니라 북유럽 문학에 관해 많이 배웠다. ❼그녀는 36권의 책을 집필했다. ❽그녀의 모든 책들은 독자의 관심을 끌었다. ❾1928년에 그녀는 노벨 문학상을 수상했다. ❿그녀의 소설 중 한 권은 80개 이상의 언어로 번역되었다. ⓫그녀는 독일 점령 기간 중 노르웨이를 탈출했으나, 제2차 세계대전이 종료된 후 돌아왔다.

해설

She escaped Norway during the German occupation, but she returned after the end of World War II.에서 Sigrid Undset은 제2차 세계 대전이 종료된 후 노르웨이로 다시 돌아왔다고 했다. 따라서 글의 내용과 일치하지 않는 것은 ⑤이다.

구문 해설

❷She was **the eldest of** three daughters.
〈the+최상급+of〉는 최상급 비교로, '~ 중에서 가장 …한'이라는 뜻이다. old가 '손위의, 연상의'이라는 뜻일 때는 비교급–최상급이 'old–elder–eldest'의 형태이고, '나이든, 오래된'의 뜻일 때는 'old–older–oldest'의 형태이다. 이 문장에서는 '가장 손위의', 즉 '첫째의'라는 의미이므로 eldest가 왔다.

❻She **read** a lot, so she learned much about Nordic **as well as** foreign literature, particularly English literature.
read는 원형–과거형–과거분사형의 형태가 같은 동사이다. 이 문장에서는 read가 과거 시제로 쓰였다. 〈A as well as B〉는 'B뿐만 아니라 A도'라는 의미로, 〈not only B but also A〉로 바꾸어 쓸 수 있다.

❽All of her books drew reader's attention.
All of her books가 주어이고, drew가 동사, reader's attention이 목적어이다.

❿**One** of her novels **has been translated** into more than eighty languages.
주어 One of her novels 중에 of her novels는 One을 수식하므로 주어는 단수이다. 따라서 동사는 단수형 has가 왔다. has been translated는 현재완료 수동태이다.

답 ⑤

❶ Most Important Device for Internet Access:
인터넷 접속을 위한 가장 중요한 장치

2014 and 2016 in UK
2014년과 2016년 영국의

❷ The above graph shows / [what devices British people considered the most important / when they connected to the Internet / in 2014 and 2016].
(The above graph: 주어 / shows: 동사 / what ~: 목적어(간접의문문))
위 도표는 보여 준다 / 영국인들이 어떤 장치들이 가장 중요하다고 생각했는지를 / 그들이 인터넷 접속을 할 때 / 2014년과 2016년에

❸ ① More than a third of UK Internet users / considered smartphones / to be their most important device / for accessing the Internet / in 2016.
(More than: ~ 이상의 / a third: 1/3 / considered: 동사 / smartphones: 목적어 / to be: 명사적 용법(목적격보어) / for: ~을 위한(목적))
3분의 1이 넘는 영국 인터넷 사용자들은 / 스마트폰을 생각했다 / 그들의 가장 중요한 장치로 / 인터넷 접속을 위한 / 2016년도에

❹ ② In the same year, / the smartphone passed the laptop / as the most important device for Internet access.
(In the same year = In 2016 / as: ~로서(자격))
같은 해에 / 스마트폰이 랩톱을 추월하였다 / 인터넷 접속을 위해 가장 중요한 장치로서

❺ ③ In 2014, / UK Internet users were the least likely to select a tablet / as their most important device for Internet access.
(⟨be likely+to부정사⟩: ~하기 쉽다 / as: ~로서(자격) / most important: 최상급)
2014년에 / 영국 인터넷 사용자들은 태블릿을 가장 적게 선택하는 경향이 있었다 / 인터넷 접속을 위한 가장 중요한 장치로

❻ ④ In contrast, / they were the least likely to consider a desktop / as their most important device for Internet access / in 2016.
(In contrast = In comparison / they = UK Internet users / ⟨consider A as B⟩: A를 B로 생각하다)
대조적으로 / 그들은 데스크톱을 가장 적게 고려하는 경향이 있었다 / 인터넷 접속을 위한 가장 중요한 장치로 / 2016년에는

❼ ⑤ UK Internet users / [who selected a desktop / as their most important device for Internet access] / increased by half / from 2014 to 2016.
(UK Internet users: 주어 / who ~: 주격 관계대명사절 / increased: 동사 / by: ~만큼(정도, 차이))
영국 인터넷 사용자들은 / 데스크톱을 선택한 / 인터넷 접속을 위한 가장 중요한 장치로 / 절반만큼 증가하였다 / 2014년부터 2016년도까지

유형 해결 전략

KEY 1 도표 제목 확인
'인터넷 접속을 위한 가장 중요한 장치'에 관한 도표임을 확인

KEY 2 비교 대상 및 그래프의 수치 파악
2014년과 2016년에 영국인들이 인터넷 접속을 할 때 가장 중요하다고 생각하는 장치를 비교하고 있음

KEY 3 증감, 변화, 비교 표현을 확인하며 도표와 대조
① more than a third(1/3 이상)
② pass(추월하다)
③ are the least likely to(가장 적게 ~하는 경향이 있다)
④ are the least likely to(가장 적게 ~하는 경향이 있다)
⑤ increase by half(절반만큼 증가하다)

해석

❶ 2014년과 2016년 영국에서 인터넷 접속을 위한 가장 중요한 장치 ❷ 위 도표는 2014년과 2016년에 영국인들이 인터넷 접속을 할 때 어떤 장치들이 가장 중요하다고 생각했는지를 보여 준다. ❸ 2016년도에 3분의 1이 넘는 영국 인터넷 사용자들은 스마트폰을 가장 중요한 인터넷 접속 장치로 생각했다. ❹ 같은 해에, 스마트폰이 인터넷 접속을 위해 가장 중요한 장치로서 랩톱을 추월하였다. ❺ 2014년에, 영국 인터넷 사용자들은 인터넷 접속을 위한 가장 중요한 장치로 태블릿을 가장 적게 선택하는 경향이 있었다. ❻ 대조적으로, 2016년에는 인터넷 접속을 위한 가장 중요한 장치로 데스크톱을 가장 적게 고려하는 경향이 있었다. ❼ 인터넷 접속을 위한 가장 중요한 장치로 데스크톱을 선택한 영국 인터넷 사용자들은 2014년부터 2016년까지 절반만큼 증가하였다(→ 감소하였다).

해설

2014년도에 데스크톱을 인터넷 접속을 위한 가장 중요한 장치로 고려한 영국 인터넷 사용자의 비율은 20%이고, 2016년도에는 12%로, 절반만큼 증가한 것이 아니라 감소하였다. 따라서 ⑤는 도표의 내용과 일치하지 않는다.

오답 노트

① ➡ 2016년도에 스마트폰을 가장 중요한 인터넷 접속 장치로 생각한 영국 인터넷 사용자들은 36%이므로 1/3 이상이다.
② ➡ 2016년에 스마트폰을 선택한 사용자 비율은 36%인 반면, 랩톱은 29%이므로 스마트폰이 추월했다.
③ ➡ 2014년에 태블릿을 선택한 영국 인터넷 사용자들의 비율이 15%로 다른 기기들보다 가장 적게 선택됐다.
④ ➡ 2016년에 인터넷 접속을 위한 가장 중요한 장치로 가장 적게 선택된 것은 12%를 차지한 데스크톱이다.

구문 해설

❷ The above graph shows **what** devices British people considered the most important **when they connected** to the Internet in 2014 and 2016.
what devices 이하는 동사 shows의 목적어로 사용된 간접의문문이다. when they connected to the Internet은 when connecting처럼 분사구문으로 바꾸어 쓸 수 있다.

❼ UK Internet users **who** selected a desktop as their most important device for Internet access increased **by** half from 2014 to 2016.
주어는 UK Internet users이고, who selected ~ Internet access가 주격 관계대명사절로 선행사 UK Internet users를 수식하고 있으며, 동사는 increased이다. 전치사 by는 '~만큼'을 뜻하며 정도나 차이를 나타낸다.

3

답 ⑤

❶Nauru is an island country / in the southwestern Pacific Ocean. ❷It is located about 800 miles to the northeast of the Solomon Islands; / its closest neighbor is the island of Banaba, / some 200 miles to the east. ❸Nauru has no official capital, / but government buildings are located in Yaren. ❹With a population of about 10,000, / Nauru is the smallest country in the South Pacific / and the third smallest country by area in the world. ❺The native people of Nauru / consist of 12 tribes, / as symbolized by the 12-pointed star on the Nauru flag, / and are believed to be a mixture of Micronesian, Polynesian, and Melanesian. ❻Their native language is Nauruan, / but English is widely spoken / as it is used for government and business purposes.

Nauru는 섬나라이다 / 남서 태평양에 있는 / 그것은 솔로몬 제도의 북동쪽 약 800마일에 위치해 있다 (located: ~에 위치하다(수동태)) / 그것의 가장 가까운 이웃은 Banaba 섬이다 / 동쪽으로 약 200마일 떨어진 (some: 약, 대략) / Nauru는 공식 수도가 없다 (official capital: 공식 수도) / 하지만 정부 건물들이 Yaren에 위치해 있다 / 약 10,000명의 인구를 가진 / Nauru는 남태평양에서 가장 작은 나라이다 (the smallest: 최상급 비교) / 그리고 면적으로는 세계에서 세 번째로 작은 나라이다 (the third smallest: 세 번째로 작은, by: ~에 의해(척도, 표준)) / Nauru 원주민은 / 12개의 부족으로 이루어져 있다 (consist of: ~로 이루어지다) / Nauru 국기에 있는 12개의 꼭짓점을 가진 별이 상징하듯이 (as: ~듯이, ~처럼) / 그리고 이들은 Micronesia인, Polynesia인, Melanesia인이 혼합된 것으로 여겨진다 (are believed to: ~로 여겨지다) / 그들의 모국어는 Nauru어이다 / 하지만 영어가 널리 쓰인다 / 그것이 행정 및 상업적인 목적으로 사용되기 때문에 (as: ~ 때문에(이유))

유형 해결 전략

KEY 1 선택지 먼저 읽고 글의 내용 유추
섬나라 Nauru에 관한 이야기

KEY 2 선택지와 글의 내용 대조
① 솔로몬 제도로부터 북동쪽에 위치해 있다. ➡ 일치
② 공식 수도는 없으나 Yaren에 정부 건물이 있다. ➡ 일치
③ 면적이 세계에서 세 번째로 작은 국가이다. ➡ 일치
④ 원주민은 12개의 부족으로 구성되어 있다. ➡ 일치
⑤ 모국어가 있어 다른 언어는 사용하지 않는다. ➡ 불일치

해석

❶Nauru는 남서 태평양에 있는 섬나라이다. ❷솔로몬 제도의 북동쪽 약 800마일에 위치해 있으며, 가장 가까운 이웃은 동쪽으로 약 200마일 떨어진 Banaba 섬이다. ❸Nauru는 공식 수도가 없지만, 정부 건물들이 Yaren에 위치해 있다. ❹약 10,000명의 인구를 가진 Nauru는 남태평양에서 가장 작은 나라이고, 면적으로는 세계에서 세 번째로 작은 나라이다. ❺Nauru 국기에 있는 12개의 꼭짓점을 가진 별이 상징하듯이 Nauru 원주민은 12개의 부족으로 이루어져 있으며, 이들은 Micronesia인, Polynesia인, Melanesia인이 혼합된 것으로 여겨진다. ❻그들의 모국어는 Nauru어이지만, 영어가 행정 및 상업적인 목적으로 사용되기 때문에 널리 쓰인다.

해설

남서 태평양에 있는 섬나라인 Nauru에 관한 글이다. 마지막 문장에서 Their native language is Nauruan, but English is widely spoken이라고 했으므로 모국어는 있지만 영어가 널리 쓰이고 있음을 알 수 있다. 따라서 글의 내용과 일치하지 않는 것은 ⑤이다.

구문 해설

❹With a population of about 10,000, Nauru is **the smallest** country in the South Pacific and **the third smallest** country **by** area in the world.
With ~ 10,000은 전치사구로 전체 문장에 의미를 더하기 위해 사용되었다. 주어는 Nauru이고, 동사는 is, the smallest country 이하가 보어이다. the smallest와 the third smallest는 최상급 비교 표현이다. by는 '~에 의해'라는 의미의 척도와 표준을 나타내는 전치사이다.

❺The native people of Nauru consist of 12 tribes, **as** symbolized by the 12-pointed star on the Nauru flag, and **are believed to** be a mixture of Micronesian, Polynesian, and Melanesian.
문장의 주어는 The native people of Nauru이며, 동사는 consist of와 are believed로, 등위 접속사 and로 인해 병렬 연결되어 있다. 과거분사구 as symbolized ~ Nauru flag는 삽입구인데, as는 접속사로 '~듯이, ~처럼'의 의미이며 as they are symbolized by ~ Nauru flag로 바꾸어 쓸 수 있다. be believed to는 '~로 여겨지다'라는 뜻인데, to be 이하가 주격보어이다.

❻Their native language is Nauruan, but English **is** widely **spoken as it is used** for government and business purposes.
English(영어)는 말해지고, 사용되는 것이므로 각각 is spoken과 is used로 수동태로 쓰였다. as는 '~ 때문에'라는 의미의 이유를 나타내는 접속사로 쓰였고, as 다음에 나오는 it은 English를 나타낸다.

• 본문 025쪽

답 ③

❶Dutch mathematician and astronomer Christiaan Huygens / was born in The Hague / in 1629. ❷He studied law and mathematics at his university, / and then devoted some time to his own research, / initially in mathematics / but then also in optics, / working on telescopes / and grinding his own lenses. ❸Huygens visited England several times, / and met Isaac Newton / in 1689. ❹In addition to his work on light, / Huygens had studied forces and motion, / but he did not accept / Newton's law of universal gravitation. ❺Huygens' wide-ranging achievements / included some of the most accurate clocks of his time, / the result of his work on pendulums. ❻His astronomical work, / carried out using his own telescopes, / included / the discovery of Titan, / the largest of Saturn's moons, / and the first correct description of Saturn's rings.

* grind 갈다, 연마하다 ** pendulum: 시계추

(주석: Christiaan Huygens – 동격 / He – 주어, studied – 동사₁ / devoted – 동사₂, ⟨devote ~ time to ...⟩: …에 ~ 시간을 바치다 / working on telescopes – 분사구문₁, grinding his own lenses – 분사구문₂ / Huygens – 주어, visited – 동사₁, met – 동사₂ / In addition to – ~에 더하여, had studied – 과거완료 / ⟨the law of ~⟩: ~의 법칙, universal gravitation – 만유인력 / Huygens' wide-ranging achievements – 주어, included – 동사, some of the most accurate clocks of his time – 목적어, the result of his work on pendulums – 동격 / His astronomical work – 주어, (which was) carried out, (while) using, included – 동사, the discovery of Titan – 목적어₁, the largest of Saturn's moons – 동격, the first correct description of Saturn's rings – 목적어₂)

(직독직해: 네덜란드의 수학자이자 천문학자인 Christiaan Huygens는 / 헤이그에서 태어났다 / 1629년에 / 그는 대학교에서 법과 수학을 공부했고 / 그러고 나서 상당 기간을 자신의 연구에 바쳤다 / 처음에는 수학 분야에 / 그다음에는 광학 분야에도 / 망원경에 대한 작업을 하고 / 그리고 자기 자신의 렌즈를 갈면서 / Huygens는 영국을 여러 번 방문했다 / 그리고 Isaac Newton을 만났다 / 1689년에 / 빛에 관한 그의 연구 외에도 / Huygens는 힘과 운동을 연구했다 / 하지만 그는 받아들이지 않았다 / Newton의 만유인력 법칙을 / Huygens의 광범위한 업적에는 / 당대의 가장 정확한 시계 중 몇몇이 포함되었다 / 시계추에 대한 그의 연구의 결과물인 / 그의 천문학 연구에는 / 자신의 망원경을 사용하여 수행된 / 포함되었다 / 타이탄의 발견과 / 토성의 위성 중 가장 큰 / 그리고 토성의 고리에 대한 최초의 정확한 묘사가)

유형 해결 전략

KEY 1 선택지 먼저 읽고 글의 내용 유추

Christiaan Huygens의 일생과 업적

KEY 2 선택지와 글의 내용 대조

① 대학에서 법과 수학을 공부했다. ➡ 일치

② 1689년에 뉴턴을 만났다. ➡ 일치

③ 뉴턴의 만유인력 법칙을 받아들였다. ➡ 불일치

④ 당대의 가장 정확한 시계 중 몇몇이 업적에 포함되었다. ➡ 일치

⑤ 자신의 망원경을 사용하여 천문학 연구를 수행했다. ➡ 일치

해석

❶네덜란드의 수학자이자 천문학자인 Christiaan Huygens는 1629년 헤이그에서 태어났다. ❷그는 대학교에서 법과 수학을 공부했고, 그러고 나서 처음에는 수학에, 그다음에는 망원경에 대한 작업을 하고 자기 자신의 렌즈를 갈면서 광학에도 상당 기간을 자신의 연구에 바쳤다. ❸Huygens는 영국을 여러 번 방문했고, 1689년에 Isaac Newton을 만났다. ❹빛에 관한 그의 연구 외에도 Huygens는 힘과 운동을 연구했으나, Newton의 만유인력 법칙을 받아들이지는 않았다. ❺Huygens의 광범위한 업적에는 시계추에 대한 그의 연구의 결과물인, 당대의 가장 정확한 시계 중 몇몇이 포함되었다. ❻자신의 망원경을 사용하여 수행된 그의 천문학 연구에는 토성의 위성 중 가장 큰 타이탄의 발견과 토성의 고리에 대한 최초의 정확한 묘사가 포함되었다.

해설

Christiaan Huygens는 영국을 여러 번 방문해서 Isaac Newton도 만났고, 힘과 운동에 관해 연구하기도 했으나 Newton의 만유인력 법칙을 받아들이지는 않았다고 했다. 따라서 글의 내용과 일치하지 않는 것은 ③이다.

구문 해설

❷He **studied** law and mathematics at his university, and then **devoted** some time to his own research, initially **in mathematics but** then also **in optics**, **working** on telescopes and **grinding** his own lenses.

주어가 He이고, 문장의 동사인 studied와 devoted가 등위 접속사 and로 병렬 연결되었다. 부사구 in mathematics와 in optics는 등위 접속사 but으로 병렬 연결되었다. 분사구문 working on telescopes와 grinding his own lenses도 등위 접속사 and로 병렬 연결되었는데, as he worked on telescopes and ground his own lenses로 바꾸어 쓸 수 있다.

❺Huygens' wide-ranging achievements included **some of the most accurate clocks of his time, the result of his work on pendulums.**

동사 included의 목적어인 some of ~ his time과 the result ~ on pendulums가 동격이므로 콤마(,)로 연결되었다.

❻His astronomical work, carried out using his own telescopes, included the discovery of Titan**,** the largest of Saturn's moons, and the first correct description of Saturn's rings.

문장의 동사는 included이며 carried out ~ telescopes는 주어인 His astronomical work를 부연 설명하는 과거분사구이다. carried 앞에는 ⟨주격 관계대명사+be동사⟩인 which was가 생략되었다. 목적어인 the discovery ~ moons와 the first ~ Saturn's rings가 등위 접속사 and로 인해 병렬 연결되고 있다. Titan과 the largest of Saturn's moons는 동격으로, 콤마(,)로 연결되었다.

UNIT 03 글의 주제·제목 찾기

• 본문 027쪽

대표 예제

답 ⑤

❶Near an honesty box, / [in which people placed coffee fund contributions], / researchers at Newcastle University in the UK / alternately displayed / images of eyes and of flowers. ❷Each image was displayed for a week / at a time. ❸During all the weeks / [in which eyes were displayed], / bigger contributions were made / than during the weeks [when flowers were displayed]. ❹Over the ten weeks of the study, / contributions [during the 'eyes weeks'] / were almost three times higher / than those made during the 'flowers weeks.' ❺It was suggested / [that 'the evolved psychology of cooperation is highly sensitive / to subtle cues of being watched,'] / and [that the findings may have implications / for how to provide effective nudges / toward socially beneficial outcomes].

* nudge: 넌지시 권하기

(어구 주석: 양심 상자 가까이에 / 사람들이 커피값 기부금을 놓는 / in which: 전치사+관계대명사(= where) / 영국의 Newcastle 대학교의 연구자들은 (주어 ← 전치사구) / 번갈아가며 / 놓아두었다(동사) / 사람의 눈 이미지와 꽃 이미지를(목적어) / 각각의 이미지는 일주일씩 놓여 있었다(수동태) / 한 번에 / 모든 주에 / 눈 이미지가 놓여 있던(전치사+관계대명사(= when), 수동태) / 더 큰 기부금이 만들어졌다(수동태) / 꽃 이미지가 놓여 있던 주들보다(관계부사절) / 연구가 이루어진 10주가 넘는 기간 동안(~ 동안) / '눈 주간'의 기부금이(주어 ← 전치사구) / 거의 세 배나 많았다(동사, 3배, 비교급 비교) / '꽃 주간' 동안의 그것보다(= contributions) / ~는 말해졌다(가주어, 수동태) / '진전된 협력 심리가(진주어₁(that절)) / 아주 민감하다는 것을 / 감시되고 있다는 미묘한 신호에'(전치사 of의 목적어(동명사 수동태)) / 그리고 / 이 연구 결과가 암시할지도 모른다(진주어₂(that절)) / 어떻게 효과적으로 넌지시 권하기를 제공할(<how+to부정사>: 어떻게 ~할지) / 것인가에 대해 / 사회적으로 이익이 되는 성과를 향해서)

유형 해결 전략

KEY 1 글의 중심 소재 파악
커피값을 기부하는 양심 상자를 통한 실험과 그 결과에 관한 내용임을 파악

KEY 2 실험 과정과 결과를 통해 핵심 내용 파악
양심 상자 근처에 꽃 이미지와 눈 이미지를 놓았을 때의 결과 비교 → 눈 이미지를 놓았던 기간에 쌓인 기부금이 꽃 이미지를 놓았던 기간보다 세 배 이상 높음

KEY 3 핵심 내용을 종합하여 제목 추측
누군가 지켜보는 것과 같은 미묘한 신호로 사회적으로 이익이 되는 성과를 효과적으로 낼 수 있음
→ '눈의 중요한 역할'을 제목으로 추측

해석

❶영국 Newcastle 대학교의 연구자들은 사람들이 커피값을 기부하는 양심 상자 가까이에, 사람의 눈 이미지와 꽃 이미지를 번갈아가며 놓아두었다. ❷각각의 이미지는 한 번에 일주일씩 놓여 있었다. ❸꽃 이미지가 놓여 있던 주들보다 눈 이미지가 놓여 있던 모든 주에 사람들이 더 많은 기부를 했다. ❹연구가 이루어진 10주가 넘는 기간 동안, '눈 주간'의 기부금이 '꽃 주간'의 기부금보다 거의 세 배나 많았다. ❺이 실험은 '진전된 협력 심리가 누군가가 지켜보고 있다는 미묘한 신호에 아주 민감하다'는 것과, 이 연구 결과가 사회적으로 이익이 되는 성과를 내게끔 어떻게 효과적으로 넌지시 권할 것인가를 암시한다고 말했다.

해설

커피값을 기부하는 양심 상자 근처에 눈 이미지와 꽃 이미지를 번갈아 놓아두면서 일정 시간 동안 관찰한 결과, 눈 이미지가 있었던 주간의 기부금이 꽃 이미지가 있었던 주간의 기부금보다 약 세 배 정도 높았다고 하면서, 이 실험의 결과로 사람들은 누군가가 자신을 지켜보는 것에 민감하다고 했다. 따라서 이 글의 제목으로 가장 적절한 것은 ⑤ '눈: 더 나은 사회를 만드는 비밀 조력자'이다.

오답 노트

① 정직이 최선의 정책인가? ➡ honesty라는 단어가 쓰이긴 했지만 정직에 관한 내용은 아니다.
② 꽃은 눈보다 더 잘 작동한다 ➡ 눈 이미지가 꽃 이미지보다 모금에 더 효과적이라고 했으므로 본문과 반대되는 내용의 선택지이다.
③ 기부는 자부심을 높일 수 있다 ➡ 기부와 자부심의 상관관계에 대한 내용은 없다.
④ 더 많이 볼수록 더 적게 협력한다 ➡ 더 많이 지켜볼수록 협력 관계는 더 진전된다고 할 수 있다.

구문 해설

❶Near an honesty box, **in which** people placed coffee fund contributions, **researchers** at Newcastle University in the UK alternately **displayed** images of eyes and of flowers.
in which는 〈전치사+관계대명사〉로 관계부사 where의 의미이다. 여기서는 an honesty box를 수식한다. 문장의 주어는 researchers이고, 동사는 displayed, 목적어는 images ~ flowers이다. at ~ the UK의 전치사구가 주어를 수식하고 있다.

❸During all the weeks **in which** eyes were displayed, bigger contributions were made than during the weeks **when** flowers were displayed.
in which는 〈전치사+관계대명사〉로 all the weeks를 수식한다. when이 이끄는 관계부사절은 바로 앞의 the weeks를 수식하고 있다.

어휘

honesty 양심, 정직(성) **place** 놓다, 두다 **contribution** 기부(금) **alternately** 번갈아가며 **display** 놓아두다, 전시하다 **psychology** 심리 **subtle** 미묘한 **cue** 신호 **implication** 암시 **outcome** 성과

● 본문 028~031쪽

1

● 본문 028쪽

답 ③

❶Like anything else / involving effort, / compassion takes practice. ❷We
현재분사
다른 것들과 마찬가지로 노력과 관련된 연민은 연습이 필요하다 우리는

have to try to help / those who are in trouble. ❸Sometimes / offering help is
⟨try+to부정사⟩: ~하려고 노력하다 곤경에 처한
도우려고 노력해야 한다 곤경에 처한 사람들을 때때로 도움을 주는 것은

a simple matter / [that is not out of our way] / — remembering to speak a
주격 관계대명사절 ⟨remember+to부정사⟩: ~할 것을 기억하다
간단한 문제이다 우리의 방식에서 벗어나지 않는 친절한 말을 할 것을 기억하는 것

kind word / to someone [who is down], / or spending / an occasional
주격 관계대명사절 ⟨spend+시간+-ing⟩: ~하며 시간을 보내다
낙담한 누군가에게 혹은 보내는 것 이따금씩 토요일 아침을

Saturday morning / volunteering. ❹At other times, / helping involves /
동명사 주어 동사
자원봉사하면서 다른 때에는 돕는 것은 포함한다

some real sacrifice. ❺"A bone to the dog / is not charity," / Jack London
목적어
진정한 희생을 개에게 뼈는 자선이 아니다 Jack London은 말했다

said. ❻"Charity is the bone / shared with the dog, / when you are just as
과거분사 부사절 접속사: ~할 때
자선은 그 뼈이다 개와 함께 나누는 당신이 개만큼 배고플 때

hungry as the dog." ❼If we practice helping others, / we'll be ready to act /
⟨as+원급+as⟩: ~만큼 …한 부사절 접속사: 만일 ~라면
만약 우리가 다른 사람들을 돕는 연습을 하면 우리는 행동할 준비가 될 것이다

when those times / [which require real, hard sacrifice] / come along.
주격 관계대명사절
~하는 시간이 진정 힘든 희생을 요구하는 올 때

유형 해결 전략

KEY 1 글의 중심 소재 파악
연민은 연습이 필요하며, 곤경에 처한 사람들을 도와야 한다는 내용임을 파악

KEY 2 사례로 제시된 내용을 통해 핵심 내용 파악
도움을 주는 것은 간단하며, Jack London의 말을 인용해 돕는 것에는 진정한 희생을 포함한다는 사례를 제시

KEY 3 후반부 내용을 종합하여 주제 추측
다른 사람을 돕는 연습을 하면 바로 행동으로 이어질 수 있음 → '돕기 위한 연습의 필요성'을 주제로 추측

해석

❶노력과 관련된 다른 것들과 마찬가지로, 연민은 연습이 필요하다. ❷우리는 곤경에 처한 사람들을 도우려고 노력해야 한다. ❸때때로 도움을 주는 것은 우리의 방식에서 벗어나지 않는 간단한 문제이다. 즉, 낙담한 사람에게 친절한 말을 해 줄 것을 기억하거나, 가끔 토요일 아침에 자원봉사를 하는 것이다. ❹다른 때에는, 돕는 것은 진정한 희생을 포함한다. ❺Jack London은 "개에게 뼈는 자선이 아니다."라고 말했다. ❻"당신이 개만큼 배가 고플 때 개와 함께 나누는 그 뼈가 자선이다." ❼만약 우리가 다른 사람들을 돕는 연습을 하면, 우리는 진정한 힘든 희생을 요구하는 시기가 올 때 행동할 준비가 될 것이다.

해설

연민은 연습이 필요하며, 우리는 곤경에 처한 사람들을 도와야 한다는 내용의 글이다. 따라서 이 글의 주제로 가장 적절한 것은 ③ '다른 사람을 돕기 위한 연습의 중요성'이다.

오답 노트

① 다른 사람과 조화를 이루는 삶의 이점 ➡ 다른 사람과의 조화에 대해서는 언급되지 않았다.
② 연습이 친절하게 말하는 데 미치는 영향 ➡ 친절하게 말한다고 다 연민이 아니다.
④ 곤경에 처한 사람들을 돕는 방법 ➡ 돕는 방법에 관한 이야기도 하고 있지만 주제로 중요하게 다루어지지 않았다.
⑤ 새로운 습관을 형성하는 것의 어려움 ➡ 새로운 습관에 대한 내용은 언급되지 않았다.

구문 해설

❷We have to **try to help those who** are in trouble.
⟨try+to부정사⟩는 '~하려고 노력하다'라는 뜻이다. 참고로 ⟨try -ing⟩는 '시험 삼아 ~해보다'라는 뜻이므로 쓰임에 유의해야 한다. those who는 '~한 사람들'이라는 뜻으로 who는 주격 관계대명사이며 who 이하가 those를 수식한다.

❸Sometimes offering help is a simple matter **that** is not out of our way — **remembering to speak** a kind word to someone **who** is down, or **spending** an occasional Saturday **volunteering**.
that 이하는 주격 관계대명사절로 선행사 a simple matter를 수식한다. ⟨remember+to부정사⟩는 '~할 것을 기억하다(미래)'라는 의미이며, 참고로 ⟨remember -ing⟩는 '~한 것을 기억하다(과거)'라는 의미이다. 동명사구 remembering과 spending은 등위 접속사 or로 병렬 연결되어 있다. 주격 관계대명사 who가 이끄는 절(who is down)이 someone을 수식한다. ⟨spend+시간+-ing⟩는 '~하며 시간을 보내다'라는 뜻이므로 volunteering이 왔다.

❼**If** we practice helping others, we'll be ready to act when those times **which** require real, hard sacrifice come along.
If는 '~라면, ~하면'이라는 의미의 접속사로 부사절을 이끈다. which require real, hard sacrifice는 주격 관계대명사절로 선행사 those times를 수식한다.

• 본문 029쪽

답 ⑤

❶ Social relationships benefit / from people giving each other compliments / from time to time / because people like to be liked / and receive compliments.
사회적 관계는 이로움을 얻는다 / 사람들이 서로에게 칭찬을 해 주는 것으로부터 / 때때로 / 사람들은 사랑받는 것을 좋아하기 때문에 / 그리고 칭찬받는 것을
(〈전치사+동명사의 의미상 주어+동명사(전치사 from의 목적어)〉 / 때때로 / 부사절 접속사: ~ 때문에)

❷ In that respect, / social lies / such as deceiving but pleasing words / ("I like your new haircut.") / may benefit mutual relations.
그런 점에서 / 사회적 거짓말은 / 속이는 말이지만 기분 좋게 만드는 말과 같은 / 나는 너의 새로 자른 머리가 마음에 든다 / 상호 관계에 도움이 될지도 모른다
(그 점에 있어서 / 주어 / ~와 같은 / 동명사$_1$ / 동명사$_2$ / 동사)

❸ Social lies are told / for psychological reasons / and serve / both self-interest and the interest of others.
사회적 거짓말은 말해진다 / 심리적 이유 때문에 / 그리고 부합한다 / 자신의 이익과 타인의 이익 모두에
(수동태 / 〈both A and B〉: A와 B 둘 다)

❹ They serve self-interest / because liars notice / that their lies could please others, / or avoid / an awkward situation or discussions.
그것들은 자신의 이익에 부합한다 / 거짓말을 한 사람들은 인식하기 때문에 / 그들의 거짓말이 다른 사람들을 즐겁게 할 수 있다고 / 혹은 피할 수 있다고 / 어색한 상황이나 토론을
(= Social lies / 명사절 접속사)

❺ They serve / the interest of others / because hearing the truth / all the time / ("You look much older now / than you did a few years ago.") / could damage / a person's confidence and self-esteem.
그것들은 부합한다 / 다른 이들의 이익에 / 진실을 듣는 것은 ~이기 때문에 / 항상 / 너는 지금 훨씬 나이 들어 보인다 / 몇 년 전 네가 그랬던 것보다 / 해칠 수도 있다 / 사람의 자신감과 자존감을
(= Social lies / 동명사(주어) / 비교급 강조 / 비교급 비교 / = looked old)

유형 해결 전략

KEY 1 글의 중심 소재 파악
사회적 거짓말(칭찬)을 통해 모두가 이익을 취할 수 있음이 중심 소재임을 파악

KEY 2 세부 내용을 통해 핵심 내용 파악
거짓말을 하는 사람과 거짓말을 듣는 사람 모두 좋은 효과를 얻게 됨

KEY 3 후반부 내용을 종합하여 주제 추측
진실을 말하는 것이 누군가의 자신감과 자존감에 상처를 입힐 수도 있으므로, '사회적 거짓말의 영향'이 주제임을 추측

해석

❶ 사회적 관계는 사람들이 사랑받기 좋아하고 칭찬받기 좋아하기 때문에 때때로 서로에게 칭찬을 해 주는 것으로부터 이로움을 얻는다. ❷ 그러한 측면에서, 속이는 말이지만 기분 좋게 만드는 말과 같은 사회적 거짓말("너 머리 자른 게 마음에 든다.")은 상호 관계에 도움이 될지도 모른다. ❸ 사회적 거짓말은 심리적 이유 때문에 하며 자신의 이익과 타인의 이익 모두에 부합한다. ❹ 거짓말을 한 사람들은 자신들의 거짓말이 다른 사람들을 즐겁게 할 수 있거나, 어색한 상황이나 토론을 피한다는 것을 인식하기 때문에 사회적 거짓말은 자신의 이익에 부합한다. ❺ 항상 진실을 듣는 것("너 지금 몇 년 전보다 훨씬 더 나이 들어 보인다.")이 사람의 자신감과 자존감을 해칠 수 있기 때문에 사회적 거짓말은 타인의 이익에 부합한다.

해설

사랑받기 좋아하고 칭찬받기 좋아하는 사람들의 특성상 사회적 거짓말이 자신의 이익이나 타인의 이익 모두에 부합한다는 내용의 글이다. 따라서 이 글의 주제로 가장 적절한 것은 ⑤ '상호 관계에 사회적 거짓말이 미치는 영향'이다.

오답 노트

① 진실과 거짓을 구별하는 방법 ➡ 진실과 거짓을 구별하는 방법에 대해서는 언급되어 있지 않다.
② 관계 형성에 있어 자아존중감의 역할 ➡ 자아존중감이 아니라 사회적 거짓말의 역할을 언급하고 있다.
③ 타인의 행동을 변화시키는 데 있어 칭찬의 중요성 ➡ 칭찬이 타인의 행동을 변화시키는 것이 아니라 타인을 즐겁게 할 수 있고, 어색한 상황이나 토론을 피할 수 있다는 내용이다.
④ 사리사욕과 공익 사이의 균형 ➡ 사회적 거짓말은 개인의 이익과 타인의 이익 모두에 부합한다는 내용은 있지만 그 둘 사이의 균형에 대해서는 언급하지 않았다.

구문 해설

❶ Social relationships benefit **from people giving** each other compliments from time to time **because** people like to be liked and receive compliments.
giving은 전치사 from의 목적어이며, people은 동명사 giving의 의미상 주어이다. 동명사의 의미상 주어는 동명사 앞에 위치하며, '~가 …하는 것'으로 해석한다. 이유를 나타내는 접속사 because가 이끄는 절의 주어는 people이며 동사는 like와 receive로, 등위 접속사 and로 연결되어 병렬 구조를 이룬다.

❷ In that respect, social lies **such as** deceiving but pleasing words ("I like your new haircut.") **may benefit** mutual relations.
문장의 주어는 social lies인데, such as ~ new haircut이 주어를 수식하고 있다. "I like your new haircut."은 예시이다. 동사 may benefit은 조동사 may 뒤에 동사원형이 온 형태로, may는 '~할지도 모른다'라는 가능성을 나타낸다.

❺ **They** serve the interest of others because **hearing** the truth all the time ("You look much older now than you **did** a few years ago.") **could damage** a person's confidence and self-esteem.
주절의 주어 They는 Social lies를 받는다. 동명사 hearing은 접속사 because로 시작하는 부사절의 주어이고, 동사는 could damage이다. 대동사 did는 looked old를 대신한다.

● 본문 030쪽

답 ②

❶Have you ever wondered / [why a dog doesn't fall over / when he changes directions / while running]? ❷When a dog is running / and has to turn quickly, / he throws the front part of his body / in the direction [he wants to go]. ❸His back then bends, / but his hind part will still continue / in the original direction. ❹Naturally, / this turning movement might result in / the dog's hind part swinging wide. ❺And this could greatly slow his rate of movement / or even cause the dog to fall over / as he tries to make a high-speed turn. ❻However, / the dog's tail helps to prevent this. ❼Throwing his tail in the same direction / [that his body is turning] / serves to reduce the tendency / to spin off course.

현재완료(경험) 의문문 / 간접의문문(wondered의 목적어) / 부사절 접속사(때, 시간) / 분사구문 / 목적격 관계대명사절 / 동명사의 의미상 주어 / 동명사(전치사 in의 목적어) / 주어 / 동사₁ / = the dog's / 동사₂ / 〈cause+목적어+목적격보어(to부정사)〉 / 접속사(시간) / 주어 / 목적격 관계대명사절 / 동사 / 형용사적 용법

당신은 궁금한 적이 있었는가 / 왜 강아지가 넘어지지 않는지 / 강아지가 방향을 바꿀 때 / 달리는 중에? / 강아지가 달릴 때 / 그리고 빠르게 방향을 바꾸어야 할 때 / 강아지는 몸의 앞부분을 내던진다 / 자신이 가고 싶은 방향으로 / 그러면 강아지의 등이 구부러진다 / 하지만 강아지의 뒷부분은 여전히 계속 갈 것이다 / 원래의 방향으로 / 당연히 / 이러한 회전 움직임은 ~할지도 모른다 / 강아지 몸의 뒷부분이 크게 흔들리게 / 그리고 이것은 강아지가 움직이는 속도를 많이 느려지게 할 수 있다 / 또는 심지어 강아지가 넘어지게 할지도 모른다 / 그 강아지가 빠른 속도로 방향을 전환하려고 할 때 / 하지만 / 강아지의 꼬리는 이것을 방지하도록 돕는다 / 꼬리를 같은 방향으로 내던지는 것이 / 강아지의 몸이 회전하고 있는 / 경향을 줄이는 데 기여한다 / 경로에서 벗어나는

* hind: 뒤쪽의

유형 해결 전략

KEY 1 글의 중심 소재 파악
강아지가 달리다가 방향을 바꿀 때 넘어지지 않는 이유가 중심 소재임을 파악

KEY 2 반복되는 표현과 사례를 통해 핵심 내용 파악
강아지가 달리다가 빠르게 방향을 바꿀 때 원래의 방향으로 계속 가려고 하는 몸의 뒷부분 때문에 속도가 느려지거나 넘어지는 등 균형을 잃을 수 있음

KEY 3 후반부 내용을 종합하여 주제 추측
강아지가 회전할 때 경로에서 벗어나지 않도록 꼬리가 도움을 준다고 했으므로, '균형을 유지할 때 강아지 꼬리의 역할'이 주제임을 추측

해석

❶당신은 강아지가 달리다가 방향을 바꿀 때 왜 넘어지지 않는지 궁금한 적이 있었는가? ❷강아지가 달리다가 빠르게 방향을 바꾸어야 할 때, 강아지는 자신이 가고 싶은 방향으로 몸의 앞부분을 내던진다. ❸그러면 강아지의 등이 구부러지지만, 강아지의 뒷부분은 원래의 방향으로 여전히 계속 갈 것이다. ❹당연히 이러한 회전 움직임으로 인해 강아지 몸의 뒷부분이 크게 흔들릴지도 모른다. ❺그리고 이로 인해 강아지가 움직이는 속도가 많이 떨어지거나 또는 심지어 강아지가 빠른 속도로 방향을 전환하려고 할 때 넘어질지도 모른다. ❻하지만 강아지의 꼬리는 이것을 방지하도록 돕는다. ❼강아지의 몸이 회전하고 있는 방향과 같은 방향으로 꼬리를 내던지는 것이 경로에서 벗어나는 경향을 줄이는 데 기여한다.

해설

강아지가 빠른 속도로 방향을 바꿀 때 강아지가 넘어지거나 속도가 떨어지지 않는 것은 꼬리 때문이라는 내용의 글이다. 따라서 이 글의 주제로 가장 적절한 것은 ② '균형을 유지할 때 강아지 꼬리의 역할'이다.

오답 노트

① 강아지의 무게가 속도에 미치는 영향 ➡ 강아지의 무게가 속도에 영향을 미친다는 내용은 언급되지 않았다.
③ 강아지의 나쁜 행동을 야기하는 요소 ➡ 강아지의 나쁜 행동에 대해서는 언급되지 않았다.
④ 강아지를 올바르게 훈련시키는 것의 중요성 ➡ 강아지 훈련에 대한 내용과는 관련이 없다.
⑤ 강아지가 사람들에게 점프하는 이유 ➡ 강아지가 점프하는 이유에 대한 내용은 언급되지 않았다.

구문 해설

❶**Have you** ever **wondered** why a dog doesn't fall over when he changes directions **while running**?
Have you wondered ~?는 현재완료 시제의 의문문이다. why ~ running은 동사 wondered의 목적어로 쓰인 간접의문문이다. 간접의문문의 어순은 〈의문사(why)+주어(a dog)+동사(doesn't fall over)〉로 쓴다. while running은 분사구문으로 while과 running 사이에는 〈주어+동사〉인 he is가 생략되었다.

❺And this could greatly slow his rate of movement or even **cause** the dog **to fall** over **as** he tries to make a high-speed turn.
주어는 this이며 동사는 could slow와 (could) cause가 등위 접속사 or로 병렬 연결되었다. cause는 목적격보어로 to부정사가 와야하므로 to fall over가 왔다. 접속사 as는 '~할 때'라는 시간을 의미한다.

❼Throwing his tail in the same direction **that** his body is turning serves to reduce the tendency **to spin off** course.
문장의 주어는 동명사구인 Throwing ~ turning이고, 동사는 serves이다. 동명사구의 that은 목적격 관계대명사로 the same direction을 수식한다. to spin off는 형용사적 용법의 to부정사구로 the tendency를 수식한다.

● 본문 031쪽

답 ④

❶The government laws require / sugar to be listed first / on food product labels.
정부의 법은 요구한다 / 설탕이 첫 번째로 기재될 것을 / 음식 제품 라벨에

❷But / [if a food has different sweeteners], / they can be listed / farther down on the list.
접속사(역접) / 부사절(조건) / 조동사+수동태 / 더 멀리(far의 비교급)
그러나 / 어떤 식품이 다른 감미료를 가지고 있다면 / 그것들은 기재될 수 있다 / 목록의 더 아래에

❸This requirement has led the food industry / to put in three different sources of sugar / so that they don't have to say / (that) the food has that much sugar.
현재완료 / 명사적 용법(목적격보어) / ~하도록 / ~할 필요가 없다 / 그렇게(부사 much를 수식)
이 요구는 식품업계가 (~하게) 했다 / 세 가지 다른 당의 원료를 넣게 / 그들이 말할 필요가 없도록 / 그 식품에 설탕이 그렇게 많이 들어 있다고

❹So sugar doesn't appear first.
접속사
그래서 설탕이 첫 번째로 나타나지 않는다

❺Whatever the true motive, / ingredient labeling doesn't tell / how much sugar is in the food, / certainly not in simple language.
진짜 동기가 무엇이든 / 성분 라벨은 말하지 않는다 / 얼마나 많은 설탕이 음식에 들어 있는지 / 특히 간단한 언어로는 아닌

❻A world-famous cereal brand's label, / for example, / indicates [that the cereal has 11 grams of sugar / per serving].
주어 / 동사 / 명사절(목적어)
세계적으로 유명한 어떤 시리얼 브랜드의 라벨은 / 예를 들어 / 시리얼이 11g의 설탕을 함유하고 있음을 보여 준다 / 1회분에

❼But nowhere does it tell consumers / [that more than one-third of the box / contains added sugar].
도치문 / 수여동사 / 간접목적어 / 명사절(직접목적어) / 과거분사
그러나 라벨의 어디에서도 소비자들에게 알려주지 않는다 / 상자의 3분의 1 넘게 / 첨가당을 함유하고 있다는 것을

유형 해결 전략

KEY 1 글의 중심 소재 파악
법적으로 설탕은 음식 제품 라벨에 제일 먼저 쓰여야 하지만, 감미료의 경우에는 더 아래에 적힐 수 있다는 내용을 파악

KEY 2 반복되는 표현과 사례를 통해 핵심 내용 파악
식품업계를 예로 들며 소비자들이 설탕의 함유량을 정확히 파악하지 못하도록 라벨 아래쪽에 표기하든가 정확한 말로 표현하지 않음을 전달

KEY 3 후반부 내용을 종합하여 제목 추측
세계적으로 유명한 시리얼 브랜드를 추가적인 예로 들며 그들 또한 제품의 정확한 첨가당 함유량을 표기하지 않음을 제시 → '식품 라벨에 숨겨진 설탕'에 관한 내용을 제목으로 추측

해석

❶정부의 법은 설탕이 음식 제품 라벨에 첫 번째로 기재될 것을 요구한다. ❷그러나 어떤 식품에 다른 감미료가 들어 있다면, 그것들은 목록의 더 아래에 기재될 수 있다. ❸이 요구는 식품업계가 그 식품에 설탕이 그렇게 많이 들어 있다고 말할 필요가 없도록 세 가지 다른 당의 원료를 넣게 만들었다. ❹그래서 설탕이 첫 번째로 나타나지 않는다. ❺진짜 동기가 무엇이든, 성분 라벨은 얼마나 많은 설탕이 음식에 들어 있는지 말하지 않는데, 특히나 간단한 언어로 되어있지 않다. ❻예를 들어, 세계적으로 유명한 어떤 시리얼 브랜드의 라벨은 시리얼이 1회분에 11g의 설탕을 함유하고 있음을 보여 준다. ❼그러나 라벨의 어디에서도 상자의 3분의 1 넘게 첨가당을 함유하고 있다는 것을 소비자들에게 알려주지 않는다.

해설

정부는 식품에 함유된 설탕은 식품 성분 라벨의 첫 번째로 기재하도록 했지만, 다른 종류의 감미료는 라벨 목록의 훨씬 아래쪽에 넣어도 되도록 한 데다 성분 라벨 표시 자체가 소비자가 이해하기 어려운 말로 되어 있어서 실제 식품에 함유된 설탕의 양을 정확히 알기 힘들게 만들었다는 내용의 글이다. 따라서 이 글의 제목으로 가장 적절한 것은 ④ '식품 라벨에 숨겨진 설탕에 대한 진실'이다.

오답 노트

① 인공 감미료: 이로울까 아니면 해로울까? ➡ 인공 감미료가 인체에 미치는 영향에 대한 내용은 언급되지 않았다.
② 성분 라벨 표기로 얻는 소비자 이익 ➡ 소비자 이익에 관한 내용은 언급되지 않았다.
③ 설탕: 여러분의 두뇌를 위한 에너지 촉진제 ➡ 설탕이 두뇌에 어떤 역할을 하는 지에 대한 내용은 없다.
⑤ 설탕 섭취를 줄이기 위해 우리는 무엇을 해야 하는가? ➡ 설탕 섭취를 줄이기 위한 방법에 대한 내용은 없다.

구문 해설

❷But if a food has different sweeteners, they **can be listed farther** down on the list.
if가 이끄는 조건절과 주절로 이루어진 문장이다. 동사 can be listed는 조동사 뒤에 수동태가 온 형태이다. far가 '(거리가) 더 먼'이라는 뜻일 때는 비교급-최상급이 'far-farther-farthest'의 형태이고, '(정도가) 더욱, 한층'의 뜻일 때는 'far-further-furthest'의 형태이다. 이 문장에서는 '(거리가) 더 먼'이라는 의미이므로 farther가 왔다.

❸This requirement has **led** the food industry **to put** in three different sources of sugar **so that** they **don't have to** say the food has **that** much sugar.
동사 lead의 목적격보어로는 to부정사가 와야 하므로 to put이 왔다. so that은 '~하기 위해서, ~하도록'이라는 목적을 나타내는 접속사이며, 조동사 don't have to는 '~할 필요가 없다'라는 뜻으로 need not과 같다. 이 문장은 they need not say ~로 바꾸어 쓸 수 있다. say와 the food 사이에는 명사절을 이끄는 접속사 that이 생략되었고, 뒤의 that much sugar의 that은 부사 much를 수식하는 부사이다.

❼But **nowhere does it tell** consumers **that** more than one-third of the box contains added sugar.
'어디에도 없음'을 강조하기 위해 nowhere를 문장 앞에 쓰며 주어와 동사가 도치된 도치구문 nowhere does it tell이 왔다. 〈수여동사(tell)+간접목적어(consumers)+직접목적어(that절)〉의 4형식 문장에서 직접목적어로 접속사 that이 이끄는 명사절이 왔다. 명사절의 주어는 more than one-third of the box이고, 동사는 contains이다. added sugar는 '첨가당, 설탕 첨가물'이라는 뜻이다.

UNIT 04 글의 주장·요지 찾기

● 본문 033쪽

대표 예제

답 ⑤

❶The dish (that) you start with / serves as an anchor food / for your entire meal.
serve as: ~의 역할을 하다
당신이 (먹기) 시작하는 요리가 / 닻을 내리는 음식의 역할을 한다 / 당신의 전체 식사에

❷Experiments show / [that people eat nearly 50 percent greater quantity of / the food (that) they eat first].
주어 / 동사 / 명사절(목적어)
실험은 보여 준다 / 사람들이 거의 50% 양을 더 많이 먹는다는 것을 / 그들이 제일 먼저 먹는 음식을

❸If you start with a dinner roll, / you will eat / more starches, less protein, and fewer vegetables.
접속사(조건) / little의 비교급 / few의 비교급
만약 당신이 디너 롤로 시작하면 / 당신은 먹을 것이다 / 더 많은 탄수화물과 더 적은 단백질, 그리고 더 적은 채소를

❹Eat the healthiest food / on your plate first.
명령문
가장 건강한 음식을 먹어라 / 당신의 그릇에 먼저

❺According to age-old wisdom, / vegetables are the healthiest food.
~에 따르면 / 최상급 비교
오래된 지혜에 따르면 / 채소는 가장 건강한 음식이다

❻Therefore, / eating the healthiest food first means / starting with vegetables or salad.
동명사(주어) / 동사 / 동명사(목적어)
그러므로 / 가장 건강한 음식을 먼저 먹는 것은 의미한다 / 채소나 샐러드로 시작하는 것을

❼If you are going to eat something unhealthy, / at least save it for last.
접속사(조건) / 적어도, 최소한 / = something unhealthy
만약 당신이 건강에 좋지 않은 무언가를 먹을 것이라면 / 적어도 그것을 마지막으로 남겨둬라

❽If you do that, / you can eat healthier food more / before you start to eat starches or sugary desserts.
당신이 그렇게 하면 / 당신은 더 건강한 음식을 더 먹을 수 있다 / 당신이 탄수화물과 설탕이 든 디저트를 먹는 것을 시작하기 전에

* anchor: 닻 ** starch: 녹말, 탄수화물

유형 해결 전략

KEY 1 핵심 소재 파악
anchor food 즉, '식사 중 가장 먼저 먹는 음식'이 핵심 소재임

KEY 2 필자의 관점 파악
먼저 먹는 음식을 가장 많이 먹는다는 실험 결과를 통해 가장 먼저 먹는 음식이 중요하고 가장 건강한 음식인 채소에 대한 필자의 관점이 긍정적임을 파악

KEY 3 주장 재확인
건강에 좋은 음식은 채소이므로 채소나 샐러드로 식사를 시작하면 몸에 좋은 것들을 더 많이 먹을 수 있다고 주장

해석

❶당신이 먼저 먹는 요리가 당신의 전체 식사에 닻을 내리는 음식의 역할을 한다. ❷실험은 사람들이 제일 먼저 먹는 음식을 거의 50% 더 많이 먹는다는 것을 보여 준다. ❸만약 당신이 디너 롤로 시작하면, 당신은 탄수화물은 더 많이 먹고, 단백질과 채소는 더 적게 먹을 것이다. ❹당신의 그릇에 있는 것 중 가장 건강에 좋은 음식을 먼저 먹어라. ❺오래된 지혜에 따르면, 채소는 가장 건강한 음식이다. ❻그러므로 가장 건강한 음식을 먼저 먹는 것은 채소나 샐러드로 시작하는 것을 의미한다. ❼만약 당신이 건강에 좋지 않은 음식을 먹을 것이라면, 적어도 그것을 마지막 순서로 남겨둬라. ❽만약 당신이 그렇게 하면, 당신은 탄수화물이나 설탕이 든 디저트를 먹기 시작하기 전에 더 건강한 음식을 먹을 수 있다.

해설

글의 중반부에서 '당신의 그릇에 있는 것 중 가장 건강에 좋은 음식을 먼저 먹어라.'라고 했고, 가장 건강한 음식은 채소라고 했다. 따라서 필자가 주장하는 바로 가장 적절한 것은 ⑤ '건강에 좋은 음식으로 식사를 시작하라.'이다.

오답 노트

① 피해야 할 음식 목록을 만들어라. ➡ 피해야 하는 음식에 대해서는 언급하지 않았다.
② 다양한 음식들로 식단을 구성하라. ➡ 다양한 음식들이 등장하긴 하지만 식단 구성에 대한 내용은 아니다.
③ 음식을 조리하는 방식을 바꾸어라. ➡ 음식 조리 방식에 대한 내용이 아니다.
④ 자신의 입맛에 맞는 음식을 찾아라. ➡ 입맛에 맞는 음식보다는 건강에 좋은 음식으로 식사를 시작하라고 권하고 있다.

구문 해설

❶**The dish** you start with **serves** as an anchor food for your entire meal.
목적격 관계대명사절인 you start with가 주어인 The dish를 수식하고 있고, 문장의 동사는 serves이다.

❷Experiments show **that** people eat nearly 50 percent greater quantity of the food they eat first.
주어는 Experiments, 동사는 show이며 that 이하가 목적어인 문장이다. that은 명사절을 이끄는 접속사이며, food와 they 사이에는 목적격 관계대명사 that이 생략되었다. they eat first가 the food를 수식한다.

❸**If** you **start** with a dinner roll, you will eat more starches, **less** protein, and **fewer** vegetables.
If는 '만약 ~라면'의 뜻을 가진 조건절을 이끄는 접속사이다. 조건을 나타내는 부사절에서는 미래의 일을 현재 시제로 사용하므로 동사의 형태가 start이다. '더 적은'을 나타내는 비교급에서 셀 수 없는 명사 앞에는 less가, 셀 수 있는 명사 앞에는 fewer가 사용된다.

❻Therefore, **eating** the healthiest food first **means starting** with vegetables or salad.
동명사구 eating ~ first가 주어이고, means가 동사, 동명사구 starting ~ salad가 목적어이다. 주어가 동명사구이므로 단수 동사 means가 왔다.

어휘

dish 요리, 음식 **serve as** ~의 역할을 하다 **entire** 전체의
experiment 실험 **quantity** 양 **protein** 단백질 **plate** 그릇
age-old 아주 오래된 **wisdom** 지혜 **dessert** 디저트

● 본문 034~037쪽

 ①　 ③　 ①　 ①

1

● 본문 034쪽

답 ①

❶Language play is good / for children's language learning and development, / and therefore we should strongly encourage, / and even join in their language play.
(언어 놀이는 유익하다 / 아이들의 언어 학습과 발달에 / 따라서 우리는 (아이들의 언어 놀이를) 적극적으로 장려해야 한다 / 그리고 심지어 그들의 언어 놀이에 동참해야 한다)

❷However, / the play must be owned by the children.
(하지만 / 그 놀이는 아이들의 것이어야 한다; must be owned: 조동사+수동태)

❸If it becomes another educational tool / for adults to use / to produce outcomes, / it loses its very essence.
(만약 그것이 또 다른 교육적 수단이 된다면 / 어른들이 사용하는 / 결과를 만들어내기 위해 / 그것은 그것의 본질을 잃게 된다; it = language play; for adults: 의미상 주어; to use: 형용사적 용법; to produce: 부사적 용법(목적); very: 명사 강조)

❹Children need to be able to delight / in creative and immediate language play, / to say silly things and (to) make themselves laugh, / and to have control over the pace, timing, direction, and flow.
(아이들은 즐거움을 찾을 필요가 있다 / 창의적이고 즉각적인 언어 놀이에서 / 실없는 말을 해놓고 스스로 웃기도 하고 / (언어 놀이의) 속도, 타이밍, 방향, 흐름에 대한 주도권을 가지는; themselves: 재귀 용법)

❺When children are allowed to develop their language play, / a range of benefits result from it.
(아이들이 자신의 언어 놀이를 발전시키도록 허용될 때 / 그것으로부터 광범위한 이점이 생긴다; When: 접속사(때))

유형 해결 전략

KEY 1 핵심 소재 파악
아이들의 언어 학습과 발달에 유익한 '언어 놀이'가 핵심 소재임

KEY 2 필자의 관점 파악
언어 놀이는 아이들의 것이어야 하는데, 어른이 주도하는 놀이는 본질을 잃게 된다는 것이 주제이자 필자의 관점임을 파악

KEY 3 주장 재확인
아이들이 스스로 언어 놀이를 발전시키게 하면 이점이 생김 → 아이 주도적 놀이의 중요성 강조

해석

❶ 언어 놀이는 아이들의 언어 학습과 발달에 유익하다. 따라서 우리는 (아이들의 언어 놀이를) 적극적으로 장려하고 심지어 그들의 언어 놀이에 동참해야 한다. ❷ 하지만 언어 놀이는 아이들의 것이어야 한다. ❸ 만약 언어 놀이가 결과를 만들어내기 위해 어른들이 사용하는 또 다른 교육적 수단이 된다면, 그것은 본질을 잃게 된다. ❹ 아이들은 창의적이고 즉각적인 언어 놀이에서 즐거움을 찾고, 실없는 말을 해놓고 스스로 웃기도 하고, (언어 놀이의) 속도, 타이밍, 방향, 흐름에 대한 주도권을 가질 필요가 있다. ❺ 아이들이 자신의 언어 놀이를 발전시키도록 허용될 때 광범위한 이점이 그것으로부터 생긴다.

해설

However로 시작하는 문장이 이 글의 주제이다. 즉, 언어 놀이는 아이들의 것이어야 하며 아이들이 언어 놀이에서 즐거움을 찾고 주도권을 가질 수 있어야 한다고 했다. 또한, 아이들이 자신의 언어 놀이를 발전시키도록 허용하면 이점이 많다고 했다. 따라서 필자가 주장하는 바로 가장 적절한 것은 ① '아이들이 언어 놀이를 주도하게 하라.'이다.

오답 노트

② 아이들의 질문에 즉각적으로 반응하라. ➡ 아이들의 언어 놀이에 관한 내용이지 아이들의 질문에 어떻게 반응해야 하는지에 관한 내용이 아니다.
③ 아이들에게 다양한 언어 자극을 제공하라. ➡ 언어가 여러 번 언급되긴 했지만 아이들에게 다양한 언어 자극을 제공하라는 내용은 언급되지 않았다.
④ 대화를 통해 아이들의 공감 능력을 키워라. ➡ 대화를 통한 공감 능력 향상에 관한 내용은 언급되지 않았다.
⑤ 언어 놀이를 통해 자녀와의 관계를 회복하라. ➡ 언어 놀이에 관한 내용은 맞지만 이를 통한 자녀와의 관계 회복까지 주제를 확장한 글은 아니다.

구문 해설

❸ **If** it becomes another educational tool **for adults to use to produce** outcomes, it loses its **very** essence.
If가 이끄는 조건절에서 for adults는 to부정사의 의미상 주어로 쓰였고, to use는 another educational tool을 수식해 주는 형용사적 용법으로 쓰였다. to produce는 '~하기 위해'라는 의미의 목적을 나타내는 부사적 용법으로 쓰였다. very는 형용사로 명사 앞에 쓰여 '(다름 아닌) 바로 그'라는 뜻이다.

❹ Children **need to be able to delight** in creative and immediate language play, **to say** silly things and **make** themselves laugh, and **to have** control over the pace, timing, direction, and flow.
'~할 필요가 있다'라는 뜻의 〈need+to부정사〉 뒤에 '~할 수 있다'는 〈be able+to부정사〉가 따라오는데, 이 〈be able+to부정사〉의 부정사구인 to delight ~, to say ~, (to) make ~, to have ~가 and에 의해 병렬 연결되어 있다.

답 ③

유형 해결 전략

❶ Certainly praise is critical / to a child's sense of self-esteem, / but [when given too often for too little], / it kills the impact of real praise / when it is called for.
분사구문(= when it is given ~)
분명 칭찬은 중요하다 / 아이의 자존감에 / 하지만 너무 사소한 일에 너무 자주 칭찬받으면 / 그것은 진정한 칭찬의 효과를 죽인다 / 그것이 필요할 때

❷ Everyone needs to know / (that) they are valued and appreciated, / and praise is one way of expressing such feelings / — but only after something *praiseworthy* has been accomplished.
수동태 / ~한 후에만 / 현재완료 수동태
모든 사람은 알 필요가 있다 / 그들이 가치가 있고 인정받는다는 것을 / 그리고 칭찬은 그러한 느낌을 표현하는 하나의 방법이다 / 하지만 오직 '칭찬할 만한' 일을 한 뒤여야 한다

❸ Awards are supposed to be *rewards* / — reactions to positive actions, / honors for *doing something well*!
〈be supposed+to부정사〉: ~해야 한다
상은 '보상'이어야 한다 / 긍정적인 행동에 대한 반응 / '어떤 일을 잘한 것'에 대한 상!

❹ The ever-present danger / in handing out such honors too lightly / is that children may come to depend on them / and do only those things [that they know will result in prizes].
주격 관계대명사절 / 접속사 / ~하게 되다 / 삽입절 / ~을 야기하다
항상 존재하는 위험은 / 그러한 상을 너무 가볍게 부여하는 것에 / 아이들이 그것에 의존하게 될 수 있다는 것이다 / 그리고 그들이 알기에 상을 받을 일만을 하게 될 수도

❺ If they are not sure / (that) they can do well enough to earn merit badges, / or if gifts are not guaranteed, / they may avoid certain activities.
〈부사[형용사]+enough+to부정사〉: ~하기에 충분히 …하게[한] / 수동태 / ~일지도 모른다(추측)
그들이 확신하지 않는다면 / 그들이 칭찬 배지를 받을 만큼 충분히 잘 할 수 있다고 / 혹은 보상이 보장되지 않는다면 / 그들은 그러한 활동은 피할지도 모른다

KEY 1 핵심 소재 파악
아이에게 칭찬은 필요하지만 너무 자주하면 진정한 칭찬의 효과가 사라진다는 것이 핵심 소재임

KEY 2 필자의 관점 파악
칭찬은 가치를 인정받는 방법의 하나여야 하며, 너무 가볍게 칭찬하는 것은 아이들에게 상을 받기 위해 어떤 행동을 하려는 부정적인 결과를 낳을 수 있음. 즉, 과도한 칭찬에 대한 필자의 부정적인 관점 파악

KEY 3 요지 재확인
칭찬을 받을 만한 활동만 선택적으로 하는 등 아이들의 행동이 제한됨

해석

❶ 분명 칭찬은 아이의 자존감에 중요하지만, 너무 사소한 일을 너무 자주 칭찬하면, 진정한 칭찬이 필요할 때 그 진정한 칭찬의 효과가 사라진다. ❷ 모든 사람은 그들이 가치가 있고 인정받는다는 것을 알 필요가 있으며, 칭찬은 그러한 느낌을 표현하는 하나의 방법이다. 하지만 '칭찬할 만한' 일을 한 뒤여야만 한다. ❸ 상은 '보상'이어야 한다. 긍정적인 행동에 대한 반응, '어떤 일을 잘한 것'에 대한 상! ❹ 그러한 상을 너무 가볍게 부여하는 것에 항상 존재하는 위험은 아이들이 그것에 의존하고 상을 받을 것이라고 생각하는 일만을 하게 될 수도 있다는 것이다. ❺ 그들이 칭찬 배지를 받을 만큼 충분히 잘 할 수 있다고 확신하지 않거나, 혹은 보상이 보장되지 않는다면, 아이들은 그러한 활동은 피할지도 모른다.

해설

아이의 자존감을 키우는 데 칭찬이 중요하지만, 작은 행동 하나에까지 부여되는 과도한 칭찬은 오히려 칭찬의 본래 의미를 잃게 만들어 아이들에게 좋지 않은 영향을 줄 수 있다는 내용의 글이다. 따라서 글의 요지로 가장 적절한 것은 ③ '아이에게 칭찬을 남발하지 않는 것이 중요하다.'이다.

오답 노트

① 올바른 습관은 어린 시절에 형성된다. ➡ 올바른 습관 형성에 관해서는 언급하지 않았다.
② 칭찬은 아이의 감성 발달에 필수적이다. ➡ 칭찬은 아이의 자존감에 중요하지만 감성 발달과는 관련이 없다.
④ 물질적 보상은 학습 동기 부여에 도움이 되지 않는다. ➡ 상은 긍정적인 행동에 대한 보상이라고 했지 학습 동기 부여와는 무관하다.
⑤ 아이에게 감정 표현의 기회를 충분히 줄 필요가 있다. ➡ 본문에서 언급되지 않은 내용이다.

구문 해설

❶ Certainly praise is critical to a child's sense of self-esteem, but **when given** too often for too little, it kills the impact of real praise when it is called for.
Certainly praise ~ of self-esteem과 when ~ called for가 등위 접속사 but으로 연결된 구조이다. 분사구문 when given은 when it is given으로 바꾸어 쓸 수 있다.

❹ The ever-present danger in handing out such honors too lightly is **that** children may come to depend on them and do only those things **that they know** will result in prizes.
문장의 주어는 The ever-present ~ too lightly이고, 동사는 is, that 이하는 주격보어이다. that은 명사절을 이끄는 접속사로 that 절의 주어는 children, 동사는 may come과 (may) do가 등위 접속사 and로 인해 병렬 구조를 이룬다. 뒤의 that은 주격 관계대명사로, they know는 삽입절이고 that will result in prizes가 앞의 those things를 수식한다.

❺ If they are not sure they can do **well enough to earn** merit badges, or if gifts are not guaranteed, they may avoid certain activities.
If가 이끄는 조건절 두 개가 등위 접속사 or로 병렬 연결된 구조이다. sure와 they 사이에는 명사절을 이끄는 접속사 that이 생략되었다. 〈부사[형용사]+enough+to부정사〉는 '~하기에 충분히 …한'이라는 뜻인데, 〈so+부사[형용사]+that+주어+can+동사원형〉으로 바꾸어 쓸 수 있다. they can ~ merit badges는 they can do so well that they can earn merit badges로 바꾸어 쓸 수 있다.

3

• 본문 036쪽

답 ①

유형 해결 전략

❶A goal-oriented mind-set can create / a "yo-yo" effect. ❷Many runners work hard for months, / but as soon as they cross the finish line, / they stop training. ❸The race is no longer there / to motivate them. ❹If you are focused on a particular goal, / there will be nothing to motivate you / after achieving it. ❺This is why / many people find themselves / returning to their old habits / after accomplishing a goal. ❻The purpose of setting goals / is to win the game. ❼The purpose of building systems / is to continue playing the game. ❽True long-term thinking / is goal-less thinking. ❾It's not goal-less thinking / about any single accomplishment. ❿It is about improving repeatedly and continuously. ⓫Ultimately, / if you devote yourself to the process, / you'll achieve progress.

(mind-set: 사고방식, 태도 / but: 접속사(역접) / as soon as: ~하자마자 / to motivate them: 부사적 용법(목적) / nothing to motivate: 형용사적 용법 / This is why: → 앞 문장 / many people: 주어 / find: 동사 / themselves: 목적어(재귀대명사: 재귀적 용법) / returning: 목적격보어 / after accomplishing a goal: 분사구문 / The purpose: 주어 / to win: 명사적 용법(주격보어) / The purpose: 주어 / is: 동사 / to continue: 명사적 용법(주격보어) / It: = Goal-less thinking)

목표 지향적인 사고방식은 창출할 수 있다 / '요요' 효과를 / 많은 달리기 선수들이 몇 달 동안 열심히 연습한다 / 하지만 그들이 결승선을 통과하자마자 / 그들은 훈련을 중단한다 / 그 경기는 더 이상 거기 없다 / 그들에게 동기를 주기 위해 / 만약 당신이 특정한 목표에 집중한다면 / 당신에게 동기를 부여하는 것이 아무것도 남아 있지 않을 것이다 / 그것을 얻은 후에 / 이것이 이유이다 / 많은 사람들이 자신을 발견하는 / 옛 습관으로 되돌아가는 / 목표를 성취한 후 / 목표를 설정하는 목적은 / 경기에서 이기는 것이다 / 시스템을 구축하는 목적은 / 게임을 계속하기 위한 것이다 / 진정한 장기적 사고는 / 목표 지향적이지 않은 사고이다 / 그것은 득점 없는 생각이 아니다 / 하나의 성취에 관한 / 그것은 반복적으로 끊임없이 개선하는 것에 관한 것이다 / 궁극적으로 / 만약 그 과정에 당신이 스스로 전념한다면 / 당신은 진전을 이룰 것이다

KEY 1 핵심 소재 파악
'요요 효과를 낳는 목표 지향적인 사고방식'이 핵심 소재임

KEY 2 필자의 관점 파악
특정 목표에 집중하는 태도는 목표를 성취하는 순간 방향성을 잃게 됨. 즉, 목표 지향적 사고방식에 대한 필자의 부정적인 관점 파악

KEY 3 요지 재확인
발전을 결정짓는 것은 목표 성취가 아니라 계속적인 개선 과정에 전념하는 것임

해석

❶목표 지향적인 사고방식은 '요요' 효과를 낼 수 있다. ❷많은 달리기 선수들이 몇 달 동안 열심히 연습하지만, 결승선을 통과하자마자 훈련을 중단한다. ❸그 경기는 더 이상 그들에게 동기를 주지 않는다. ❹만약 당신이 특정한 목표에 집중한다면, 그것을 얻은 후에는 당신에게 동기 부여하는 것이 아무것도 없을 것이다. ❺이것이 많은 사람들이 목표를 성취한 후 옛 습관으로 되돌아가는 자신을 발견하는 이유이다. ❻목표를 설정하는 목적은 경기에서 이기는 것이다. ❼시스템을 구축하는 목적은 게임을 계속하기 위한 것이다. ❽진정한 장기적 사고는 목표 지향적이지 않은 사고이다. ❾그것은 어떤 하나의 성취에 관한 득점 없는 생각이 아니다. ❿그것은 반복되고 끊임없이 개선하는 것이다. ⓫궁극적으로, 당신이 스스로 그 과정에 전념한다면 당신은 진전을 이룰 것이다.

해설

목표 지향적인 사고방식은 목표를 성취하는 순간 더 전진할 동력을 잃고 예전 습관으로 돌아가게 한다고 말하면서 장기적 발전을 위해서는 목표 지향적이지 않은 사고가 도움이 되며, 발전은 계속적인 개선 과정에 전념할 때 얻을 수 있다고 말하고 있다. 따라서 글의 요지로 가장 적절한 것은 ① '발전은 한 번의 목표 성취가 아닌 지속적인 개선 과정에 의해 결정된다.'이다.

오답 노트

② 결승선을 통과하기 위해 장시간 노력해야 원하는 바를 얻을 수 있다. ➡ 주장을 뒷받침하기 위해 달리기 선수의 예를 들어 설명했지만 글의 요지와는 거리가 멀다.

③ 성공을 위해서는 구체적인 목표를 설정하는 것이 중요하다. ➡ 구체적인 목표 설정에 관한 내용은 언급되지 않았다.

④ 지난 과정을 끊임없이 반복하는 것이 성공의 지름길이다. ➡ 성공의 지름길에 관한 내용이 아니다.

⑤ 목표 지향적 성향이 강할수록 발전이 빠르게 이루어진다. ➡ 목표 지향적인 사고방식에 대해 부정적인 관점의 글이다.

구문 해설

❹If you are focused on a particular goal, there will be nothing **to motivate** you **after achieving** it.
to motivate는 to부정사의 형용사적 용법으로 앞의 nothing을 수식하며, after achieving it은 분사구문으로 after you achieve it으로 바꾸어 쓸 수 있다.

❺**This is why** many people find themselves **returning** to their old habits **after accomplishing** a goal.
〈This is why+주어+동사 ~〉는 '이것이 ~한 이유이다.'라는 뜻이다. returning은 동사 find의 목적격보어로 쓰인 현재분사이다. after accomplishing a goal은 분사구문으로 after you accomplish a goal을 간략히 쓴 것이다.

❻The purpose of setting goals is **to win** the game.
문장의 주어는 The purpose이며, of setting goals가 The purpose를 수식한다. of는 전치사이므로 전치사의 목적어로 동명사가 왔다. 문장의 동사는 is, to win은 to부정사의 명사적 용법으로 문장의 목적어이다.

● 본문 037쪽

답 ①

❶When I started my career, / I looked forward to the annual report / showing statistics / for each of its leaders. ❷As soon as I received them / in the mail, / I'd compare my progress / with the progress of all the other leaders. ❸After about five years of doing that, / I realized / how harmful it was. ❹Comparing yourself to others / is really just an unnecessary distraction. ❺The only one / (that) you should compare yourself to / is you. ❻Your mission is / to become better today than yesterday. ❼You do that by focusing / on what you can do today / to improve. ❽If you do that enough / and compare the you of weeks, months, or years ago to the you of today, / you should be greatly encouraged by your progress.

look forward to: ~하기를 간절히 바라다 / 현재분사 / As soon as: ~하자마자 / would(습관): ~하곤 했다(= used to+동사원형) / 간접의문문 / 동명사(주어) / 동사 / 보어 / 명사적 용법(보어) / 비교급 비교 / 〈by -ing〉: ~함으로써 / 관계대명사 / 부사적 용법(목적) / 〈compare A to B〉: A를 B와 비교하다

내가 일을 시작했을 때 / 나는 연간 보고서를 손꼽아 기다렸다 / 통계를 보여 주는 / 각 지도자에 대한 / 내가 그것을 받자마자 / 메일로 / 나는 나의 발전을 비교하곤 했다 / 다른 모든 지도자들의 발전과 / 그렇게 한 지 약 5년쯤 지나서 / 나는 깨달았다 / 그것이 얼마나 해로운지 / 당신 스스로를 다른 사람과 비교하는 것은 / 사실 불필요하게 정신을 흩뜨리는 것일 뿐이다 / 유일한 대상은 / 당신 자신과 비교해야 하는 / 당신뿐이다 / 당신의 / 임무는 ~이다 / 어제보다 오늘 더 나아지는 것 / 당신은 집중함으로써 / 그렇게 한다 / 오늘 당신이 무엇을 할 수 있는가에 / 발전하기 위해 / 당신이 충분히 그렇게 한다면 / 그리고 몇 주, 몇 달, 또는 몇 년 전의 당신과 오늘의 당신을 비교한다면 / 당신은 자신의 발전에 대단히 고무될 것이다

유형 해결 전략

KEY 1 핵심 소재 파악
다른 사람들과의 비교를 통해 나의 발전을 비교해 왔던 일화로 '타인과 비교'가 핵심 소재임을 파악

KEY 2 필자의 관점 파악
자신과 비교해야 하는 유일한 대상은 자신뿐이라며 타인과의 비교에 대한 필자의 관점이 부정적임을 파악

KEY 3 주장 재확인
과거의 자신과 어제보다 나은 오늘을 살고자 노력해 온 오늘날의 자신을 비교한다면, 스스로의 발전에 대단히 고무될 수 있음

해석

❶내가 일을 시작했을 때, 나는 각 지도자에 대한 통계를 보여 주는 연간 보고서를 손꼽아 기다렸다. ❷그것을 메일로 받자마자, 나는 다른 모든 지도자의 발전과 나의 발전을 비교하곤 했다. ❸그렇게 한 지 약 5년쯤 지나서, 나는 그것이 얼마나 해로운지 깨달았다. ❹당신 자신을 다른 사람과 비교하는 것은 사실 불필요하게 정신을 흩뜨리는 것일 뿐이다. ❺당신 자신과 비교해야 하는 유일한 대상은 당신뿐이다. ❻당신의 임무는 어제보다 오늘 더 나아지는 것이다. ❼나아지기 위해 오늘 당신이 무엇을 할 수 있는가에 집중함으로써 당신은 그렇게 한다. ❽만약 당신이 충분히 그렇게 하고 몇 주, 몇 달, 또는 몇 년 전의 당신과 오늘의 당신을 비교한다면, 당신은 자신의 발전에 대단히 고무될 것이다.

해설

The only one you should compare yourself to is you. Your mission is to become better today than yesterday.에서 필자의 견해를 알 수 있다. 따라서 필자가 주장하는 바로 가장 적절한 것은 ① '남과 비교하기보다는 자신의 성장에 주목해야 한다.'이다.

오답 노트

② 진로를 결정할 때는 다양한 의견을 경청해야 한다. ➡ 경청에 대한 내용은 언급되지 않았다.
③ 발전을 위해서는 선의의 경쟁 상대가 있어야 한다. ➡ 발전하기 위해서 필요한 것은 오늘 스스로 무엇을 할 수 있는지 집중하는 것이지 선의의 경쟁 상대가 아니다.
④ 타인의 성공 사례를 자신의 본보기로 삼아야 한다. ➡ 타인이 아닌 자기 스스로를 돌아보며 더 나아질 것을 주장했다.
⑤ 객관적 자료에 근거하여 직원을 평가해야 한다. ➡ 본문에 언급되지 않은 내용이다.

구문 해설

❶When I started my career, I **looked forward to** the annual report **showing** statistics for each of its leaders.
look forward to는 '~하기를 간절히 바라다'라는 뜻으로, to는 전치사이므로 전치사의 목적어로 명사나 명사상당어구가 온다. showing 이하는 현재분사구로, 앞의 the annual report를 수식한다.

❷**As soon as** I received them in the mail, **I'd compare** my progress **with** the progress of all the other leaders.
As soon as는 시간을 나타내는 부사절을 이끄는 접속사로, '~하자마자'라는 뜻이다. 'd는 would의 축약형으로, 여기서는 '~하곤 했다'라는 뜻의 과거의 습관을 나타내는 표현이다. 이는 〈used to+동사원형〉과 바꾸어 쓸 수 있다. 〈compare A with B〉는 'A를 B와 비교하다'라는 뜻으로 A와 B가 동일하거나 비슷한 종류일 때 쓴다. 〈compare A to B〉 역시 'A를 B와 비교하다'라는 뜻으로 쓰이는데, A와 B가 다른 종류일 때 쓴다.

❸After about five years of doing that, I realized **how harmful it was.**
의문사가 이끄는 의문문이 명사 자리(주어, 보어, 목적어)에 올 경우, 간접의문문이라 부르며, 어순은 〈의문사+주어+동사〉이다.

❼You do that **by focusing** on **what** you can do today **to improve.**
〈by -ing〉는 '~함으로써'라는 의미로 방법이나 부가적인 의미를 덧붙일 때 사용한다. what은 선행사를 포함하는 관계대명사로 '~하는 것'이라고 해석하며 명사절을 이끈다. the thing which[that]로 바꾸어 쓸 수 있으며, 여기서는 전치사 on의 목적어로 쓰였다. to improve는 목적을 나타내는 to부정사의 부사적 용법으로 쓰였고, '~하기 위해서'라고 해석하며, 〈in order+to부정사〉, 〈so as+to부정사〉로 바꾸어 쓸 수 있다.

UNIT 05 지칭·함축 의미 파악하기

● 본문 039쪽

대표 예제

답 ④

❶ About fifty years ago, / a Pygmy [named Kenge] / took ① his first trip / out of the forests of Africa / and onto the open plains / with an anthropologist. ❷ Buffalo appeared in the distance, / and the Pygmy watched them / curiously. ❸ Finally, / ② he turned to the anthropologist / and asked / [what kind of insects they were]. ❹ "When I told Kenge / [that the insects were buffalo], / ③ he roared with laughter / and told me / not to tell such stupid lies." ❺ The anthropologist wasn't stupid, / and ④ he hadn't lied. ❻ Rather, / because Kenge had lived his entire life / in a dense jungle / [that offered no views of the horizon], / ⑤ he had failed to learn / [what most of us take for granted], / namely, / [that things look different / when they are far away].

약 50년 전에 / Kenge라는 이름의 한 피그미 족 사람이 그의 첫 여행을 떠났다 / 아프리카의 숲 밖으로 / 그리고 널따란 평원으로 / 한 인류학자와 함께 / 멀리서 물소 떼가 나타났다 / 그리고 그 피그미 족 사람은 / 그것들을 봤다 / 신기한 듯이 / 마침내 / 그는 인류학자를 돌아보았다 / 그리고 물었다 / 그것들이 무슨 종류의 곤충들인지 / 내가 Kenge에게 말했을 때 / 그 곤충들은 물소라고 / 그는 폭소했다 / 그리고 내게 말했다 그런 어리석은 거짓말을 하지 말라고 / 인류학자는 어리석지 않았다 / 그리고 그는 거짓말을 하지 않았다 / 오히려 / Kenge는 그의 평생을 살았기 때문에 / 빽빽한 정글에서 / 지평선의 광경을 보여 주지 않는 / 그는 알지 못했다 / 우리 대부분이 당연하게 여기는 것을 / 다시 말해 / 사물이 다르게 보인다는 것을 / 그것들이 멀리 떨어져 있을 때

(named Kenge: 과거분사구 / them = buffalo / he: 주어, turned: 동사$_1$ / asked: 동사$_2$ / what ~ were: 간접의문문 / that ~ buffalo: 목적어(명사절) / not to tell: to부정사 부정형 / had lived: 과거완료 / that offered ~: 주격 관계대명사절 / had failed: 과거완료 / what ~ granted: 복합관계대명사절 / take for granted: ~을 당연하게 여기다 / namely = that is(to say) / that ~ away: 목적어(명사절))

* anthropologist: 인류학자

유형 해결 전략

KEY 1 상황과 등장인물 파악
아프리카의 숲 밖으로 떠나는 피그미 부족의 일원인 Kenge와 인류학자가 등장함

KEY 2 문맥을 고려해 대명사가 가리키는 대상 확인
Kenge는 처음으로 살던 곳을 벗어나 평지로 나왔는데, 멀리 있는 물소 떼를 보고 그것들을 곤충으로 오해하는 상황
→ ④ he는 Kenge에게 진실을 알려주다 어리석은 거짓말을 하지 말라는 이야기를 들은 인류학자임을 알 수 있음

KEY 3 대명사를 원래 대상으로 바꾸어 정답 재확인
①, ②, ③, ⑤에 Kenge를 넣고, ④에 '인류학자(the anthropologist)'를 넣어 정답 재확인

해석

❶ 약 50년 전에 Kenge라는 이름의 한 피그미 족 사람이 한 인류학자와 함께 아프리카의 숲 밖의 널따란 평원으로 자신의 첫 여행을 떠났다. ❷ 물소 떼가 멀리서 나타났고, 그 피그미 족 사람은 그것들을 신기한 듯이 보았다. ❸ 마침내 그는 인류학자를 돌아보며 그것들이 무슨 종류의 곤충인지 물었다. ❹ "내가 Kenge에게 그 곤충들이 물소라고 말했을 때, 그는 폭소했고 나에게 그런 어리석은 거짓말을 하지 말라고 말했습니다." ❺ 인류학자는 어리석지 않았고, 그는 거짓말을 하지 않았다. ❻ 오히려 Kenge가 지평선의 광경을 보여 주지 않는 빽빽한 정글에서 평생을 살았기 때문에, 그는 우리들 대부분이 당연하게 여기는 것, 다시 말해서 멀리 떨어져 있을 때 사물이 다르게 보인다는 것을 알지 못했다.

해설

①, ②, ③, ⑤는 물소 떼를 알아보지 못한 Kenge를 가리키지만, ④는 인류학자를 가리킨다.

오답 노트

① ➡ 아프리카 숲에서 평생을 살다가 인류학자와 함께 생애 첫 여행을 떠난 사람은 Kenge이다.
② ➡ 물소 떼들을 보고 인류학자에게 그것들이 무슨 곤충인지 물어보기 위해 돌아본 사람은 Kenge이다.
③ ➡ 인류학자에게서 곤충들이 물소 떼라고 들었을 때, 크게 웃으며 거짓말을 하지 말라고 한 사람은 Kenge이다.
⑤ ➡ 무성한 정글에서 평생을 살아서 사물이 멀리 있을 때 달라 보인다는 것을 알지 못했던 사람은 Kenge이다.

구문 해설

❸ Finally, he turned to the anthropologist and asked **what kind of insects they were**.
주어가 he, 동사가 turned와 asked이다. what kind of insects they were는 간접의문문으로 어순은 〈의문사+주어+동사〉이다.

❻ Rather, because Kenge **had lived** his entire life in a dense jungle **that** offered no views of the horizon, he had failed to learn what most of us take for granted, **namely**, **that** things look different when they are far away.
Kenge가 평생을 살아온 것은 과거보다 이전에 발생한 시점이므로 과거완료 시제 had lived를 썼다. 주격 관계대명사 that이 이끄는 절 that offered ~ horizon이 a dense jungle을 수식하고 있다. namely는 '다시 말해서'라는 뜻으로 that is (to say)로 바꾸어 쓸 수 있다. 주절의 주어는 he이고, 동사는 had failed이며, that things ~ far away는 목적어 역할을 하는 명사절이다.

어휘

open plain 넓은 평원, 탁 트인 평원 **buffalo** 물소, 버펄로 **in the distance** 멀리서, 저 멀리 **curiously** 신기한 듯이, 호기심을 갖고 **insect** 곤충 **roar with laughter** 폭소하다 **dense** 빽빽한 **horizon** 지평선 **fail to** ~하지 못하다 **take for granted** ~을 당연하게 여기다

READING 1~4

• 본문 040~043쪽

1 ④  ①  ④  ②

1

• 본문 040쪽

답 ④

❶Grandfather had worked hard / [building an ice rink / on the lake].
└ 분사구문
할아버지는 열심히 일했다 / 아이스링크를 만드느라 / 호수 위에

❷He had spread the snow, / watered the ice, / and made it smooth. ❸"Now,"
주어 동사$_1$(과거완료) / (had) 동사$_2$ / (had) 동사$_3$ 목적어 목적격보어
그는 눈을 펼치고 / 얼음에 물을 붓고 / 그리고 그것을 매끄럽게 만들었다 "자."

said Grandfather, / [setting Tommy down on a wooden chair / to explain
└ 분사구문 / 부사적 용법(목적)
할아버지가 말했다 / Tommy를 나무로 만든 의자에 앉히며 / 그에게 상황을

things to ①him]. ❹"The first thing you will do / is to hold onto the
명사적 용법(주격보어)
설명하기 위해 / 네가 할 첫 번째 일은 / 나무로 만든 의자를 붙잡는 것이다

wooden chair / and try to skate with it." ❺"Okay," said Tommy, / [taking a
(to) 〈try+to부정사〉: ~하려고 노력하다 / └ 분사구문
그리고 그것을 잡고 스케이트를 타려고 노력하는 것이다 "네." Tommy가 답했다 (동시동작)

hold of the back of the chair]. ❻It was a little difficult / at first / and ②he
의자 뒷부분을 붙잡으며 / 그것은 약간 어려웠다 / 처음에는 / 그리고 결국

did end up falling a few times. ❼However, ③he learned pretty quickly.
조동사(동사강조) └ 〈end up -ing〉: 결국 ~하다
그는 몇 차례 넘어지고 말았다 / 하지만 그는 꽤 빨리 익혔다

❽"I think / you are ready to try to skate / without the chair," / said
(that)
나는 생각한다 / 네가 스케이트를 탈 준비가 되었다고 / 의자 없이

Grandfather. ❾He walked backward / on the ice, / at first / holding Tommy's
할아버지가 말했다 / 그는 뒤로 걸었다 / 얼음 위에서 / 처음에는 / Tommy의 손을 잡은 채

hands, / but then ④he let go / and Tommy moved toward him. ❿Soon, /
그러나 그 후 그는 손을 놓았다 / 그리고 Tommy는 그를 향해 움직였다 / 곧

Tommy was skating / all by himself. ⓫Grandfather was so proud of ⑤him.
Tommy는 스케이트를 타고 있었다 / 혼자서 / 할아버지는 그가 매우 자랑스러웠다

유형 해결 전략

KEY 1 상황과 등장인물 파악
할아버지와 손자 Tommy가 등장함

KEY 2 문맥을 고려해 대명사가 가리키는 대상 확인
할아버지가 아이스링크를 직접 만들어 손자인 Tommy에게 스케이트를 타는 법을 가르치는 상황
→ ④ he는 손자의 손을 잡고 뒤로 걷고 있다가 그 손마저 놓은 '할아버지'임을 알 수 있음

KEY 3 대명사를 원래 대상으로 바꾸어 정답 재확인
①, ②, ③, ⑤에 Tommy를 넣고, ④에 '할아버지(grandfather)'를 넣어 정답 재확인

해석

❶할아버지는 호수 위에 아이스링크를 만드느라 열심히 일했다. ❷할아버지는 눈을 펼쳤고 얼음에 물을 부어 그것을 매끄럽게 만들었다. ❸"자", 할아버지가 그에게 상황을 설명하기 위해 Tommy를 나무로 만든 의자에 앉히면서 말했다. ❹"네가 할 첫 번째 일은 나무 의자를 붙잡고 스케이트를 타려고 노력하는 거야." ❺"네." Tommy가 의자의 뒷부분을 붙잡으면서 말했다. ❻처음에는 약간 어려웠고 결국 그는 몇 차례 넘어졌다. ❼하지만 그는 꽤 빨리 익혔다. ❽"내 생각에는 네가 의자 없이 스케이트를 탈 준비가 된 것 같구나."라고 할아버지가 말했다. ❾할아버지는 처음에는 얼음 위에서 Tommy의 손을 잡은 채 뒤로 걸었지만, 그 후 그가 손을 놓았고 Tommy는 그를 향해 움직였다. ❿곧, Tommy는 혼자서 스케이트를 타고 있었다. ⓫할아버지는 그가 매우 자랑스러웠다.

해설

①, ②, ③, ⑤는 Tommy를 가리키지만, ④는 할아버지를 가리킨다.

오답 노트

① ➡ 나무 의자에 앉아서 스케이트를 타는 법에 대한 할아버지의 설명을 듣고 있는 사람은 Tommy이다.
② ➡ 스케이트를 처음 타면서 넘어진 사람은 Tommy이다.
③ ➡ 스케이트가 처음임에도 불구하고 빨리 타는 법을 배운 사람은 Tommy이다.
⑤ ➡ 할아버지가 매우 자랑스럽게 여긴 대상은 Tommy이다.

구문 해설

❷He had spread the snow, watered the ice, and made it smooth.
주어는 He, 동사는 had spread, (had) watered, (had) made이다. made 뒤의 it은 목적어, smooth는 목적격보어이다.

❹"The first thing you will do is **to hold** onto the wooden chair and **try** to skate with it."
The first thing과 you 사이에는 목적격 관계대명사 that 또는 which가 생략되어 있고, The first ~ will do가 문장의 주어, is가 동사이다. to hold와 (to) try는 명사적 용법으로 보어 역할을 한다.

2

● 본문 041쪽

답 ①

유형 해결 전략

❶ Although we quickly remember the young geniuses / [who succeeded at an early age], / there are plenty of old masters / [who reached their goals much later]. ❷ In medicine, / James Watson helped to discover the structure of DNA / at age twenty-five, / whereas Roger Sperry found the unique functions / of the right and left brains / at age forty-nine. ❸ In film, / Orson Welles's greatest work, *Citizen Kane*, / was his first full-length film / at age twenty-five, / while Alfred Hitchcock made / one of his most popular films, *Vertigo*, / at fifty-nine. ❹ In poetry, / E. E. Cummings wrote his first influential poem / at twenty-two / and more than half of his best work / before turning forty, / but Robert Frost wrote / 92 percent of his most famous poems / after forty. ❺ What explains / these dramatically different life cycles of creativity?

접속사(양보) / 주격 관계대명사절 / 많은(= lots of) / 주격 관계대명사절 / 훨씬(비교급 수식) / 주어 / 동사 / 명사적 용법(목적어) / 접속사(역접) / 동격 / 장편 영화 / 접속사(역접) / 동격 / ~의 반 이상 / 〈접속사+분사구문〉 / 접속사(역접)

비록 우리가 재빨리 젊은 천재들을 기억해 내긴 하지만 / 어린 나이에 성공한 / 나이 든 대가들이 많다 / 훨씬 나중에 그들의 목표에 도달한 / 의학계에서 / James Watson은 DNA 구조 발견을 도왔다 / 25세에 / 반면 Roger Sperry는 특화된 기능을 알아냈다 / 우뇌와 좌뇌의 / 49세의 나이에 / 영화계에서 / Orson Welles의 명작 〈Citizen Kane〉이 / 그의 첫 번째 장편 영화였다 / 25세 때 / 반면 Alfred Hitchcock은 찍었다 / 그의 가장 유명한 영화들 중 하나인 〈Vertigo〉를 / 59세에 / 시 문학계에서 / E. E. Cummings는 그의 첫 번째 영향력 있는 시를 썼다 / 22세에 / 그리고 자신의 명작 시들의 반 이상을 썼다 / 40세가 되기 전에 / 하지만 Robert Frost는 썼다 / 자신의 가장 유명한 시들의 92%를 / 40세 이후에 / 무엇으로 설명할 것인가 / 이런 극적으로 다른 창의성의 인생 주기를?

KEY 2 서론을 통해 글의 핵심 내용 파악
젊은 천재들도 있지만, 나이 들어 경지에 오른 대가들도 많다는 것이 글의 핵심 내용임

KEY 3 예시들을 통해 요지 재확인
일찍 기량을 발휘한 천재들과 늦게 창의성을 발현한 대가들의 대비된 예들을 통해, 창의성이 나타나는 시기는 개인마다 다르다는 것이 밑줄 친 부분의 의미임을 재확인

KEY 1 밑줄 친 부분의 의미 파악
dramatically different life cycles of creativity를 통해 극적으로 다른 창의성의 인생 주기가 의미하는 바를 찾아야 함을 파악

해석

❶ 비록 우리가 어린 나이에 성공한 젊은 천재들을 재빨리 기억해 내긴 하지만, 훨씬 나중에 그들의 목표에 도달한 나이 든 대가들이 많다. ❷ 의학계에서는, James Watson이 25세에 DNA 구조를 발견하는 것을 도운 반면, Roger Sperry는 49세의 나이에 우뇌와 좌뇌의 특화된 기능을 알아냈다. ❸ 영화계에서는, Orson Welles의 명작 〈Citizen Kane〉이 25세 때 찍은 그의 첫 번째 장편 영화였다면, Alfred Hitchcock은 그의 가장 유명한 영화 중 하나인 〈Vertigo〉를 59세에 찍었다. ❹ 시 문학계에서는, E. E. Cummings는 그의 첫 번째 영향력 있는 시를 22세에 쓰고, 자신의 명작 시들 중 절반을 40세가 되기 전에 썼지만, Robert Frost는 자신의 가장 유명한 시들의 92%를 40세가 지난 뒤에 썼다. ❺ 이런 극적으로 다른 창의성의 인생 주기를 무엇으로 설명할 것인가?

해설

일찌감치 최고의 기량을 보여 준 젊은 천재들이 있는 반면 나이가 들어서 재능을 꽃피운 대가들이 있다는 것을 예를 통해 설명하며, 이렇게 극적으로 다른 시기에 창의성이 발휘되는 것을 한 마디로 설명할 수 없다고 이야기하고 있다. 따라서 밑줄 친 부분이 의미하는 바로 가장 적절한 것은 ① '창의성이 최고조로 발휘되는 시기는 개인마다 현저히 다르다.'이다.

오답 노트

② 예술적 창의성과 과학적 창의성은 성격이 서로 다르다. ➡ 예술적 창의성과 과학적 창의성을 비교하는 내용은 없다.
③ 타인과 다른 극적인 삶을 살아야 창의적일 수 있다. ➡ 어떻게 해야 창의적일 수 있는지에 대해서는 언급되지 않았다.
④ 나이가 들수록 창의적으로 생각하기 어려워진다. ➡ 나이가 들어서 창의성을 꽃피운 대가들을 예로 들었으므로 글의 내용과 상반된다.
⑤ 창의성에 대한 이해는 연령별로 다르다. ➡ 창의성에 대한 이해가 아니라 창의성이 드러나는 시기에 대한 글이다.

구문 해설

❶ **Although** we quickly remember the young geniuses **who** succeeded at an early age, **there** are plenty of old masters **who** reached their goals **much later**.
'비록 ~이지만'의 뜻인 접속사 Although가 이끄는 부사절에서 목적어 the young geniuses를 주격 관계대명사절이 수식하고 있다. 마찬가지로 유도부사 there가 이끄는 주절에서 주어 old masters를 주격 관계대명사절(who reached ~ much later)이 수식하고 있다. much는 뒤의 비교급 later를 수식하여 강조하는데, even, far, a lot 등으로 바꾸어 쓸 수 있다.

❹ In poetry, E. E. Cummings wrote his first influential poem at twenty-two and more than half of his best work **before turning forty**, but Robert Frost wrote 92 percent of his most famous poems after forty.
before turning forty는 before he was forty나 before he turned forty로 바꾸어 쓸 수 있다.

• 본문 042쪽

답 ④

유형 해결 전략

❶Real, effective body language / is not a group of separate actions. ❷When people work / from this rote-memory, dictionary approach, / they stop seeing the bigger picture, [which is all of the different things / {that go into understanding others}]. ❸Instead, / they see a person / with crossed arms / and think, / "Reserved, angry." ❹They see a smile and think, "Happy." ❺They use a firm handshake / to show other people / "who is boss." ❻Trying to use body language / by reading a body language dictionary / is like trying to speak French / by reading a French dictionary. ❼Things tend to fall apart / in an unnatural mess. ❽Like a robot, / your body language signals / are disconnected / from one another. ❾You end up confusing the very people / you're trying to attract / because your body language just rings false.

실제로, 효과적인 몸짓 언어는 / 별개의 행동들의 집단이 아니다 / 사람들이 일을 할 때 / 이런 기계적인 암기와 사전적인 접근법으로부터 / 그들은 더 큰 그림을 보는 것을 멈춘다 / 이것은 모든 다른 것들이다 / 다른 사람들을 이해하는 데 들어가는 / 대신에 / 그들은 사람을 본다 / 팔짱을 낀 / 그리고 생각한다 / '과묵하고 화가 난' 것으로 / 그들은 미소를 보고 '행복한' 것으로 생각한다 / 그들은 세게 악수를 한다 / 다른 사람들에게 보여 주기 위해 / '누가 윗사람인가'를 / 몸짓 언어를 사용하려고 하는 것은 / 몸짓 언어 사전을 읽음으로써 / 프랑스어를 말하려고 하는 것과 같다 / 프랑스어 사전을 읽음으로써 / 일들이 분리되는 경향이 있다 / 부자연스러운 뒤죽박죽 상태로 / 마치 로봇처럼 / 당신의 몸짓 언어 신호는 단절된다 / 서로 간에 / 당신은 바로 그 사람들을 혼란스럽게 하는 결과를 초래한다 / 당신이 마음을 끌려고 하는 / 왜냐하면 당신의 몸짓 언어가 그저 거짓으로 들리기 때문에

〈stop -ing〉: ~하는 것을 멈추다
which ~: 주격 관계대명사절(계속적 용법)
that ~: 주격 관계대명사절
to show: 부사적 용법(목적)
〈by -ing〉: ~함으로써
is: 동사 / like: 전치사
〈end up -ing〉: 결국 ~하다
〈the very+명사〉: 명사 강조

* rote-memory: 기계적 암기

KEY 2 서론을 통해 글의 핵심 내용 파악
의사 전달 과정에서 상황을 고려하지 않은 기계적 암기와 사전적 접근법은 다른 사람들을 이해하는 것을 보지 못하게 함

KEY 1 밑줄 친 부분의 의미 파악
몸짓 언어 사전을 읽어서 몸짓 언어를 사용하려고 한다는 의미는 잘못된 의사 전달을 한다는 의미임을 파악

KEY 3 결론을 통해 요지 재확인
몸짓 언어의 다양한 사회적 의미를 무시한 채 무조건 그 의미를 한 가지로 이해하면 의도와는 다르게 사람들을 혼란스럽게 할 수 있음

해석

❶실제로 효과적인 몸짓 언어는 별개의 행동의 집단이 아니다. ❷사람들이 이런 기계적인 암기와 사전적인 접근법으로 일을 할 때 그들은 더 큰 그림을 보는 것을 멈추게 되는데, 이는 다른 사람들을 이해하는 데 들어가는 모든 다른 것들이다. ❸대신, 그들은 팔짱을 낀 사람을 보고 '과묵하고, 화가 난' 것으로 생각한다. ❹그들은 미소를 보고 '행복한' 것으로 생각한다. ❺그들은 다른 사람들에게 '누가 윗사람인가'를 보여 주기 위해 세게 악수를 한다. ❻몸짓 언어 사전을 읽어서 몸짓 언어를 사용하려고 하는 것은 프랑스어 사전을 읽어서 프랑스어를 말하려고 하는 것과 같다. ❼일이 부자연스럽게 뒤죽박죽이 되는 경향이 있다. ❽마치 로봇처럼, 당신의 몸짓 언어 신호는 서로 단절된다. ❾당신의 몸짓 언어가 그저 거짓으로 들리기 때문에 결국 당신이 마음을 끌려고 하는 사람들을 혼란스럽게 하는 결과를 초래한다.

해설

두 번째 문장을 살펴보면, '상황을 고려하지 않고, 사전적 접근법을 취하면 다른 사람들을 이해하는 모든 다양한 측면을 보지 못한다.'라는 주제를 추론할 수 있다. 따라서 밑줄 친 부분이 의미하는 바로 가장 적절한 것은 ④ '사회적 측면들을 이해하지 못하는'이다.

오답 노트

① 사회적 맥락 안에서 몸짓 언어를 학습함으로써 ➡ 사회적 맥락만이 아니라 아예 맥락을 벗어난 것이므로 반대의 의미이다.
② 몸짓 언어와 프랑스어를 비교함으로써 ➡ 프랑스어는 단순한 사전적 접근법이 잘못된 방식임을 나타내는 예시일 뿐, 밑줄 친 부분과 관계가 없다.
③ 몸짓 언어 전문가의 도움을 받아 ➡ 몸짓 언어 전문가의 도움이 필요하다는 내용은 언급되지 않았다.
⑤ 사람들이 모국어를 배우는 방식으로 ➡ 모국어를 배우는 방식과는 관련이 없다.

구문 해설

❺They use a firm handshake **to show** other people **"who is boss."**
to show는 목적을 나타내는 부사적 용법의 to부정사로 '~하기 위해서'라는 뜻이며, 〈in order+to부정사〉, 〈so as+to부정사〉로 바꾸어 쓸 수 있다. who is boss는 간접의문문으로 show의 직접목적어이다.

❾You end up confusing **the very** people you're trying to attract because your body language just rings false.
〈the very+명사〉는 명사 people을 강조하며, '바로 ~한 …'이라고 해석하면 된다. the very people과 you're trying to 사이에는 목적격 관계대명사 who(m) 또는 that이 생략되었다.

• 본문 043쪽

답 ②

유형 해결 전략

❶On one occasion / my children and I were in the car, / and I tried to explain the concept of buffers / using a game. ❷Imagine, / I said, / [that we had to get / to our destination three miles away / without stopping]. ❸We couldn't predict / what was going to happen / in front of us and around us. ❹We didn't know / [how long the light would stay on green / or if the car in front would suddenly put on its brakes]. ❺The only way to keep from crashing / was to put extra space / between our car and the car in front of us. ❻This space acts as a buffer. ❼It gives us time to respond and (to) adapt / to any sudden moves / by other cars. ❽Similarly, / we can reduce the friction / of doing the essential / in our work and lives / simply by creating a buffer.

한 번은 / 나의 아이들과 내가 차에 있었다 / 그리고 나는 완충 지대의 개념을 설명하려고 했다 / 게임을 이용해 / 상상해보라고 / 내가 말했다 / 우리가 도착해야 했다고 / 3마일 떨어진 우리의 목적지까지 / 멈추지 않고 / 우리는 예측할 수 없었을 것이다 / 무슨 일이 일어날지 / 우리 앞과 주위에서 / 우리는 몰랐다 / 신호등이 얼마나 오랫동안 녹색으로 켜 있을지 / 아니면 앞차의 운전자가 갑자기 브레이크를 밟을지 / 추돌을 막는 유일한 방법은 / 여분의 공간을 두는 것이었다 / 우리 차와 우리 앞에 있는 차 사이에 / 이 공간은 완충 지대로 작용한다 / 그것은 우리에게 반응하고 적응할 시간을 준다 / 갑작스러운 움직임에 / 다른 차들에 의한 / 마찬가지로 / 우리는 마찰을 줄일 수 있다 / 필수적인 일을 할 때의 / 우리의 일과 삶에서 / 단지 완충 지대를 만듦으로써

(that we ~: 명사절 / without: ~없이 / stopping: 동명사(전치사 without의 목적어) / what was going to happen: 간접의문문 / in front of: ~의 앞에 / how long ~: 목적어 / if: 명사절 접속사: ~인지 아닌지 / to keep: 형용사적 용법 / to put: 명사적 용법(보어) / 〈between A and B〉: A와 B 사이에 / as: ~로서(자격) / It = Extra space / to respond and (to) adapt: 형용사적 용법 / doing: 동명사(전치사 of의 목적어))

* buffer: 완충 지대, 완충 장치 ** friction: 마찰

KEY 2 전체 문맥을 통해 글의 핵심 내용 파악
아이들과 함께 차로 이동하며 게임을 통해 아이들에게 완충 지대의 개념을 설명함 → 우리는 우리 앞과 주위에 무슨 일이 일어날지 예측할 수 없으므로 추돌을 막는 유일한 방법이 바로 여분의 공간을 마련하는 것임

KEY 3 밑줄 친 부분의 의미 재확인
creating a buffer를 함으로써 우리의 일과 삶에서 필수적인 일을 할 때 마찰을 줄일 수 있음

KEY 1 밑줄 친 부분의 의미 파악
완충 지대를 만드는 것이 글 속에서 의미하는 바를 찾아야 함을 확인

해석

❶한 번은 아이들과 내가 차에 있었는데, 나는 게임을 이용해 완충 지대의 개념을 설명하려고 했다. ❷나는 멈추지 않고 3마일 떨어진 목적지까지 우리가 도착해야 했다고 상상해 보자고 말했다. ❸우리는 우리 앞과 주위에서 무슨 일이 일어날지 예측할 수 없었을 것이다. ❹우리는 신호등이 얼마나 오랫동안 녹색으로 켜 있을지, 아니면 앞차의 운전자가 갑자기 브레이크를 밟을지 몰랐다. ❺추돌을 막는 유일한 방법은 우리 차와 우리 앞에 있는 차 사이에 여분의 공간을 두는 것이었다. ❻이 공간은 완충 지대로 작용한다. ❼그것은 우리에게 다른 차들의 갑작스러운 움직임에 반응하고 적응할 시간을 준다. ❽마찬가지로, 우리는 단지 완충 지대를 만듦으로써 우리의 일과 삶에서 필수적인 일을 할 때의 마찰을 줄일 수 있다.

해설

도로에서 차와 차 사이의 여분의 공간이 추돌을 막는 유일한 방법이며, 그 여분의 공간이 바로 완충 지대이고 단지 그걸 만듦으로써 우리의 일과 삶에서 마찰을 줄일 수 있다고 말하고 있다. 따라서 밑줄 친 부분이 의미하는 바로 가장 적절한 것은 ② '항상 예상치 못한 사건에 대비하는 것'이다.

오답 노트

① 이기는 것보다 배우는 것이 더 중요하다는 것을 아는 것
③ 우리가 이미 시작한 것을 멈추지 않는 것
④ 우리가 운전할 때 확실한 목적지를 갖는 것
⑤ 다른 사람들과 평화로운 관계를 유지하는 것
➡ 완충 지대는 돌발적인 상황에 대비해 반응하고 적응할 시간을 준다. 즉, 항상 예상치 못한 사건에 대비하기 위해 필요한 것이 완충 지대라는 의미이다. ①, ③, ④, ⑤는 모두 본문과 관련이 없는 내용이다.

구문 해설

❸We couldn't predict **what was going to happen** in front of us and around us.
목적어로 의문사 what이 이끄는 간접의문문이 쓰였다. 어순은 〈의문사+주어+동사〉이다. 의문사 what은 대명사와 접속사 역할을 동시에 하므로 뒤에 주어가 빠져있는 불완전한 명사절이 온다.

❼**It** gives us time **to respond** and **adapt** to any sudden moves by other cars.
주어는 It, 동사는 gives, 간접목적어 us, 직접목적어 time이다. adapt 앞에는 to가 생략되어 있고, to respond와 to adapt가 and로 병렬 연결되어 있다. to respond and (to) adapt는 형용사적 용법의 to부정사로 직접목적어인 time을 수식한다. 주어인 It은 Extra space를 나타낸다.

UNIT **06** 빈칸 내용 완성하기

• 본문 045쪽

대표 예제

답 ②

❶Humans are champion long-distance runners. ❷As soon as a person and a chimpanzee start running / they both get hot. ❸The chimpanzee quickly gets too hot to keep running, / but a person is able to keep running. ❹This is because humans are much better / at getting rid of body heat. ❺According to one leading theory, / human ancestors lost their hair over time / because less hair meant / (that) they would be cooler when running long distances. ❻That ability let our ancestors / move and run faster than their prey. ❼Try wearing a couple of extra jackets or fur coats / on a hot humid day / and run a mile. ❽Now, take those jackets off / and try it again. ❾You'll see / what a difference a lack of fur makes.

(As soon as: ~하자마자 / too+형용사[부사]+to부정사: ~하기에는 …한 / much: 비교급 강조 / getting: 동명사(전치사 at의 목적어) / According to: ~에 따르면 / let our ancestors move and run: 5형식: 사역동사+목적어+목적격보어(동사원형) / try -ing: 시험 삼아 ~하다 / what a difference a lack of fur makes: 간접의문문)

❶ 인간들은 최고의 장거리 달리기 선수들이다 ❷ 한 사람과 침팬지 한 마리가 달리기를 시작하자마자 그들은 둘 다 더위를 느낀다 ❸ 침팬지는 달리는 것을 유지하기에 너무 빨리 열이 오른다 하지만 사람은 계속 뛸 수 있다 ❹ 이것은 사람들이 훨씬 잘하기 때문이다 신체 열을 없애는 것을 ❺ 유력한 한 이론에 따르면 선조들은 잇따른 세대에 걸쳐서 털을 잃었다 왜냐하면 더 적은 털은 의미했다 그들이 장거리 달리기를 할 때 더 시원할 것이라는 것을 ❻ 그런 능력은 우리 조상들이 ~하게 해 주었다 그들의 먹잇감보다 더 빨리 움직이고 달리도록 ❼ 여분의 재킷 두어 개나 모피코트를 입는 것을 시도하라 덥고 습한 날에 그리고 1마일을 달려라 ❽ 이제, 재킷을 벗어라 그리고 그것을 다시 시도하라 ❾ 당신은 알 것이다 털의 부족이 만드는 차이점이 무엇인지를

유형 해결 전략

KEY 2 글의 주제나 중심 소재 파악
사람이 침팬지보다 오래 달릴 수 있는 이유는 사람이 신체 열 조절을 훨씬 더 잘하기 때문이라 말함. 또한 유력한 한 이론을 들어, 우리 조상들이 먹잇감보다 더 잘 움직이고 달릴 수 있는 것은 잇따른 세대에 걸쳐 털을 잃어왔기 때문임을 다시 강조

KEY 3 예시를 통해 반복되거나 강조하는 내용 확인
덥고 습한 날 재킷을 입고 1마일을 뛰고 난 후, 그 재킷을 벗고 다시 뛰면 '무엇'이 만드는 차이점을 알 수 있을 것이라 했는데, 그 차이점은 바로 '털의 부족'임

KEY 1 빈칸이 포함된 문장의 역할 파악
'무엇'이 만드는 차이점을 알 수 있는지 파악해야 하며 이것이 중심 소재임

해석

❶ 인간들은 최고의 장거리 달리기 선수들이다. ❷ 한 사람과 침팬지 한 마리가 달리기를 시작하자마자 그들은 둘 다 더위를 느낀다. ❸ 침팬지는 계속 달리기에 너무 빨리 더워지는 반면 사람은 계속 뛸 수 있다. ❹ 이것은 사람이 신체 열을 없애는 것을 훨씬 잘하기 때문이다. ❺ 유력한 한 이론에 따르면, 털이 더 적으면 장거리 달리기에 더 시원한 것을 의미하기 때문에 선조들은 잇따른 세대에 걸쳐서 털을 잃었다. ❻ 그런 능력은 우리 조상들이 그들의 먹잇감보다 더 빨리 움직이고 달리게 했다. ❼ 덥고 습한 날에 여분의 재킷 두어 개, 혹은 모피코트를 입는 것을 시도하고 1마일을 뛰어라. ❽ 이제, 그 재킷을 벗고 다시 그것을 시도하라. ❾ 당신은 털의 부족이 만드는 차이점이 무엇인지 알 것이다.

해설

인간들이 최고의 장거리 달리기 선수들인 이유를 침팬지와 비교하며 설명하는 글이다. 인간이 침팬지에 비해 장거리 달리기를 더 잘하는 이유는 털이 더 적어서 달리기를 할 때 발생하는 열 조절을 더 잘하기 때문이라고 했다. 따라서 빈칸에 들어갈 말로 가장 적절한 것은 ② '털의 부족'이다.

오답 노트

① hot weather(더운 날씨) ➡ 더운 날씨는 조건의 하나일 뿐이고, 실험하고자 했던 내용은 털의 유무에 따른 체온 조절 능력에 관련된 것이다.
③ muscle strength(근육의 힘) ➡ 본문의 내용과는 관련이 없다.
④ excessive exercise(과도한 운동) ➡ 재킷을 입고 1마일을 뛰고 이후에 다시 그 옷을 벗고 뛰는 실험은 털의 여부가 체온 조절에 미치는 영향을 알기 위함이지 과도한 운동의 영향을 알아보려는 것이 아니다.
⑤ a diversity of species(다양한 종) ➡ 본문에서는 오직 침팬지와 인간만이 언급되었을 뿐 다양한 종에 관한 언급은 없었다.

구문 해설

❸ The chimpanzee quickly gets **too** hot **to keep** running, but a person is able to keep running.
〈too+형용사[부사]+to부정사〉는 '~하기에는 …한'이라는 뜻으로, 〈so+형용사[부사]+that+주어+can't〉로 바꾸어 쓸 수 있다. 이 문장은 The chimpanzee quickly gets so hot that it can't keep running ~으로 바꾸어 쓸 수 있다.

❻ That ability **let** our ancestors **move and run** faster than their prey.
사역동사는 목적격보어 자리에 동사원형 또는 분사가 오고, to부정사는 올 수 없다. 목적어와 목적격보어의 관계를 따져 보았을 때 능동이면 동사원형 또는 현재분사를 사용하고, 수동이면 과거분사를 사용한다. 단, let은 목적격보어 자리에 과거분사가 올 수 없고, 수동의 의미를 나타낼 때는 〈be+과거분사〉 형태로 쓴다.

❾ You'll see **what a difference a lack of fur makes.**
의문사가 이끄는 의문문이 명사 자리(주어, 보어, 목적어)에 올 경우 간접의문문이라 부르며, 어순은 〈의문사+주어+동사〉이다.

어휘

long-distance 장거리의 **get rid of** ~을 없애다 **leading** 유력한 **theory** 이론 **ancestor** 조상 **prey** 먹이, 먹잇감 **extra** 여분의 **humid** 습한 **a lack of** 부족한, ~의 부족

● 본문 046~049쪽

 ①  ③  ⑤  ①

1

● 본문 046쪽

답 ①

❶From the beginning of civilization, / people have developed particular expertise / within their family group or society. ❷They have become the local expert / on farming, medicine, manufacturing, music, storytelling, cooking, hunting, fighting, / or one of many other specialties. ❸One individual may have some expertise / in more than one skill, / perhaps several, / but never all, / and never in every aspect / of any one thing. ❹No chef can cook all dishes. ❺No one has ever been able to do everything. ❻So we work jointly. ❼That's the biggest advantage / of living in social groups. ❽This makes it easy / to share our skills and knowledge. ❾Whenever we wash dishes, / for example, / we thank heaven / [that someone knows how to make dish soap / and someone else knows / how to provide warm water from the water tank]. ❿We're generally doing / things with the help of others.

* expertise: 전문 지식

(주석: ~의 시작부터 / 현재완료(계속) / 문명의 시작부터 / 사람들은 특정한 전문 지식을 개발해 왔다 / 전치사(~ 내에서) / 그들의 가족 그룹이나 사회 내에서 / 그들은 지역 전문가가 되었다 / 전치사(~에 관해서) / 농사, 의료, 제조, 음악, 이야기하기, 요리, 사냥, 전투에 관한 / 또는 다른 많은 전문 분야들 중 하나에서 / 한 개인은 / 조동사(~일지 모른다) / 하나 이상 / 어떤 전문 지식을 가질 수 있을지는 모른다 / 하나 이상의 기술에서 / 아마도 여러 가지 / (skills) / 결코 모두는 아니고 / 모두 ~인 것은 아니다(부분 부정) / 그리고 결코 모든 면에 능통한 것은 아니다 / 어느 한 가지 기술의 / 전부 ~한 것은 아니다(부분 부정) / 현재완료(경험) / 접속사 / 어떤 요리사도 모든 음식을 다 요리할 수는 없다 / 어느 누구도 모든 것을 할 수 없었다 / 그래서 / → 앞 문장 전체 최상급 비교 / 우리는 공동으로 일한다 / 그것이 가장 큰 혜택이다 / 사회적 집단으로 사는 것의 / 가목적어 / 진목적어 / 접속사(~할 때마다) / 이것은 쉽게 만든다 / 우리의 기술과 지식을 공유하는 것을 / 우리가 설거지를 할 때마다 / 주어 동사 / 명사절(목적어) / ~하는 법 / 예를 들어 / 우리는 하늘에 감사한다 / 누군가는 주방용 세제 제조법을 아는 것을 / 그리고 다른 누군가는 아는 것을 / 물탱크에서 온수를 제공하는 법을 / 우리는 일반적으로 하고 있다 / 다른 사람들의 도움을 받는 일들을)

유형 해결 전략

KEY 2 글의 주제나 중심 소재 파악
사람들은 자신이 속한 사회에서 특정 분야에 전문 지식을 가지고 있다는 것이 중심 내용임

KEY 1 빈칸이 포함된 문장의 역할 파악
한 사람이 모든 일을 다 할 수 없기 때문에 우리는 어떤 행동을 한다는 내용이며, 그것은 글의 주제 '공동으로 일하는 것'을 뒷받침함

KEY 3 결론을 통해 선택지가 문맥상 자연스러운지 확인
'우리는 다른 이들의 도움을 받는 일을 한다'는 내용으로 주제 재확인

해석

❶ 문명이 시작된 때부터, 사람들은 친족이나 사회 내에서 특정한 전문 지식을 개발해 왔다. ❷ 그들은 농사, 의료, 제조, 음악, 이야기하기, 요리, 사냥, 전투, 또는 다른 많은 전문 분야들 중 하나에서 지역 전문가가 되었다. ❸ 한 개인은 하나 이상, 아마도 여러 가지 기술에서 어떤 전문 지식을 가질 수 있을지는 모르지만, 결코 모든 기술은 아니고, 결코 어느 한 가지 기술의 모든 면에 능통한 것은 아니다. ❹ 어떤 요리사도 모든 음식을 다 요리할 수는 없다. ❺ 지금까지 어느 누구도 모든 것을 다 할 수는 없었다. ❻ 그래서 우리는 공동으로 일한다. ❼ 그것이 사회 집단으로 사는 것의 가장 큰 혜택이다. ❽ 이것은 우리의 기술과 지식을 공유하는 것을 쉽게 만든다. ❾ 예를 들어, 설거지를 할 때마다, 누군가는 주방용 세제를 만드는 법을 알고, 다른 누군가는 물탱크에서 온수 제공하는 법을 안다는 것에 대해 우리는 하늘에 감사한다. ❿ 우리는 일반적으로 다른 사람들의 도움을 받는 일들을 하고 있다.

해설

문명이 시작되면서부터 사람들은 자신이 속한 사회 내에서 특정 분야의 전문 지식이나 전문 기술을 개발해 왔고, 각자의 분야를 나누어 작업을 함으로써 공동으로 함께 일해 왔다는 내용의 글이다. 따라서 빈칸에 들어갈 말로 가장 적절한 것은 ① '공동으로 일한다'이다.

오답 노트

② learn quickly(빨리 배운다)
③ demand less(더 적게 요구한다)
④ change constantly(끊임없이 변화한다)
➡ ②, ③, ④는 본문 내용과 관련이 없는 선택지이다.
⑤ behave friendly(우호적으로 행동한다) ➡ 우호적으로 행동하는 것이 다른 사람을 돕는 것이라 생각할 수 있지만 한 사람이 모든 일을 다 할 수 없기 때문에 우리가 하는 행동은 아니다.

2

답 ③

❶The mind is essentially a survival machine. ❷Although it is good at attack and defense / against other minds, / gathering, storing, and analyzing information, / it is not at all creative. ❸All true artists create / from a place of no-mind, / from inner stillness. ❹Even great scientists have reported / [that their creative discoveries came / at a time of mental quietude]. ❺A nationwide inquiry was conducted / among America's most famous mathematicians, / including Einstein, / to find out their working methods. ❻The surprising result was / [that thinking "plays only a supporting part / in the brief, decisive phase / of the creative act itself]." ❼So I would say / [that the simple reason / why the majority of scientists are not creative / is not because they don't know / how to think, / but because they don't know / how to stop thinking]!

* quietude: 정적

(be good at: ~에 능숙하다 / have reported: 현재완료 / that ~: 명사절(목적어) / was conducted: 수동태 / including: ~을 포함하여 / to find: 부사적 용법(목적) / surprising: 현재분사 / that ~: 명사절(보어) / that ~: 명사절(목적어) / why: 관계부사 / the majority of: 대다수의 / ⟨not A but B⟩: A가 아니라 B)

생각은 근본적으로 생존 기계이다 / 비록 그것이 공격하고 방어하는 데 능숙하더라도 / 다른 사람의 마음에 맞서 / 정보를 수집하고 저장하고 분석하는 것에 / 그것은 전혀 창의적이지 않다 / 모든 진정한 예술가들은 창작을 한다 / 생각이 없는 곳에서부터 / 내적인 고요함에서부터 / 심지어 위대한 과학자들조차도 말했다 / 그들의 창의적인 발견은 생겨났다고 / 마음의 정적의 시간에서 / 전국적인 조사가 실시되었다 / 미국의 가장 유명한 수학자들 사이에서 / Einstein을 포함한 / 그들의 작업 방법을 알아내기 위해 / 놀라운 결과는 ~였다 / 생각은 '단지 뒷받침하는 역할만 할 뿐이다 / 짧고, 결정적인 단계에서 / 창의적인 행동 스스로의' / 그래서 나는 말하고 싶다 / 단순한 이유는 / 왜 대다수의 과학자들이 창의적이지 않은지 / 그들이 몰라서가 아니다 / 생각하는 방법을 / 하지만 / 그들이 모르기 때문이다 / 생각을 멈추는 방법을!

유형 해결 전략

KEY 2 글의 주제나 중심 소재 파악
생각은 생존 기계라서 정보 수집, 저장, 분석 등에 대해선 유리하지만 창의적이지는 않다는 것이 중심 소재임을 파악

KEY 3 예시를 통해 반복되거나 강조하는 내용 확인
예술가와 과학자의 경우뿐만 아니라 수학자들을 대상으로 한 조사를 예로 듦 → 창작과 발견이 이루어지는 순간은 생각이 없는 정적인 상태임

KEY 1 빈칸이 포함된 문장의 역할 파악
과학자들이 창의적이지 않은 이유는 그들이 생각하는 방법을 모르는 것이 아니라 '무엇을 하는' 방법을 모르기 때문임

해석

❶생각은 근본적으로 생존 기계이다. ❷비록 그것이 다른 사람의 마음을 공격하고 방어하며 정보를 수집하고 저장하고 분석하는 데는 능하지만, 그것은 전혀 창의적이지 않다. ❸모든 진정한 예술가들은 생각이 없는 상태, 즉 내적인 고요함에서부터 창작을 한다. ❹심지어 위대한 과학자들조차도 그들의 창의적인 발견은 마음의 정적의 시간에서 생겨났다고 말했다. ❺Einstein을 포함한 미국의 가장 유명한 수학자들 사이에서 그들의 작업 방법을 알아내기 위한 전국적인 조사가 실시되었다. ❻놀라운 결과는 생각은 '창의적인 행동 그 스스로의 짧고, 결정적인 단계에서 단지 뒷받침하는 역할만 할 뿐'이라는 것이다. ❼그래서 나는 대다수의 과학자들이 창의적이지 않은 단순한 이유는 그들이 생각하는 방법을 몰라서가 아니라 생각을 멈추는 방법을 모르기 때문이라고 말하고 싶다!

해설

진정한 예술가와 위대한 과학자는 내적인 고요함이나 정적의 상태에서 창작과 발견을 하고, 수학자들의 작업 방식에서도 생각은 결정적인 단계에서 그저 지지하는 역할만을 할 뿐이라고 했다. 그러므로 '과학자들이 창의적이지 않은 이유는 생각하는 방법을 몰라서가 아니라 생각을 멈추는 방법을 모르기 때문이다.'라는 내용이 되어야 흐름상 자연스럽다. 따라서 빈칸에 들어갈 말로 가장 적절한 것은 ③ '생각을 멈추는'이다.

오답 노트

① organize their ideas(생각을 정리하는) ➡ 정적인 상태나 고요함, 즉 생각을 멈추는 것을 강조했지 생각을 정리하는 것을 의미하지 않는다.

② interact socially(사회적으로 교류하는) ➡ 사회적 교류에 관한 내용은 언급되지 않았다.

④ gather information(정보를 수집하는) ➡ 도입부에서 '정보를 수집하는 것'에 대한 언급은 있지만, 생각의 기능에 대한 하나의 예시일 뿐이다.

⑤ use their imagination(상상력을 사용하는) ➡ 과학자들의 상상력에 대한 내용은 언급되지 않았다.

구문 해설

❺A nationwide inquiry **was conducted** among America's most famous mathematicians, including Einstein, **to find out** their working methods.
전국적인 조사는 '실시되는' 것으로 수동태로 쓰였다. to find out은 목적을 나타내는 부사적 용법의 to부정사구이다.

❼So I would say that the simple reason **why the majority of** scientists **are** not creative is not because they don't know how to think, but because they don't know how to stop thinking!
why는 선행사 the simple reason을 수식하는 관계부사로, 이때 선행사 the reason 또는 관계부사 why는 둘 다 쓸 수도 있지만 둘 중 하나 생략이 가능하다. the majority of는 '대다수의'라는 뜻으로 of 뒤에 오는 명사에 따라 수 일치를 한다. 여기서는 scientists가 와서 are가 쓰였다.

• 본문 048쪽

답 ⑤

❶One real concern [in the marketing industry today] / is [how to win the battle for broadcast advertising exposure / in the age of the remote control and mobile devices].
주어 / 전치사구 / 동사 / 주격보어(간접의문문)
오늘날 마케팅 산업의 한 가지 실질적 관심사는 / 어떻게 방송 광고 노출 전쟁에서 승리하는가이다 / 리모컨과 모바일 기기의 시대에서

❷With the growing popularity of digital video recorders, / consumers can mute, fast-forward, and skip over commercials entirely.
디지털 영상 녹화 장치의 인기가 증가함에 따라 / 소비자들은 광고를 완전히 음소거하거나 빨리 감거나 건너뛸 수 있다

❸Some advertisers are trying to adapt to these technologies, / by planting hidden coupons in frames of their television commercials.
⟨by -ing⟩: ~함으로써
어떤 광고주들은 이러한 기술에 적응하려 노력하고 있다 / TV 광고 프레임 속에 쿠폰을 몰래 숨김으로써

❹Others are desperately trying / to make their advertisements more interesting and entertaining / to discourage viewers from skipping their ads; / still others are simply giving up / on television advertising altogether.
⟨make+목적어+목적격보어(현재분사)⟩ / 부사적 용법(목적)
다른 광고주들은 필사적으로 노력하고 있다 / 자신들의 광고를 좀 더 흥미 있고 재미있게 만들려고 / 시청자들이 자신들의 광고를 건너뛰지 못하게 하려고 / 그럼에도 불구하고 다른 광고주들은 그냥 포기하는 중이다 / TV 광고를 완전히

❺Some industry experts predict / [that cable providers and advertisers / will eventually be forced to provide incentives / in order to encourage consumers to watch their messages].
주어 / 동사 / 목적어(명사절) / ~하도록 강요받다 / ~하기 위하여(목적)
일부 산업 전문가들은 예상한다 / 유선 방송 공급자와 광고주들이 / 결국 유인책을 제공하도록 강요받을 것이라고 / 구매자들이 메시지를 보도록 장려하기 위해

❻These incentives may come in the form of coupons, / or a reduction in the cable bill for each advertisement watched.
과거분사
이러한 유인책은 쿠폰의 형태를 띨 것이다 / 또는 시청된 각 광고에 대한 유선 방송 수신료 감면의 형태를

* mute: 음소거하다

유형 해결 전략

KEY 1 빈칸이 포함된 문장의 역할 파악
'리모컨과 모바일 기기의 시대에서 어떻게 무엇을 하는 것'이 중심 소재이자 빈칸 내용임을 파악. 소비자들이 광고를 음소거하거나 빨리 감거나 건너 뛸 수 있다는 내용을 통해 빈칸 내용이 방송 광고와 관련됨을 추측

KEY 2 부연 설명을 통해 반복되거나 강조하는 내용 확인
광고주들의 다양한 노력들을 나열하며 쿠폰이나 방송 수신료 감면의 형태를 띤 유인책이 나올 수 있다고 함 → 방송 광고 노출 상황에서 살아남기 위한 전략을 나타내는 선택지를 선택

KEY 3 결론을 통해 선택지가 문맥상 자연스러운지 확인
win the battle for broadcast advertising exposure를 빈칸에 넣어 문맥상 흐름에 맞는지 확인

해석

❶오늘날 마케팅 산업의 한 가지 실질적 관심사는 리모컨과 모바일 기기의 시대에서 어떻게 방송 광고 노출 전쟁에서 승리하는가이다. ❷디지털 영상 녹화 장치의 인기가 증가함에 따라 소비자들은 광고를 완전히 음소거하거나 빨리 감거나 건너뛸 수 있다. ❸어떤 광고주들은 TV 광고 프레임 속에 쿠폰을 몰래 숨겨 놓으며 이러한 기술에 적응하려 노력한다. ❹다른 광고주들은 시청자들이 그들의 광고를 건너뛰지 못하게 하려고 자신들의 광고를 좀 더 흥미 있고 재미있게 만들려고 필사적으로 노력한다. 반면 다른 광고주들은 그냥 TV 광고를 완전히 포기해 버린다. ❺일부 산업 전문가들은 결국 구매자들이 메시지를 보도록 장려하기 위해 유선 방송 공급자와 광고주들이 유인책을 제공할 수밖에 없을 것이라고 예상한다. ❻이러한 유인책은 쿠폰 또는 각 광고 시청에 따른 유선 방송 수신료 감면의 형태를 띨 것이다.

해설

방송 광고를 쉽게 건너 뛸 수 있는 오늘날의 상황에서 광고주들이 시청자들을 광고에 좀 더 노출될 수 있게 하는 다양한 노력에 관한 글이다. 광고 프레임 속에 쿠폰을 숨겨놓거나, 유선 방송 수신료를 감면해 주는 것 모두 방송 광고 노출 전쟁에서 살아남기 위한 시도라고 볼 수 있다. 따라서 빈칸에 들어갈 말로 가장 적절한 것은 ⑤ '방송 광고 노출 전쟁에서 승리하다'이다.

오답 노트

① guide people to be wise consumers(사람들에게 현명한 소비자가 되는 법을 안내하다)
② reduce the cost of television advertising(텔레비전 광고 비용을 줄이다)
③ keep a close eye on the quality of products(제품의 품질을 면밀히 주시하다)
④ make it possible to deliver any goods any time(아무 때나 그 어떠한 제품이라도 배송하는 것이 가능하다)
➡ ①, ②, ③, ④는 모두 본문의 일부만 가지고 만든 오답이거나 본문 내용과 관련이 없는 선택지이다.

구문 해설

❹**Others** are desperately **trying to make** their advertisements more **interesting** and **entertaining to discourage** viewers from skipping their ads; still others are simply giving up on television advertising altogether.
Others는 other advertisers 즉, 다른 광고주들을 나타낸다. ⟨try+to부정사⟩는 '~하려고 노력하다'의 의미이다. ⟨make+목적어(their advertisements)+목적격보어(more interesting and entertaining)⟩ 구문에서 목적격보어로 현재분사가 쓰였다. to discourage는 목적을 나타내는 부사적 용법의 to부정사이다.

● 본문 049쪽

답 ①

❶When he was dying, / the contemporary Buddhist teacher / Dainin Katagiri wrote a remarkable book / called *Returning to Silence*. ❷Life, / he wrote, / "is a dangerous situation." ❸It is the weakness of life / that makes it precious; / his words are filled with the very fact / of his own life passing away. ❹"The china bowl is beautiful / because sooner or later it will break.... ❺The life of the bowl is always existing / in a dangerous situation." ❻Such is our struggle: / this unstable beauty. ❼This inevitable wound. ❽We easily forget / [that love and loss are very closely related]. ❾And we forget / [that we love the real flower so much more than the plastic one / and love the cast of twilight / across a mountainside / lasting only a moment]. ❿It is this very fragility / that opens our hearts.

접속사(시간) 과거진행 / 동격 / 과거분사 / 삽입절 / 〈It is ~ that ...〉: …한 것은 바로 ~이다 / = life / be filled with: ~로 가득 차다 / 명사 강조 / 조만간 / = the china bowl / 빈도부사(be동사 뒤에 위치) / 명사절(목적어) / 비교급 강조 / 비교급 비교 / = flower / 〈It is ~ that ...〉: … 한 것은 바로 ~이다

그가 죽어가고 있을 때 / 현대의 불교 스승인 / Dainin Katagiri는 주목할 만한 책을 집필했다 / 〈침묵으로의 회귀〉라는 / 삶이란 / 그는 썼다 / '위험한 상황이다'라고 / 바로 삶의 취약함이다 / 그것을 소중하게 만드는 것은 / 그의 글은 바로 그 사실로 가득 차 있다 / 사라지는 그 자신의 삶에 대한 / 자기 그릇은 아름답다 / 왜냐하면 조만간 깨질 것이기 때문에 / 그 그릇의 생명은 늘 존재한다 / 위험한 상황에 / 그런 것이 우리의 고행이다 / 이 불안정한 아름다움 / 이 피할 수 없는 상처 / 우리는 쉽게 잊는다 / 사랑과 상실이 매우 밀접하게 연관되어 있다는 것을 / 그리고 우리는 잊는다 / 우리는 플라스틱 꽃보다 진짜 꽃을 훨씬 더 사랑한다는 것을 / 그리고 황혼의 색조를 사랑한다는 것을 / 산 중턱을 가로지르는 / 한 순간만 지속되는 / 바로 / 이 연약함이다 / 우리의 마음을 여는 것은

유형 해결 전략

KEY 2 글의 주제나 중심 소재 파악
삶을 소중하게 만드는 것은 삶의 취약함이라는 것이 글의 핵심 내용임을 파악

KEY 3 부연 설명을 통해 반복되거나 강조하는 내용 확인
in a dangerous situation, unstable beauty, love and loss, lasting only a moment 등의 표현을 통해 글 전체에서 말하고자 하는 것이 '연약함'임을 확인

KEY 1 빈칸이 포함된 문장의 역할 파악
우리의 마음을 여는 것은 '무엇'이다.
→ 빈칸이 포함된 문장이 주제문임을 파악

해석

❶현대의 불교 스승인 Dainin Katagiri는 죽음을 앞두고, 〈침묵으로의 회귀〉라는 주목할 만한 책을 집필했다. ❷그는 삶이란 '위험한 상황이다'라고 썼다. ❸삶을 소중하게 만드는 것은 바로 삶의 취약함이며, 그의 글은 자신의 삶이 끝나가고 있다는 바로 그 사실로 채워져 있다. ❹"자기 그릇은 언젠가 깨질 것이기 때문에 아름답다…. ❺그 그릇의 생명은 늘 위험한 상황에 놓여 있다." ❻그런 것이 우리의 고행이다. 이 불안정한 아름다움. ❼이 피할 수 없는 상처. ❽우리는 사랑과 상실이 매우 밀접하게 연관되어 있다는 것을 쉽게 잊는다. ❾그리고 우리가 진짜 꽃을 플라스틱 꽃보다 훨씬 더 사랑하고, 산 중턱을 가로지르는 한 순간만 지속되는 황혼의 색조를 사랑한다는 것을 잊어버린다. ❿우리의 마음을 여는 것은 바로 이 연약함이다.

해설

삶이 소중한 것은 그것이 가진 취약함 때문이고, 언젠가 깨질 그릇, 시들게 마련인 꽃, 곧 스러질 황혼의 색조 등이 아름다운 것 또한 그것의 연약함 때문이며, 그런 연약함에 우리는 마음을 연다는 내용의 글이다. 따라서 빈칸에 들어갈 말로 가장 적절한 것은 ① '연약함'이다.

오답 노트

② stability(안정성) ➡ 불안정과 취약함에 대한 글이므로 글의 내용과 상반된다.
③ harmony(조화) ➡ 조화에 대한 내용은 언급되지 않았다.
④ satisfaction(만족감) ➡ 불안정하고 취약한 것에 만족감을 느낀다는 것은 의미에 맞지 않다.
⑤ diversity(다양성) ➡ 다양성에 대한 내용은 언급되지 않았다.

구문 해설

❶When he was dying, the contemporary Buddhist teacher Dainin Katagiri wrote a remarkable book **called** *Returning to Silence*.
the contemporary Buddhist teacher와 Dainin Katagiri는 동격으로 주절의 주어이며, wrote가 동사이다. called 이하는 과거분사구로 앞의 a remarkable book을 수식한다.

❸**It is** the weakness of life **that** makes it precious**;** his words are filled with **the very** fact of his own life passing away.
두 개의 문장이 세미콜론(;)으로 연결된 구조이다. 세미콜론(;)은 등위 접속사의 역할을 하며 여기서는 문맥상 and로 바꾸어 쓸 수 있다. 〈It is ~ that ...〉 강조 구문이 쓰여 '…한 것은 바로 ~이다'라는 뜻을 나타낸다. the very는 뒤에 나오는 명사 fact를 강조하며 '~이야말로, 바로'의 뜻이다.

❾And we forget **that** we love the real flower so much **more than** the plastic **one and** love the cast of twilight across a mountainside **lasting** only a moment.
동사 forget의 목적어로 접속사 that이 이끄는 명사절이 오는데, 두 개의 절이 등위 접속사 and로 연결된 병렬 구조이다. more than은 비교급 비교 구문으로, 비교급을 강조하는 much가 앞에 쓰여 '훨씬 더'라는 뜻이 되었다. one은 부정대명사로 앞에 나온 명사와 종류는 같지만 대상이 다른 경우에 명사의 반복을 피하기 위해 쓰는데, 이 문장에서 one은 flower를 받는다. 현재분사구 lasting only a moment는 앞의 the cast of twilight를 수식한다.

UNIT 07 무관한 문장 찾기

• 본문 051쪽

대표 예제

답 ③

❶Words like 'near' and 'far' / can mean different things / depending on [where you are] and [what you are doing]. ❷If you were at a zoo, / then you might say (that) you are 'near' an animal / if you could reach out and touch it / through the bars of its cage. ❸① Here the word 'near' / means an arm's length away. ❹② If you were telling someone / [how to get to your local shop], / you might call it 'near' / if it was a five-minute walk away. ❺③ It seems that you had better walk to the shop / to improve your health. ❻④ Now the word 'near' means much longer / than an arm's length away. ❼⑤ Words like 'near', 'far', 'small', 'big', 'hot', and 'cold' / all mean different things / to different people / at different times.

like: 전치사 / depending on: ~에 따라 / where you are: 간접의문문(on의 목적어₁) / what you are doing: 간접의문문(on의 목적어₂) / 〈If+주어+were[동사의 과거형], 주어+조동사 과거형+동사원형〉: 가정법 과거 / it = the animal / the word 'near': 주어 / means: 동사 / someone: 간접목적어 / how to get to your local shop: 직접목적어(간접의문문) / it: 비인칭주어(거리) / seems that: ~인 듯하다 / had better: ~하는 것이 좋다[낫다] / to improve: 부사적 용법(목적) / much: 훨씬(비교급 강조) / longer than: 비교급 비교

'near'과 'far' 같은 단어들은 / 여러 가지를 의미할 수 있다 / 여러분이 어디에 있는지와 무엇을 하는지에 따라 / 만약 여러분이 동물원에 있다면 / 그러면 여러분은 그 동물이 '가까이'에 있다고 말할지도 모른다 / 여러분이 손을 뻗어 그것을 만질 수 있다면 / 동물 우리의 창살 사이로 / 여기서 'near'이라는 단어는 / 팔 하나만큼의 길이를 의미한다 / 여러분이 누군가에게 말해 주고 있다면 / 동네 가게에 가는 방법을 / 당신은 그것을 '가까이'라고 말할 수도 있을 것이다 / 만약 그 거리가 걸어서 5분 거리라면 / 당신은 그 가게로 걸어가는 것이 더 좋을 것 같다 / 당신의 건강을 향상시키기 위해 / 이제 'near'이라는 단어는 훨씬 더 길다는 것을 의미한다 / 팔 하나만큼의 길이보다 / 'near', 'far', 'small', 'big', 'hot' 그리고 'cold'와 같은 단어들은 / 모두 다른 것을 의미한다 / 다른 사람들에게 / 다른 때에

유형 해결 전략

KEY 1 핵심 소재 파악
하나의 단어가 상황에 따라 여러 가지 의미를 나타낼 수 있음

KEY 2 글의 전개 방식 파악
'near'이라는 단어를 예로 들어 서로 다른 상황에서 각각 어떤 의미를 가지는지 설명 → 팔 하나만큼의 길이일 수도 있고 걸어서 5분이 걸리는 거리를 나타낼 수도 있음을 파악

KEY 3 흐름에 반하는 문장 찾기
걸어서 5분 거리가 'near'의 다른 의미가 될 수 있다는 문장 뒤에 건강을 위해 걷는 것이 좋다는 내용이 오는 것은 흐름상 어색함

KEY 4 문맥상 흐름 재확인
'near'을 비롯해 다시 상황에 따라 여러 의미를 나타내는 단어에 관한 내용으로 돌아와 글을 마무리하고 있음을 확인

해석

❶'near'과 'far' 같은 단어들은 여러분이 어디에 있는지와 무엇을 하는지에 따라 여러 가지를 의미할 수 있다. ❷만약 여러분이 동물원에 있고, 동물 우리의 창살 사이로 손을 뻗어 동물을 만질 수 있다면, 여러분은 그 동물이 '가까이'에 있다고 말할지도 모른다. ❸여기서 'near'이라는 단어는 팔 하나만큼의 길이를 의미한다. ❹여러분이 누군가에게 동네 가게에 가는 방법을 말해 주고 있다면, 만약 그 거리가 걸어서 5분 거리라면 그것을 '가까이'라고 말할 수도 있을 것이다. (❺당신은 건강을 향상시키기 위해 그 가게로 걸어가는 것이 더 좋을 것 같다.) ❻이제 'near'이라는 단어는 팔 하나만큼의 길이보다 훨씬 더 길다는 것을 의미한다. ❼'near', 'far', 'small', 'big', 'hot', 그리고 'cold'와 같은 단어들은 모두 다른 때에 다른 사람들에게 다른 것을 의미한다.

해설

하나의 단어가 상황에 따라 다른 의미를 나타낼 수 있다고 설명하는 글이다. 단어 'near'을 예로 들면서 동물원에서 동물 우리와의 사이의 near은 '팔 하나 정도의 길이'를 의미할 수도 있고, 길을 설명하는 상황에서는 '걸어서 5분 거리'를 의미할 수도 있다고 했다. 그런데 건강을 위해 가게까지 걸어가는 것이 좋다는 내용은 전체 흐름에서 벗어난다. 따라서 전체 흐름과 관계 없는 문장은 ③이다.

오답 노트

① ➡ 동물원에 있는 상황에서 'near'이 의미하는 바를 말하고 있다.
② ➡ 길을 알려줄 때 그 거리가 걸어서 5분 거리라면 '가까이(near)'라고 말할 수 있다는 내용이다.
④ ➡ 길 안내를 할 때의 'near'은 동물원에서 사용한 'near'과는 의미가 다르다는 것을 설명하고 있다.
⑤ ➡ 'near'과 같이 상황에 따라 다른 의미를 나타내는 단어들을 제시하고 있다.

구문 해설

❹**If** you **were** telling someone **how to get** to your local shop, you **might call** it 'near' **if** it **was** a five-minute walk away.

가정법 과거 문장의 주절에 다시 조건절이 삽입되어 있는 구조이다. 〈If+주어+동사의 과거형 ~, 주어+would[could/might]+동사원형〉은 가정법 과거로, 현재 사실에 반대되는 일을 가정할 때 쓴다. 앞의 조건절의 how to get ~ shop은 telling의 직접목적어로 간접의문문이다. 〈how+to부정사〉는 '~하는 방법'이나 '어떻게 ~하는지'라는 뜻이다.

❺**It seems that** you **had better walk** to the shop **to improve** your health.

It seems that은 '~인 듯하다'라는 뜻으로 It appears that으로 바꾸어 쓸 수 있다. 〈had better+동사원형〉은 '~하는 것이 낫다'라는 뜻이며, to improve는 to부정사의 부사적 용법 중 목적의 의미로 쓰였다.

어휘

depending on ~에 따라 **reach out** (손을) 뻗다 **bar** 창살, 빗장 **cage** 우리; 새장 **length** 길이 **walk** 걷기, 걸음; 걷다 **improve** 향상시키다, 나아지다

READING 1~4

● 본문 052~055쪽

 ③  ③    

1

● 본문 052쪽

답 ③

❶The water / [that is embedded in our food and manufactured products] / is called "virtual water." ❷For example, / about 265 gallons of water is needed / to produce two pounds of wheat. ❸① So, / the virtual water of these two pounds of wheat / is 265 gallons. ❹② Virtual water is also present / in dairy products, soups, beverages, and liquid medicines. ❺③ However, it is necessary / to drink as much water as possible / to stay healthy. ❻④ Every day, / humans take in lots of virtual water, / and the amount of virtual water in a product needed is different / depending on the product. ❼⑤ For instance, / to produce two pounds of meat requires / about 5 to 10 times as much water / as to produce two pounds of vegetables.

(주어: The water / 주격 관계대명사절 / 물은 / 우리의 음식과 제품에 포함된 / 동사(수동태) / '가상의 물'이라고 불린다 / 예를 들어 / 약, 대략 / 약 265갤런의 물이 필요하다 / 부사적 용법(목적) / 2파운드의 밀을 생산하기 위해서 / 접속사 / 주어 / 그래서 이 2파운드의 밀의 가상의 물은 / 동사 / 265갤런이다 / be present: 존재하다, 있다 / 가상의 물은 또한 존재한다 / 유제품, 수프, 음료, 그리고 액체로 된 약에 / 접속사 / 가주어 / 그러나 필요하다 / 진주어(명사적 용법) / 가능한 한 ~하게 / 가능한 한 많은 물을 마시는 것이 / 부사적 용법(목적) / 건강을 유지하기 위해 / 매일 / 인간은 다량의 가상의 물을 섭취한다 / 주어 / 그리고 필요한 제품 속의 가상의 물의 양은 / 동사 / ~에 따라 / 다르다 / 제품에 따라 / 예를 들어 / = For example / 명사적 용법(주어) / 2파운드의 고기를 생산하는 데는 필요하다 / 동사 / ⟨~ times as much as ...⟩: …의 ~배만큼의 / 약 5배에서 10배의 물이 / 명사적 용법 / 2파운드의 채소를 생산하는 것의)

* virtual water: 공산품·농축산물의 제조·재배에 드는 물

유형 해결 전략

KEY 1 핵심 소재 파악
음식과 제품에 들어 있는 '가상의 물'이 핵심 소재임을 파악

KEY 2 글의 전개 방식 파악
식품에 포함된 가상의 물을 예로 들어 설명하고 있음

KEY 3 흐름에 반하는 문장 찾기
앞 문장과 반대를 나타내는 역접 접속사로 반전을 꾀하는 듯했지만, 건강 유지를 위해 물을 많이 마신다는 것은 가상의 물과 관련 없는 내용임

KEY 4 문맥상 흐름 재확인
다시 가상의 물에 대한 내용으로 돌아와, 사람은 매일 다량의 가상의 물을 마시며 가상의 물 함유량은 제품에 따라 다르다는 내용으로 마무리됨

해석

❶우리의 음식과 제품에 포함된 물은 '가상의 물'이라고 불린다. ❷예를 들어 2파운드의 밀을 생산하기 위해서 약 265갤런의 물이 필요하다. ❸그래서 이 2파운드의 밀의 가상의 물은 265갤런이다. ❹가상의 물은 또한 유제품, 수프, 음료, 그리고 액체로 된 약에도 존재한다. (❺하지만 건강을 유지하기 위해 가능한 한 많은 물을 마시는 것이 필요하다.) ❻매일 인간은 다량의 가상의 물을 섭취하는데, 필요한 제품 속의 가상의 물의 양은 제품에 따라 다르다. ❼예를 들어, 2파운드의 고기를 생산하는 데는 2파운드의 채소를 생산하는 것의 약 5배에서 10배의 물이 필요하다.

해설

음식과 제품을 만드는 데 드는 '가상의 물'은 제품에 따라 함유량이 다르며, 사람은 매일 많은 식품들을 섭취하면서 다량의 가상의 물을 소비한다는 내용의 글이다. 건강 유지를 위해 가능한 한 물을 많이 마셔야 한다는 내용은 가상의 물과는 관련이 없다. 따라서 전체 흐름과 관계 없는 문장은 ③이다.

오답 노트

① ➡ 밀 2파운드를 생산하려면 265갤런의 물이 필요하므로 가상의 물이 265갤런이라는 내용이다.

② ➡ 가상의 물이 포함되어 있는 제품들을 나열하고 있다.

④ ➡ 인간은 매일 다량의 가상의 물을 섭취하고, 가상의 물 양은 제품에 따라 다르다는 내용이다.

⑤ ➡ 앞 문장의 예로서, 고기와 채소 생산에 필요한 가상의 물을 비교하는 내용이다.

구문 해설

❶The water **that** is embedded in our food and manufactured products **is called** "virtual water."

주어는 The water이고 동사는 is called로 수동태 문장이다. 주격 관계대명사 that이 이끄는 절이 선행사이자 주어인 The water를 수식하고 있다.

❼For instance, **to produce** two pounds of meat requires about 5 to 10 **times as much** water **as to produce** two pounds of vegetables.

주어는 to produce two pounds of meat이고, 동사는 requires이다. to produce는 to부정사의 명사적 용법으로 쓰였다. ~ times as much as ...는 '…의 ~배만큼'이라는 의미인데 뒤의 as는 원래 접속사이다. 따라서 as 뒤의 to produce도 as절의 주어로 쓰인 명사적 용법의 to부정사이며, vegetables 뒤에 반복되는 동사 requires가 생략되었다.

• 본문 053쪽

답 ③

❶Water is the ultimate common resource.(공유자원) ❷Once, / streams of water seemed to be infinite(~처럼 보이다) / and the idea of(동격의 전치사) protecting water / was considered(수동태) silly. ❸But rules change. ❹Time and again, / governments have studied(현재완료(계속)) how water works / and have made(현재완료(계속)) new rules for its(= water's) use. ❺① Now / Ecuador has become the first nation on Earth / to protect(형용사적 용법) nature's rights in its constitution. ❻② This move has declared / [that rivers and forests are not simply property / but have a right to prosper](목적어(명사절); to prosper: 형용사적 용법; ⟨not A but B⟩: A가 아니라 B). ❼③ Developing(동명사(주어)) a water-based transportation system / will improve(동사) Ecuador's transportation infrastructure. ❽④ According to(~에 따르면) the constitution, / a citizen might file suit / to protect(부사적 용법(목적)) a damaged(과거분사) water basin. ❾⑤ More countries are acknowledging nature's rights / and are expected to follow(명사적 용법(목적어)) Ecuador's lead.

물은 궁극적인 공유자원이다 / 한때 물줄기들은 끝없는 것처럼 보였다 / 그리고 물을 보호한다는 발상은 어리석게 여겨졌다 / 그러나 규칙은 변한다 / 반복적으로 국가들은 물이 어떻게 작용하는지를 연구해 왔다 / 그리고 물 사용에 관한 새로운 규칙을 만들어왔다 / 현재 에콰도르는 지구상 첫 번째 국가가 되었다 / 헌법에 자연의 권리를 도입한 / 이러한 움직임은 주장해 왔다 / 강과 숲이 단순히 재산이 아니라 번영할 권리를 가진다고 / 수로 기반 교통 체제를 발달시키는 것은 에콰도르의 교통 기반 시설을 현대화시킬 것이다 / 이 법에 따라 시민은 소송을 제기할 수도 있다 / 훼손된 강 유역을 보호하기 위해 / 더 많은 나라들이 자연의 권리를 인정하고 있다 / 그리고 에콰도르의 선례를 따를 것으로 기대된다

* basin: (큰 강의) 유역

유형 해결 전략

KEY 1 핵심 소재 파악
'물자원과 그 보호'가 핵심 소재임을 파악

KEY 2 글의 전개 방식 파악
역접의 접속사 But 이후 문맥이 전환되며, 물 사용에 관한 새로운 규칙이 만들어졌으며 헌법에 자연의 권리를 포함시킨 에콰도르의 상황이 그에 대한 대표적 예시로 제시됨

KEY 3 흐름에 반하는 문장 찾기
교통 기반 시설의 현대화에 대한 내용이 처음 언급되며, 물 자원 보호와 관련된 내용의 흐름이 끊김

KEY 3 문맥상 흐름 재확인
다시 에콰도르 법에 대한 소재로 돌아와 이에 대한 추가 설명을 제시하고, 이것이 세계적인 추세로 이어진다는 결론으로 마무리됨

해석

❶물은 궁극적인 공유자원이다. ❷한때, 물줄기들은 끝없는 것처럼 보였고 물을 보호한다는 발상은 어리석게 여겨졌다. ❸그러나 규칙은 변한다. ❹국가들은 반복적으로 물이 어떻게 작용하는지를 연구해 왔고, 물 사용에 관한 새로운 규칙을 만들어왔다. ❺현재 에콰도르는 자연의 권리를 헌법에 도입한 지구상 첫 번째 국가가 되었다. ❻이러한 움직임은 강과 숲이 단순히 재산이 아니라 번영할 권리를 가진다고 주장해 왔다. (❼수로 기반 교통 체제를 발달시키는 것은 에콰도르의 교통 기반 시설을 현대화시킬 것이다.) ❽이 법에 따라, 시민은 훼손된 강 유역을 보호하기 위해 소송을 제기할 수도 있다. ❾더 많은 나라들이 자연의 권리를 인정하고 있으며, 에콰도르의 선례를 따를 것으로 기대된다.

해설

자연 자원은 무한하지 않기 때문에 자연이 스스로 번영할 권리에 대한 세계적·사회적 인식이 변화하고 있음을 나타낸 글이다. 물이라는 자연이 갖는 권리를 헌법에 포함시킨 에콰도르의 사례를 소개하며 그 의미를 부연 설명하고 있다. 그런데 에콰도르의 수로 기반 교통 체제가 교통 기반 시설을 현대화시킬 것이라는 내용은 이러한 자연의 권리와 관련이 없다. 따라서 전체 흐름과 관계 없는 문장은 ③이다.

오답 노트

① ➡ 에콰도르에서 자연의 권리를 법적인 권리로 인정한 사례를 소개하고 있다.
② ➡ 자연의 권리에 대해서 좀 더 구체적으로 서술하고 있다.
④ ➡ 헌법에 자연의 권리가 반영된 이후의 구체적인 변화를 언급하고 있다.
⑤ ➡ 에콰도르의 결정이 선례로서 다른 나라에도 영향을 미칠 것으로 기대하는 내용이다.

구문 해설

❺Now Ecuador has become **the first nation** on Earth **to protect** nature's rights in its constitution.
to protect 이하는 to부정사의 형용사적 용법으로 the first nation을 수식하고 있다. 여기서 protect는 흔히 쓰는 '보호하다'라는 뜻이 아니라 '보호법을 도입하다'라는 뜻이다. 전치사구 on Earth 역시 the first nation을 수식한다.

❻This move has declared that rivers and forests are **not** simply property **but** have a right **to prosper**.
⟨not A but B⟩는 'A가 아니라 B'를 의미하는 상관 접속사로 A와 B에 오는 말이 대등한 관계를 갖는 병렬 구조로 연결되어 있다. to prosper는 to부정사의 형용사적 용법으로 앞의 a right를 수식한다.

❽**According to** the constitution, a citizen might file suit **to protect** a **damaged** water basin.
According to는 '~에 따르면'이라는 뜻이다. to protect는 '~하기 위해'라는 의미의 목적을 나타내는 부사적 용법으로 쓰였다. 분사는 동사의 형태를 바꾸어 형용사처럼 사용할 수 있으며, 현재분사(능동의 의미)와 과거분사(수동의 의미) 두 가지가 있다. 형용사처럼 쓰이는 분사가 명사를 단독으로 수식할 때는 명사의 앞에 쓰이며, 목적어나 부사(구) 등과 함께 쓰일 경우에는 주로 명사의 뒤에 온다. damaged는 과거분사로 뒤의 water basin을 수식한다.

3

• 본문 054쪽

답 ④

❶Considering / [that we use emoticons largely in electronic communication], / an important question is / [whether they help Internet users / to understand emotions in online communication]. ❷① Particularly character-based emoticons / are much more ambiguous / than face-to-face cues / and (are) easily misunderstood by different users. ❸② Nonetheless, / research indicates / [that they are useful tools / in online text-based communication]. ❹③ One study of 137 instant texting users said / [that emoticons allowed users to correctly understand / the level and direction of emotion, attitude, and attention expression]. ❺Also, it said / [that emoticons were a definite advantage in non-verbal communication]. ❻④ In fact, / there have been few studies / on the relationships between verbal and non-verbal communication. ❼⑤ Similarly, / another study showed / [that emoticons were useful / in strengthening the intensity of a verbal message, / as well as in the expression of sarcasm].

* sarcasm: 풍자

(Considering: ~을 고려하면 / 명사절(목적어) / an important question: 주어 / is: 동사 / 명사절(주격보어) / they = emoticons / to understand: 명사적 용법(목적격보어) / much: 비교급 강조 / more ambiguous than: 비교급 비교 / misunderstood: 수동태 / 명사절(목적어) / they = emoticons / 명사절(목적어) / 〈allow+목적어+to부정사〉: ~가 …하게 하다 / it = one study / 명사절(목적어) / have been: 현재완료 / 〈between A and B〉: A와 B 사이의 / 명사절(목적어) / 〈A as well as B〉: B뿐만 아니라 A도)

(고려할 때 / 우리가 전자 통신에서 이모티콘을 널리 사용한다는 점을 / 중요한 문제는 ~이다 / 그것들이 인터넷 사용자들을 도와주는 지 아닌지 / 온라인상의 의사소통에서 / 감정을 이해하는 데 / 특히 문자에 기반을 둔 이모티콘은 / 훨씬 더 모호하다 / 면대면을 통한 단서에 비해 / 그리고 다른 / 사용자들에 의해 쉽게 잘못 해석될 수 있다 / 그럼에도 불구하고 / 연구는 보여 준다 / 그것들이 / 유용한 도구라는 것을 / 온라인상의 텍스트 기반 의사소통에서 / 137명의 인스턴트 메시지 사용자들을 대상으로 한 연구는 밝혀냈다 / 이모티콘이 사용자들로 하여금 정확하게 이해하게 해 준다는 것을 / 감정, 태도, 주의력 표현의 정도와 방향을 / 또한 그것은 밝혀냈다 / 이모티콘이 비언어적 의사소통에서 확실한 장점이라는 것을 / 사실 / 연구는 거의 없었다 / 언어적 의사소통과 비언어적 의사소통 간의 관계에 관한 / 마찬가지로 / 또 다른 연구는 보여 주었다 / 이모티콘이 유용하다는 것을 / 언어적 메시지의 강도를 강화하는 데 / 풍자의 표현에서뿐만 아니라)

유형 해결 전략

KEY 1 핵심 소재 파악
emoticons, help Internet users, online communication 등의 표현으로 '온라인 의사소통에서의 이모티콘의 유용성'이 핵심 소재임을 파악

KEY 2 글의 전개 방식 파악
이모티콘이 면대면 단서에 비해 모호하긴 하지만 연구 결과를 토대로 온라인 의사소통 시 유용하다는 방향으로 글이 전개됨

KEY 3 흐름에 반하는 문장 찾기
언어적 의사소통과 비언어적 의사소통 간의 관계에 대한 연구는 거의 없었다는 것은 글의 내용에서 벗어남

KEY 4 문맥상 흐름 재확인
③번 문장에서 한 연구에 대해 설명하고, Similarly를 연결어로 해서 비슷한 결과를 찾아낸 다른 연구를 소개하므로 자연스러움

해석

❶전자 통신에서 이모티콘이 널리 사용되고 있다는 점을 고려할 때, 중요한 문제는 온라인상의 의사소통에서 감정을 이해하는 데 그것들이 인터넷 사용자들을 도와주는지 아닌지이다. ❷특히 문자에 기반을 둔 이모티콘은, 면대면을 통한 단서에 비해 훨씬 더 모호하며 다른 사용자들에 의해 쉽게 잘못 해석될 수 있다. ❸그럼에도 불구하고, 연구는 그것들이 온라인상의 텍스트 기반 의사소통에서 유용한 도구라는 것을 보여 준다. ❹137명의 인스턴트 메시지(실시간 텍스트 통신) 사용자들을 대상으로 한 연구는 이모티콘이 사용자들로 하여금 감정, 태도, 주의력 표현의 정도와 방향을 정확하게 이해하게 해 준다는 것을 밝혀냈다. ❺또한 이모티콘이 비언어적 의사소통에서 확실한 장점이라는 것을 밝혀냈다. (❻사실, 언어적 의사소통과 비언어적 의사소통 간의 관계에 관한 연구는 거의 없었다.) ❼마찬가지로, 또 다른 연구는 이모티콘이 풍자의 표현에서뿐만 아니라, 언어적 메시지의 강도를 강화하는 데에도 유용하다는 것을 보여 주었다.

해설

이모티콘이 온라인 의사소통에서 감정을 이해하는 데 도움을 준다는 내용의 글로, 언어적 의사소통과 비언어적 의사소통 간의 관계에 관한 연구는 거의 없다는 내용은 이모티콘과 관련이 없다. 따라서 전체 흐름과 관계 없는 문장은 ④이다.

오답 노트

① ➡ 이모티콘은 모호해서 받는 사람에 따라 아주 다르게 해석될 수 있다는 내용이다.
② ➡ 연구 결과는 이모티콘이 의사소통에 유용한 도구라는 것을 보여 준다는 내용으로 앞 문장에 대한 반대 내용을 제시하면서 뒤따르는 연구와 연결된다.
③ ➡ 앞 문장에서 언급한 연구를 자세히 설명하며 연구가 이모티콘이 비언어적 의사소통에 확실한 장점임을 밝혀냈다는 내용이다.
⑤ ➡ 또 다른 연구는 이모티콘이 풍자 표현뿐 아니라 언어적 메시지를 강화하는 효과도 있음을 밝혔다는 내용이다.

구문 해설

❼Similarly, another study showed **that** emoticons were useful in strengthening the intensity of a verbal message, **as well as** in the expression of sarcasm.
문장의 주어는 another study이고, 동사는 showed이다. that은 showed의 목적어인 명사절을 이끄는 접속사이다. 〈A as well as B〉는 'B뿐만 아니라 A도'라는 뜻인데, 〈not only B but also A〉와 같은 의미이다. 즉, ~ that emoticons were useful not only in the expression of sarcasm, but also in strengthening the intensity of a verbal message로 바꾸어 쓸 수 있다.

● 본문 055쪽

답 ③

❶There are many superstitions / surrounding the world of the theater.
현재분사
많은 미신이 있다 / 연극계를 둘러싸고 있는

❷ ① Superstitions can be anything / from not wanting to say the last line of a play / before the first audience comes, / to not wanting to rehearse the curtain call / before the final rehearsal.
⟨from A to B⟩: A에서부터 B에 이르기까지 / 명사적 용법 / 접속사(시간) / 명사적 용법
미신은 무엇이든 될 수 있다 / 연극의 마지막 대사를 말하고 싶어 하지 않는 것에서부터 / 첫 관객이 오기 전에 / 커튼콜을 예행연습하고 싶어 하지 않는 것에 이르기까지 / 마지막 예행연습 전에

❸ ② It is said / [that Shakespeare's famous tragedy Macbeth is cursed].
가주어 / 진주어
이야기가 있다 / Shakespeare의 유명한 비극 ⟨Macbeth⟩가 저주받았다는

❹So, to avoid problems / actors never say the title of the play out loud / when inside a theater or a theatrical space / (like a rehearsal room or costume shop).
부사적 용법(목적) / 전치사
그래서 문제를 피하기 위해 / 배우들은 그 연극의 제목을 절대 소리 내어 말하지 않는다 / 극장이나 극장 공간 내에서 / 예행연습실이나 의상실 같은

❺ ③ The interaction / between the audience and the actors in the play / influences the actors' performance.
주어 / ⟨between A and B⟩: A와 B 사이의 / 동사
상호 작용은 / 연극에서 관객과 배우들 사이의 / 배우들의 연기에 영향을 미친다

❻ ④ Since the play is set in Scotland, / the secret code [you say / when you need to say the title of the play] / is "the Scottish play."
접속사(이유) / 주어 (that) 목적격 관계대명사절 / 동사
그 연극은 스코틀랜드가 배경이기 때문에 / 당신이 말하는 암호는 / 당신이 연극의 제목을 말할 필요가 있을 때 / '그 스코틀랜드 연극'이다

❼ ⑤ According to the legend, / when you do say the title accidently, / you should go outside, / turn around three times, / and come back into the theater.
~에 따르면 / 동사 say 강조
전설에 따르면 / 당신이 우연히 제목을 정말 말하게 된다면 / 당신은 밖으로 나가야 한다 / 세 바퀴를 돌고 / 그리고 극장으로 다시 돌아와야 한다

유형 해결 전략

KEY 1 핵심 소재 파악
연극계의 미신이 핵심 소재임을 파악

KEY 2 글의 전개 방식 파악
연극계의 다양한 미신을 소개하고, Shakespeare의 Macbeth에 얽힌 미신에 대해 예를 들어 설명함

KEY 3 흐름에 반하는 문장 찾기
관객과의 상호 작용은 연극계의 미신과 관계가 없음

KEY 4 문맥상 흐름 재확인
다시 Macbeth 이야기로 돌아가 미신대로 되지 않기 위해 행하는 방책을 소개하며 글이 마무리됨

해석

❶연극계를 둘러싸고 있는 많은 미신이 있다. ❷미신은 첫 관객이 오기 전에 연극의 마지막 대사를 말하고 싶어 하지 않는 것에서부터, 마지막 예행연습 전에 커튼콜을 예행연습하고 싶어 하지 않는 것에 이르기까지 무엇이든 될 수 있다. ❸Shakespeare의 유명한 비극 ⟨Macbeth⟩는 저주받았다는 이야기가 있다. ❹그래서 문제를 피하고자 배우들은 극장이나 (예행연습실이나 의상실 같은) 극장 공간 내에서 그 연극의 제목을 절대 소리 내어 말하지 않는다. (❺연극에서 관객과 배우들 사이의 상호 작용은 배우들의 연기에 영향을 미친다.) ❻그 연극은 스코틀랜드가 배경이기 때문에, 연극의 제목을 말할 필요가 있을 때 당신이 말하는 암호는 '그 스코틀랜드 연극'이다. ❼전설에 따르면, 당신이 우연히 제목을 정말 말하게 된다면, 밖으로 나가 세 바퀴를 돌고 극장으로 다시 돌아와야 한다.

해설

연극계에서 떠도는 다양한 미신들 중 Shakespeare의 ⟨Macbeth⟩는 저주받았다는 이야기가 있고, 그로 인한 문제를 피하려면 극장 내에서 제목을 말하면 안 되며 혹시나 말하게 된다면 또 어떤 행동을 해야 한다는 내용이다. 그런데 관객과의 상호 작용이 배우의 연기에 영향을 미친다는 내용은 이와 관계가 없다. 따라서 전체 흐름과 관계 없는 문장은 ③이다.

오답 노트

① ➡ 앞 문장에서 언급한 연극계에 미신이 얼마나 다양한지를 보여 주는 내용이다.

② ➡ Shakespeare의 ⟨Macbeth⟩가 저주받았다는 내용으로, 뒤에 저주를 피하기 위한 방법이 나온다.

④ ➡ ⟨Macbeth⟩의 배경이 스코틀랜드라서 굳이 그 제목을 말해야 한다면, 암호로 '그 스코틀랜드 연극'이라고 한다는 내용이다.

⑤ ➡ 우연히 그 제목을 말하게 된다면 어떤 행동을 해야 한다는 내용이다.

구문 해설

❷Superstitions can be anything **from not wanting to say** the last line of a play **before** the first audience comes, **to not wanting to rehearse** the curtain call **before** the final rehearsal.

⟨from A to B⟩는 'A에서부터 B에 이르기까지'라는 뜻인데, 여기서 A는 not wanting ~ audience comes이며, B는 not wanting ~ final rehearsal이다. from과 to는 전치사로, 목적어는 명사나 명사 상당어구가 와야 하므로 동명사 wanting의 부정형 not wanting이 왔고, wanting의 목적어로 to부정사 to say와 to rehearse가 쓰였다. 두 개의 before 중 앞의 것은 접속사로 주어 the first audience와 동사 comes를 이끌고, 뒤의 것은 전치사이므로 명사구를 이끈다.

❻Since the play is set in Scotland, **the secret code** you say **when** you need to say the title of the play **is** "the Scottish play."

주어는 the secret code이고, 목적격 관계대명사가 생략된 관계대명사절이 주어를 수식한다. 관계대명사절에는 when이 이끄는 부사절이 포함되어 있다. is가 문장의 동사이다.

글의 순서 배열하기

• 본문 057쪽

대표 예제

답 ⑤

❶ In 1824, / Peru won its freedom from Spain. ❷ Soon after, / [Simón Bolívar], [the general {who had led the liberating forces}], / called a meeting to write the first version of the constitution / for the new country.

1824년 / 페루는 스페인으로부터 자유를 얻었다 / (독립) 직후 / 해방군을 이끌었던 장군인 Simón Bolívar는 / 헌법의 초안을 작성하기 위해 회의를 소집했다 / 새 나라를 위한

동격 / 주격 관계대명사절 / 과거완료 / 부사적 용법(목적)

(C) ❸ After the meeting, / the people wanted to do something special for Bolívar / to show their appreciation for all / [he had done for them], / so they offered him a gift of one million pesos, / a very large amount of money in those days.

회의가 끝난 후 / 사람들은 Bolívar를 위해 특별한 것을 해 주고 싶어 했다 / 모든 것에 대한 그들의 감사의 표시를 보여 주기 위해 / 그들을 위해 그가 해 준 / 그래서 그들은 그에게 백만 페소를 선물로 주었다 / 그 당시 매우 많은 돈인

부사적 용법(목적) / 과거완료 / = the people / 〈offer+간접목적어+직접목적어〉: ~에게 …을 제공하다

(B) ❹ Bolívar accepted the gift and then asked, / ["How many slaves are there in Peru?"] ❺ He was told / (that) there were about three thousand. ❻ "And how much does a slave sell for?" / he wanted to know. ❼ "About 350 pesos for a man," / was the answer.

Bolívar는 선물을 받고 나서 물었다 / 페루에 노예가 몇 명입니까? / 그는 들었다 / 대략 3천 명이 있다고 / 그리고 노예 한 명은 얼마에 팔립니까? / 그는 알고 싶어 했다 / 한 사람당 약 350페소입니다 / 라는 대답이 있었다

직접화법 / 〈there+be동사+주어〉: ~가 있다 / 수동태 / 대략, 약 / 명사적 용법(목적어) / 주어-동사 도치

(A) ❽ "Then," said Bolívar, / "I'll add whatever is necessary / to this million pesos / [you have given me] / and I will buy all the slaves in Peru and set them free. ❾ It makes no sense to free a nation, / unless all its citizens enjoy freedom as well."

"그렇다면" Bolívar가 말했다 / 나는 필요한 것은 무엇이든 다 더하겠어요 / 이 백만 페소에 / 당신들이 나에게 준 / 그리고 나는 페루에 있는 모든 노예를 사서 그들을 해방시켜 주겠습니다 / 한 국가를 해방시킨다는 것은 의미가 없습니다 / 모든 시민 또한 자유를 누리지 못한다면

무엇이든지(= anything that) / 목적격 관계대명사절 / = all the slaves / 만약 ~ 않는다면(= if ~ not) / 또한

* constitution: 헌법

유형 해결 전략

KEY 1 주어진 글의 내용 및 핵심 소재 파악

페루 독립 직후에 해방군을 이끈 Simón Bolívar 장군의 일화가 핵심 소재이며, 그가 회의를 소집한 이후에 일어날 일을 예측

KEY 2 단서를 통해 글의 흐름 파악

(C)
① 단서: the meeting → 주어진 글의 a meeting과 내용상 연결됨
② 내용: 고마움의 표시로 장군에게 백만 페소를 선물한 페루 국민들

(B)
① 단서: the gift → (C)의 백만 페소의 현금을 가리킴
② 내용: 선물을 받고 페루의 노예의 가격을 물어보는 장군

(A)
① 단서: (B)에서 장군이 질문을 하고 답변을 받은 후, 다시 장군이 대화를 이어감
② 내용: 장군은 선물로 받은 돈을 노예 해방을 위해 쓰겠다고 말함

해석

❶ 1824년, 페루는 스페인으로부터 독립했다. ❷ 독립 직후, 해방군을 이끌었던 장군인 Simón Bolívar는 새 나라를 위한 헌법의 초안을 작성하기 위해 회의를 소집하였다. (C) ❸ 회의가 끝난 후, 사람들은 Bolívar가 그들을 위해 해 준 모든 것에 대한 감사의 표시로 그에게 특별한 것을 해 주고 싶어 했다. 그래서 그들은 그 당시 매우 많은 돈인 백만 페소를 그에게 선물로 주었다. (B) ❹ Bolívar는 선물을 받고 나서 물었다. "페루에 노예가 몇 명입니까?" ❺ 그는 대략 3천 명이 있다고 들었다. ❻ "그리고 노예 한 명은 얼마에 팔립니까?" 그는 알고 싶어 했다. ❼ "한 사람당 약 350페소입니다."라는 대답이 있었다. (A) ❽ Bolívar가 말했다. "그렇다면, 나는 당신들이 나에게 준 이 백만 페소에 필요한 것은 무엇이든 다 더해 페루에 있는 모든 노예를 사서 그들을 해방시켜 주겠습니다. ❾ 모든 시민 또한 자유를 누리지 못한다면, 한 국가를 해방시킨다는 것은 의미가 없습니다."

해설

페루 독립 이후 Bolívar 장군이 회의를 소집했다는 내용 뒤에 회의 후에 사람들이 장군에게 감사의 선물로 돈을 주었다는 내용의 (C)가 오고, 장군이 페루의 노예에 대해 묻는 (B)가 온 다음 장군이 선물로 받은 돈에 더해서 모든 노예를 해방시키겠다는 (A)가 이어지는 흐름이 자연스럽다. 따라서 이어질 글의 순서로 가장 적절한 것은 ⑤ (C) – (B) – (A)이다.

어휘

general 장군 slave 노예 set ~ free ~을 해방하다; 석방하다 make no sense 말이 안 되다, 무의미하다 appreciation 감사

● 본문 058~061쪽

1 ⑤ 2 ③ 3 ② 4 ⑤

1

● 본문 058쪽

답 ⑤

❶Use a plastic pen / and rub it on your hair / about ten times / and then hold the pen / close to small pieces of tissue paper or chalk dust.
(it = a plastic pen)
플라스틱 펜을 사용하라 / 그리고 그것을 머리카락에 문질러라 / 약 10회 / 그리고 나서 그 펜을 들어라 / 작은 휴지 조각이나 분필 가루 가까이로

(C) ❷You will find / [that the bits of paper or chalk dust cling to the pen].
(명사절(목적어) / 주어' / 동사')
여러분은 발견할 것이다 / 그 종잇조각이나 분필 가루가 그 펜에 붙는 것을

❸[What you have done there] / is to create a form of electricity / called static electricity.
(주어(관계대명사절) / 현재완료 / 동사 / 명사적 용법(주격보어))
여러분이 거기에서 했던 일은 / 전기의 한 형태를 만들어낸 것이다 / 정전기라고 불리는

(B) ❹This kind of electricity is produced by friction, / and the pen becomes electrically charged. ❺Static electricity is also found / in the atmosphere.
(This kind of electricity = Static electricity)
이러한 종류의 전기는 마찰에 의해서 만들어진다 / 그리고 그 펜은 전기를 띠게 된다 / 정전기는 또한 발견된다 / 대기에서

(A) ❻During a thunderstorm, / clouds may become charged / as they rub against each other. ❼The lightning / [that we often see during a storm] / is caused by a large flow of electrical charges / between charged clouds and the earth.
(as = when / 주어 / 목적격 관계대명사절 / 동사(수동태) / ⟨between A and B⟩: A와 B 사이에)
뇌우가 치는 동안 / 구름은 전기를 띠게 될지도 모른다 / 그것들이 서로 마찰할 때 / 번개는 / 폭풍이 치는 동안 우리가 자주 보는 / 커다란 전하의 흐름에 의해 생긴다 / 전기를 띤 구름과 지면 사이에서

유형 해결 전략

KEY 1 주어진 글의 내용 및 핵심 소재 파악
플라스틱 펜과 머리카락, 휴지 조각이나 분필 가루와 관련된 어떤 실험이 글의 핵심 소재임을 파악

KEY 2 단서를 통해 글의 흐름 파악
(C)
① 단서: the bits of paper or chalk dust → 주어진 글의 실험 도구가 재언급됨
② 내용: 정전기 현상을 설명하기 위한 실험의 결과

(B)
① 단서: This kind of electricity → (C)의 static electricity를 지칭
② 내용: 정전기의 발생 원인을 설명하고, 이는 대기 중에서도 발견 가능하다고 덧붙임

(A)
① 단서: a thunderstorm, the lightning → 대기 중 정전기가 발생하는 구체적 상황을 예시로 듦
② 내용: 대기에서 정전기가 발생하는 결과의 예로 번개를 들고 있음

해석

❶플라스틱 펜을 사용하여 그것을 머리카락에 약 10회 문지르고 그 다음 그 펜을 작은 휴지 조각이나 분필 가루 가까이로 들어라. (C) ❷여러분은 그 종잇조각들이나 분필 가루가 그 펜에 붙는 것을 발견할 것이다. ❸여러분이 거기에서 했던 일은 정전기라고 불리는 전기의 한 형태를 만들어낸 것이다. (B) ❹이러한 종류의 전기는 마찰에 의해 만들어지고, 그 펜은 전기를 띠게 된다. ❺정전기는 또한 대기에서 발견된다. (A) ❻뇌우가 치는 동안, 구름이 서로 마찰할 때 구름은 전기를 띠게 될 수도 있다. ❼폭풍이 치는 동안 우리가 자주 보는 번개는 전기를 띠는 구름과 지면 사이에서 커다란 전하의 흐름에 의해 생긴다.

해설

주어진 글에서 플라스틱 펜을 머리카락에 문지르고 휴지 조각이나 분필 가루에 가까이 가져가라고 했는데, (C)의 첫 문장이 이것의 결과에 해당하므로 (C)가 가장 먼저 와야 한다. (B)에서 정전기가 마찰에 의해 형성된다는 설명이 이어지므로 (B)가 그 다음에 오고, 마지막으로 정전기가 대기에서도 발견된다는 (B)의 두 번째 문장에 대한 예시로 구름의 마찰을 설명한 (A)가 이어지는 것이 가장 자연스럽다. 따라서 이어질 글의 순서로 가장 적절한 것은 ⑤ (C) – (B) – (A)이다.

오답 노트

① (A) – (C) – (B), ④ (C) – (A) – (B) ➡ (B)와 연결되는 내용이 (A)에 등장하므로 (A)는 (B) 뒤에 와야 한다.
② (B) – (A) – (C), ③ (B) – (C) – (A) ➡ 주어진 글에서 진행된 실험의 결과가 (C)로 이어지므로 (C)가 맨 앞의 순서로 와야 자연스럽다.

구문 해설

❸**What** you have done there is **to create** a form of electricity **called** static electricity.
복합관계대명사 what이 이끄는 절이 문장의 주어이고 동사는 is이다. to create는 to부정사의 명사적 용법으로 문장의 주격보어이며, 과거분사 called가 앞의 a form of electricity를 수식하고 있다.

2

• 본문 059쪽

답 ③

유형 해결 전략

❶The scientific study / of the physical characteristics of colors / can be traced back to Isaac Newton.
과학적 연구는 / 색깔의 물리적 특성에 관한 / Isaac Newton에게로 거슬러 올라갈 수 있다
(can be traced: 조동사+수동태)

KEY 1 주어진 글의 내용 및 핵심 소재 파악
'색깔의 물리적 특성과 Isaac Newton의 연구'가 핵심 소재임을 파악

(B) ❷One day, / he spotted a set of prisms / at a big county fair. ❸He took them home / and began to experiment with them. ❹In a darkened room / he allowed a thin ray of sunlight to fall on a triangular glass prism.
어느 날 / 그는(= Isaac Newton) 프리즘 한 세트를 발견했다 / 큰 지역 장터에서 / 그는 그것들을 집으로 가져왔다 / 그리고 그것들(= a set of prisms)을 갖고 실험을 시작했다 / 암실에서 / 그는 가느다란 태양광 한 줄기가 삼각형 모양의 유리 프리즘 위에 떨어지게 했다
(〈allow+목적어+to부정사〉: ~가 …하도록 하다)

KEY 2 단서를 통해 글의 흐름 파악
(B)
① 단서: he → Isaac Newton을 지칭함
② 내용: Newton의 프리즘 연구가 어떻게 시작되었는지 설명

(C) ❺As soon as the white ray hit the prism, / it separated into the familiar colors of the rainbow. ❻This finding was not new, / as humans had observed the rainbow / since the beginning of time.
그 백색광이(= a thin ray of sunlight) 프리즘에 부딪치자마자(~하자마자) / 그것은(= the white ray) 친숙한 무지개 색으로 분리되었다 / 이 발견은 새로운 것이 아니었다 / 사람들이 무지개를 관찰해 왔기 때문에(as: 접속사(이유), had observed: 과거완료) / 태초 이래로(since: ~ 이래로(시간))

(C)
① 단서: the white ray → (B)의 a thin ray of sunlight를 가리킴 / the prism → (B)에서 언급된 a triangular glass prism을 가리킴
② 내용: 연구의 과정을 보여 주며 Newton의 첫 번째 발견이 새로운 것이 아님을 밝힘

(A) ❼It was only when Newton placed a second prism / in the path of the spectrum / that he found something new. ❽The composite colors produced a white beam. ❾Thus he concluded / [that white light can be produced / by combining the spectral colors].
(〈It is ~ that ...〉 강조 구문: 부사구(only when ~ the spectrum) 강조)
바로 Newton이 두 번째 프리즘을 놓았을 때였다 / 스펙트럼의 경로에 / 그가 새로운 것을 발견했던 것은 / 합성된 색은 하얀 빛줄기를 만들어냈다 / 그래서 그는(주어) 결론 내렸다(동사) / 백색광이 만들어질 수 있다고(목적어(명사절)) / 스펙트럼 색깔을 혼합함으로써(by: ~로써(수단))

* composite: 합성의

(A)
① 단서: found something new → (C)의 this finding was not new와 반대되는 상황을 전개하는 단서 / Thus → 글의 마무리를 알리는 연결사임
② 내용: 스펙트럼 색상을 혼합하여 백색광을 만들어낼 수 있다는 새로운 발견을 해냈음

해석

❶ 색깔의 물리적 특성에 관한 과학적 연구는 Isaac Newton에게로 거슬러 올라갈 수 있다. (B) ❷ 어느 날, 그는 큰 지역 장터에서 프리즘 한 세트를 발견했다. ❸ 그는 그것들을 집으로 가져와서 실험을 시작했다. ❹ 암실에서 그는 가느다란 태양광 한 줄기가 삼각형 모양의 유리 프리즘 위에 떨어지게 했다. (C) ❺ 그 백색광이 프리즘에 부딪치자마자 그것은 친숙한 무지개 색으로 분리되었다. ❻ 사람들이 태초 이래로 무지개를 관찰해 왔기 때문에 이 발견은 새로운 것이 아니었다. (A) ❼ Newton이 새로운 것을 발견했던 것은 바로 스펙트럼의 경로에 두 번째 프리즘을 놓았을 때였다. ❽ 합성된 색은 하얀 빛줄기를 만들어냈다. ❾ 그래서 그는 스펙트럼 색깔을 혼합함으로써 백색광이 만들어질 수 있다고 결론 내렸다.

해설

주어진 글에서 처음 언급한 Isaac Newton이 (B)에서 he로 지칭되며 이어지고 있다. '그'는 프리즘을 구입해서 태양광이 프리즘에 떨어지게 했고, (C)에서 이 백색광이 친숙한 무지개 색으로 분리되는 것을 확인한 다음, 이어서 (A)에서는 새로운 발견을 해낸 이야기로 마무리되고 있다. 따라서 이어질 글의 순서로 가장 적절한 것은 ③ (B) – (C) – (A)이다.

오답 노트

① (A) – (C) – (B) ➡ Thus가 포함된 (A)는 문맥상 글의 결론에 해당되는 부분이므로 맨 마지막에 와야 한다.
② (B) – (A) – (C) ➡ (A)에서 새로운 것을 발견하고 (C)에서 새로운 것을 발견하지 못하는 흐름은 문맥상 부자연스럽다.
④ (C) – (A) – (B), ⑤ (C) – (B) – (A) ➡ (B)에서 he는 주어진 글의 Isaac Newton을 가리키므로 주어진 글 다음에 오는 것이 자연스럽고, (B)의 실험 과정이 있어야만 (C)의 내용이 올 수 있다.

구문 해설

❻ This finding was not new, **as** humans **had observed** the rainbow **since** the beginning of time.
as는 이유를 나타내는 접속사이며, because나 since로 바꾸어 쓸 수 있다. had observed는 since와 함께 쓰인 과거완료 시제로, 과거인 주절보다 앞서서 발생한 일이 과거 시점에 영향을 미칠 때 쓴다.

❼ **It was** only when Newton placed a second prism in the path of the spectrum **that** he found something new.
〈It is[was] ~ that ...〉 강조 구문은 '~하는 것은 바로 …이다'라는 뜻이다. 이 문장에서는 부사구 only when ~ the spectrum을 강조하고 있다.

3

• 본문 060쪽

답 ②

유형 해결 전략

❶ In early 19th century London, / a young man named Charles Dickens / had a strong desire / to be a writer. ❷ But everything seemed to be against him.

(주어 / 과거분사구 / 동사 / 목적어 / 형용사적 용법 / ~처럼 보이다)

19세기 초의 런던에는 / Charles Dickens라는 이름의 한 젊은이가 / 강한 열망을 갖고 있었다 / 작가가 되고 싶은 / 하지만 모든 것이 그에게는 불리해 보였다

KEY 1 주어진 글의 내용 및 핵심 소재 파악
어려움을 겪고 있는 Charles Dickens라는 이름의 작가 지망생이 핵심 소재임을 파악

(B) ❸ He had never been able to attend school / for more than four years.

(과거완료(경험))

그는 절대 학교에 다닐 수 없었다 / 4년이 넘도록

❹ His father had been in jail / because he couldn't pay his debts, / and this young man often knew the pain of hunger.

(접속사(원인, 이유) / = Charles' father)

그의 아버지는 교도소에 수감되어 있었다 / 그가 빚을 갚을 수 없었기 때문에 / 그리고 이 젊은이는 자주 굶주림의 고통을 알았다

KEY 2 단서를 통해 글의 흐름 파악
(B)
① 단서: never ~ attend school, in jail, the pain of hunger → 주어진 글의 마지막 부분을 구체적으로 설명하는 부정적인 상황 제시
② 내용: 학업 중단, 감옥에 간 부친, 굶주림 등 주인공의 불리한 상황에 대한 언급

(A) ❺ Moreover, / he had so little confidence / in his ability to write / that he mailed his writings secretly at night / to editors / so that nobody would laugh at him. ❻ Story after story was refused.

(형용사적 용법 / <so ~ that ...>: 너무 …해서 ~한(결과) / ~하도록(목적) / 수동태)

게다가 / 그는 자신감이 거의 없어서 / 자신의 글을 쓰는 능력에 대한 / 그는 그의 글을 밤에 몰래 우편으로 보냈다 / 편집자에게 / 아무도 자신을 비웃지 않도록 / 소설은 계속해서 거절당했다

(A)
① 단서: Moreover → (B)의 불리한 상황에 더해 또 다른 부정적 상황 추가 제시
② 내용: 글 쓰는 능력에 대해서도 자신감 없는 주인공의 성격을 설명

(C) ❼ But one day, / one editor recognized and praised him. ❽ The praise / [that he received from getting one story in print] / changed his whole life. ❾ His works have been widely read / and still enjoy great popularity.

(주어 / 목적격 관계대명사절 / 동사 / 현재완료 수동태)

하지만 어느 날 / 한 편집자가 그를 알아보고 칭찬을 했다 / 그 칭찬은 / 하나의 이야기가 출판되어 그가 받았던 / 그의 일생을 바꾸어 놓았다 / 그의 작품들은 널리 읽혀 왔다 / 그리고 여전히 엄청난 인기를 누린다

(C)
① 단서: But → 상황이 달라짐을 알려주는 연결사가 제시됨
② 내용: 그의 재능을 알아본 편집자 덕분에 소설을 출간하고 유명인이 될 수 있었음

해석

❶ 19세기 초의 런던에는 Charles Dickens라는 이름의 한 젊은이가 작가가 되고 싶은 강한 열망을 갖고 있었다. ❷ 하지만 그에게는 모든 것이 불리해 보였다. (B) ❸ 그는 4년이 넘도록 절대 학교에 다닐 수 없었다. ❹ 그의 아버지는 자신의 빚을 갚지 못했기 때문에 교도소에 수감되어 있었고, 종종 이 젊은이는 굶주림의 고통을 알았다. (A) ❺ 게다가, 그는 자신의 글을 쓰는 능력에 대한 자신감이 거의 없어서 그는 아무도 자신을 비웃지 않도록 밤에 몰래 자신의 글을 편집자에게 우편으로 보냈다. ❻ 소설은 계속해서 거절당했다. (C) ❼ 하지만 어느 날, 한 편집자가 그를 알아보았고 칭찬을 했다. ❽ 하나의 이야기가 출판되어 그가 받았던 칭찬은 그의 일생을 바꾸어 놓았다. ❾ 그의 작품들은 널리 읽혀 왔고 여전히 엄청난 인기를 누리고 있다.

해설

작가 지망생인 Charles Dickens의 불리한 상황에 대한 내용이 주어진 글에 나오고, 그 상황을 구체적으로 언급하고 있는 (B)가 바로 이어진 다음, 연결사 Moreover를 통해 그가 처한 또 다른 불리한 상황이 추가 제시되고 있는 (A)가 이어지고, 마지막으로 이러한 불리한 점에도 불구하고 Charles Dickens가 작가로서 성공했다는 내용의 (C)가 와야 한다. 따라서 이어질 글의 순서로 가장 적절한 것은 ② (B) – (A) – (C)이다.

오답 노트

① (A) – (C) – (B) ➡ 주어진 글에 대한 상세한 보충 설명이 (B)에 제시되어 있으므로, (B)가 가장 먼저 오는 것이 자연스럽다.
③ (B) – (C) – (A) ➡ (B)에 이어 부정적인 상황이 추가된 (A)의 내용이 이어진 다음에, 상황이 반전되는 (C)가 오는 것이 자연스럽다.
④ (C) – (A) – (B), ⑤ (C) – (B) – (A) ➡ 모든 어려운 상황이 해결됐다는 내용인 (C)가 온 후에 다시 어려운 상황을 기술하는 (A)나 (B)가 오는 것은 흐름상 어색하다.

구문 해설

❺ Moreover, he had **so** little confidence in his ability **to write** **that** he mailed his writings secretly at night to editors **so that** nobody would laugh at him.
<so+형용사[부사]+that ...>은 '너무 ~해서 …한'이라는 뜻이다. 이 문장에서는 형용사 little 뒤에 명사 confidence가 오고, 형용사적 용법으로 쓰인 to부정사 to write가 ability를 수식하고 in his ability가 다시 confidence를 수식한다. 뒤의 so that은 목적을 나타내는 접속사로 '~하도록, 하기 위해'라는 뜻이다.

❽ The praise **that** he received from getting one story in print **changed** his whole life.
목적격 관계대명사 that이 이끄는 절인 he ~ in print가 주어이자 선행사인 The praise를 수식하며, 문장의 동사는 changed이다.

4

• 본문 061쪽

답 ⑤

❶Habits create the foundation / for becoming a master. ❷In chess, / it is only after the basic movements of the pieces / have become automatic / [that a player can focus / on the next level of the game]. ❸Each chunk of information / [that is memorized] / opens up the mental space / for more effortful thinking.

습관은 토대를 만든다 / 대가가 되기 위한 (동명사(전치사 for의 목적어)) / 체스에서 / 오직 말의 기본적인 움직임이 (가주어) / 자동적으로 이루어지고 나서이다 / 체스를 두는 사람이 집중할 수 있는 것은 (진주어) / 게임의 다음 레벨에 / 각각의 정보 덩어리는 (덩어리의, 큰 부분의) / 암기된 (주격 관계대명사절 수동태) / 정신적 공간을 열어준다 (동사(Each에 수 일치)) / 더 노력이 필요한 사고를 위한

(C) ❹This is true for anything / [that you attempt]. ❺When you know the simple movements so well / that you can perform them / without thinking, / you are free to pay attention / to more advanced details. ❻In this way, / habits are the basis / of any pursuit of excellence.

이것은 어떤 것에도 적용된다 / 여러분이 시도하는 (목적격 관계대명사절) / 당신이 간단한 동작을 매우 잘 알고 있어서 ~할 때 / 당신이 그것들을 할 수 있는 / 생각하지 않고도 / 당신은 자유롭게 주목한다 (〈be free+to부정사〉: 자유롭게 ~하다) / 더 높은 수준의 세부 사항에 (과거분사) / 이런 식으로 / 습관은 기본이 된다 / 어떤 탁월함의 추구의

(B) ❼However, / the benefits of habits / have a cost. ❽At first, / each repetition develops fluency, speed, and skill. ❾But then, / as a habit becomes automatic, / you become less sensitive to feedback.

그러나 / 습관의 이점에는 / 대가가 따른다 / 처음에 / 각각의 반복은 유창함, 속도, 그리고 기술을 발달시킨다 / 그러나 그 다음에 / 습관이 자동화되면서 (~하면서) / 여러분은 피드백에 덜 민감해진다

(A) ❿You fall into stupid repetition. ⓫It becomes easier / to let mistakes slide. ⓬When you can do it "good enough" automatically, / you stop thinking / about how to do it better.

여러분은 바보 같은 반복에 빠진다 / 더 쉬워진다 (가주어) / 실수를 대수롭지 않게 여기기가 (진주어, 5형식: 사역동사+목적어+목적격보어(동사원형)) / 여러분이 저절로 '충분히 잘' 할 수 있을 때 / 여러분은 생각하기를 멈춘다 (〈stop -ing〉: ~하기를 멈추다) / 그것을 더 잘 할 수 있는 방법에 대해 (〈how+to부정사〉: ~하는 방법)

유형 해결 전략

KEY 1 주어진 글의 내용 및 핵심 소재 파악
'습관이 가져다주는 숙달의 특징'이 핵심 소재이며, 앞으로 습관에 대한 글이 전개될 것임을 예측

KEY 2 단서를 통해 글의 흐름 파악
(C)
① 단서: This is true for anything that you attempt. → This는 암기된 정보가 더 노력이 필요한 사고를 할 수 있게 해 줌을 가리키며, 다른 일들에도 적용된다고 언급
② 내용: 간단한 동작을 생각하지 않고도 할 수 있을 때, 더 높은 수준의 세부 사항에도 자유롭게 집중 가능하다는 내용으로 주어진 글의 부연 설명임

(B)
① 단서: However, the benefits of habits have a cost. → 앞서 언급한 습관적 자동화로 더 높은 수준의 영역에 자유롭게 집중할 수 있다는 부분과 반대되는 내용
② 내용: 습관의 이점에는 대가가 따르는데, 처음에는 반복이 유창함, 속도, 기술을 발달시키지만 그러한 습관이 자동화되면서 피드백에 덜 민감해지게 됨

(A)
① 단서 fall into stupid repetition → 자동화로 피드백에 덜 민감해지게 되면서 바보 같은 반복에 빠지게 된다는 내용으로 (B)의 부연 설명
② 내용: 무언가를 '충분히 잘' 할 수 있을 때, 그것을 더 잘 할 수 있는 방법에 대해 생각하기를 멈추게 됨

해석

❶습관은 대가가 되기 위한 토대를 만든다. ❷체스에서 체스를 두는 사람이 게임의 다음 레벨에 집중할 수 있는 것은 오직 말의 기본적인 움직임이 자동적으로 이루어지고 나서이다. ❸암기된 각각의 정보 덩어리는 더 노력이 필요한 사고를 위한 정신적 공간을 열어준다. (C) ❹이것은 여러분이 시도하는 어떤 것에도 적용된다. ❺당신이 간단한 동작을 매우 잘 알고 있어서 생각하지 않고도 그것들을 할 수 있을 때, 더 높은 수준의 세부 사항에 자유롭게 주목한다. ❻이런 식으로, 습관은 어떤 탁월함 추구의 기본이 된다. (B) ❼그러나 습관의 이점에는 대가가 따른다. ❽처음에, 각각의 반복은 유창함, 속도, 그리고 기술을 발달시킨다. ❾그러나 그 다음에 습관이 자동화되면서 여러분은 피드백에 덜 민감해진다. (A) ❿여러분은 바보 같은 반복에 빠진다. ⓫실수를 대수롭지 않게 여기기가 더 쉬워진다. ⓬여러분이 저절로 '충분히 잘' 할 수 있을 때, 그것을 더 잘 할 수 있는 방법에 대해 생각하기를 멈춘다.

해설

주어진 글은 습관이 가져다주는 숙달의 특징을 설명하고 있다. (C)에서는 생각하지 않고도 할 수 있는 간단한 동작을 할 때 더 높은 수준의 세부 사항에 집중할 수 있기 때문에 습관이 탁월함 추구의 기초가 된다고 한 다음, (B)에서는 반면에 그러한 습관의 이점에 따른 대가가 있다고 하며, 마지막으로 (A)에서 그러한 자동화 상태가 되면 더 이상 그것을 더 잘 할 수 있는 방법에 대해 생각하기를 멈춘다는 흐름이다. 따라서 이어질 글의 순서로 가장 적절한 것은 ⑤ (C) – (B) – (A)이다.

오답 노트

① (A) – (C) – (B), ② (B) – (A) – (C), ③ (B) – (C) – (A) ➡ (C)의 This는 주어인 글의 Each chunk ~ effortful thinking이므로 주어진 글 바로 다음에 와야 자연스럽다.
④ (C) – (A) – (B) ➡ (C)까지는 긍정적이었으나 (A)는 부정적인 내용인데 연결사 없이 (C)와 연결되는 것은 자연스럽지 않다.

주어진 문장 위치 파악하기

● 본문 063쪽

대표 예제

답 ④

❶Because of these obstacles, / most research missions in space are carried out / with crewless spacecraft.
(~ 때문에 / 이러한 장애물들 때문에 / 우주에서의 대부분의 연구 임무는 이루어진다 / 수동태 / 승무원이 탑승하지 않은 우주선을 사용해서)

❷Currently, / we cannot send humans to other planets. ❸One obstacle is / [that such a trip would take years]. (①) ❹A spacecraft would need to carry / enough air, water, and other supplies needed for survival / on the long journey. (②) ❺Another obstacle is the harsh conditions on other planets, / such as extreme heat and cold. (③) ❻Some planets do not even have / surfaces to land on. (❹) ❼These explorations pose no risk to human life / and are less expensive / than ones involving astronauts. (⑤) ❽The spacecraft carry instruments / [that test the compositions and characteristics of planets].

(현재 / 우리는 인간을 다른 행성으로 보낼 수 없다 / 한 가지 장애물은 ~이다 / 명사절(주격보어) / 그러한 여행이 수년이 걸릴 것이라는 점 / 명사적 용법(목적어) / 우주선은 운반할 필요가 있을 것이다 / 생존에 필요한 충분한 공기, 물, 그리고 다른 물자를 / 긴 여행에서 / 또 다른 장애물은 다른 행성들의 혹독한 기상 조건이다 / ~와 같은 / 극심한 열과 추위 같은 / 어떤 행성들은 가지고 있지 않다 / 형용사적 용법 / 착륙할 표면조차 / 주어 / 동사1 / 이런 탐험들은 인간의 생명에 아무런 위험도 주지 않는다 / 동사2 / ~보다 덜 …한(열등 비교) / = explorations / 그리고 비용이 덜 든다 / 우주 비행사들을 포함하는 탐험보다 / 주격 관계대명사절 / 이 우주선은 기구들을 운반한다 / 행성의 구성 성분과 특성을 실험하는)

* composition: 구성 성분

유형 해결 전략

KEY 1 주어진 문장 파악
우주에서의 연구 대부분이 무인 우주선을 사용해서 수행된다는 내용이며, these obstacles가 가리키는 내용 다음에 들어가야 함을 추측

KEY 2 문장 간 흐름 파악
현재 다른 행성에 인간을 보낼 수 없게 하는 장애물에는 긴 소요 시간과 물자 수송, 혹독한 기상 조건, 착륙 부지의 부재 등이 있음

KEY 3 문장 간 연결고리 파악
These explorations가 가리킬 만한 것이 바로 앞 문장에 없음 → 무인 우주선을 사용하면 인명에도 위협이 되지 않고 비용도 절약된다는 내용으로 마무리

해석

❷현재, 우리는 인간을 다른 행성으로 보낼 수 없다. ❸한 가지 장애물은 그러한 여행이 수년이 걸릴 것이라는 점이다. ❹우주선은 긴 여행에서 생존에 필요한 충분한 공기, 물, 그리고 다른 물자를 운반할 필요가 있을 것이다. ❺또 다른 장애물은 극심한 열과 추위 같은 다른 행성들의 혹독한 기상 조건이다. ❻어떤 행성들은 착륙할 표면조차 가지고 있지 않다. ❶이러한 장애물들 때문에, 우주에서의 대부분의 연구 임무는 승무원이 탑승하지 않은 우주선을 사용해서 이루어진다. ❼이런 탐험들은 인간의 생명에 아무런 위험도 주지 않으며 우주 비행사들을 포함하는 탐험보다 비용이 덜 든다. ❽이 우주선은 행성의 구성 성분과 특성을 실험하는 기구들을 운반한다.

해설

주어진 문장은 앞서 언급된 장애물들 때문에 무인 우주선을 통해 연구 임무를 수행한다는 내용이므로, 장애물에 대한 내용 즉, 착륙할 표면이 없다는 내용 다음에 오는 것이 알맞다. 따라서 주어진 문장이 들어가기에 가장 적절한 곳은 ④이다.

오답 노트

① ➡ 임무 기간이 길기 때문에 우주인의 생존에 필요한 많은 물자들을 싣고 다녀야 한다는 내용으로 이어진다.
② ➡ 임무 기간이 길다는 한 가지 장애물 외에 또 다른 장애물은 혹독한 기상 조건이라는 내용이다.
③ ➡ 혹독한 기상 조건에 더하여 일부 행성은 착륙할 부지조차 없다고 장애물을 덧붙였다.
⑤ ➡ 무인 우주선은 사람 대신 행성을 연구할 장비들을 운반한다는 내용이다.

구문 해설

❹A spacecraft would need **to carry** enough air, water, and other supplies **needed** for survival on the long journey.
문장의 주어는 A spacecraft이고, 동사는 would need이다. to carry는 명사적 용법으로 쓰인 to부정사로 문장의 목적어 역할을 한다. 과거분사구인 needed for survival on the long journey가 other supplies를 뒤에서 수식하고 있다.

❼These explorations **pose** no risk to human life **and are less** expensive **than** ones involving astronauts.
주어는 These explorations이고, 동사는 pose와 are가 등위 접속사 and로 연결되어 병렬 구조를 이룬다. less ~ than은 '~보다 덜 …한'이라는 열등 비교 구문이며, 현재분사구 involving astronauts는 앞의 ones를 수식한다.

어휘

obstacle 장애물 **carry out** 수행하다 **crewless** 승무원이 없는 **currently** 현재 **survival** 생존 **harsh** 극심한 **surface** 표면 **exploration** 탐험 **pose** 위험을 제기하다 **instrument** 기구, 도구

• 본문 064~067쪽

1 ④ 2 ② 3 ④ 4 ⑤

1

• 본문 064쪽

답 ④

❶ The other main clue (that) [you might use to tell / what a friend is feeling] / would be to look at his or her facial expression.
(주어: The other main clue / 목적격 관계대명사절 / 간접의문문(tell의 목적어) / 동사: would be / 명사적 용법(주격보어))
다른 중요한 단서는 / 친구가 어떻게 느끼는지를 / 그 사람의 얼굴 표정을 주시하는 것이다

❷ Have you ever thought / about how you can tell / what somebody else is feeling? (①)
(현재완료(경험) / 간접의문문(about의 목적어) / 간접의문문(tell의 목적어))
당신은 생각해 본 적이 있는가 / 어떻게 알아볼 수 있는지에 대해 / 다른 사람이 무엇을 느끼는지를?

❸ Sometimes, / friends might tell you / that they are feeling happy or sad.
(수여동사 / 간접목적어 / 직접목적어)
때로 / 친구들은 당신에게 말해줄지도 모른다 / 그들이 행복하거나 슬프다는 것을

❹ But, even if they do not tell you, / you could definitely guess / what kind of mood they are in. (②)
(~라 할지라도(양보) / 간접의문문)
하지만 비록 그들이 당신에게 말해 주지 않아도 / 당신이 분명하게 추측할 수 있을 것이다 / 그들이 어떤 종류의 감정 상태에 있는지

❺ You might get a clue from the tone of voice / [that they use]. (③)
(목적격 관계대명사절)
당신은 목소리의 분위기로부터 단서를 얻을 수도 있다 / 그들이 사용하는

❻ For example, / they may raise their voice / if they are angry / or (they may) talk in a shaky way / if they are scared. (❹)
(접속사(조건))
예를 들어 / 그들은 목소리를 높일 것이다 / 그들이 화가 났다면 / 또는 떨리는 목소리로 말할 것이다 / 그들이 겁이 났다면

❼ We have lots of muscles in our faces / [which enable us to move our face / into lots of different positions]. (⑤)
(주격 관계대명사절 / 명사적 용법(목적격보어))
우리는 수많은 얼굴 근육들을 가지고 있다 / 우리가 우리 얼굴을 움직이게 하는 / 굉장히 다양한 위치로

❽ This happens spontaneously / when we feel a particular emotion.
(→ 앞 문장 / 접속사(시간, 때))
이런 일이 저절로 일어난다 / 우리가 특정한 감정을 느낄 때

유형 해결 전략

KEY 1 주어진 문장 파악
친구의 감정 상태를 알려면 얼굴 표정을 주시해야 한다는 내용이며, The other main clue로 보아 앞에 다른 단서에 관한 언급이 있었음을 추측

KEY 2 문장 간 흐름 파악
다른 사람이 어떻게 느끼는지를 말해 주지 않아도 그 사람의 감정 상태를 알아보는 방법에 대한 내용으로, 목소리의 분위기로 파악할 수 있다고 예를 들어 설명

KEY 3 문장 간 연결고리 파악
앞 문장과 상관없는 얼굴 근육에 관한 내용이 갑자기 등장 → 주어진 문장의 The other main clue가 얼굴 표정에 관한 내용임을 확인

해석

❷ 당신은 다른 사람이 무엇을 느끼는지를 어떻게 알아볼 수 있는지에 대해 생각해 본 적이 있는가? ❸ 때로 친구들은 그들이 행복하거나 슬프다는 것을 말해줄지도 모른다. ❹ 하지만 그들이 말해 주지 않는다 하더라도, 그들이 어떤 종류의 감정 상태에 있는지 당신은 분명히 추측할 수 있을 것이다. ❺ 당신은 그들이 사용하는 목소리의 분위기로부터 단서를 얻을 수도 있다. ❻ 예를 들어, 그들이 화가 났다면 목소리를 높일 것이고, 겁이 났다면 떨리는 목소리로 말할 것이다. ❶ 친구가 어떻게 느끼는지를 알아보는 데 사용할 수 있는 다른 중요한 단서는 그 사람의 얼굴 표정을 주시하는 것이다. ❼ 우리는 우리 얼굴을 굉장히 다양한 위치로 움직이게 하는 수많은 얼굴 근육들을 가지고 있다. ❽ 우리가 특정한 감정을 느낄 때 이런 일이 저절로 일어난다.

해설

④의 앞에서는 목소리에 관한 내용이 오다가 ④의 뒤에서 갑자기 표정을 만드는 데 수많은 얼굴이 움직인다는 내용이 왔다. 따라서 주어진 문장이 들어가기에 가장 적절한 곳은 ④이다.

오답 노트

① ➡ 다른 사람의 감정 상태를 알아보는 방법을 생각해 본 적이 있냐는 질문에 이어 때로는 잘 알아낼 수 있다는 내용이 이어진다.
② ➡ 다른 사람이 자신의 감정 상태가 어떠한지 알려주지 않아도 그 사람의 목소리에서 단서를 얻을 수 있다는 내용이다.
③ ➡ 앞 문장에 이어 목소리에서 단서를 얻을 수 있는 예를 제시한다.
⑤ ➡ 얼굴 표정을 짓기 위해 수많은 얼굴 근육들이 서로 다른 위치로 움직이는데, 이 현상은 어떤 감정을 느낄 때 저절로 일어난다는 내용으로 자연스럽게 이어진다.

구문 해설

❶ **The other main clue** you might use to tell what a friend is feeling **would be** to look at his or her facial expression.
주어는 The other main clue이고, 동사는 would be이다. clue와 you 사이에는 목적격 관계대명사 that이 생략되었고, you might ~ feeling이 주어를 수식하고 있다. 관계대명사절 안에는 동사 tell의 목적어로 간접의문문이 왔다.

● 본문 065쪽

답 ②

❶When the boy learned / [that he had misspelled the word], / he went to the judges and told them.
그 소년은 알았을 때 / 자신이 그 단어의 철자를 잘못 말했다는 것을 (명사절(목적어), 과거완료) / 그는 심판들에게 가서 그들에게 말했다

❷Some years ago / at the national spelling bee in Washington, D.C., / a thirteen-year-old boy was asked to spell *echolalia*, / a word [that means a tendency to repeat / whatever one hears]. (①) ❸Although he misspelled the word, / the judges misheard him, / told him he had spelled the word right, / and allowed him to advance. (❷) ❹So he was eliminated from the competition after all. (③) ❺Newspaper headlines the next day / called the honest young man a "spelling bee hero," / and his photo appeared in *The New York Times*. (④) ❻"The judges said [I had a lot of honesty]," / the boy told reporters. (⑤) ❼He added / [that part of his motive was, / "I didn't want to feel like a liar]."

몇 년 전에 / Washington D.C.에서 있었던 전국 단어 철자 맞히기 대회에서 / 한 13세 소년이 echolalia의 철자를 말하도록 요구 받았다 (수동태) / 반복하는 경향을 의미하는 단어인 (동격, 주격 관계대명사절) / 형용사적 용법 / 들은 것은 무엇이든 (= anything that) / 그는 단어의 철자를 잘못 말했지만 (접속사(양보)) / 심판은 잘못 들었다 (주어, 동사₁) / 그가 단어의 철자를 맞혔다고 그에게 말했다 (동사₂, (that)) / 그리고 그를 (다음 단계로) 진출하도록 허락했다 (동사₃) / 그래서 그는 결국 대회에서 탈락했다 (수동태) / 다음 날 신문기사 헤드라인이 / 그 정직한 소년을 '단어 철자 맞히기 대회 영웅'이라고 칭했다 (동사, 목적어, 목적격보어) / (that) 그리고 그의 사진이 〈The New York Times〉에 실렸다 / 심판들은 제가 아주 정직하다고 말했어요 (명사절(목적어)) / 그 소년은 기자들에게 말했다 / 그는 덧붙여 말했다 / 그의 동기의 일부는 ~였다 (명사절(목적어)) / 저는 거짓말쟁이처럼 느끼고 싶지 않았어요 (명사적 용법, 전치사)

* spelling bee: 단어 철자 맞히기 대회

유형 해결 전략

KEY 1 주어진 문장 파악
소년이 단어 철자를 잘못 말했다는 것을 알기 전 상황에 대해 추측

KEY 2 문장 간 흐름 파악
철자 맞히기 대회에서 한 소년이 잘못된 철자를 말했지만 심판이 잘못 듣고 그를 다음 단계로 진출시킴

KEY 3 문장 간 연결고리 파악
앞의 내용과 상반되는 내용인 소년이 대회에서 탈락하는 내용이 갑자기 등장하면서, 논리적 비약이 발생함 → So를 통해 어떤 사건에 대한 결론이 이어지고 있음을 파악하고 이 부분 앞에 어떤 사건의 원인이 와야 함을 추측

해석

❷몇 년 전 Washington D.C.에서 있었던 전국 단어 철자 맞히기 대회에서, 한 13세 소년이 '들은 것은 무엇이든 반복하는 경향'을 의미하는 단어인 echolalia의 철자를 말하도록 요구 받았다. ❸그는 단어의 철자를 잘못 말했지만 심판은 잘못 듣고 철자를 맞혔다고 말했고 그가 다음 단계로 진출하도록 허락했다. ❶그 소년은 자신이 그 단어의 철자를 잘못 말했다는 것을 알았을 때, 심판에게 가서 말했다. ❹그래서 그는 결국 대회에서 탈락했다. ❺다음 날 신문기사 헤드라인이 그 정직한 소년을 '단어 철자 맞히기 대회 영웅'으로 칭했고, 그의 사진이 〈The New York Times〉에 실렸다. ❻"심판은 제가 아주 정직하다고 말했어요."라고 그 소년은 기자들에게 말했다. ❼그는 그의 동기의 일부는 "저는 거짓말쟁이처럼 느끼고 싶지 않았어요."라고 덧붙여 말했다.

해설

주어진 문장은 소년이 자신이 철자를 잘못 말했다는 것을 알게 되어 심판에게 가서 자신의 실수를 고백하는 내용이다. ②의 앞에서 소년이 철자를 잘못 말했음에도 불구하고 심판이 다음 단계로 진출하게 허락했는데 ②의 뒤에서는 소년이 대회에서 탈락했다고 나오므로 그 사이에 논리적 비약이 있다는 것을 알 수 있다. 즉, 심판의 잘못으로 다음 단계에 진출하게 되었지만 소년이 자신의 잘못을 심판에게 말하고 대회에서 탈락했다고 이어지는 흐름이 자연스럽다. 따라서 주어진 문장이 들어가기에 가장 적절한 곳은 ②이다.

오답 노트

① ➡ 소년이 철자를 틀렸다는 것을 안 시점은 심판이 다음 단계로 진출을 허락한 이후이다.
③, ④, ⑤ ➡ 소년이 자신의 잘못을 심판에게 스스로 찾아가 이야기했다는 사실이 신문에 실려 알려지고 소년이 거짓말쟁이가 되고 싶지 않았다는 인터뷰를 한 내용이 이어지고 있으므로 흐름상 자연스럽다.

구문 해설

❷Some years ago at the national spelling bee in Washington, D.C., a **thirteen-year-old** boy was asked to spell *echolalia*, a word **that** means a tendency to repeat **whatever** one hears.
thirteen-year-old는 복합형용사로, 명사, 동사, 형용사 등이 하이픈(-)으로 연결되어 하나의 형용사로 사용되는 것을 복합형용사라고 한다. 이때 시간이나 기간 등이 원래 복수 형태이더라도 단수 형태로 오는 것에 유의해야 한다. echolalia와 a word는 같은 것을 의미하는 동격으로, 동격을 의미하는 콤마(,)가 왔다. that은 주격 관계대명사로 a word를 수식한다. whatever는 복합관계대명사로 '~하는 것은 무엇이든지'의 뜻인데, 이 문장에서는 repeat의 목적어 역할을 하는 명사절을 이끈다.

3

• 본문 066쪽

답 ④

유형 해결 전략

❶Throw away your own hesitation / and forget all your concerns / about [whether you are musically talented] / or [whether you can sing or play an instrument].

당신의 머뭇거림을 던져 버려라 그리고 당신의 모든 걱정을 잊어라 당신이 음악적으로 재능이 있는지에 관한 또는 당신이 노래를 할 수 있거나 악기를 연주할 수 있는지에 관한

(명사절(about의 목적어$_1$), 명사절(about의 목적어$_2$))

KEY 1 주어진 문장 파악
음악적 재능이나 기술에 관한 모든 걱정을 잊으라는 것이 중심 소재임

❷Music appeals powerfully / to young children. (①) ❸Watch preschoolers' faces and bodies / when they hear rhythm and sound / — they light up / and move eagerly and enthusiastically. (②) ❹They communicate comfortably, / express themselves creatively, / and let out all sorts of thoughts and emotions / as they interact with music. (③) ❺In a word, / young children think / [music is a lot of fun], / so do all you can / to make the most of the situation. (❹) ❻They don't matter / when you are enjoying music with your child. (⑤) ❼Just follow his or her lead, / have fun, / sing songs together, / listen to different kinds of music, move, dance, / and enjoy.

음악은 강력하게 관심을 끈다 어린이들에게 취학 전 어린이들의 얼굴과 몸을 보라 그들이 리듬과 소리를 들을 때 그들의 얼굴은 환해진다 그리고 몸은 열심히 그리고 열정적으로 움직인다 그들은 편안하게 의사소통한다 스스로를 창의적으로 표현한다 그리고 모든 종류의 생각과 감정을 표출한다 그들이 음악과 상호 작용할 때 한마디로 어린이들은 생각한다 음악이 매우 재미있다고 그러니 당신이 할 수 있는 모든 것을 하라 그 상황을 최대한 활용하기 위해 그것들은 문제가 되지 않는다 당신이 당신의 자녀와 음악을 즐길 때 그저 그 혹은 그녀가 이끄는 것에 따르라 즐겨라 함께 노래하라 다른 종류의 음악을 듣고 몸을 움직이며 춤춰라 그리고 즐겨라

(when: 접속사(시간); light up: 동사$_1$; move: 동사$_2$; They = Preschoolers; communicate: 동사$_1$; express: 동사$_2$; let out: 동사$_3$; as: 접속사(시간); young children: 주어; think: 동사; (that) music is a lot of fun: 목적어(명사절); to make the most of the situation: 부사적 용법(목적); They = All your concerns)

KEY 2 문장 간 흐름 파악
음악은 아이들의 관심을 끎. 취학 전 아이들은 노래를 따라하고 춤을 추며 감정을 자유롭게 표출함 → 즉, 아이들은 음악을 매우 재미있다고 생각하므로 이것을 적극 활용하라는 내용

KEY 3 문장 간 연결고리 파악
④ 뒤의 문장 속 지시대명사 They가 지칭하는 바가 주어진 문장의 all your concerns임을 파악

해석

❷음악은 어린이들에게 강력하게 관심을 끈다. ❸취학 전 어린이들이 리듬과 소리를 들을 때, 그들의 얼굴과 몸을 보라. 그들의 얼굴은 환해지고 몸은 열심히 그리고 열정적으로 움직인다. ❹그들은 음악과 상호 작용할 때 편안하게 의사소통하고, 스스로 창의적으로 표현하며 모든 종류의 생각과 감정을 표출한다. ❺한마디로 말해서, 어린이들은 음악이 매우 재미있다고 생각하므로, 그 상황을 최대한 활용하기 위해 당신이 할 수 있는 모든 것을 해라. ❶당신의 머뭇거림을 던져 버리고 당신이 음악적으로 재능이 있는지 또는 당신이 노래를 할 수 있거나 악기를 연주할 수 있는지에 관한 모든 걱정을 잊어라. ❻그것들은 당신이 자녀와 음악을 즐길 때 문제가 되지 않는다. ❼그저 어린이들이 이끄는 것을 따르고, 즐기고, 함께 노래하고, 다양한 종류의 음악을 듣고, 몸을 움직이고, 춤추고, 즐겨라.

해설

주어진 문장은 음악적 재능과 관계 없이 음악을 즐기기 위해 할 수 있는 모든 것을 다하라고 말하고 있다. ④ 앞 문장에서는 아이들이 음악을 재미있게 생각하므로 그런 상황을 활용할 수 있는 모든 것을 하라고 했고, ④ 바로 뒤 문장의 They는 주어진 문장에서 자신이 음악적 재능이 있는지 등에 대한 모든 걱정들(all your concerns)을 지칭한다. 따라서 주어진 문장이 들어가기에 가장 적절한 곳은 ④이다.

오답 노트

①, ② ➡ 아이들이 음악에 열정적으로 반응한다는 문장에 이어서, 그들이 음악을 통해 모든 종류의 생각과 감정을 표출한다는 내용이 자연스럽게 이어지므로 주어진 문장이 들어가기에 적절하지 않다.

③ ➡ 음악을 통해 아이들이 모든 종류의 생각과 감정을 표출하기 때문에 이 상황을 최대한 이용해야 한다는 내용이 자연스럽게 이어지고 있다.

⑤ ➡ 아이와 음악을 즐길 때 그저 함께 즐기라는 내용이 앞 문장과 자연스럽게 이어진다.

구문 해설

❶**Throw away** your own hesitation **and forget** all your concerns about **whether** you are musically talented **or whether** you can sing or play an instrument.

Throw away와 forget으로 시작하는 명령문 두 개가 등위 접속사 and로 연결된 구조이다. 전치사 about의 목적어로 whether이 이끄는 명사절 두 개가 등위 접속사 or로 병렬 구조를 이룬다.

❺In a word, young children think music is a lot of fun, so do all you can **to make** the most of the situation.

think와 music 사이에는 명사절을 이끄는 접속사 that이 생략되었다. all과 you 사이에는 목적격 관계대명사 that이 생략되었는데, you can이 all을 수식한다. to make는 to부정사의 부사적 용법으로 '~하려고, 하기 위해'라는 목적의 의미로 쓰였다.

4

● 본문 067쪽

답 ⑤

유형 해결 전략

❶Yet today / if you program that same position / into an ordinary chess program, / it will immediately suggest the exact moves / [that Fischer made].

접속사(조건) / = the ordinary chess program / 목적격 관계대명사절

하지만 오늘날 / 당신이 그와 똑같은 배치를 설정하면 / 보통의 체스 프로그램에 / 그것은 즉시 바로 그 수를 제안할 것이다 / Fischer가 두었던

KEY 1 주어진 문장 파악
똑같은 상황이면 보통의 체스 프로그램이 Fischer가 두었던 수를 제안할 거라는 내용 → 연결사 Yet으로 보아 앞에는 이와 대비되는 과거의 이야기가 있었음을 추측

❷The boundary / between uniquely human creativity and machine capabilities / continues to change. (①) ❸When we look back to the chess game of 1956, / the thirteen-year-old genius Bobby Fischer made a pair of moves / against grandmaster Donald Byrne, / which proved remarkably creative. (②) ❹First he sacrificed his knight, / seemingly for no gain, / and then exposed his queen to capture. (③) ❺On the surface, / these moves seemed insane, / but several moves later, / Fischer used these moves / to win the game. (④) ❻His creativity was praised / at the time / as the mark of genius. (❺) ❼It's not because / the computer has memorized the Fischer-Byrne game, / but rather because / it searches far enough ahead to see / [that these moves really do pay off].

주어 / 〈between A and B〉: A와 B 사이의 / 동사 / 명사적 용법(목적어) / 동사 / 관계대명사 계속적 용법 / 부사적 용법(목적) / 등위 접속사 / 부사적 용법(결과) / ~로서(자격) / 〈not A but B〉: A가 아니라 B이다 / = the computer / 〈enough+to부정사〉: ~하기에 충분한 / 명사절(목적어) / 동사 강조

경계가 / 인간 고유의 창의력과 기계의 능력 사이의 / 계속 변화하고 있다 / 우리가 1956년의 체스 게임을 돌아보면 / 13세 천재 Bobby Fischer는 두 수를 두었다 / 거장 Donald Byrne을 상대로 / 이것은 대단히 창의적임이 드러났다 / 먼저 그는 자신의 나이트를 희생시켰고 / 겉으로 보기에 아무런 이득도 없이 / 그런 다음 퀸을 잡히도록 노출시켰다 / 겉으로 보기에는 / 이런 움직임이 / 비상식적으로 보였다 / 하지만 몇 수를 더 두고 나서 / Fischer는 이 수를 이용하여 / 그 게임에서 / 승리했다 / 그의 창의성은 칭송받았다 / 당시 / 천재성을 나타내는 표시로 / 그것은 ~ 때문이 아니다 / 컴퓨터가 Fischer와 Byrne의 게임을 암기했기 / 오히려 ~ 때문이다 / 그것이 볼 수 있을 만큼 충분히 멀리 앞을 탐색하기 / 이러한 수가 실제로 성과를 거둔다는 것을

KEY 2 문장 간 흐름 파악
인간의 창의력과 기계의 능력 사이의 경계가 계속 바뀌고 있는데, 일례로 과거 Fischer는 체스에서 창의적인 수를 두어 칭송받았음

KEY 3 문장 간 연결고리 파악
앞 문장까지 사람의 천재성이 소개되다가 갑자기 컴퓨터에 대한 언급 나옴 → 대명사 It이 가리키는 내용이 주어진 문장임을 파악

해석

❷인간 고유의 창의력과 기계의 능력 사이의 경계가 계속 변화하고 있다. ❸1956년의 체스 게임을 돌아보면, 13세 천재 Bobby Fischer는 거장 Donald Byrne을 상대로 두 수를 두었는데, 이것은 대단히 창의적임이 드러났다. ❹먼저 그는 겉으로 보기에 아무런 이득도 없이 자신의 나이트를 희생시켰고, 그런 다음 퀸을 잡히도록 노출시켰다. ❺겉으로 보기에는 이런 움직임이 비상식적으로 보였지만, 몇 수를 더 두고 나서, Fischer는 이 수를 이용하여 그 게임에서 승리했다. ❻당시 그의 창의성은 천재성을 나타내는 표시로 칭송받았다. ❶하지만 오늘날 보통의 체스 프로그램에 그와 똑같은 배치를 설정하면, 그것은 즉시 Fischer가 두었던 바로 그 수를 제안할 것이다. ❼그것은 컴퓨터가 Fischer와 Byrne의 게임을 암기했기 때문이 아니라, 이러한 수가 실제로 성과를 거둔다는 것을 볼 수 있을 만큼 충분히 멀리 앞을 탐색하기 때문이다.

해설

주어진 문장은 오늘날 같은 상황이면 체스 프로그램이 Fischer가 두었던 수를 제안할 것이라는 내용인데, yet으로 시작하고 있으므로 앞에는 반대되는 내용이 와야 한다. ⑤의 앞에서는 Fischer가 체스 경기에서 두었던 창의적인 수에 대한 이야기를 하다가 ⑤ 뒤에서 갑자기 컴퓨터가 멀리 앞을 탐색한다는 내용이 왔다. 따라서 주어진 문장이 들어가기에 가장 적절한 곳은 ⑤이다.

오답 노트

①, ②, ③, ④ ➡ 인간의 창의성을 보여 주는 사례로, Fischer의 체스 경기에 대한 내용이 이어진다.

구문 해설

❼It's **not because** the computer has memorized the Fischer-Byrne game, **but** rather **because** it searches far enough ahead to see **that** these moves really do pay off.
〈not A but B(A가 아니라 B이다)〉에서 A와 B로 because가 이끄는 원인을 나타내는 절이 쓰였다. 두 번째 because가 이끄는 절에서는 동사 see의 목적어로 접속사 that이 이끄는 명사절이 왔다.

UNIT 10

요약문 완성하기

● 본문 069쪽

대표 예제

답 ①

❶Social psychologists / [at the University of Virginia] / asked college students to stand at the base of a hill / [while carrying a weighted backpack] / and (to) estimate the steepness of the hill. ❷Some participants stood next to close friends / [whom they had known a long time], / some stood next to friends / [they had not known for long], / some stood next to strangers, / and the others stood alone / during the exercise. ❸The participants / [who stood with close friends] / gave significantly lower estimates of the steepness of the hill / than those [who stood alone, / next to strangers, / or next to newly formed friends]. ❹Furthermore, / the longer the close friends had known each other, / the less steep the hill appeared to the participants / involved in the study.

➡ ❺According to the study, / a task is perceived as less (A) difficult / [when standing next to a (B) close friend].

(주석)
- Social psychologists: 주어 / 사회 심리학자들은
- at the University of Virginia: 전치사구 / 버지니아 대학교의
- asked college students to stand: 〈ask+목적어+목적격보어(to부정사)〉: …에게 ~을 요청하다 / 대학생들에게 언덕 아래에 서라고 요청했다
- while carrying a weighted backpack: = while they were carrying ~ backpack / 무거운 배낭을 멘 채로
- and (to) estimate the steepness of the hill: 그리고 언덕의 가파름을 추정할 것을 (요청했다)
- next to: ~ 옆에 / 몇몇 참가자들은 친한 친구들 옆에 섰다
- whom they had known a long time: 목적격 관계대명사절, had known: 과거완료 / 그들이 오랫동안 알아 온
- some stood next to friends: 몇몇은 친구들 옆에 섰다
- they had not known for long: 목적격 관계대명사절 / 그들이 오랫동안 알고 지내지 않은
- some stood next to strangers: 몇몇은 낯선 사람들 옆에 섰다
- and the others stood alone: 그리고 나머지는 혼자 섰다
- during the exercise: 활동을 하는 동안
- The participants: 주어 / 참가자들은
- who stood with close friends: 주격 관계대명사절 / 친한 친구들과 함께 서 있던
- gave: 동사 / 언덕의 가파름에 대해 상당히 더 낮은 추정을 했다
- those who stood alone: 주격 관계대명사절 / 혼자 서 있던 사람들보다
- next to strangers: 낯선 사람 옆에 있거나
- or next to newly formed friends: 혹은 새로 알게 된 친구들 옆에 서 있던
- Furthermore: 더욱이
- the longer the close friends had known each other: 〈the+비교급 ~, the+비교급 ...〉: ~할수록 더 …하다 / 그 친한 친구들과 서로 알고 지낸 지 더 오래될수록
- appeared: = seemed / 그 언덕이 참가자들에게 덜 가파른 것처럼 보였다
- involved in the study: 과거분사구 / 그 연구에 참가한
- According to the study: 연구에 의하면
- a task is perceived as less (A) difficult: 과제는 덜 어려운 것으로 여겨진다
- when standing next to a (B) close friend: 분사구문 / 친한 친구 옆에 서 있을 때

유형 해결 전략

KEY 2 글의 핵심어 파악
- 실험 대상: 친한 친구, 새로 사귄 친구, 낯선 사람 옆에 있거나 혹은 혼자 있을 때의 비교
- 실험 내용: 무거운 배낭을 멘 채 언덕 아래에 서서 언덕의 경사를 추정해 보기

KEY 3 실험 결과를 통해 핵심 내용 파악
- 실험 결과: 친한 사람이 옆에 있을수록 언덕의 가파름을 낮게 추정했다는 결론 도출 → (A)의 단서로 significantly lower estimates of the steepness를 확인하여 '덜 힘든, 덜 어려운'의 의미 유추 / (B)의 단서로 close friends, the longer the close friends had known each other를 확인하여 '친한, 가까운'의 의미 유추

KEY 1 요약문 읽고 글의 내용 예측
'(B)한 친구 옆에 서 있을 때 과업이 덜 (A)하게 여겨진다'는 내용

해석

❶버지니아 대학교의 사회 심리학자들은 대학생들에게 무거운 배낭을 멘 채로 언덕 아래에 서서 그 언덕의 가파름을 추정할 것을 요청했다. ❷활동을 하는 동안 몇몇 참가자들은 그들이 오랫동안 알고 지내 왔던 친한 친구들 옆에 섰고, 몇몇은 그들이 오랫동안 알고 지내지는 않았던 친구들 옆에 섰고, 몇몇은 낯선 사람들 옆에 섰고, 나머지 다른 사람들은 혼자 섰다. ❸친한 친구들과 함께 서 있던 참가자들은 혼자 서 있거나 낯선 사람 옆에 서 있거나 또는 새로 알게 된 친구들 옆에 서 있던 사람들보다 그 언덕의 가파름을 상당히 더 낮게 추정했다. ❹더욱이 그 친한 친구들이 서로 알고 지낸 지 오래될 수록, 그 연구에 참여한 참가자들에게는 그 언덕이 덜 가파른 것처럼 보였다.

➡ ❺연구에 의하면, (B) 친한 친구 옆에 서 있을 때 과제가 덜 (A) 어렵게 여겨진다.

해설

대학생들에게 무거운 배낭을 멘 채로 언덕 아래에 서서 언덕의 경사도를 추정하도록 한 실험에 대한 내용이다. 실험 대상자들은 친한 친구가 옆에 있을 때, 그리고 그 친구와 서로 알고 지낸 기간이 길수록 과업을 덜 어렵게 느꼈다. 따라서 요약문의 빈칸에 들어갈 말로 가장 적절한 것은 ① 'difficult(어려운) – close(친한)'이다.

오답 노트

② valuable(가치 있는) – new(새로운) ➡ 과업의 '가치'와 관련된 내용이 아니다.

③ difficult(어려운) – smart(똑똑한) ➡ '똑똑한' 친구가 아니라 '친한' 친구가 실험 대상이다.

④ valuable(가치 있는) – patient(끈기 있는), ⑤ exciting(흥미로운) – strong(강인한) ➡ ④, ⑤는 모두 본문과 관계 없는 내용이다.

구문 해설

❹ ~ the longer the close friends had known each other, the less steep the hill appeared to the participants ~.
〈the+비교급 ~, the+비교급 ...〉 구문이 쓰여 '~할수록 더 …하다'라는 뜻이다.

어휘

base 맨 아래 부분, 바닥 **weighted** 무거운, 무거운 짐을 실은 **estimate** 추정하다; 추정, 추정치 **steepness** 가파름, 경사 **significantly** 상당히 **involved in** ~에 참가한, ~에 관련된

READING 1~4

● 본문 070~073쪽

 ①  ②  ②  ①

1

● 본문 070쪽

답 ①

❶In one study, / researchers asked students to arrange ten posters / in order of beauty. ❷They promised / [that afterward the students could have one of the ten posters / as a reward for their participation]. ❸However, / when the students finished the task, / the researchers said / [that the students were not allowed to keep the poster / {that they had rated as the third-most beautiful}]. ❹Then, / they asked the students / to judge all ten posters again / from the very beginning. ❺What happened was / [that the poster (that) they were unable to keep / was suddenly ranked as the most beautiful]. ❻This is an example of the "Romeo and Juliet effect": / Just like Romeo and Juliet in the Shakespearean tragedy, / people become more attached to each other / when their love is prohibited.

➡ ❼When people find [they cannot (A) own something], / they begin to think it more (B) attractive.

(문법 주석) ask+목적어+목적격보어(to부정사): ~에게 …하도록 요청하다 / that ~ participation: 명사절(목적어) / as: ~로서(자격) / that the students ~: 명사절(목적어) / were not allowed: 수동태 / that they had rated: 목적격 관계대명사절, 과거완료 / 〈the very+명사〉: 명사 강조 / What happened: 주어, was: 동사, that the poster ~: 주격보어(명사절) / is prohibited: 수동태 / they cannot own something: 명사절(목적어)

(직독직해) 한 연구에서 / 연구자들은 학생들에게 10개의 포스터를 배열하도록 요청했다 / 아름다운 순서대로 / 연구자들은 약속했다 / 학생들이 나중에 10개의 포스터 중 하나를 가질 수 있다고 / 그들의 참여에 대한 보상으로 / 그러나 / 학생들이 이 과업을 마쳤을 때 / 연구자들은 말했다 / 학생들이 포스터를 가지는 것이 허락되지 않는다고 / 그들이 3순위의 아름다운 것으로 선택했던 / 그 후 / 그들은 학생들에게 요청했다 / 모든 10개의 포스터를 / 다시 평가하도록 / 아주 처음부터 / 그 결과 ~였다 / 그들이 가질 수 없었던 그 포스터가 / 갑자기 가장 아름다운 것으로 순위 매겨졌다 / 이것은 '로미오와 줄리엣 효과'의 한 예시이다 / Shakespeare의 비극에 나오는 로미오와 줄리엣처럼 / 사람들은 서로에게 더 애착감이 생긴다 / 그들의 사랑이 금지될 때 / 사람들은 그들이 무언가를 소유할 수 없다는 것을 알게 될 때 / 그들은 그것이 더 매력적이라고 생각하기 시작한다

유형 해결 전략

KEY 2 글의 핵심어 파악
학생들에게 10개의 포스터를 아름다운 순서대로 배열하라고 요청하면서 그 중 하나를 보상으로 주겠다고 약속함. 그런 다음 과업 후 3순위는 가질 수 없다고 말함
→ a reward, not allowed to keep the poster ~ the third-most beautiful 등이 핵심어임을 파악

KEY 3 연구 결과를 통해 핵심 내용 파악
다시 포스터 순위에 대해 평가하도록 요청했고, 재배열했을 때 원래 3순위 포스터가 가장 아름다운 것으로 순위 매겨짐 → '로미오와 줄리엣 효과'처럼 소유 불가능한 것이 더 매력적이게 느껴진다는 것을 파악할 수 있음

KEY 1 요약문 읽고 글의 내용 예측
'사람들은 무언가를 (A)할 수 없을 때 그것이 더 (B)라고 생각한다'는 내용

해석

❶한 연구에서, 연구자들은 학생들에게 10개의 포스터를 아름다운 순서대로 배열하라고 요청했다. ❷연구자들은 학생들이 나중에 10개의 포스터 중 하나를 연구 참여에 대한 보상으로 가질 수 있다고 약속했다. ❸그러나 학생들이 이 과업을 마쳤을 때 연구자들은 학생들이 3순위의 아름다운 것으로 선택했던 포스터는 가질 수 없다고 말했다. ❹그 후 그들은 학생들에게 모든 10개의 포스터를 아주 처음부터 다시 평가하도록 요청했다. ❺그 결과 학생들이 가질 수 없었던 그 포스터가 갑자기 가장 아름다운 것으로 순위 매겨졌다. ❻이것은 '로미오와 줄리엣 효과'의 한 예시이다. Shakespeare의 비극에 나오는 로미오와 줄리엣처럼 사랑이 금지될 때 사람들은 서로에게 더 애착감이 생긴다.
➡ ❼사람들은 무언가를 (A) 소유할 수 없다는 것을 알게 될 때 그것이 더 (B) 매력적이라고 생각하기 시작한다.

해설

실험의 내용으로부터 도출할 수 있는 결론은 '사람들은 무언가를 가질 수 없을 때, 그것이 더 아름답다고 생각한다.'이다. 따라서 요약문의 빈칸에 들어갈 말로 가장 적절한 것은 ① 'own(소유하다) – attractive(매력적인)'이다.

오답 노트

② own(소유하다) – forgettable(잊어버릴 수 있는) ➡ 소유할 수 없을 때 잊어버릴 수 있다는 요약문은 본문과 반대되는 내용이다.
③ create(창조하다) – charming(매력적인)
④ create(창조하다) – romantic(낭만적인)
➡ ③, ④처럼 본문은 '창조하는' 것과는 관련이 없다.
⑤ accept(받아들이다) – disappointing(실망스러운) ➡ 본문과 관계없는 내용이다.

2

답 ②

❶Recent studies(주어) point(동사) to the importance of warm physical contact / for healthy relationships with others.
최근의 연구는 따뜻한 신체적 접촉의 중요성을 지적한다 / 다른 사람들과의 건강한 관계를 위해

❷In one study, / participants(주어) / [who(주격 관계대명사절) briefly held a cup of hot (versus iced) coffee] / judged(동사) a target person / as(~으로(자격)) having a "warmer" personality / (generous, caring); / in another study, / participants(주어) / holding a hot (versus cold) pack(현재분사구) / were(동사) more likely to choose a gift for a friend / instead of(~ 대신에) something for themselves.
한 연구에서 / 참가자들은 / (얼음이 든 커피에 비해서) 뜨거운 커피가 든 컵을 잠시 들고 있는 / 상대방을 판단했다 / '더 온화한' 성격을 가졌다고 / 너그럽고, 친절한 / 다른 연구에서 / 참가자들은 / (차가운 팩에 비해) 뜨거운 팩을 들고 있는 / 친구를 위해 선물을 고르는 경향이 더 컸다 / 자신을 위한 것 대신에

❸These findings(주어) illustrate(동사) / [that(목적어(명사절)) mere contact experiences of physical warmth / activate feelings of interpersonal warmth].
이러한 결과는 보여 준다 / 단순한 신체적 따뜻함에 대한 접촉 경험이 / 사람 사이의 따뜻함이라는 감정을 활성화한다는 것을

❹Moreover, / this temporarily increased activation(주어) of interpersonal warmth feelings / then influences(동사) judgments toward other people / in an unintentional manner(방식, 방법).
게다가 / 이런 일시적으로 증가된 사람 사이의 따뜻한 감정의 활성화는 / 이후 다른 사람에 대한 판단에도 영향을 준다 / 의도하지 않은 방식으로

❺Such feelings(주어) / activated in one context(과거분사구) / last(동사₁) for a while thereafter(이후로, 그 후에) / and have(동사₂) influence on judgment and behavior in later contexts / without the person's awareness.
그런 감정은 / 한 상황에서 활성화된 / 이후로 한동안 지속된다 / 그리고 그 이후의 상황에서의 판단과 행동에 영향을 미친다 / 그 사람이 인식하지 못한 채

➡ ❻Experiencing physical warmth(주어(동명사구)) / (A) promotes(동사) interpersonal warmth(목적어), / which(계속적 용법(= and it)) happens in a(n) (B) automatic way.
신체적 따뜻함을 경험하는 것은 / 사람 사이의 따뜻함을 증진시킨다 / 이것은 자동적인 방식으로 발생한다

유형 해결 전략

KEY 2 글의 핵심어 파악
사람 사이의 '따뜻한 신체적 접촉'의 중요성

KEY 3 연구 결과와 부연 설명을 통해 핵심 내용 파악
- 연구 내용 및 연구 결과 : 커피나 팩을 든 참가자를 대상으로 한 실험에서 뜨거운 커피, 뜨거운 팩을 든 사람은 상대방을 더 온화한 성품의 소유자로 판단함. 즉, 단순한 신체적 접촉의 따뜻함이 사람 사이의 따뜻한 감정을 활성화시킴 → 반복되는 activate란 단어를 (A)의 단서로 파악
- 부연 설명 : 사람 사이에 따뜻함이 활성화하는 것은 의도하지 않은 방식으로 다른 사람에 대한 판단에 영향을 주며, 이후에도 그런 감정은 지속됨 → (B)의 단서로 in an unintentional manner에 집중

KEY 1 요약문 읽고 글의 내용 예측
'신체적 따뜻함을 경험하는 것은 사람 사이의 따뜻함을 (A)하고, 이것은 (B)한 방식으로 발생한다'는 내용

해석

❶최근의 연구는 다른 사람들과의 건강한 관계를 위해 따뜻한 신체적 접촉의 중요성을 지적한다. ❷한 연구에서 (얼음이 든 커피에 비해서) 뜨거운 커피가 든 컵을 잠시 들고 있는 참가자들이 상대방을 '더 온화한' 성격(너그럽고, 친절한)을 가졌다고 판단했다. 다른 연구에서 (차가운 팩에 비해) 뜨거운 팩을 들고 있던 참가자들이 자신을 위한 물건을 선택하는 대신에 친구를 위해 선물을 고르는 경향이 더 컸다. ❸이러한 결과는 단순한 신체적인 따뜻함에 대한 접촉 경험만으로도 사람 사이의 따뜻한 감정을 활성화한다는 것을 보여 준다. ❹게다가 이런 일시적으로 증가된 사람 사이의 따뜻한 감정의 활성화는 향후에 의도하지 않은 방식으로 다른 사람에 대한 판단에 영향을 미친다. ❺한 상황에서 활성화된 그런 감정은 그 이후 한동안 지속되고, 그 사람이 인식하지 못한 채 그 이후의 상황에서의 판단과 행동에 영향을 미친다.
➡ ❻신체적 따뜻함을 경험하는 것은 사람 사이의 따뜻함을 (A) 증진시키고, 이것은 (B) 자동적인 방식으로 발생한다.

해설

건강한 관계를 위해 따뜻한 신체적 접촉이 중요한데, 실험 결과를 보면 신체적 따뜻함을 경험하면 사람 사이의 따뜻함이 '활성화'되고, 이런 현상이 '의도치 않은' 방식으로 영향을 미친다는 것을 추론할 수 있다. 따라서 요약문의 빈칸에 들어갈 말로 가장 적절한 것은 ② 'promotes(증진시킨다) – automatic(자동적인)'이다.

오답 노트

① promotes(증진시킨다) – flexible(유연한) ➡ 신체적 따뜻함을 경험하는 것은 사람 사이의 따뜻함을 증진시키지만, 이는 자동적인 방식이지 '유연한' 방식은 아니다.
③ affects(영향을 준다) – inconsistent(일관성 없는) ➡ 신체적 따뜻함에 대한 경험이 사람 사이의 따뜻함에 영향을 주기는 하지만, 이는 '자연스러운' 방식으로 발생한다.
④ minimizes(최소화시킨다) – obvious(명백한), ⑤ minimizes(최소화시킨다) – rapid(급속의) ➡ ④, ⑤처럼 (A)에 '최소화시키고'가 들어가면 본문의 내용과 반대되는 의미가 된다.

구문 해설

❺Such feelings **activated** in one context **last** for a while thereafter and **have** influence on judgment and behavior in later contexts without the person's awareness.
문장의 주어는 Such feelings이고, activated ~ context는 과거분사구로 주어를 수식하고 있다. 동사는 last와 have이다.

● 본문 072쪽

답 ②

❶What really works / to motivate people to achieve their goals? ❷In one study, / researchers looked at [how people respond to life challenges / including getting a job, taking an exam, or undergoing surgery]. ❸For each of these conditions, / the researchers also measured / [how much these participants fantasized about positive outcomes] / and [how much they actually expected a positive outcome]. ❹What's the difference really between fantasy and expectation? ❺While fantasy involves imagining an idealized future, / expectation is actually based on a person's past experiences. ❻So what did the researchers find? ❼The results revealed / [that those {who had engaged in fantasizing about the desired future} / did worse in all three conditions]. ❽Those [who had more positive expectations for success] / did better in the following weeks, months, and years. ❾These individuals were more likely / to have found jobs, passed their exams, or successfully recovered from their surgery.

무엇이 정말 효과가 있는가 / 사람들로 하여금 자신의 목표를 성취하도록 동기를 부여하기 위해? (to motivate: 부사적 용법(목적)) / 한 연구에서 / 연구자들은 사람들이 인생의 과제에 어떻게 대응하는가를 살펴보았다 (how ~: 간접의문문) / 직장을 얻거나, 시험을 보거나, 수술을 받는 것을 포함하여 (including: ~을 포함하여; getting: including의 목적어₁, taking: 목적어₂, undergoing: 목적어₃ — 병렬 구조) / 이러한 각각의 상황에 대해 / 연구자들은 또한 측정했다 (the researchers: 주어, measured: 동사) / 이러한 실험 참가자들이 긍정적인 결과에 대해 얼마나 많이 공상했는지 (간접의문문(목적어₁)) / 그리고 그들이 실제로 긍정적인 결과를 얼마나 많이 기대했는지 (간접의문문(목적어₂)) / 공상과 기대의 차이는 진정 무엇인가? (〈between A and B〉: A와 B 사이의) / 공상은 이상화된 미래를 상상하는 것을 포함하는 반면 (While: 접속사(대조)) / 기대는 실제로 사람의 과거 경험에 근거한다 (be based on: ~에 근거하다) / 그래서 연구자들은 무엇을 알아냈는가? / 그 결과는 보여 주었다 (The results: 주어, revealed: 동사) / 바라던 미래에 대해 공상하는 데 참여했던 사람들은 (that ~: 간접의문문(목적어); those: 주어', who ~: 주격 관계대명사절) / 세 가지 상황 모두에서 성과가 좋지 않았다 (did: 동사') / 성공에 대한 긍정적인 기대를 더 많이 했던 사람들은 (Those: 주어, who ~: 주격 관계대명사절) / 다음 주, 달, 해에도 좋은 성과를 거두었다 (did: 동사) / 이 사람들은 가능성이 더 높았다 / 직업을 구하고, 시험에 합격하고, 수술에서 성공적으로 회복한 (to have found: 완료부정사)

➡ ❿Positive expectations are more (A) effective / than fantasizing about a desired future, / and they are likely to increase your chances of (B) success / in achieving goals.

긍정적인 기대는 더 효과적이다 / 바라던 미래에 대해 공상하는 것보다 / 그리고 그것은 당신의 성공의 가능성을 높여주는 경향이 있다 (〈be likely+to부정사〉: ~하는 경향이 있다) / 목표를 성취하는 데 있어

유형 해결 전략

KEY 2 글의 핵심어 파악
인생의 과제에 대해 어떻게 대응하는지에 대한 두 부류의 실험 대상자 집단 → 긍정적인 결과에 대해 '공상'하는 집단과 '기대'하는 집단

KEY 3 연구와 결과를 통해 핵심 내용 파악
- 결과 1 : 공상을 했던 사람들은 실험 상황에 대해 모두 좋지 않은 성과를 보임
- 결과 2 : 기대를 했던 사람들은 시간이 지나도 좋은 성과를 거둠

KEY 1 요약문 읽고 글의 내용 예측
'긍정적인 기대'는 '공상'보다 더 (A)하며, 목표를 성취하는 데 (B)의 가능성을 더 높여준다'는 내용으로, 긍정적인 기대가 어떤 영향을 미치는지에 집중해서 내용을 파악해야 함

해석

❶사람들로 하여금 자신의 목표를 성취하도록 동기를 부여하기 위해 무엇이 정말 효과가 있는가? ❷한 연구에서, 연구자들은 사람들이 직장을 얻거나, 시험을 보거나, 수술을 받는 것을 포함하여 인생의 과제에 어떻게 대응하는가를 살펴보았다. ❸이러한 각각의 상황에 대해, 연구자들은 또한 이러한 실험 참가자들이 긍정적인 결과에 대해 얼마나 많이 공상했는지, 그리고 그들이 실제로 긍정적인 결과를 얼마나 많이 기대했는지를 측정했다. ❹공상과 기대의 차이는 진정 무엇인가? ❺공상은 이상화된 미래를 상상하는 것을 포함하는 반면에, 기대는 실제로 사람의 과거 경험에 근거한다. ❻그래서 연구자들은 무엇을 알아냈는가? ❼그 결과는 바라던 미래에 대해 공상을 했던 사람들은 세 가지 상황 모두에서 성과가 좋지 않았다는 것을 보여 주었다. ❽성공에 대한 긍정적인 기대를 더 많이 했던 사람들은 다음 주, 달, 해에도 좋은 성과를 거두었다. ❾이 사람들은 직업을 구하고, 시험에 합격하고, 수술에서 성공적으로 회복한 가능성이 더 높았다.
➡ ❿긍정적인 기대는 바라던 미래에 대해 공상하는 것보다 더 (A) 효과적이고, 그것은 목표를 성취하는 데 있어 (B) 성공의 가능성을 높여주는 경향이 있다.

해설

긍정적인 결과에 대해 '공상'하는 사람들보다 '기대'하는 사람들이 더 좋은 성과를 거두었다. 따라서 요약문의 빈칸에 들어갈 말로 가장 적절한 것은 ② 'effective(효과적인) – success(성공)'이다.

오답 노트

① effective(효과적인) – frustration(불만, 좌절감), ③ discouraging(낙담시키는) – cooperation(협력), ④ discouraging(낙담시키는) – failure(실패), ⑤ common(흔한) – difficulty(어려움)
➡ ①, ③, ④, ⑤는 모두 본문과 관계 없는 내용이다.

● 본문 073쪽

답 ①

❶Some natural resource-rich developing countries / tend to rely too much on their natural resources, / which results in a lower number of / different types of products produced / and lowers the rate of growth.
천연자원이 풍부한 일부 개발도상국들은 (tend: 동사) 그들의 천연자원에 지나치게 의존하는 경향이 있다 (which: 주격 관계대명사(계속적 용법)) 그것은 수를 떨어뜨리는 결과를 초래한다 생산된 제품 종류의 다양성의 그리고 성장률을 낮춘다

❷Having plentiful natural resources / isn't harmful to countries in itself.
풍요로운 천연자원을 갖는 것은 그 자체가 그 국가들에게 해롭지 않다 (in itself: 그것 자체가)

❸Many countries have abundant natural resources / and have managed to grow out of their reliance on them / by expanding their economic activity.
많은 나라들이 풍부한 천연자원을 가지고 있다 그리고 그것에 대한 그들의 의존에서 벗어나고자 해 왔다 자국의 경제 활동을 확대함으로써 (have managed: 현재완료 / them = natural resources / 〈by -ing〉: ~함으로써)

❹That is the case of Canada, Australia, or the US. ❺But some developing countries are trapped / in their reliance / on their large natural resources.
그것이 캐나다, 호주, 또는 미국의 경우이다 하지만 일부 개발도상국들은 갇혀 있다 (are trapped: 수동태) 의존에 자국의 많은 천연자원에 대한

❻They suffer from a series of problems / since a heavy reliance on natural capital / tends to decrease the development or use of other types of capital / and as a result slow down economic growth.
그들은 일련의 문제를 겪고 있다 (since: 부사절 접속사: ~때문에) 자연 자본에 대한 과도한 의존은 ~하기 때문에 다른 형태의 자본의 발전이나 사용을 감소시킬 경향이 있다 그리고 그 결과 경제 성장을 늦춘다

➡ ❼Relying on rich natural resources / without (A) varying economic activities / can be a (B) barrier to economic growth.
(Relying: 동명사(주어)) 풍부한 천연자원에 의존하는 것은 (varying: 동명사(without의 목적어)) 경제 활동을 다양화하지 않은 채 (can be: 동사) 경제 성장에 장애가 될 수 있다

유형 해결 전략

KEY 2 글의 핵심어 파악
results in a lower number of different types of products produced, lowers the rate of growth, harmful 등을 통해 풍부한 천연자원에 대한 의존이 오히려 경제 성장에 해가 될 수 있다는 내용임을 파악

KEY 3 예시와 비교를 통해 핵심 내용 파악
• 캐나다, 호주, 미국의 사례 제시: 자원의 풍요 → 자국 경제 활동 확대 시도 → 천연자원에 대한 의존 탈피
• 일부 개발도상국들의 사례 제시: 자원의 풍요 → 자연 자본에 대한 의존도 심화 → 다른 형태의 자본 발전과 사용 감소 → 경제 성장 둔화

KEY 1 요약문 읽고 글의 내용 예측
'경제 활동을 (A) 않은 채 풍부한 천연자원에 의존하는 것은 경제 성장에 (B)가 될 수 있다'는 내용

해석

❶ 천연자원이 풍부한 일부 개발도상국들은 자국의 천연자원에 지나치게 의존하는 경향이 있는데, 이는 생산 제품 종류의 다양성을 떨어뜨리는 결과를 초래하고 성장률을 낮춘다. ❷ 풍요로운 천연자원을 갖는 것은 원래 그 국가들에게 해롭지 않다. ❸ 많은 나라들이 풍부한 천연자원을 가지고 있으며, 자국의 경제 활동을 확대함으로써 풍부한 천연자원에 대한 의존에서 벗어나고자 했다. ❹ 그것이 캐나다, 호주, 또는 미국의 경우이다. ❺ 하지만 일부 개발도상국들은 자국의 많은 천연자원에 대한 의존에 갇혀 있다. ❻ 자연 자본에 대한 과도한 의존은 다른 형태의 자본의 발전이나 사용을 감소시킬 경향이 있기 때문에 그들은 일련의 문제를 겪고 있고, 결과적으로 경제 성장을 늦춘다. ➡ ❼ 경제 활동을 (A) 다양화하지 않은 채 풍부한 천연자원에 의존하는 것은 경제 성장에 (B) 장애가 될 수 있다.

해설

일부 개발도상국들은 자국의 많은 천연자원에 지나치게 의존하고 이로 인해 다른 형태의 자본을 제외해 결과적으로 경제 성장을 방해하는 경향이 있다고 했다. 따라서 경제 활동을 '다양화'하지 않은 채 풍부한 천연자원에만 의존하는 것은 경제 성장에 '장애'가 될 수 있다는 내용이 되어야 한다. 따라서 요약문의 빈칸에 들어갈 말로 가장 적절한 것은 ① 'varying(다양화하지) – barrier(장애)'이다.

오답 노트

② varying(다양화하지) – shortcut(지름길) ➡ 풍부한 천연자원에만 의존하는 것은 경제 성장에 '지름길'이 되는 것이 아니라 '장애'가 된다고 했다.

③ limiting(제한하지) – challenge(난제) ➡ 본문의 내용과는 관련이 없다.

④ limiting(제한하지) – barrier(장애) ➡ 경제 활동은 '제한하지' 않은 채가 아니라 '다양화하지' 않은 채 천연자원에만 의존하는 것이 문제다.

⑤ connecting(연결하지) – shortcut(지름길) ➡ 본문의 내용과는 관련이 없다.

구문 해설

❶ Some natural resource-rich developing countries tend to rely too much on their natural resources**, which results** in a lower number of different types of product produced **and lowers** the rate of growth.
관계대명사의 계속적 용법으로 관계대명사 앞에 콤마(,)가 붙으며, 선행사를 한정하여 수식하는 것이 아니라 추가적인 정보를 제공한다. 앞 문장 전체가 선행사가 될 수도 있다. 관계대명사 what과 that은 계속적 용법으로 사용하지 않는다. 이 문장에서 관계대명사절의 동사 results와 lowers는 등위 접속사 and로 연결되어 병렬 구조를 이룬다.

실전 모의고사 1회

• 본문 076~087쪽

1 ③	2 ①	3 ⑤	4 ③	5 ①	6 ②
7 ③	8 ④	9 ③	10 ②	11 ①	12 ③
13 ⑤	14 ④	15 ①	16 ②	17 ③	

1 ③

해석

Stevens 씨께,
이것은 당신이 9월 26일에 저희 상점에서 구매하신 책상의 배송 상황에 관한 문의에 대한 답변입니다. 유감스럽게도, 당신의 책상 배송이 가구 제조업체에서 저희 창고로 배송되는 동안 발생한 파손 때문에 예상된 것보다 더 오래 걸릴 것입니다. 저희는 제조업체로부터 똑같은 대체품을 주문했고, 그 배송이 2주 내에 이뤄질 것으로 예상합니다. 그 책상이 도착하자마자 저희는 당신께 곧장 전화를 해서 편리한 배송 시간을 정할 것입니다. 저희는 이 지연이 당신께 초래한 불편함에 대해 유감스럽게 생각합니다.
진심을 담아,
Justin Upton 드림

해설

고객이 주문한 책상의 배송 상황 문의에 대한 답변을 한다면서 주문한 상품이 배송 중에 파손되어 대체품을 주문했고, 그것이 2주 안에 배송될 것이라고 했다. 또한 배송이 지연된 것에 대해 유감을 표시하고 있다. 따라서 이 글의 목적으로 가장 적절한 것은 ③ '상품의 배송 지연에 대해 설명하려고'이다.

오답 노트

① 영업시간 변경을 공지하려고 ➡ 영업시간에 대한 언급은 없었다.
② 고객 서비스 만족도를 조사하려고 ➡ 제공한 서비스에 대한 만족도를 조사하는 내용은 아니다.
④ 구매한 상품의 환불 절차를 안내하려고 ➡ 지연되는 상품 배송에 대해 환불 절차를 안내하는 내용은 아니다.
⑤ 배송된 상품의 파손에 대해 항의하려고 ➡ 고객이 아니라 상점 측에서 보내는 답변이다.

구문 해설

[2행] This is a reply to your inquiry about the shipment status of the desk you purchased at our store on September 26.
▶ desk와 you 사이에는 목적격 관계대명사 that[which]이 생략되어 있다. that[which]이 이끄는 관계대명사절이 선행사 the desk를 수식하고 있다.
[6행] We **have ordered** an exact replacement from the manufacturer, and we expect that delivery will take place within two weeks.
▶ have ordered는 현재완료 시제로 과거 어떤 시점의 일이 현재에 영향을 미침을 나타낸다. and로 이어지는 절에서 we가 주어, expect가 동사, that ~ two weeks의 명사절이 목적어로 쓰였다.

어휘

reply 답변 **inquiry** 문의; 탐구 **shipment** 배송 **status** 상황, 상태 **purchase** 구입하다 **expected** 예상된 **due to** ~ 때문에 **damage** 손상, 피해 **occur** 일어나다, 발생하다 **manufacturer** 제조업체 **warehouse** 창고 **take place** 발생하다, 일어나다 **immediately** 즉시 **arrange** 정하다, 마련하다 **convenient** 편리한 **inconvenience** 불편함, 애로(사항) **delay** 지연

2 ①

해석

Garnet은 촛불들을 불어서 끄고 누웠다. 심지어 홑이불 한 장조차 너무 더운 날이었다. 그녀는 땀을 흘리면서 비를 가져오지 않는 공허한 천둥소리를 들으며 그곳에 누워 있었고, "나는 이 가뭄이 끝났으면 좋겠어."라고 속삭였다. 그날 밤늦게, Garnet은 그녀가 기다려 온 무언가가 곧 일어날 것 같은 기분이 들었다. 그녀는 귀를 기울이며 아주 가만히 누워 있었다. 그 천둥은 훨씬 더 큰 소리를 내면서 다시 우르르 울렸다. 그러고 나서 천천히, 하나씩 하나씩, 마치 누군가가 지붕에 동전을 떨어뜨리고 있는 것처럼 빗방울이 떨어졌다. Garnet은 희망에 차서 숨죽였다. 그 소리가 잠시 멈췄다. "멈추지 마! 제발!" 그녀는 속삭였다. 그런 다음 그 비는 세차고 요란하게 세상에 쏟아졌다. Garnet은 침대 밖으로 뛰쳐나와 창문으로 달려갔다. 그녀는 기쁨에 차서 소리쳤다. "비가 막 쏟아진다!" 그녀는 그 뇌우가 선물처럼 느껴졌다.

해설

너무 더운 날과 가뭄에 지친 Garnet은 공허한 천둥소리를 들으며 비가 오기를 간절히 바라다가 지붕 위로 빗방울이 조금씩 떨어지다 폭우로 바뀌는 소리를 듣고는 기쁨에 차서 흥분한 상태이다. 따라서 Garnet의 심경 변화로 가장 적절한 것은 ① '갈망하는 → 흥분한'이다.

오답 노트

② 당혹스러운 → 자랑스러워하는 ➡ 비가 내리다가 잠시 멈춰서 당혹스러울 수 있지만 자랑스러운 상황으로 바뀌지는 않았다.
③ 창피한 → 만족한 ➡ 창피한 것과 관련된 내용은 없다.
④ 무관심한 → 겁에 질린 ➡ 기다려 온 무언가가 있다고 했으므로 무관심하지 않고, 겁에 질릴 만한 상황으로 바뀌지 않았다.
⑤ 감사하는 → 실망한 ➡ 비가 내리기를 원하다가 비가 와서 감사할 수는 있지만, 실망하는 심경으로 바뀌지 않았다.

구문 해설

[2행] She lay there, **sweating, listening** to the empty thunder **that** brought no rain, and whispered, "I **wish** the drought **would end**."
▶ She lay there과 and whispered 사이에 동시동작을 나타내는 분사구문 sweating과 listening to ~ rain이 쓰였다. thunder 뒤의 that은 주격 관계대명사로, 앞의 the empty thunder를 수식하는 절을 이끈다. 〈I wish + 주어 + would + 동사원형〉의 가정법 과거가 와서 현재에 실현되지 않은 소망을 나타내고 있다.
[3행] Late in the night, Garnet had a feeling **that** something she had been waiting for was about to happen.
▶ that은 접속사로, that something ~ to happen이 a feeling을 설명해 주고 있다. something과 she 사이에는 목적격 관계대명사 that이 생략되었다. 종속절의 주어는 something이고 동사는 was로, she had been waiting for이 앞의 something을 수식하는 구조이다.

어휘

lie down 눕다 **sheet** 홑이불, 얇은 이불 **sweat** 땀을 흘리다 **whisper** 속삭이다 **drought** 가뭄 **be about to** 막 ~하려고 하다 **quite** 아주, 매우 **still** 움직이지 않는 **rumble** (우르르 쾅) 소리를 내다 **sound** 소리를 내다 **hold one's breath** 숨을 죽이다 **pause** 잠시 멈추다 **burst** 갑자기 터지다(시작하다) **leap** 뛰어오르다 **thunderstorm** 뇌우

3 ⑤

해석

당신은 다른 사람들이 그들의 행동을 바꾸려고 하고 있을 때 어떻게 그들을 격려하는가? 다이어트 중이며 몸무게가 많이 줄고 있는 한 친구를 당신이 만난다고 가정해 보자. 그녀가 멋져 보이고 기분이 정말 좋겠다고 그녀에게 말하고 싶을 것이다. 누구든 긍정적인 말을 듣는 것은 기분이 좋고, 이런 피드백은 종종 고무적일 것이다. 그러나 만약 당신이 거기서 대화를 끝낸다면, 당신의 친구가 받게 되는 유일한 피드백은 결과를 향한 그녀의 진전에 대한 것뿐이다. 대신, 그 대화를 계속해라. 그녀의 성공을 가능케 한 어떤 것을 하고 있는지에 대해 물어라. 그녀가 무엇을 먹고 있는가? 그녀가 어디서 운동을 하고 있는가? 그녀가 만들어낸 생활양식의 변화들은 무엇인가? 그 대화가 결과보다 오히려 변화의 과정에 초점을 맞출 때, 그것은 지속 가능한 과정을 만들어내는 가치를 강화한다.

해설

다이어트 중인 친구와 대화한다고 가정하고, 다이어트 결과에 대한 것만 얘기하지 말고 먹는 음식이나 운동 장소와 같은 과정에 대한 대화를 계속하라고 했다. 즉, 행동 변화를 원하는 사람들과 대화를 나눌 때 '결과'보다 '과정'에 초점을 두고 대화하는 것이 필요하다고 했다. 따라서 필자가 주장하는 바로 가장 적절한 것은 ⑤ '행동을 바꾸려는 사람과는 과정에 초점을 두어 대화해야 한다.'이다.

오답 노트

① 상대방의 감정을 고려하여 조언해야 한다. ➡ 긍정적인 말을 듣고 기분이 좋아진다는 언급 때문에 나온 함정으로, 상대방의 감정을 살펴 조언하라는 내용은 없었다.
② 토론 중에는 지나치게 공격적인 질문을 삼가야 한다. ➡ 토론이 아닌 대화의 기술에 관한 글이다.
③ 효과적인 다이어트를 위해 구체적인 계획을 세워야 한다. ➡ 다이어트 중인 친구가 예시로 나왔지만, 효과적인 다이어트에 관한 글이 아니다.
④ 지속적인 성장을 위해서는 단점보다 장점에 집중해야 한다. ➡ 장점이 아닌 변화의 과정에 집중하라고 했다.

구문 해설

[2행] Suppose you see a friend **who** is on a diet and **has been losing** a lot of weight.
▶ who가 이끄는 주격 관계대명사절(who ~ weight)이 선행사 a friend를 수식하고 있다. 뒤의 has been losing은 현재완료진행 시제로, 과거로부터 시작되어 온 것이 지금도 여전히 진행 중일 때 쓴다.
[3행] **It**'s tempting **to tell** her **that** she looks great and she **must** feel wonderful.
▶ It은 가주어이고 to tell 이하(to tell ~ wonderful)가 진주어이다. that은 tell의 직접목적어인 명사절을 이끄는 접속사이고, she looks great과 she must feel wonderful이 등위 접속사 and로 연결된다. 이 문장에서 must는 '~임에 분명하다'라는 뜻의 강한 추측을 나타낸다.
[3행] **It** feels good **for someone to hear** positive comments, and this feedback will often be encouraging.
▶ It이 가주어, for someone이 to부정사의 의미상 주어, to hear positive comments가 진주어이다.

어휘

encourage 격려하다 **lose weight** 체중이 줄다 **tempting** 마음이 당기는 **comment** 말, 의견 **encouraging** 고무적인, 힘이 나게 하는 **outcome** 결과 **work out** 운동하다 **focus on** ~에 집중하다 **process** 과정 **reinforce** 강화하다

4 ③

해석

1995년 Miner County에서 한 무리의 고등학생들이 부흥을 계획하기 시작했다. 그들은 죽어가는 그들의 지역 사회를 부흥시킬지도 모를 무엇인가를 하고 싶었다. Miner County는 수십 년간 침체되고 있었다. 농장과 산업 일자리들이 천천히 고갈되었고, 그것들을 대체할 새 일자리는 나타나지 않았다. 학생들은 그 상황을 조사하기 시작했다. 특히 한 가지 결과가 그들을 불편하게 했다. 그들은 주민의 절반이 그 지역 밖에서 물건을 사고 있는 것을 발견했는데, 더 큰 가게에서 물건을 사기 위해 한 시간을 운전하여 Sioux Falls로 갔던 것이다. 그 상황을 개선할 수 있는 대부분의 것들은 학생들이 통제할 수 없었다. 하지만 그들이 실제로 할 수 있는 한 가지를 확실히 발견했다. 그것은 주민들에게 그 지역 안에서 돈을 쓰도록 요청하는 것이었다. 그들은 첫 번째 슬로건을 찾아냈다: Miner의 돈은 Miner County 안에 유지하자.

해설

학생들은 침체된 지역 사회의 부흥을 위해 지역 주민들에게 지역 안에서 돈을 쓰자고 요청했다. 따라서 밑줄 친 부분이 의미하는 바로 가장 적절한 것은 ③ '지역 밖으로 주민들의 돈이 새 나가는 것을 막다'이다.

오답 노트

① Miner County의 산업에 달러를 투자하다
② 지역의 광산 산업에 돈을 넣어 두다
④ 더 많은 주민들을 고용하는 데 많은 돈을 쓰다
➡ ①, ②, ④는 모두 본문에 나온 단어를 활용한 오답이다.
⑤ 주민들의 돈을 통제함으로써 Miner County를 부흥시키다 ➡ 지역을 부흥시키려는 의도는 맞지만 지역 내 소비를 높이려는 것이 직접적으로 주민의 돈을 통제한다는 의미는 아니다.

구문 해설

[3행] Miner County **had been failing for** decades.
▶ had been failing은 과거완료진행 시제로, 특정 과거 시점 이전에 발생한 일이 과거의 어떤 시점까지 진행되어 왔음을 나타낸다. 뒤의 for는 완료 시제와 같이 잘 쓰이는데, '~ 동안'의 뜻으로 사건이 일어나 지속된 시간의 길이를 나타낸다.
[6행] They discovered **that** half of the residents had been shopping outside the county, **driving** an hour to Sioux Falls **to shop** in larger stores.
▶ that은 명사절을 이끄는 접속사이다. driving이 이끄는 분사구문의 주어는 half of the residents로 앞의 they가 아님에 유의해야 한다. to shop은 to부정사의 부사적 용법 중 목적을 나타내며 '~하기 위해, ~하려고'라는 뜻이다.

[9행] But they **did** find one thing that they could practically do: inviting the residents to spend money locally.
▶ 동사 find를 강조하기 위해 동사 앞에 did가 왔다. 현재 시제의 동사를 강조할 때는 〈do[does] + 동사원형〉의 형태로 쓴다.

어휘

revive 부흥시키다 **decade** 10년 **dry up** 고갈되다 **investigate** 조사하다 **finding** 결과 **disturb** 당황하게 하다, 방해하다 **be out of control** 통제할 수 없다 **practically** 실제로 **invite** (정식으로) 요청하다 **locally** 지역적으로 **slogan** 슬로건, 구호

5 ①

해석

패스트 패션은 대단히 낮은 가격에 가능한 한 신속하게 디자인되고 만들어져서 소비자에게 판매되는 유행하는 옷을 지칭한다. 패스트 패션 품목은 계산대에서 많은 비용이 들지 않을지도 모르지만, 심각한 대가가 따른다. 즉, 일부는 아직 아이들인 수천만 명의 개발도상국 사람들은 패스트 패션을 만들기 위해 위험한 환경에서 오랜 시간 동안 일한다. 그들은 흔히 노동착취공장이라 이름 붙여진 공장에서 일하며, 대부분은 간신히 생존할 정도로 돈을 번다. 패스트 패션은 또한 환경에 피해를 입힌다. 의류는 독성이 있는 화학 물질을 사용하여 제조되고, 그 다음에 전 세계로 수송된다. 이것은 패션 산업을 세계에서 두 번째로 큰 오염원으로 만든다. 그리고 수백만 톤의 버려진 옷은 해마다 쓰레기 매립지에 쌓인다.

해설

패스트 패션 산업은 일부 어린이들을 포함한 의류 노동자들이 노동착취공장이라 불리는 곳에서 오랜 시간 동안 일하고 매우 적은 급여를 받게 만든다고 했다. 또한 패스트 패션은 제조 과정에서 큰 오염을 유발하며 버려진 옷 수백만 톤이 해마다 쓰레기 매립지에 쌓여서 환경에 피해를 주는 등 여러 가지 문제점을 가지고 있다는 내용의 글이다. 따라서 이 글의 주제로 가장 적절한 것은 ① '패스트 패션 산업 이면에 있는 문제점들'이다.

오답 노트

② 패스트 패션이 생활양식에 미치는 긍정적 영향들 ➡ 패스트 패션의 부정적인 영향에 대한 글이므로 반대되는 선택지이다.
③ 패션 산업이 성장하는 이유 ➡ 패스트 패션 산업 성장에 관한 내용이 아니다.
④ 근무 환경 개선의 필요성 ➡ 노동착취공장에 대한 언급은 있지만 근무 환경 개선까지 확장하지는 않았다.
⑤ 개발도상국에서 대기오염의 심각성 ➡ 패스트 패션이 큰 오염원이긴 하지만 개발도상국으로 범위를 한정짓지는 않았다.

구문 해설

[1행] Fast fashion refers to trendy clothes designed, created, and sold to consumers **as quickly as possible** at extremely low prices.
▶ clothes와 designed 사이에 〈주격 관계대명사 + be동사〉, 즉 which are가 생략되었다. designed ~ low prices는 선행사 trendy clothes를 수식한다. as quickly as possible은 〈as + 부사[형용사] + as〉의 원급 비교로 '가능한 한 신속하게'라는 뜻이다. 이 문장은 ~ as quickly as they can ....으로 바꾸어 쓸 수 있다.
[3행] Tens of millions of people in developing countries, some just children, work long hours in dangerous conditions **to make** fast fashion.
▶ to make는 to부정사의 부사적 용법 중 목적의 의미로 '~하기 위해, ~하려고'의 의미로 사용되었다.

어휘

refer to ~을 지칭하다[나타내다] **trendy** 유행하는 **extremely** 매우 **barely** 간신히 **manufacture** 제조하다 **toxic** 독성의 **chemical** 화학 물질 **transport** 수송하다 **polluter** 오염원 **pile up** 쌓이다 **landfill** 매립지

6 ②

해석

여러분이 감기와 독감으로부터 스스로를 보호하고 싶다면, 규칙적인 운동은 궁극적인 면역 촉진제가 될 것이다. 연구는 적당한 유산소 운동이 호흡기 감염과 다른 흔한 겨울철 질병의 위험성을 절반 이상 줄일 수 있음을 보여 왔다. 그러나 여러분이 아프다고 느낄 때 이야기는 달라진다. "운동은 예방에는 탁월하지만 치료에는 나쁠 수 있습니다."라고 Human Performance Lab의 책임자인 David Nieman은 말한다. 연구는 적당한 운동이 일반 감기의 지속 기간이나 심각성에 아무 영향을 미치지 않는다는 것을 보여 준다. 여러분이 독감이나 다른 형태의 전신에 열을 유발하는 감염병에 걸려 있다면, 운동은 회복을 늦출 수 있고 따라서 나쁜 방안이다. 여러분의 면역 체계는 감염과 싸워 물리치기 위해 시간 외로 일하고 있고, 신체적 스트레스의 한 형태인 운동은 그 일을 더 어렵게 만든다.

해설

운동이 감기나 독감 예방에는 좋은 반면, 독감이나 열을 유발하는 전신 감염병에 걸려 있을 경우에는 오히려 회복을 늦출 수 있다고 하면서 관련된 연구 내용을 언급하고 있다. 따라서 이 글의 제목으로 가장 적절한 것은 ② '아플 때 운동하기: 좋은 조치인가?'이다.

오답 노트

① 여러분이 운동을 지나치게 많이 하고 있다는 표시들 ➡ 운동이 면역 체계가 하는 과업을 더 어렵게 만든다는 내용이 후반부에 언급되지만 운동을 지나치게 하고 있다는 표시에 관한 것은 언급되지 않았다.
③ 여러분의 면역을 증가시키는 파워푸드 ➡ 면역에 좋은 음식을 추천하는 내용은 아니다.
④ 여러분이 지금 운동을 시작해야 하는 이유 ➡ 운동은 감기 예방에는 탁월하다고 했지만 운동을 시작해야 하는 이유로 연결 짓지는 않았다.
⑤ 감기 증상: 인후통, 기침 등 ➡ 감기의 예방에 대한 운동의 역할은 언급되었지만, 그 증상에 대한 내용은 언급되지 않았다.

구문 해설

[1행] **If** you want to protect yourself from colds and flu, regular exercise **may** be the ultimate immunity-booster.
▶ If는 '~한다면, ~라면'의 뜻으로, 현재나 미래에 일어날 수 있는 상황에 대한 조건을 나타낸다. 주절의 조동사 may는 '~일지도 모른다, 아마 ~일 것이다'라는 추측의 의미로 쓰였다.
[4행] "Exercise is great for prevention, but it can be lousy for therapy," **says David Nieman,** the director of the Human Performance Lab.
▶ 도치구문으로, 말을 직접 인용하면서 동사 says와 주어 David Nieman의 순서가 바뀐 것이다. David Nieman 뒤의 콤마(,)는 같은 뜻을 나타내는 동격의 의미로 사용되었다. 즉, David Nieman이 the director ~ Lab이라는 말이다.

어휘

flu 독감 **ultimate** 궁극적인 **moderate** 적절한 **aerobic** 유산소의 **halve** 절반으로 줄이다 **infection** 감염, 감염병 **prevention** 예방 **therapy** 치료 **have no effect on** ~에 영향을 주지 않다 **duration** 지속 기간 **severity** 심각성; 고통 **fever-causing** 열나게 하는, 열을 유발하는 **systemic** 전신의, 몸 전체의 **recovery** 회복

7 ③

해석

Eddie Adams는 펜실베이니아 주에서 태어났다. 그는 자신의 고등학교 신문 사진 기자가 되어, 십 대 시절에 사진에 대한 열정을 키웠다. 졸업 후, 그는 미국 해병대에 입대했고, 그곳에서 그는 종군 사진 기자로 한국전쟁의 장면을 촬영했다. 1958년에 그는 필라델피아에서 발간된 석간신문인 〈Philadelphia Evening Bulletin〉의 직원이 되었다. 1962년에 그는 연합통신사(AP)에 입사했고, 10년 뒤 〈Time〉 잡지사에서 프리랜서로 일하기 위해 AP를 떠났다. 그가 베트남에서 촬영한 사이공 처형 사진은 그에게 1969년 특종 보도 사진 부문의 퓰리처상을 가져다주었다. 그는 Deng Xiaoping, Richard Nixon, George Bush와 같은 정치 지도자들의 인물 사진으로 350개가 넘는 잡지 표지를 촬영했다.

해설

In 1962, he joined the Associated Press(AP), and after 10 years, he left the AP to work as a freelancer for *Time* magazine.을 통해 1962년부터 〈Time〉 잡지사에서 일한 것이 아니라 1962년에 연합통신사(AP)에 입사했고, 10년 뒤에 〈Time〉 잡지사에서 일한 것을 알 수 있다. 따라서 글의 내용과 일치하지 않는 것은 ③이다.

오답 노트

① 10대 시절에 사진에 대한 열정을 키웠다. ➡ He developed his passion for photography in his teens, when he became a staff photographer for his high school paper.
② 종군 사진 기자로 한국전쟁의 장면을 촬영했다. ➡ After graduating, he joined the United States Marine Corps, where he captured scenes from the Korean War as a combat photographer.
④ 베트남에서 촬영한 사진으로 퓰리처상을 받았다. ➡ The Saigon Execution photo that he took in Vietnam earned him the Pulitzer Prize for Spot News Photography in 1969.
⑤ 정치 지도자들의 잡지 표지용 사진을 촬영했다. ➡ He shot more than 350 covers of magazines with portraits of political leaders such as Deng Xiaoping, Richard Nixon, and George Bush.

구문 해설

[3행] **After graduating**, he joined the United States Marine Corps**, where** he captured scenes from the Korean War as a combat photographer.
▶ After graduating은 분사구문으로 After he graduated로 바꾸어 쓸 수 있다. 선행사에 대해 설명을 덧붙일 때는 관계대명사나 관계부사 앞에 콤마(,)를 쓰며 앞에서부터 차례대로 해석하는데, 이를 계속적 용법이라 한다. 이 문장에서 , where는 관계부사의 계속적 용법으로 and there로 바꾸어 쓸 수 있다.

[8행] The Saigon Execution photo **that** he took in Vietnam **earned him the Pulitzer Prize** for Spot News Photography in 1969.
▶ that은 목적격 관계대명사로, 목적격 관계대명사절인 that he took in Vietnam이 문장의 주어인 The Saigon Execution photo를 수식한다. 문장의 동사는 earned이며, him은 간접목적어, the Pulitzer 이하가 직접목적어인 4형식 문장이다.

어휘

develop 키우다, 개발하다 **passion** 열정 **photography** 사진 **join** 참여하다, 입대하다 **capture** 촬영하다 **combat photographer** 종군 기자, 전쟁 사진 작가 **publish** 발행하다 **shoot** 찍다, 촬영하다 **portrait** 인물 사진, 초상화 **leader** 지도자

8 ④

해석

학교를 위한 신발
여러분의 헌 신발이 긴 여정을 떠날 수 있어요!
Brooks 고등학교 학생 여러분! 오래되거나 필요 없는 신발을 가지고 있나요? 아프리카의 아이들을 위해 그것들을 기증하세요. 신발을 재판매한 것에서 얻는 수익금은 아프리카에 학교를 짓는 데 쓰일 것입니다.
무엇을:
* 여러분은 운동화, 샌들, 부츠 등과 같은 모든 종류의 신발을 기증할 수 있습니다.
어디에서:
* 여러분은 본관 1층에 있는 수거함에 신발을 놓을 수 있습니다.
언제:
* 이번 학기 내내 오전 8시부터 오후 4시 사이
* 매 격주 화요일에 신발이 수거될 것입니다.
어떻게:
* 여러분이 기증하는 신발이 비닐봉지에 담겨 있어야 합니다.
더 많은 정보를 원하시면, 413-367-1391로 연락주세요.
참여해 주셔서 감사합니다.

해설

Shoes will be picked up on Tuesdays every two weeks.에서 신발은 격주 화요일마다 수거될 것이라고 했다. 따라서 안내문의 내용과 일치하지 않는 것은 ④이다.

오답 노트

① 수익금은 아프리카에 학교를 짓는 데 쓰인다. ➡ The profits from reselling the shoes will be used to build schools in Africa.
② 모든 종류의 신발을 기증할 수 있다. ➡ You can give away all types of shoes such as sneakers, sandals, boots, etc.
③ 신발 수거함은 본관 1층에 있다. ➡ You can drop shoes off in the collection box on the first floor of the main building.
⑤ 기증하는 신발은 비닐봉지에 담겨 있어야 한다. ➡ The shoes you donate need to be in a plastic bag.

구문 해설

[4행] The profits **from reselling** the shoes will **be used to build** schools in Africa.
▶ 전치사의 목적어는 명사나 동명사가 와야 하므로 from 뒤에 동

명사 reselling이 왔다. 〈be used to + 동사원형〉은 '사용하다'라는 의미의 동사 use가 수동태가 되고, to부정사는 부사적 용법 중 목적 '~하기 위해'로 쓰인 경우이다. '~하는 데 익숙하다'라는 의미의 be used to -ing와 헷갈리지 않도록 유의해야 한다.

[14행] Shoes **will be picked** up on Tuesdays **every two weeks**.

▶ 조동사가 있는 동사의 수동태는 〈조동사 + be + 과거분사〉이므로 will be picked가 왔다. every two weeks는 '격주마다'라는 뜻으로 every other week 또는 every second week로 바꾸어 쓸 수 있다.

[16행] The shoes you donate need to be in a plastic bag.

▶ you donate는 앞에 that(which)이 생략된 목적격 관계대명사절로 선행사이자 문장의 주어인 The shoes를 수식한다. 〈need to + 동사원형〉은 '~을 해야 한다'라는 의무를 나타낸다.

어휘

unwanted 원치 않는 **donate** 기부하다 **profit** 이익 **resell** 다시 팔다 **give away** 나누어주다 **collection box** 수거함, 수집함 **plastic bag** 비닐봉지 **participation** 참여

9 ③

해석

나의 아버지는 음악가로 매우 늦게, 대략 새벽 3시까지 일했고, 그래서 아버지는 주말마다 늦잠을 잤다. 그 결과, 내가 어렸을 때, 한 가지를 제외하고는 우리는 많은 관계를 가지지 못했다. 아버지는 잔디 깎기와 울타리 덤불 자르기 같은 허드렛일을 돌보라고 끊임없이 나에게 잔소리했는데, 그것은 내가 싫어하는 것들이었다. 그는 무책임한 아이를 다루는 책임감 있는 사람이었다. 우리가 소통했던 방식에 대한 기억들이 현재 나에게는 우스워 보인다. 예를 들어, 한번은 아버지가 나에게 잔디를 깎으라고 말했는데, 나는 앞뜰만 하고 뒤뜰을 하는 것은 미루기로 결정했다. 그런데 그러고 나서 며칠 동안 비가 내렸고 뒤뜰의 잔디가 너무 길게 자라서 나는 그것을 낫으로 베어내야만 했다. 그 일은 너무 오래 걸려서 내가 끝냈을 때쯤에는 앞뜰의 잔디가 깎기에 너무 길었고, 그런 일이 계속되었다.

해설

③ 문장의 주어가 Memories로 복수이므로 복수 동사가 와야 한다. 따라서 seems는 seem으로 고쳐야 한다.

오답 노트

① 선행사가 사물인 chores이고 I hated의 목적어이므로, 목적격 관계대명사 which는 어법상 적절하다. which 앞에 콤마(,)가 와서 계속적 용법으로 쓰였는데, 이는 선행사에 대한 설명을 덧붙인다.

② 무책임한 아이를 다루는 주체가 책임감 있는 사람이므로, 능동을 나타내는 현재분사 dealing은 적절하다.

④ 동사 decide는 목적어로 to부정사를 취하므로 to do는 어법상 적절하다.

⑤ '너무 ~해서 …하다'라는 뜻은 〈so ~ that ...〉 구문으로 나타낼 수 있으므로 that은 적절하다.

구문 해설

[3행] My father constantly nagged me **to take** care of chores **like mowing** the lawn and **cutting** the hedges, which I hated.

▶ to take는 명사적 용법의 to부정사로 동사 nagged의 목적격보어이다. 전치사 like 다음에는 허드렛일의 내용이 mowing ~, cutting ~과 같은 동명사 형태로 쓰였다.

[6행] Memories **of how we interacted seem funny** to me today.

▶ 주어 Memories의 내용이 전치사 of 다음에 오는데 how we interacted는 전치사 of의 목적어로 쓰인 간접의문문이다. 〈seem + 형용사〉는 '~해 보이다'라는 의미이다.

[8행] But then it rained for a couple days **and** the backyard grass became **so** high I had to cut it with a sickle.

▶ 두 개의 문장이 접속사 and로 병렬 연결된 구조이다. became so high와 I 사이에는 접속사 that이 생략되었다. '너무 길게(높이) 자라서 ~해야 했다'라는 의미이다.

어휘

on weekends 주말마다 **as a result** 결과적으로 **other than** ~ 외에 **constantly** 끊임없이 **nag** 잔소리를 하다 **chore** 허드렛일 **mow** 깎다, 베다 **lawn** 잔디 **hedge** 울타리 **deal with** ~을 다루다 **irresponsible** 무책임한 **interact** 소통하다 **by the time** ~할 때쯤에

10 ②

해석

실리콘 밸리의 가장 혁신적인 회사들 중 한 회사의 최고 경영자는 지루하고 창의력을 해칠 것처럼 보이는 한 가지 일과를 가지고 있다. 그는 일주일에 하루 오전 9시에 시작하는 세 시간짜리 회의를 연다. 그 회의는 하지 않고 지나가거나 다른 시간으로 일정이 변경되는 일은 결코 없다. 그것은 너무 의무적이어서, 이 다국적 기업에서조차 모든 경영자들은 그 회의와 겹치는 어떠한 이동 일정도 잡을 수가 없다. 언뜻 보아, 이 일에 관해 특별히 독특한 점은 없다. 그러나 독특한 것은 이 정기적인 회의들로부터 나오는 아이디어의 질이다. 회의를 계획하는 데 신경 쓰거나 누가 거기에 참여하고 참여하지 않을지에 대해 생각할 필요가 없기 때문에, 사람들은 창의적인 문제 해결에 초점을 맞출 수 있다.

해설

아이디어 회의 때마다 회의 일정을 잡고 참여자들을 결정하는 등의 유동적인 요인을 없애고 같은 시간에 같은 사람들이 모이게 함으로써 창의적인 문제 해결에만 전념할 수 있도록 하기 때문에 아이디어의 질이 좋다는 내용이다. 따라서 빈칸에 들어갈 말로 가장 적절한 것은 ② '이 정기적인 회의들'이다.

오답 노트

① 소비자 불만
③ 여행 경험
④ 탄력적인 근무 시간
⑤ 금융 혜택
➡ ①, ③, ④, ⑤는 모두 글의 내용과 관련이 없다.

구문 해설

[4행] It is **so** mandatory **that** all the executives **cannot** schedule any travel **that** will conflict with the meeting, even in this global firm.

▶ 〈so ~ that cannot ...〉은 '너무 ~해서 …할 수 없다'라는 뜻이다. 접속사 that절 내에서 주격 관계대명사 that이 이끄는 절이 선행사인 any travel을 수식하고 있다.

[6행] But **what** is unique **is** the quality of ideas **that** come out of the regular meeting.

▶ 관계대명사 what이 이끄는 명사절(what is unique)이 주어이

고, 동사는 is이다. 선행사 the quality of ideas를 주격 관계대명사 that이 이끄는 절이 수식하고 있다.

[7행] Because they don't **need to care** about planning the meeting **or think** about **who** will or won't be there, people can focus on creative problem solving.

▶ Because로 시작하는 이유를 나타내는 부사절 뒤에 주절 people can ~ solving이 왔다. 부사절에서는 need의 목적어로 쓰인 to부정사 to care ~ meeting과 (to) think about ~ be there이 등위접속사 or로 연결된 병렬 구조이다. 또 전치사 about의 목적어로 의문사 who가 이끄는 간접의문문 who will or won't be there이 왔다.

어휘

innovative 혁신적인 **routine** 일과, 틀에 박힌 일상 **hold** (회의 등을) 열다, 개최하다 **mandatory** 의무적인 **executive** 경영자 **conflict** 겹치다, 충돌하다 **at first glance** 언뜻 보기에는 **unique** 독특한 **come out of** ~에서 나오다 **care about** ~에 신경을[마음을] 쓰다

11 ①

해석

누군가를 직접 만날 때, 미소는 자신감과 친밀감을 드러낼 수 있다고 신체 언어 전문가들은 말한다. 그러나 온라인상에서 웃는 얼굴 이모티콘은 당신의 경력에 상당한 손상을 입히고 있는 중일지도 모른다. 새로운 연구에서, 연구자들은 웃는 얼굴 이모티콘을 사용하는 것이 당신을 무능력하게 보이게 만든다는 것을 알아냈다. 그 연구는 "실제 미소와 대조적으로, 웃는 얼굴 이모티콘은 친밀감에 대한 인식을 증진시키지 않고, 실제로 능력에 대한 인식을 감소시킨다."라고 말한다. 그 보고서는 또한 "그 결과 능력이 낮다는 인식이 정보 공유를 감소시켰다."라고 설명한다. 그러므로 당신은 업무상의 이메일에 웃는 얼굴 이모티콘을 사용하지 말아야 한다. 당신이 가장 바라지 않을 만한 일은 동료들이 당신이 매우 전문가답지 않아 그들이 당신과 정보 공유를 원하지 않는다고 생각하는 것이다.

해설

however가 포함된 두 번째 문장이 주제문이다. 빈칸 뒤에서 실제 미소와 달리 웃는 얼굴 이모티콘은 친밀감에 대한 인식을 증진시키지 않고 능력에 대한 인식을 감소시킨다고 했다. 따라서 빈칸에 들어갈 말로 가장 적절한 것은 ① '당신을 무능력하게 보이게 만든다'이다.

오답 노트

② 세대 간 갈등을 초래한다 ➡ 세대 간 갈등이 아니라 업무상 갈등을 초래할 수 있다.

③ 메시지의 의도를 명확히 한다

④ 쓰기 시험에서 낮은 점수를 초래한다

➡ ③, ④는 본문에서 언급되지 않은 내용이다.

⑤ 편안한 근무 환경을 조성하는 것을 돕는다 ➡ 근무 환경에 대한 언급은 없었고, 오히려 동료 간의 정보 공유를 막을 수 있음을 경고했다.

구문 해설

[2행] Online, however, smiley faces **could be doing** some serious damage to your career.

▶ could be doing은 조동사 뒤에 진행형이 온 것으로, 여기서 could는 '~할 수 있을 것 같다, ~할지도 모른다'라는 현재의 가능성을 표현한다.

[8행] The last thing you want **is for your coworkers to think that** you are **so** unprofessional **that** they don't want to share information with you.

▶ 주절의 주어는 The last thing으로 you want의 수식을 받고 있는데, is가 동사, for your coworkers가 뒤에 따라오는 to부정사의 의미상 주어, to think 이하가 주격보어인 구조이다. think 뒤의 that은 목적절을 이끄는 접속사이고, so unprofessional that의 ⟨so ~ that ...⟩은 '너무 ~해서 …하다'라는 결과를 나타낸다.

어휘

portray 드러내다, 보여 주다 **confidence** 자신감 **warmth** 친밀감 **smiley** 웃는 표정, 미소 표시 **do damage to** ~에게 손상을 입히다 **contrary to** ~와 대조적으로, ~와 달리 **actually** 실제로 **perception** 인식 **competence** 능력, 능숙함 **in turn** 결국, 결과적으로 **lessen** 감소시키다 **sharing** 공유, 분배

12 ③

해석

야구를 위한 훈련과 몸만들기는 근력, 힘, 속도, 신속함 그리고 유연성을 발달시키는 데 초점을 둔다. 1980년대 이전에 근력 훈련은 야구 선수를 위한 몸만들기의 중요한 부분이 아니었다. 사람들은 야구를 근력보다는 오히려 기술과 테크닉의 경기로 보았고, 대부분의 감독과 코치는 근력 훈련을 야구 선수가 아닌 보디빌더를 위한 것으로 여겼다. (더 분리된 보디빌딩 운동과는 달리 운동선수용 운동은 근육군과 기능을 동시에 가능한 한 많이 훈련시킨다.) 그들은 무게를 들어 올리는 것과 큰 근육을 키우는 것이 선수들로 하여금 덜 유연하고 덜 신속하며 덜 숙련되게 할 것이라 두려워했다. 그렇지만 오늘날 전문가들은 근력 운동의 중요성을 이해하고 그것을 경기의 일부로 만들어 오고 있다.

해설

1980년대 이전 야구 선수들은 근력 훈련을 보디빌더를 위한 운동으로 여겼으며, 근육을 키우는 것은 선수들을 덜 유연하고, 덜 민첩하고 기량도 떨어지게 한다고 생각했지만 오늘날은 그렇지 않다는 내용이다. 그런데 ③은 보디빌딩 운동과 운동선수용 운동을 대비시켜 운동선수용 운동의 장점을 강조하고 있다. 따라서 전체 흐름과 관계 없는 문장은 ③이다.

오답 노트

① ➡ 야구를 위한 훈련들 중 근력 운동은 1980년대 이전에는 중요시하지 않았다는 내용이다.

② ➡ 그러한 이유는 야구를 기술 경기로 보았고 근력 운동은 보디빌더를 위한 것으로 여겼기 때문이라는 내용이다.

④ ➡ 근육을 키우면 선수들의 기량이 떨어질까 봐 걱정했다는 내용이다.

⑤ ➡ 오늘날 전문가들은 근력 운동의 중요성을 이해하고 야구 경기의 일부로 만들었다는 내용이다.

구문 해설

[3행] People **viewed** baseball **as** a game of skill and technique rather than strength, **and** most managers and coaches **saw** strength training **as** something for bodybuilders, not baseball players.

▶ 전체적으로 두 개의 절이 접속사 and로 병렬 연결된 구조이다. 앞 절의 ⟨view A as B⟩와 뒤 절의 ⟨see A as B⟩는 'A를 B로 생각하다'라는 의미이다. not baseball players는 not for baseball players에서 for가 이미 앞에 있기 때문에 중복 사용하지 않기 위해 생략되었다.

[6행] **Unlike** more isolated bodybuilding exercises, athletic exercises train muscle groups and functions as much as possible at the same time.

▶ Unlike는 전치사로 '~와 달리'라는 의미이다. 주어는 athletic exercises이고, 동사는 train이다.

[8행] They feared **that** weight lifting and building large muscles would cause players to become **less flexible, less quick** and **less skillful**.

▶ 문장의 주어는 They, 동사는 feared, 목적어로는 접속사 that이 이끄는 명사절이 왔다. 명사절의 주어는 weight lifting and building large muscles이고 동사는 would cause이다. 목적격 보어 to become의 보어인 열등 비교(less ~)의 형용사들이 and로 병렬 연결되었다.

어휘

strength 힘, 체력, 근력 **flexibility** 유연성 **rather than** ~보다는 오히려 **isolated** 분리된 **athletic** 운동선수용의 **function** 기능 **at the same time** 동시에 **skillful** 숙련된 **expert** 전문가

13 ⑤

해석

누구도 자신이 평균이라고 생각하기를 좋아하지 않으며, 자신을 평균 이하라고 생각하는 사람은 극히 드물다. (C) 심리학자들에게 질문을 받았을 때, 대부분의 사람들은 지능, 외모, 건강 등을 포함한 모든 종류의 척도들에서 스스로를 평균 이상이라고 평가한다. 자기 통제 또한 다르지 않다. 사람들은 자기 자신을 통제할 수 있는 능력을 지속적으로 과대평가한다. (B) 자기 통제에 대한 이러한 과신은 그들이 통제할 수 없다고 밝혀지는 상황에서 스스로를 통제할 수 있을 것이라고 사람들을 가정하도록 이끈다. 이것이 원하지 않는 습관을 멈추려 노력하는 것이 매우 좌절감을 주는 일이 될 수 있는 이유이다. (A) 변화하고자 하는 우리의 결심으로부터 며칠과 몇 주에 걸쳐, 우리는 그것(원하지 않는 습관)이 계속해서 불쑥 나타나는 것을 인식하기 시작한다. 그 오래된 습관의 잘 길들여진 행동은 우리가 변화하고자 하는 의식적인 욕구를 굴복시키고 있다.

해설

주어진 글에서 사람들이 자신을 평균이나 평균 이하로 여기지 않는 성향을 언급했고, 이어서 (C)에서 사람들은 자신을 평균 이상이라고 여기면서 자기 통제 능력을 과대평가하는 경향이 있다는 내용이 온 다음 (B)에서 이러한 과대평가로 인해 나타나는 현상과 부정적인 영향이 드러나고, (A)에서 그러한 습관을 없애는 것이 어려운 이유를 설명하는 흐름이 자연스럽다. 따라서 이어질 글의 순서로 가장 적절한 것은 ⑤ (C) – (B) – (A)이다.

오답 노트

① ➡ (A)의 it이 가리키는 단서를 주어진 글에서 찾아 볼 수 없다.

②, ③ ➡ (B)의 This over-confidence in self-control의 지시 형용사 this를 받을 수 있는 내용이 주어진 글에 등장하지 않는다.

④ ➡ (B)의 an unwanted habit이 먼저 등장한 후 (A)에서 그것을 it으로 받는 것이 자연스럽다.

구문 해설

[1행] **No one** likes **to think** they're average, least of all below average.

▶ No one은 전체 부정으로 '누구도 ~ 않다'라는 뜻이고, to think는 to부정사의 명사적 용법으로 동사 likes의 목적어로 쓰였다. all과 below 사이에는 앞과 반복되는 they're가 생략되었다.

[5행] This over-confidence in self-control can lead people to assume they'll be able to control themselves in situations **in which, it turns out**, they can't.

▶ assume과 they'll 사이에 접속사 that이 생략되었다. in which는 〈전치사 + 관계대명사〉로 선행사 situations를 수식하는 절을 이끄는데, 이는 관계부사 where로 바꾸어 쓸 수 있다. it turns out은 삽입절이다.

[7행] This is **why trying to stop** an unwanted habit can be an extremely frustrating task.

▶ 선행사가 시간, 장소, 이유를 나타내는 명사, 즉 the time, the place, the reason일 때 선행사나 관계부사 중 하나를 생략할 수 있다. 이 문장에서는 why 앞에 선행사 the reason이 생략된 것으로 볼 수 있다. why 이하 절의 주어는 trying ~ habit이고 동사는 can be인데, try의 목적어로 to부정사가 오면 '~하기 위해 노력하다[애쓰다]', 동명사가 오면 '시험 삼아 ~해보다'라는 의미이다.

어휘

average 평균의; 평균 **least of all** 특히 (가장) ~하지 않다 **resolution** 굳은 다짐, 결심 **pop up** 불쑥 나타나다 **well-practiced** 잘 길들여진, 잘 훈련된 **beat ~ into submission** ~을 굴복(복종)시키다 **over-confidence** 과신, 자신감 **self-control** 자기 통제, 자제력 **unwanted** 원치 않는 **overestimate** 과대평가하다

14 ④

해석

전통적으로, 사람들은 심장이 뛰기를 멈추고, 혈액이 순환하기를 멈추고, 숨쉬기를 멈출 때 사망한 것으로 선고되었다. 그래서 의사들은 심장 박동을 듣거나 잠정적 사망자의 호흡으로부터 나오는 습기의 흔적이 있는지를 알기 위해 이따금씩 유명한 거울 검사를 실시하곤 했다. 사람들의 심장이 멈추고 그들이 마지막 호흡을 할 때 흔히 그들은 죽은 것으로 알려진다. 하지만 지난 반세기 동안 의사들은 심폐소생술과 같은 여러 기술들로 심장이 뛰는 것이 멎은 많은 환자들을 소생시킬 수 있다는 것을 거듭하여 입증해 왔다. 그래서 심장이 멎은 환자는 더 이상 사망한 것으로 간주될 수 없다. 대신에 그 환자는 '임상적으로 사망한' 것으로 일컬어진다. 단지 임상적으로 사망한 사람은 종종 소생될 수 있다.

해설

④의 바로 앞 문장에서 의사들이 심폐소생술 등의 기술을 활용해서 심장이 멎은 환자들을 소생시킬 수 있음을 입증했다는 내용이 나왔다. 주어진 문장은 심장이 멎은 환자이더라도 더 이상 사망한 것으로 간주될 수 없다는 내용으로, ④의 앞 문장에 대한 결과를 설명하고 있다. 따라서 주어진 문장이 들어가기에 가장 적절한 곳은 ④이다.

오답 노트

① ➡ 의사들이 앞서 말한 사망 선고에 대한 판단을 위해 사용했던 방법에 관한 내용이 이어진다.

② ➡ 앞 문장에 이어서 심장이 멈추거나 마지막 호흡을 할 때 흔히 죽은 것으로 알려진다는 내용이 이어진다.

③ ➡ 앞의 내용과는 반대로, 시간이 지나며 여러 기술로 심장이 멈춘 환자들을 소생시킬 수 있다는 내용이 이어진다.

⑤ ➡ 앞에서 언급한 '임상적으로 사망한' 사람은 종종 소생될 수 있다는 내용으로 마무리된다.

구문 해설

[1행] So a patient **whose** heart has stopped can no longer **be regarded as** dead.

▶ whose는 소유격 관계대명사로 선행사 a patient와 heart의 소유 관계를 밝힌다. 〈regard A as B〉는 'A를 B라고 여기다'라는 뜻인데, 조동사 can 뒤에 수동태로 왔다.

[3행] So doctors **would listen** for a heartbeat, **or** occasionally **conduct** the famous mirror test to see **if** there were any signs of moisture from the potential deceased's breath.

▶ 조동사 would는 '~하곤 했다'라는 의미로 과거의 불규칙적인 습관을 나타낼 때 쓴다. listen과 conduct는 or로 연결된 병렬 구조로 conduct 앞에 would가 생략되었다. if는 '~인지 아닌지'라는 뜻의 의문이나 불확실한 사실을 나타내는 명사절을 이끄는 접속사로 whether로 바꾸어 쓸 수 있다. if 이하는 see의 목적어이다.

[6행] **It** is commonly known **that when** people's hearts stop and they breathe their last, they are dead.

▶ 가주어-진주어 구문으로 It이 가주어, that 이하가 진주어이다. that절은 다시 when이 이끄는 부사절과 주절로 이루어져 있다.

어휘

declare 선고하다 **beat** (심장이) 뛰다 **circulate** 순환하다 **heartbeat** 심장 박동 **conduct** 수행하다 **moisture** 습기 **potential** 잠재적인 **(the) deceased** 사망자, 고인 **time and time again** 거듭해서, 몇 번이고 계속해서 **clinically** 임상적으로

15 ①

해석

독일에 있는 Leipzig 동물원에서 한 연구에 참여하고 있는 34마리의 동물원 침팬지와 오랑우탄이 방에서 한 마리씩 실험의 대상이 되었는데, 그 방에서 그들은 두 개의 상자 앞에 놓였다. 한 실험자가 하나의 상자 안에 물건을 놓고 방을 떠났다. 또 다른 실험자가 그 방에 들어와 그 물건을 다른 상자 속에 옮겨 놓고 떠났다. 첫 번째 실험자가 돌아와 첫 번째 상자에서 그 물건을 다시 꺼내려고 했을 때, 그 유인원은 물건이 옮겨져 있었다는 것을 알고 있었기 때문에 실험자가 두 번째 상자를 열도록 도와주었다. 그러나 이 연구에서 대부분의 유인원들은 두 번째 실험자가 물건을 옮기는 것을 지켜보기 위해 첫 번째 실험자가 여전히 방에 있으면 첫 번째 실험자가 두 번째 상자를 여는 것을 돕지 않았다. 이 연구 결과는 첫 번째 실험자가 자신이 물건을 마지막으로 놓아둔 곳에 그 물건이 있다고 여전히 생각했던 때를 유인원들이 이해했다는 것을 보여 준다.

➡ 연구에 따르면 유인원들은 사람들이 현실에 대해 (A) 잘못된 믿음을 가지고 있는지 아닌지를 구분할 수 있고, 이 이해를 사람들을 (B) 돕기 위해 사용할 수 있다.

해설

독일의 한 동물원에서 행해진 연구에서 침팬지와 오랑우탄은 첫 번째 실험자가 물건의 위치가 옮겨진 것을 모른다고 예측한 경우에만 그들을 도우려고 했다는 것을 알아냈다. 그들은 실험자가 물건이 들어 있는 상자를 알고 있다고 생각할 때는 도와주지 않았다. 따라서 요약문의 빈칸에 들어갈 말로 가장 적절한 것은 ① '잘못된 – 돕기'이다.

오답 노트

② 윤리적인 – 복종하기 ➡ 유인원이 사람들에게 '복종한다'는 내용은 언급되지 않았다.
③ 과학적인 – 흉내 내기 ➡ 유인원이 사람을 '흉내 낸다'는 내용은 언급되지 않았다.
④ 비이성적인 – 속이기
⑤ 널리 퍼진 – 바로잡기
➡ ④, ⑤는 모두 본문과 관련이 없는 내용이다.

구문 해설

[5행] **When** the first experimenter returned and **tried retrieving** the object from the first box, the great ape would help the experimenter open the second box, **which it** knew the object had been transferred to.

▶ When은 '때'를 나타내는 접속사이고, try의 목적어로 동명사가 올 때는 '시험 삼아 ~해보다'라는 뜻이다. which는 계속적 용법의 관계대명사로 이어지는 절이 앞의 the second box를 설명한다. transferred 뒤의 to를 앞으로 빼서 to which it knew ~로 바꾸어 쓸 수 있다. it은 the great ape를 지칭하는데, knew와 the object 사이에 접속사 that이 생략되었다.

[13행] According to the study, great apes **can distinguish whether or not** people have a false belief about reality and **use** this understanding **to help** people.

▶ 문장의 동사 can distinguish와 use가 and로 병렬 연결된 구조의 문장으로 use 앞에 can이 생략되었다. distinguish의 목적어로 접속사 whether or not이 이끄는 절이 왔다. to help는 to부정사의 부사적 용법 중 목적의 의미로 쓰였다.

어휘

participate in ~에 참여하다 **experimenter** 실험자 **object** 물건, 사물 **leave** ~을 떠나다 **exit** 떠나다, 나가다 **retrieve** 되찾다, 회수하다 **transfer to** ~로 옮기다[이동하다] **distinguish** 구분하다 **reality** 현실

[16~17] 16 ② 17 ③

해석

많은 고등학생들은 TV를 보거나 시끄러운 음악을 들으면서 숙제를 하겠다고 고집하기 때문에 비효율적으로 공부하고 학습한다. 이 학생들은 또한 반복적인 전화 통화, 부엌에 가기, 비디오 게임, 인터넷 서핑으로 보통 자신의 공부를 방해한다. 모순적이게도, 공부할 때 집중할 필요가 가장 큰 학생들이 흔히 가장 주의를 산만하게 하는 것들로 자신을 에워싸는 사람들이다. 이런 십 대들은 TV나 라디오를 틀어둔 채로 공부를 '더 잘' 할 수 있다고 주장한다. 일부 전문가들은 실제로 그들의 견해에 반대한다(→ 지지한다). 그들은 많은 십 대들이 어린 시절부터 '배경 소음'에 반복적으로 노출되어 왔기 때문에 전혀 이상적이지 않은 상황에서 실제로 생산적으로 공부할 수 있다고 주장한다. 이 교육 전문가들은 아이들이 TV, 비디오 게임, 그리고 시끄러운 음악 소리에 익숙해졌다고 주장한다. 그들은 또한 학생들이 공부하는 동안 TV나 라디오를 끄게 하는 것이 반드시 그들의 학업 성적을 높이는 것은 아니라고 주장한다. 그러나 이 견해는 분명히 일반적으로 공유되는 것은 아니다. 많은 교사와 학습 전문가는 시끄러운 환경에서 공부하는 학생들이 흔히 비효율적으로 학습한다는 것을 그들 자신의 경험으로 확신한다.

해설

16 TV나 라디오 등 주의를 산만하게 하는 것들에 둘러싸여서 공부하는 것이 비효율적인 학습 방법이라는 의견과는 반대로 학생들은 오히려 그런 상태에서 공부가 더 잘된다고 하며, 그러한 주장을 뒷받침하는 일부 전문가의 의견이 제시된다. 따라서 윗글의 제목으로 가장 적절한 것은 ② '주의를 산만하게 만드는 것과 함께 공부하기: 괜찮은가?'이다.

17 (c) 다음에 이어지는 문장에서 They는 Some professionals를 가리키고 그들은 TV나 라디오를 켜 둔 채로 공부를 더 잘 할 수 있다는 학생들의 견해를 지지하는 주장을 하고 있으므로, oppose (반대하다)는 support(지지하다)와 같은 단어로 고쳐야 한다. 따라서 문맥상 낱말의 쓰임이 적절하지 않은 것은 ③이다.

오답 노트

16 ① 성공하는 학생은 미리 계획한다 ➡ 성공하는 학생과 계획에 관한 내용은 아니다.
③ 좋은 학습 도구로서의 스마트 기기 ➡ 학습 도구에 관한 내용은 없다.
④ 부모와 교사: 교육에서의 파트너 ➡ 부모와 교사의 역할에 대한 내용이 아니다.
⑤ 좋은 습관: 형성하기는 어렵고 버리기는 쉽다 ➡ 습관 형성에 관한 언급은 없다.

17 ① 방해하다 ➡ 학생들이 여러 가지 행동을 해서 자신들의 공부를 방해하는 것이므로 적절하다.
② 틀어둔 ➡ TV나 라디오가 틀어있는 주체이므로 playing이 알맞다.
④ 익숙한 ➡ become used to는 '~에 익숙해지다'라는 뜻으로 used가 알맞다.
⑤ 공유되는 ➡ 앞 문장에서 아이들이 TV 등의 소리에 익숙해졌고 그것을 끈다고 해서 성적을 높이지 않는다는 전문가의 의견을 제시하고, however로 연결되며 뒤에서 다른 전문가는 그것이 비효율적이라고 한다고 했으므로 이런 견해는 '공유되지' 않고 있다. 따라서 shared는 적절하다.

구문 해설

[4행] Ironically, students with the greatest need to concentrate when studying are often **the ones who** surround themselves with the most distractions.
▶ 문장의 주어는 students, 동사는 are이며 전치사구인 with ~ when studying이 주어 students를 수식하고 있다. the ones는 '사람들'이라는 뜻으로 주격 관계대명사 who 이하가 the ones를 수식한다.

[12행] They also argue **that** forcing students to turn off the TV or radio **while studying** will not necessarily improve their academic performance.
▶ 목적어로 접속사 that이 이끄는 명사절이 왔다. 명사절의 주어는 동명사구 forcing students to turn off the TV or radio while studying이고, 동사는 will not necessarily improve이다. while studying은 분사구문으로, while they study로 바꾸어 쓸 수 있다.

어휘

inefficiently 비효율적으로 **insist on -ing** ~하는 것을 고집하다 **surfing** (인터넷) 서핑[검색] **ironically** 모순적이게도 **surround** 에워싸다 **distraction** 주의를 산만하게 하는 것 **professional** 전문가 **oppose** 반대하다 **position** 견해 **productively** 생산적으로 **less-than-ideal** 전혀 이상적이지 않은 **condition** 상황, 조건 **expose** 노출시키다 **educator** 교육 전문가 **become used to** ~에 익숙해지다 **academic performance** 학업 성적

실전 모의고사 2회

● 본문 088~099쪽

1 ①	2 ②	3 ③	4 ⑤	5 ②	6 ②
7 ⑤	8 ②	9 ③	10 ①	11 ③	12 ④
13 ②	14 ⑤	15 ⑤	16 ④	17 ④	18 ②

1 ①

해석

관계자께,
제 아내와 저는 60년이 넘는 시간 동안 Smalltown에서 살아 왔고, 그 시간 내내 Freer Park를 즐겨 왔습니다. 저희가 젊고 다른 어느 곳에 갈 돈이 없었을 때, 저희는 거의 매일 그곳에서 걷곤 했습니다. 이제 저희는 노인이 되었고, 제 아내는 산책을 장시간 하기 위해서는 휠체어를 사용해야 합니다. 저희는 공원을 가로지르는 그 아름다운 산책로가 그녀에게는 거의 지나갈 수 없는 것임을 알게 되었습니다. 산책로는 금이 가 있고, 그녀가 휠체어를 여기저기로 움직이는 것을 불가능하게 하는 돌과 파편들로 어질러져 있습니다. 저희는 여러분이 모든 방문자를 위해 Freer Park의 산책로들을 복구하는 것에 자원을 투입해 주기를 바랍니다.
진심을 담아,
Craig Thomas 드림

해설

필자는 공원 산책을 위해 휠체어에 의존해야 하는 아내의 상태를 설명하며, 금이 가고 어지럽혀진 산책로를 복구하는 데 자원을 투입해 줄 것을 관계자에게 요청하고 있다. 따라서 이 글의 목적으로 가장 적절한 것은 ① '공원 산책로 복구를 요청하려고'이다.

오답 노트

② 노인 복지 서비스 개선을 건의하려고 ➡ 필자 부부가 노인이긴 하지만, 노인 복지 서비스와는 관련이 없다.
③ 휠체어 대여 서비스에 대해 안내하려고 ➡ 휠체어가 언급되긴 하지만, 대여 서비스와는 관련이 없다.
④ 청소년 야외 활동에 시설에 대해 문의하려고
⑤ 공원 내 주차 공간 부족에 대해 항의하려고
➡ ④, ⑤는 본문에서 언급되지 않은 내용이다.

구문 해설

[1행] To **whom** it may concern:
▶ whom은 선행사를 포함한 관계대명사로 전치사 to의 목적어이자 concern의 목적어이다. '그것이 관련될지 모르는 분께'라는 뜻으로, 결국 '담당자 귀하'라는 뜻이다.

[3행] When we were young and didn't have the money **to go** anywhere else, we **would** walk there almost every day.
▶ to go는 to부정사의 형용사적 용법으로 the money를 수식한다. 조동사 would는 '~하곤 했다'라는 뜻으로 과거의 습관을 나타낸다.

[6행] We find **that** the beautiful walking paths through the park are **all but** impassable to her.
▶ that은 명사절을 이끄는 접속사이다. 종속절의 주어는 the beautiful ~ park이고, 동사는 are이다. all but은 '거의'라는 뜻으로 almost와 바꾸어 쓸 수 있다.

어휘

concern 관련되다 **senior** 연장자; 선배 **extended** 장기간의 **crack** 금이 가게 하다 **litter** 어지럽히다 **devote** 투입하다, 바치다 **resource** 자원 **restore** 복구하다, 회복시키다

2 ②

해석

총 투표수가 발표되었을 때, 우리가 필요한 3분의 2의 다수표를 얻게 되었는지를 알아내기 위해 내 머리가 정확한 비율을 계산하지 못했다. 그때, 기술자 중에 한 명이 그의 얼굴에 큰 웃음을 머금은 채 나에게 몸을 돌렸고, "당신이 해냈어요!"라고 말했다. 그 순간, 밖에 있던 카메라들이 이어 받았고, 바깥뜰에는 거의 믿을 수 없을 정도의 기쁨의 장면이 있었다. 그러고 나서, 그 카메라가 스튜디오에 있는 우리들에게 돌아왔다. 나는 눈물이 터져 나오려는 충동을 가까스로 극복했고, 이 모든 시간이 지난 후 이 일이 일어난 것에 대한 기쁨과 즐거움, 그리고 매우 오랫동안 어려움 속에서 함께 했던 내 딸들과 가족에게 감사를 표현했다.

해설

원하던 투표 결과를 전해 듣고 기뻐하는 필자의 모습이 묘사된 글이다. a scene of joy, expressed my joy and delight, my thanks to my daughters and my family 등과 같은 표현을 통해 기뻐하고 황홀해하는 필자의 감정을 느낄 수 있다. 따라서 'I'의 심경으로 가장 적절한 것은 ② '매우 기뻐하고 황홀해하는'이다.

오답 노트

① 낙담하고 슬픈 ➡ 원하는 투표 결과를 얻은 기쁜 상황에서 낙담하거나 슬퍼하는 감정은 어울리지 않는다.
③ 따분하고 무관심한 ➡ 기쁨에 도취되어 흥분과 희열을 느끼고 있으므로 따분하고 무관심하다는 것은 적절하지 않다.
④ 시샘하고 분노하는 ➡ 선거에서 이겼기 때문에 다른 대상에 대해 질투나 시기심을 느껴 분노하는 상황이 아니다.
⑤ 고요하고 평화로운 ➡ 흥분과 희열로 인해 기쁨을 느끼는 심경이지 고요함과 평화로움을 느끼고 있지 않다.

구문 해설

[4행] At that moment, the cameras outside took over and out **there** in the yard **there** was a scene of joy almost beyond belief.

▶ 원래 문장은 the cameras outside took over and there was a scene of joy ~ belief인데 out there in the yard의 부사구가 삽입되었다. 여기서 앞의 there는 '거기'를 의미하는 부사이다. 뒤에 나오는 there는 〈there + 동사 + 주어〉의 형태로 글의 화제를 던질 때 쓰는 유도부사이다.

[6행] I managed to overcome my urge **to burst** into tears, and expressed my joy and delight **that** after all these years this **had happened** and my thanks to my daughters and my family **who had shared** in the struggle so long.

▶ 주어는 I, 동사는 managed와 expressed이다. to burst into tears는 to부정사의 형용사적 용법으로 앞의 my urge를 수식한다. expressed의 목적어는 my joy and delight와 my thanks인데, that은 동격을 나타내는 접속사이고 had happened는 expressed보다 먼저 일어난 일이므로 과거완료 시제로 쓰였다. who는 주격 관계대명사로 my daughters and my family를 수식하는 절을 이끌고, had shared는 had happened와 마찬가지로 과거완료 시제이다.

어휘

discover 알아내다, 발견하다 **majority** 다수표 **technician** 기술자 **take over** 이어받다 **scene** 장면 **beyond belief** 믿을 수 없을 정도로 **overcome** 극복하다 **urge** 충동 **burst into tears** 눈물이 터져 나오다 **delight** 기쁨, 즐거움 **struggle** 고난, 어려움, 힘든 일

3 ③

해석

세상에 영향을 끼친 위대한 사람들의 삶을 연구하라. 그러면 여러분은 사실상 모든 경우에 있어서 그들이 혼자 생각하는 데 상당한 양의 시간을 보냈다는 것을 알게 될 것이다. 역사에 영향을 끼친 모든 정치적 지도자는 생각하고 계획하기 위해 혼자 있는 훈련을 실천했다. 위대한 예술가들은 셀 수 없이 많은 시간을 그들의 스튜디오에서 혹은 도구를 가지고 무언가를 하는 것뿐만 아니라, 그들의 아이디어와 경험을 탐구하는 데 쓴다. 혼자 있는 시간은 사람들로 하여금 그들의 경험을 정리하고, 넓게 보도록 하고, 미래를 계획하게 한다. 혼자 있는 시간은 여러분의 삶을 변화시킬 잠재력을 가지고 있기 때문에 나는 여러분이 생각할 수 있는 장소를 찾고, 여러분 자신을 잠시 멈추고, 그것을 사용할 수 있도록 훈련시킬 것을 강력하게 권장한다. 그것은 여러분이 무엇이 정말 중요하고 무엇이 중요하지 않은지를 이해하는 데 도움을 줄 수 있다.

해설

위대한 정치적 지도자나 예술가들은 상당한 시간을 혼자 생각하는 데 보냈다고 말한 뒤, 후반부에서 독자들에게 경험을 정리하고, 통찰하고, 미래를 계획하기 위해 혼자 생각할 시간을 가지라고 권하고 있다. 따라서 글의 요지로 가장 적절한 것은 ③ '자신의 성장을 위해 혼자 생각할 시간을 가질 필요가 있다.'이다.

오답 노트

① 예술적 감수성을 키우기 위해 다양한 활동이 필요하다. ➡ 예술가들이 아이디어와 경험을 탐구하는 데 혼자만의 시간을 보냈다고 했지 예술적 감수성을 키우기 위해 다양한 활동이 필요하다고 하지는 않았다.
② 공동의 문제를 해결하기 위해 협동심을 발휘해야 한다.
④ 합리적 정책을 수립하기 위해 비판적 의견을 수용해야 한다.
⑤ 성공적인 지도자가 되기 위해 규율을 엄격하게 적용해야 한다.
➡ ②, ④, ⑤는 본문에서 언급되지 않은 내용이다.

구문 해설

[1행] **Study** the lives of the great people **who** have made an impact on the world, **and** you will find **that** in virtually every case, they spent a considerable amount of time alone thinking.

▶ 〈명령문, and ...〉는 '~하라, 그러면 …일 것이다'라는 뜻이다. who는 주격 관계대명사로 선행사 the great people을 수식하는 절을 이끈다. that은 find의 목적어인 명사절을 이끄는 접속사이다.

[8행] I strongly encourage you **to find** a place **to think** and **to discipline** yourself **to pause and use** it because it has the potential **to change** your life.

▶ encourage의 목적격보어로 to find와 to discipline이 오고, 이유를 나타내는 접속사 because가 이끄는 절이 오는 구조의 문장이다. to think는 to부정사의 형용사적 용법으로 앞의 a place를 수식하고, to pause and (to) use는 부사적 용법 중 목적의 의미로 쓰였다. to change는 형용사적 용법으로 앞의 the potential을 수식한다.

어휘

impact (강력한) 영향 **virtually** 사실상 **considerable** 상당한 **discipline** 훈련; 규율; 훈련시키다 **countless** 무수한 **instrument** 도구; 악기 **sort through** ~을 정리하다[분류하다] **put ~ into perspective** ~을 넓게 보다, 전망하다 **potential** 잠재력 **figure out** ~을 이해하다

4 ⑤

해석

알버트 아인슈타인은 언젠가 필라델피아에서 오는 기차에 탑승했다. 승무원이 차표를 찍기 위해 와서 말했다. "표 주세요." 아인슈타인은 표를 찾기 위해 그의 조끼 주머니로 손을 뻗었지만, 표를 찾지 못했다. 그는 재킷 주머니를 확인했다. 표가 없었다. 아인슈타인은 그의 서류 가방을 확인했다. 그러나 여전히 그는 표를 찾을 수 없었다. 승무원은, 그의 분명한 곤경에 주목하며, "전 당신이 누구인지 압니다, 아인슈타인 박사님. 표에 대해서는 걱정하지 마세요."라며 친절하게 말했다. 몇 분 후 승무원이 객차의 앞에서 돌아서서 그의 좌석 아래에서 잃어버린 표를 계속해서 찾고 있는 아인슈타인을 보았다. 재빨리 그는 회색 머리의 신사를 안심시키기 위해 서둘러 돌아갔다. "아인슈타인 박사님, 아인슈타인 박사님, 저는 당신이 누구인지 알아요!" 그가 반복했다. "제발 표에 대해 걱정하지 마세요." 아인슈타인 박사는 천천히 무릎을 펴고 일어나 젊은 승무원에게 말을 걸었다. "젊은이, 자네는 이해하지 못하겠지. 나 역시 내가 누구인지 안다네. 내가 모르는 것은 내가 어디로 가고 있는지라네."

해설

①, ②, ③, ④는 아인슈타인을 가리키지만, ⑤는 계속해서 표를 찾을 필요 없다고 아인슈타인을 안심시키는 기차의 승무원을 가리킨다.

오답 노트

①, ② ➡ 표를 찾는 사람은 아인슈타인이다.
③ ➡ 표를 찾느라 우왕좌왕하며 곤경에 처한 사람은 아인슈타인이다.
④ ➡ 자신의 좌석 아래에서 계속해서 표를 찾는 사람은 아인슈타인이다.

구문 해설

[5행] The conductor, **noting** his obvious distress, kindly said, "I know **who you are**, Dr. Einstein. Don't worry about your ticket."
▶ noting his obvious distress는 분사구문으로 as he[the conductor] noted로 바꾸어 쓸 수 있다. who you are는 의문사 who가 이끄는 간접의문문으로 동사 know의 목적어로 쓰였다.
[6행] Several minutes later the conductor turned around from the front of the traincar **to see** Einstein **continuing to search** under his seat for the missing ticket.
▶ to see는 '결국 ~하게 되다'라는 결과를 의미하는 부사적 용법의 to부정사이고, to search는 continuing의 목적어이다.
[12행] **What** I don't know is **where** I'm going.
▶ What I don't know가 주어, is가 동사인데, what은 선행사를 포함하는 관계대명사로 the thing which 혹은 the thing that으로 바꾸어 쓸 수 있다. 뒤의 where 이하는 간접의문문이다.

어휘

conductor 승무원 **punch the ticket** 차표를 찍다, 개찰하다 **reach into** ~ 안에 손을 넣다 **brief case** 서류 가방 **note** ~에 주목하다 **obvious** 분명한 **distress** 곤경 **traincar** (열차의) 객차 **arise** 일어서다 **address** ~에게 말을 걸다

5 ②

해석

새로운 물건을 사는 것은 그 자체로 취미가 될 수 있다. 여러분이 돈을 절약하고 싶다면 물건을 구입하는 것보다 물건을 만드는 것에서 즐거움을 찾아보라. 우리는 물건을 만드는 것에서 물건을 사는 것에서 얻는 것과 똑같은 종류의 만족을 얻는다. 여러분이 자랑스러워하는 어떤 것을 그리거나 즐기는 어떤 것을 글로 쓴다면, 여러분은 이제 여러분의 인생에서 여러분을 행복하게 만드는 새로운 것을 가지게 된다. 새로운 기계류를 사는 것은 여러분에게 비슷한 기쁨을 줄지도 모르지만, 그것은 아마 오래가지 않을 것이다. 물론 우리의 권유 역시 돈이 들 수 있다. 그러나 여러분이 돈을 쓸 수 없을 때 여러분은 항상 온라인으로 수공예에 대해 더 많이 배우거나 여러분이 이미 가진 것을 가지고 연습할 수 있다. 여러분이 돈을 쓰더라도 여러분은 가치를 잃는 물건을 사기보다 적어도 기술을 증진시키고 있는 것이다.

해설

돈을 절약하고 싶다면 물건을 사는 것보다 만드는 것의 즐거움을 찾아보라고 하며, 만드는 것이 더 나은 이유에 대해 말하고 있다. 따라서 이 글의 주제로 가장 적절한 것은 ② '물건을 만드는 것이 구매하는 것보다 더 나은 이유'이다.

오답 노트

① 취미로 기계류를 수집하는 것에 대한 오해 ➡ 기계류를 구입하는 것에 대한 언급이 있긴 하지만, 세부적인 내용일 뿐이다.
③ 비용이 많이 드는 취미의 부정적인 영향 ➡ 비용이 들어도 배움이 남는다는 내용과 반대된다.
④ 현명하게 의류를 구매하는 방법 ➡ 의류를 구매하는 방법에 대해 언급되지 않았다.
⑤ 취미로 옷을 구입하는 것 ➡ 취미로 옷을 구입하는 것은 세부적인 내용일 뿐이다.

구문 해설

[3행] We get the same kind of satisfaction from making things **that** we **do** from buying things.
▶ that은 목적격 관계대명사로 satisfaction을 수식하는 절을 이끌고, do는 대동사로 앞에 나온 동사 get의 반복을 피하기 위해 쓰였다.
[4행] If you draw something you're proud of or write something you enjoy, you've now got a new thing in your life **that** makes you happy.
▶ If가 이끄는 조건절의 동사는 draw와 write로 or로 인해 병렬 구조를 이룬다. you're proud of는 목적격 관계대명사절로 앞의 something을 수식하고, you enjoy 역시 목적격 관계대명사절로 앞의 something을 수식한다. 주절의 that은 주격 관계대명사로 a new thing을 수식하는 절을 이끈다.

어휘

shop for ~을 구입하다(사다) **in itself** 그 자체로 **A rather than B** B보다는 A **satisfaction** 만족(감) **rush** 기쁨, 흥분 **recommendation** 권유, 추천 **craft** 수공예

6 ②

해석

과보호하는 부모는 아이들이 모든 자연스러운 결과를 겪지 않게 한다. 불행하게도 그들의 아이들은 종종 부모의 규칙 이면에 있는 이유에 대한 분명한 이해가 부족하다. 부모가 그들이 좋지 못한 선택을 하지 못하게 막기 때문에, 그들은 실패로부터 다시 회복하는 방법이나 실수로부터 회복하는 방법을 결코 배우지 못한다. "밖이 춥기 때문에 나는 재킷을 입어야 해."라는 것을 배우기보다 아이는 "엄마가 내가 그렇게 하게(나에게 재킷을 입게) 하기 때문에 나는 재킷

을 입어야 해."라고 결론을 내릴 수 있다. 실제 세상의 결과를 경험할 기회가 없다면, 아이들은 그들의 부모가 왜 특정 규칙을 만드는지를 항상 이해하지는 못한다. 자연스러운 결과는 아이들이 선택한 것의 잠재적인 결과에 대해 생각하도록 도움을 줌으로써 아이들에게 성인기를 준비시킨다.

해설

과보호하는 부모는 아이들이 모든 자연스러운 결과를 겪지 않도록 만들어서 아이들이 실패나 실수로부터 회복하는 방법을 배우지 못하게 한다는 내용을 언급했다. 후반부에서 아이가 실제 세상을 경험하지 못하면 부모가 규칙을 정한 이유를 이해하지 못하게 된다는 내용과 함께 자연스러운 결과를 겪는 것의 이점을 제시하고 있다. 따라서 이 글의 제목으로 가장 적절한 것은 ② '자연스러운 결과가 아이들을 가르치게 하라'이다.

오답 노트

① 가상 세계의 어두운 면 ➡ 가상 세계에 대한 내용은 언급되지 않았다.
③ 선택권이 많으면 많을수록 실수가 더 많다 ➡ 선택권을 제한하는 것보다 아이들 스스로 선택하도록 도와야 한다고 했으므로, 본문의 내용과 반대되는 선택지이다.
④ 관계를 향상시키기 위해 아이들의 말을 들으라 ➡ 자녀와의 관계 개선은 본문과 관련이 없는 소재이다.
⑤ 과보호하는 육아의 이점 ➡ 과보호의 단점에 대한 것이므로 본문과 반대되는 선택지이다.

구문 해설

[5행] Rather than learning, "I should wear a jacket because it's cold outside," **a child may conclude**, "I have to wear a jacket because my mom makes me."
▶ 인용된 아이의 말 중간에 전체 문장의 주어와 동사 a child may conclude가 삽입된 형태이다. 마지막에 makes me 뒤에는 wear a jacket이 생략되었다.
[7행] Without an opportunity **to experience** real-world consequences, kids **don't always** understand **why** their parents make certain rules.
▶ to experience는 to부정사의 형용사적 용법으로 an opportunity를 수식한다. not always는 부분부정으로 '언제나 ~한 것은 아니다'라는 뜻이고, understand의 목적어로 의문사 why가 이끄는 간접의문문이 왔다.

어휘

overprotective 과잉보호하는 **spare A from B** A가 B를 겪지 않게 하다 **consequence** 결과 **unfortunately** 불행하게도, 안타깝게도 **lack** ~이 부족하다[없다] **bounce back from** ~에서 회복하다, ~을 딛고 일어서다 **recover from** ~에서 회복하다 **prevent A from B** A가 B하는 것을 막다 **make a choice** 선택하다 **potential** 잠재적인; 잠재력

7 ⑤

해석

적어도 일주일에 5일 이상 재미로 책을 읽는 아이들
위 그래프는 2012년과 2014년에 적어도 일주일에 5일 이상 재미로 책을 읽는 서로 다른 연령대의 아이들의 비율을 보여 준다. 두 해 모두에서 6~8세 연령대의 비율이 첫 번째를 차지했고, 9~11세 연령대가 뒤를 이었다. 2012년에 6~8세 연령대의 비율은 15~17세 연령대 비율보다 두 배만큼 컸다. 2014년에 6~8세 연령대의 비율은 12~14세 연령대와 15~17세 연령대의 비율을 합한 것보다 더 컸다. 2012년과 2014년 사이의 비율 격차는 12~14세 연령대에서 가장 적었다. 2012년과 비교하여 모든 연령대가(→ 6~8세를 제외한 모든 연령대가) 2014년에 감소된 비율을 보였다.

해설

2012년과 비교하여 6~8세 집단은 2014년에 증가한 비율을 보였다. 따라서 ⑤는 도표의 내용과 일치하지 않는다.

오답 노트

① ➡ 두 해 모두 6~8세 연령대의 아이들이 48%, 53%로 가장 높은 비율을 보였고, 그 다음이 9~11세 연령대로 39%, 32%의 비율을 보이고 있으므로 도표의 내용과 일치한다.
② ➡ 2012년 6~8세 연령대 비율은 48%이고, 15~17세 연령대 비율은 24%이므로 두 배의 수치가 맞다.
③ ➡ 2014년의 6~8세 연령대의 비율은 53%인데, 12~14세 연령대의 26%에 15~17세 연령대의 14%를 더해도 53%에 미치지 못한다.
④ ➡ 두 해의 비율 차이는 6~8세 연령대에서는 5%, 9~11세 연령대는 7%, 12~14세 연령대는 2%, 15~17세 연령대는 10%이므로 도표의 내용과 일치한다.

구문 해설

[2행] In both years, the percentages of the 6 – 8 age group ranked first, **followed** by the 9 – 11 age group.
▶ followed 이하는 분사구문으로, and they were followed로 바꾸어 쓸 수 있다.
[4행] In 2012, the percentage of the 6 – 8 age group was twice **as large as that** of the 15 – 17 age group.
▶ as large as는 동급 비교인데, 두 개의 대상을 비교해 차이가 없을 때 〈as + 원급 + as〉의 형태로 표현하는 것을 말한다. that은 앞에 나오는 명사의 반복을 피하기 위해 쓰는 대명사로, 이 문장에서는 the percentage를 받는다.

어휘

for fun 재미로 **at least** 적어도, 최소한 **age group** 연령대 **rank** (등수를) 차지하다 **be followed by** ~가 잇따르다 **combined** 결합된 **compared to** ~와 비교하여 **decreased** 감소된

8 ②

해석

계곡 하이킹
Hike the Valley는 매주 토요일 저희가 참가자들에게 지역 숲길을 안내하는 하이킹 프로그램입니다.
하이킹 정보
〈만나는 장소〉
Marshall Canyon Regional Park 정문
〈나이 요건〉
참가자는 10세 혹은 그 이상이어야 합니다. 18세 미만의 모든 참가자들은 성인과 동반해야 합니다.
〈참가비〉
참가비는 1인당 8달러입니다. 이것은 물 한 병과 셔틀버스 서비스를 포함합니다.
〈참가자 요구 사항〉
하이킹 참가자는 편안한 하이킹 신발이나 부츠를 착용하고 자신의 점심 식사를 가져와야 합니다.
〈등록〉
Carolyn Owens Community Center에서 사전에 등록하세요.

해설

하이킹 프로그램에 관한 안내문으로, Participants should be ten years of age or older.를 통해 10세 이상의 참가자로 나이 요건을 제한했다는 것을 알 수 있으므로 10세 미만의 아동은 참가할 수 없다. 따라서 안내문의 내용과 일치하는 것은 ②이다.

오답 노트

① 격주 토요일마다 진행된다. ➡ Hike the Valley is a hiking program where we guide participants through local trails every Saturday.
③ 셔틀버스 이용료는 참가비에 포함되지 않는다. ➡ This includes a bottle of water and shuttle bus service.
④ 점심 식사를 제공한다. ➡ Hikers are required to ~ bring their own lunch.
⑤ 사전 참가 신청은 불가능하다. ➡ Register in advance at the Carolyn Owens Community Center.

구문 해설

[2행] Hike the Valley is a hiking program **where** we guide participants through local trails **every Saturday**.
▶ where 이하는 관계부사절로 a hiking program을 수식하는데, 이는 in which로 바꾸어 쓸 수 있다. '토요일마다'를 뜻하는 every Saturday는 on Saturdays로 바꾸어 쓸 수 있다.
[8행] All **those** under the age of 18 **must be accompanied** by an adult.
▶ those는 '사람들'이라는 의미로 뒤에 who are가 생략되었는데, 여기서는 participants 즉 '참가자들'을 뜻한다. must be accompanied는 〈조동사+수동태〉의 형태로 이 문장에서 must는 '~해야 한다'라는 의무를 나타낸다.

어휘

local trail 지역 숲길 **regional** 지역의, 지방의 **accompany** 동행하다 **fee** 요금 **include** 포함하다 **requirement** 요건 **registration** 등록 **in advance** 사전에, 미리

9 ③

해석

인류 역사의 시작부터, 사람들은 세상과 그 세상 속에 있는 그들의 장소에 관하여 질문해 왔다. 초기 사회에 있어, 가장 기초적 의문에 대한 대답은 종교에서 발견되었다. 그러나 몇몇 사람들은 그 전통적인 종교적 설명에 만족하지 않았고, 이성에 근거하여 답을 찾기 시작하였다. 이러한 변화는 철학이 탄생할 것임을 보여 주었고, 우리가 아는 위대한 사상가들 중 첫 번째 사람은 Miletus의 Thales였다. 그는 우주의 본질을 탐구하기 위해 이성을 사용하였고, 다른 사람들도 이와 같이 하도록 권장하였다. 그는 자신의 추종자들에게 자신의 대답뿐만 아니라 이성적으로 생각하는 과정도 전했다. 덧붙여, 그들이 어떤 종류의 설명을 만족스럽게 여길 수 있는가에 대한 생각을 알게 해 주었다.

해설

(A) 초기 사회에서는 대부분의 질문에 대한 답을 (A)에서 찾았지만, (A) 다음에 이어지는 문장에서 몇몇 사람들은 그 종교적 설명이 만족스럽지 않다는 것을 알게 되었다고 했으므로 (A)에는 종교(religion)가 적절하다.
(B) 사람들이 이성에 근거해서 답을 찾기 시작하는 변화가 일어났으므로 변화(shift)가 적절하다.
(C) 이성에 근거해서 답을 찾은 첫 번째 철학자 Thales는 추종자들에게 자신이 찾은 답뿐 아니라 이성을 사용하여 탐구하는 법도 전했다는 내용이므로 이성적으로(rationally)가 적절하다.

오답 노트

(A) ➡ 과학에 대한 언급은 없으므로 과학(science)은 적절하지 않다.
(B) ➡ 종교에서 답을 찾다가 이성에 근거해서 답을 찾게 되었으므로 일관성(consistency)은 적절하지 않다.
(C) ➡ 철학은 이성적으로 생각해서 답을 찾는 것이므로 비이성적으로(irrationally)는 적절하지 않다.

구문 해설

[3행] Some people, **however**, weren't satisfied with the traditional religious explanations, **and** they began to search for answers **based on reason**.
▶ 두 개의 절이 등위 접속사 and로 연결된 병렬 구조이고, however는 앞 문장 내용과 반대되는 뜻을 전할 때 사용하는 연결사이다. based on reason은 answers를 뒤에서 수식하는 과거분사구이다.
[5행] This shift marked the birth of philosophy, **and the first of the great thinkers that** we know of was Thales of Miletus.
▶ 두 개의 절이 등위 접속사 and로 연결된 병렬 구조이다. 뒤 절의 주어는 the first (one)이고 동사는 was이며, 목적격 관계대명사 that이 이끄는 절인 we know of가 주어를 수식하고 있다. 〈the first of+복수 명사〉는 '~들 중 첫 번째'의 뜻이다.
[9행] **In addition**, he let them know **an idea of** what kind of explanation they could find satisfactory.
▶ In addition은 '게다가, 덧붙여'를 뜻하는 연결사이다. an idea of는 '~에 대한 생각'이라는 뜻으로, 전치사 of의 목적어로 간접의문문 what kind of explanation they could find satisfactory가 왔다.

어휘

be satisfied with ~에 만족하다 **religious** 종교의 **search for** ~을 찾아 보다 **mark** ~일 것임을 보여 주다 **philosophy** 철학 **thinker** 사상가 **reason** 이성 **inquire** 알아보다 **likewise** 마찬가지로 **pass on** 넘겨주다, 전달하다

10 ①

해석

왜 현대 미국의 악센트는 영국의 악센트와 비슷하게 들리지 않는가? 어쨌든 영국이 미국을 식민화하지 않았는가? 전문가들은 영국 거주자들과 미국에 정착한 식민지 개척자들 모두 18세기 무렵에는 발음이 똑같았다고 믿는다. 사실상 그것들은 아마도 모두 현대 미국 발음처럼 들렸다. 우리가 오늘날 영국식이라고 생각하는 악센트는 미국독립혁명 동안에 형성되었다. 산업혁명 기간에 부유해진 하층계급의 사람들은 다른 평민들로부터 다르게 들리기를 원했다. 이 사람들은 그들 스스로를 분리시키고 그들의 새로이 높아진 사회적 지위를 드러내기 위해 새로운 말하기 방식을 개발해냈다. 19세기에 이 독특한 악센트는 표준화되었고 세련되게 말하는 법을 배우고 싶어 하는 사람들에게 가르쳐졌다.

해설

현대 미국의 악센트가 영국의 악센트와 비슷하지 않은 이유를 역사적 관점에서 설명하고 있는 글이다. 오늘날의 영국 악센트는 산업혁명 기간에 부유해진 하층계급 사람들이 자신을 다른 평민들과 구분하기 위해 만들었다고 했으므로 그들이 '사회적 지위'를 드러내기 위해 새로운 말하기 방식을 개발해냈다고 보는 것이 자연스럽다. 따라서 빈칸에 들어갈 말로 가장 적절한 것은 ① '사회적 지위'이다.

오답 노트

② 패션 감각 ➡ speak fashionably를 이용한 함정으로, 패션에 관한 언급은 없다.
③ 정치적 압박 ➡ 산업혁명 기간에 부유층이 된 하층계급이 정치적 압박을 받았다고 유추할 수 있는 근거는 없다.
④ 식민 관여 ➡ 식민지화가 언급된 것으로 만든 함정으로, 본문과 관련이 없다.
⑤ 지적 성취 ➡ 본문에 언급되지 않은 내용이다.

구문 해설

[2행] Experts believe **that** British residents and the colonists **who** settled America all sounded the same back in the 18th century.
▶ that은 명사절을 이끄는 접속사로 that 이하(that British ~ century)가 believe의 목적어이다. 명사절의 주어는 British residents and the colonists이고, who settled America의 주격 관계대명사절이 앞의 the colonists를 수식하고 있다. 동사는 sounded이다.
[7행] These people developed new ways of speaking to set themselves apart and demonstrate their new, elevated social status.
▶ 전치사구 of speaking이 new ways를 수식하는데, of의 목적어로 명사상당어구가 와야 하므로 동명사 speaking이 왔다. to set과 (to) demonstrate는 to부정사의 부사적 용법으로 '~ 하기 위해, 하려고'라는 목적을 나타내며, and로 인해 병렬 구조를 이룬다.

어휘

modern 현대의 **accent** 악센트, 말씨 **colonize** 식민지화하다, 식민지로 만들다 **settle** 정착하다 **low rank** 하층계급 **commoner** 평민 **set ~ apart** ~을 분리하다[따로 하다] **demonstrate** 드러내다, 나타내다; 입증하다 **elevated** 높아진, 높은 **distinctive** 독특한 **standardize** 표준화하다

11 ③

해석

여러분의 목표를 고수하는 것은 매우 어렵지만, 때때로 우리는 애초에 우리가 정말 원하지 않는 목표를 세운다. 우리는 우리에게 정말로 중요한 것이라기보다 우리가 해야만 하는 것, 또는 다른 사람들이 우리가 해야 한다고 생각하는 것에 기초하여 결심을 한다. 이것은 목표를 고수하는 것을 거의 불가능하게 만든다. 예를 들어, 여러분이 실제로 더 배우기를 원할 때 더 많은 독서를 하는 것이 좋은 습관이다. 하지만 여러분이 해야만 하는 것처럼 느끼기 때문에 단지 그것을 하고 있다면, 여러분은 목표에 도달하는 데 어려움을 겪을 것이다. 대신에, 여러분 자신의 가치 기준에 기초하여 목표를 세워라. 자, 이것은 여러분이 독서를 더 적게 해야 한다고 말하는 것이 아니다. 그 생각은 우선 여러분에게 중요한 것이 무엇인가를 깊이 생각하고, 거기에 도달하기 위해 여러분이 무엇을 해야 하는가를 알아내는 것이다.

해설

해야만 하는 것으로 생각되어서, 또는 남들이 우리가 해야 한다고 생각하는 것을 기반으로 목표를 정하면 그것을 위해 노력하기가 어려우니 '어떤 것'에 기초해서 목표를 세우라고 말하고 있다. 자신에게 무엇이 중요한지 결정하는 것은 자신의 가치 기준이다. 따라서 빈칸에 들어갈 말로 가장 적절한 것은 ③ '여러분 자신의 가치 기준'이다.

오답 노트

① 자신의 도덕적 의무 ➡ 해야만 하는 것, 즉 의무에 기초해서 목표를 정하면 그것을 고수하기가 어렵다고 했으므로 글의 내용과 상반된다.
② 엄격한 시한 ➡ 글 내용 중에 시한에 관한 언급은 없다.
④ 부모님의 지도 ➡ 다른 사람들이 해야만 한다고 하는 것보다 자신이 중요하게 여기는 것을 고려하라고 했으므로 적절하지 않다.
⑤ 고용 시장 동향 ➡ 일자리 찾기에 관한 언급은 없다.

구문 해설

[2행] We make a resolve **based on** what we're supposed to do, **or** what others think we're supposed to do, **rather than** what really matters to us.
▶ 〈based on A, or B, rather than C(C보다는 A나 B에 기초한)〉의 구조인데 A, B, C가 모두 전치사 on의 목적어로 쓰인 명사절이다.

어휘

stick with ~을 고수하다 **make a resolve** 결심하다 **be supposed to** ~하기로 되어 있다, ~해야 한다 **matter** 중요하다 **have a hard time -ing** ~하느라 힘든 시간을 보내다 **reach** 도달하다 **consider** 심사숙고하다

12 ④

해석

역사를 공부하는 것은 여러분을 더 유식하거나 이야기하기에 재미있는 사람으로 만들어 줄 수 있거나 모든 종류의 멋진 직업, 탐구, 그리고 경력으로 이어질 수 있다. 하지만 훨씬 더 중요하게는 역사를 공부하는 것이 우리가 인류의 Big Questions를 묻고 답하는 데 도움을 준다. 만약 여러분이 현재 무언가가 왜 발생하고 있는지 알기를 원한다면, 여러분은 사회학자나 경제학자에게 물어볼지도 모른다. 그러나 만약 여러분이 (그에 대한) 깊은 배경지식을 알고 싶다면, 여러분은 역사가에게 질문한다. (역사가와 같은 직업은 드문 직업이고, 이것이 아마 여러분이 역사가를 결코 만나 본 적이 없는 이유일 것이다.) 그것은 그들이 과거를 알고 이해하며 현재와 과거의 복잡한 상관관계를 설명할 수 있는 사람이기 때문이다.

해설

역사를 공부하는 이유와 관련된 글이다. 과거를 알고 이해하는 역사가에게 현재에 관한 일을 질문함으로써 깊은 배경지식을 알 수 있다는 내용인데, 중간에 역사가라는 직업이 드문 직업이어서 우리가 만나 본 적이 없다는 무관한 내용이 나온다. 따라서 전체 흐름과 관계없는 문장은 ④이다.

오답 노트

① ➡ 역사를 공부하는 이유를 언급한 첫 문장에 이어 역사를 공부하는 것이 인류의 Big Questions를 묻고 답하는 데 도움을 준다는 내용으로 이어지고 있다.
② ➡ 현재 무언가가 왜 발생하는지 알기 원한다면 사회학자나 경제학자에게 물어볼 수 있다는 것으로, 뒤따르는 문장의 내용과 잘 연결된다.
③ ➡ 앞 문장에 이어서 현재 무언가가 왜 발생하는지에 대한 깊은 배경지식을 알고 싶으면 역사가에게 질문하라는 내용이 연결된다.
⑤ ➡ 깊은 배경지식을 알고 싶으면 역사가에게 질문해야 하는 이유에 대한 문장이다.

구문 해설

[2행] But **even more** importantly, studying history **helps** us **ask and answer** humanity's Big Questions.

▶ even은 비교급 앞에서 '훨씬'의 뜻으로 비교급을 강조하는데, much, a lot, far, still 등과 바꾸어 쓸 수 있다. 이 문장의 주어는 studying history이고, helps가 동사, us가 목적어, 목적격보어로 동사원형 ask and answer가 왔다. help의 목적격보어로 동사원형 대신 to부정사가 올 수도 있다.

[6행] A career as a historian is a rare job**, which** is probably **why** you have never met **one**.

▶ which는 계속적 용법의 주격 관계대명사로, 관계대명사가 이끄는 절이 선행사에 대해 부가적인 설명을 덧붙일 때는 관계대명사 앞에 콤마(,)를 쓰고, 앞에서부터 차례대로 해석한다. why는 관계부사로 앞에 선행사 the reason이 생략된 형태이다. 문장 마지막의 one은 a historian을 대신한다.

[7행] **That's because** they are the people **who** know and understand the past and can explain **its** complex interrelationships with the present.

▶ That's because는 '그것은 ~이기 때문이다'라는 뜻으로 원인이나 이유를 강조하려고 쓰는 표현이다. 주격 관계대명사 who가 이끄는 절이 선행사 the people을 수식하는데, 절의 동사는 know and understand와 can explain으로 병렬 구조를 이룬다. 이 문장에서 its는 the past's이다.

어휘

knowledgeable 유식한, 아는 것이 많은 **exploration** 탐구, 탐사 **humanity** 인류 **sociologist** 사회학자 **economist** 경제학자 **historian** 역사학자 **rare** 드문, 희귀한 **interrelationship** 상관관계, 연관성

13 ②

해석

당신이 작은 요구를 해서 사람들에게 그것을 수락하게 하면, 그들은 나중에 더 큰 요구를 수락하기가 쉽다. (B) 예를 들어, 한 판매원이 여러분에게 동물 학대를 막기 위한 청원서에 서명하도록 요구할지도 모른다. 이것은 아주 작은 요구여서 대부분의 사람들은 판매원이 요구하는 것을 할 것이다. (A) 그 이후에 판매원은 여러분에게 자신의 매장에서 (동물) 학대가 없는 화장품을 사는 것에 여러분이 관심이 있는지를 물어본다. 대부분의 사람들이 청원서에 서명해 달라는 이전 요구에 동의한다는 사실을 고려하면 그들이 화장품을 구매할 가능성은 더 높을 것이다. (C) 그 판매원이 자기 말과 행동을 일치시키는 사람의 경향을 이용하기 때문에 그들은 그러한 구매를 한다. 사람들은 일관되기를 원하며 만약 자신이 이미 한 번 그렇게 말했다면 계속 '예'라고 말할 것이다.

해설

주어진 글은 작은 요구를 해서 수락하게 하면 나중에 더 큰 요구를 수락할 가능성이 높아진다는 내용으로 (B)에서 동물 학대 방지를 위한 청원서에 서명을 하도록 작은 요구를 하는 판매원의 예가 오고, 청원서 서명 이후에 동물 학대 없이 생산된 화장품을 구매할 의향이 있는지 묻는다면 사람들은 그 화장품을 구매할 가능성이 높다는 (A)가 온 다음 그런 구매는 판매원이 사람들의 언행일치 경향을 이용하기 때문이라는 (C)가 오는 것이 자연스럽다. 따라서 이어질 글의 순서로 가장 적절한 것은 ② (B) – (A) – (C)이다.

오답 노트

① ➡ (A)의 this가 가리키는 것은 (B)의 This is a very small request, and most people will do what the salesperson asks.이므로 (B) 다음에 와야 한다.

③ ➡ (B)는 작은 요구를 해서 수락하게 한다는 내용이므로 (C)의 They make such purchases와 바로 연결되는 것은 자연스럽지 않다.

④ ➡ (C)에서 언행일치 경향 때문에 구매를 한다고 했는데, (A)에서는 제품 구매에 관심이 있는지 묻는다는 내용이므로 순서가 바뀌어야 한다.

⑤ ➡ 작은 요구인 청원서 서명을 수락한 사람은 큰 요구인 제품 구매에 동의할 가능성이 높으며 그것은 사람의 언행을 일치시키려는 경향 때문이라는 설명이 (C)의 내용이므로 (C)는 맨 마지막에 위치해야 적절하다.

구문 해설

[1행] **If** you make a small request and **have** people **accept** it, they'll be more likely to accept a bigger request afterwards.

▶ If는 '만약 ~라면'이라는 의미의 부사절을 이끄는 접속사이다. 사역동사 have는 목적어와 목적격보어가 능동 관계이면 목적격보어로 동사원형이 온다. 〈be likely + to부정사〉는 '~하기 쉽다'라는 의미이다.

[4행] **Considering that** most people agree to the prior request **to sign** the petition, they will be more likely to purchase the cosmetics.

▶ Considering that은 '~라는 사실을 고려할 때[고려하면]'라는 의미로, 접속사 that이 이끄는 명사절이 considering의 목적어이다. to sign은 request를 수식하는 형용사적 용법으로 쓰였다.

[11행] People **want** to be consistent **and will keep** saying yes **if** they **have already said** it once.

▶ 두 개의 동사구가 접속사 and로 병렬 연결된 구조이다. if가 이끄는 조건절의 시제는 현재완료이고 완료 용법이다.

어휘

request 요청 **afterwards** 나중에 **cruelty-free** (화장품이) 동물 실험을 거치지 않고 개발된 **cosmetic** 화장품 **prior** 사전의, 앞의 **purchase** 구입하다; 구매품 **take advantage of** ~을 이용하다 **tendency** 경향 **consistent** 한결 같은

14 ⑤

해석

사람이 죽은 후에 머리카락과 손톱은 계속 자랄까? 무심코 보는 사람에게는 그것은 그렇게 보이지 않을 수도 있지만, 간단한 대답은 '아니다'이다. 그것은 죽음 후에 인간 몸에 수분이 빠지면서 피부가 수축되거나 더 작아지게 만들기 때문이다. 이러한 수축은 한때 피부 아래에 있었던 손톱과 머리카락의 일부를 노출시키고 그것들이 이전보다 길어 보이게 만든다. 일반적으로, 손톱은 하루에 약 0.1밀리미터씩 자라지만 그것이 자라기 위해서는 신체에 힘을 주도록 도와주는 단당인 포도당이 필요하다. 일단 몸이 죽으면 더 이상 포도당은 없다. 따라서 피부 세포, 머리카락 세포 그리고 손톱 세포는 더 이상 새로운 세포를 만들어내지 않는다. 더욱이 복잡한 호르몬 조절 체계는 머리카락과 손톱의 성장을 지휘하지만, 일단 사람이 죽게 되면 그 어느 것도 가능하지 않다.

해설

주어진 문장은 피부, 머리카락, 손톱의 세포들이 더 이상 새로운 세포를 만들어내지 않는다고 말하고 있다. 이는 몸이 죽으면 더 이상 포도당이 만들어지지 않기 때문이라는 내용 뒤에 와야 한다. 따라서 주어진 문장이 들어가기에 가장 적절한 곳은 ⑤이다.

오답 노트

① ➡ 앞서 제기한 의문에 대한 답변이 이어진다.

② ➡ 피부 수축과 그 결과에 대한 설명이 이어진다.
③ ➡ 손톱의 성장에 대한 내용으로서 화제의 전환이 일어나고 있는 부분이다.
④ ➡ 앞 문장에서는 손톱이 자라기 위해서는 포도당이 필요하다고 했고, 뒤 문장에서는 몸이 죽으면 더 이상의 포도당이 만들어지지 않는다고 했으므로 자연스러운 흐름이다.

구문 해설

[5행] This shrinking exposes the parts of the nails and hair **that** were once under the skin, **causing them** to appear longer than before.
▶ that은 주격 관계대명사로 선행사인 the parts of the nails and hair를 수식하는 절을 이끈다. causing 이하는 두 상황이 동시에 일어남을 나타내는 분사구문으로 and it[this shrinking] causes ~로 바꾸어 쓸 수 있다. causing 뒤의 them은 the parts of the nails and hair를 의미한다.
[9행] **Once** the body dies, there's no more glucose.
▶ Once는 접속사로 '일단 ~하면'이라는 뜻이다.
[9행] Moreover, a complex hormonal regulation directs the growth of hair and nails**, none of which** is possible **once** a person dies.
▶ 콤마(,) 뒤에 이어지는 none of which는 계속적 용법의 주격 관계대명사로, and none of them으로 바꾸어 쓸 수 있다. 이 문장의 once 역시 접속사이다.

어휘

cell 세포 **casual observer** 무심코 보는 사람, 우연히 목격한 사람 **shrink** 수축하다, 줄다 **expose** 노출시키다 **typically** 일반적으로, 전형적으로 **moreover** 더욱이 **hormonal** 호르몬의 **regulation** 조절 **direct** 지휘하다

15 ⑤

해석

아이들은 다른 사람을 돕는 것보다 무언가를 주는 것에 훨씬 더 저항한다. 우리는 아주 어린 아이들에게서 이러한 차이점을 명확히 관찰할 수 있다. 1년 6개월 된 아기들은 어려운 상황에서는 서로 도와주려 하지만, 그들 소유의 장난감은 다른 아기들과 기꺼이 공유하려 하지 않는다. 그 어린 아기들은 심지어 소리를 지르거나 필요하면 주먹을 날리며 자신의 소유물을 지킨다. 이것은 (걸음마를 배우는) 아기들 사이의 끊임없는 싸움으로 문제를 겪고 있는 부모들의 일상적인 경험이다. 여전히 기저귀를 차고 있었을 때 내 딸들로부터 내가 "내 거야!"라는 말보다 더 자주 들었던 말은 없었다.
➡ 아주 어린 아이들이 어려운 상황에서 서로를 (A) 도와주려고는 하지만, 그들은 자신의 소유물은 기꺼이 (B) 공유하려고 하지 않는다.

해설

어린 아이들이 어려운 상황에서는 서로 도와주지만 장난감은 다른 아이들과 공유하려 하지 않는다는 내용으로, 세 번째 문장이 요약문의 내용과 일치한다. 따라서 요약문의 빈칸에 들어갈 말로 가장 적절한 것은 ⑤ '돕다 – 공유하다'이다.

오답 노트

① 무시하다 – 공유하다 ➡ 아이들이 서로를 '무시한다'는 내용은 없다.
② 돕다 – 숨기다 ➡ 자신의 장난감을 지키려고 하는 것이므로 '숨기려고' 하지 않는 것은 글의 내용과 상반된다.
③ 무시하다 – 방어하다 ➡ 아이들이 서로를 '무시한다'는 내용과 '방어하려고' 하지 않는다는 내용은 없다.
④ 이해하다 – 숨기다 ➡ 아이들이 서로를 '이해한다'는 내용은 없다.

구문 해설

[1행] Children are **much more** resistant **to giving** something to someone else than to helping them.
▶ much는 비교급 more resistant를 강조하기 위해 쓰였는데, even, far, a lot 등과 바꾸어 쓸 수 있다. resistant 뒤의 to는 전치사로, 전치사의 목적어는 명사나 명사상당어구가 와야 하므로 동명사 giving이 왔다.
[3행] Even though **one-and-a-half-year-olds** will support each other in difficult situations, they are not willing to share their own toys with others.
▶ 명사, 동사, 형용사 등이 하이픈(-)으로 연결되어 하나의 형용사로 사용되는 것을 복합형용사라고 한다. 이때 시간이나 기간 등의 명사가 원래 복수 형태이더라도 단수 형태로 오는 것에 유의해야 한다. 원래 Children are one and a half years old.로 years가 복수 형태이지만, one-and-a-half-year-olds로 복합형용사가 될 때는 year가 단수 형태로 와야 한다. 여기서 olds는 명사로 '~살 된 사람'을 의미한다.
[5행] The little **ones** even defend their possessions with screams and, **if necessary**, blows.
▶ 문장의 주어는 The little ones이고, 동사는 defend이다. one은 앞에 나온 명사를 대신해서 쓰는데 one-and-a-half-year-olds로 복수이므로 ones가 왔다. with screams and blows 사이에 if necessary가 삽입됐는데, 이는 if it is necessary에서 it is가 생략된 형태로 '필요한 경우, 필요하다면'의 뜻이다.

어휘

resistant 저항하는, 거부하는 **support** 지지하다, 지원하다 **be willing to** 기꺼이 ~하다 **defend** 지키다, 방어하다 **possession** 소유물 **scream** 소리침, 비명 **blow** 세게 때림, 강타 **constant** 끊임없는, 변함없는 **quarreling** 싸움 **diaper** 기저귀

[16~18] 16 ④ 17 ④ 18 ②

해석

(A) 오래전에 한 소년이 있었다. 그는 똑똑하고, 재능이 있으며 잘생겼다. 하지만 그는 매우 이기적이고 성질이 아주 까다로워 아무도 그의 친구가 되기를 원하지 않았다. 종종 그는 화가 나서 그의 주변에 있는 사람들에게 상처 주는 말을 했다.
(D) 소년의 부모는 그의 못된 성질을 걱정했다. 어느 날, 아버지에게 아이디어가 떠올랐다. 그는 그의 아들을 불러 그에게 망치 하나와 못이 든 가방 하나를 주었다. 아버지는 "네가 화가 날 때마다 못을 하나 가져가 저 낡은 울타리에 가능한 세게 박아라."라고 말했다. 그 울타리는 매우 단단했고 망치는 무거웠다. 그럼에도 불구하고, 그는 너무 화가 나서 바로 그 첫날 동안 37개의 못을 박았다.
(B) 소년이 울타리에 매일 박은 못의 수는 점점 줄어들었다. 결국, 소년은 울타리에 못을 박는 것보다 화를 참는 것이 더 쉽다는 것을 이해하기 시작했다. 그가 화를 참는 법을 배웠을 때 그는 더 이상 망치와 못이 필요하지 않았다. 그는 아버지에게 가서 그의 성취를 함께 나누었다. "이젠 하루 종일 네가 화를 참을 때마다, 못 한 개를 뽑아라."
(C) 많은 시간이 흘렀다. 마침내 모든 못이 사라졌을 때 그 소년은 스스로를 자랑스러워했다. 그는 그의 아버지를 찾았고 이것을 설명했다. 함께 그들은 울타리로 갔고, 그는 말했다. "잘했어, 아들, 하지만 못으로 인해 남겨진 구멍들에 주목해 보렴. 울타리는 결코 전과

같지 않을 거야. 네가 사람들에게 상처를 주는 말을 할 때에도 마찬가지야. 너의 말은 울타리의 저 구멍들처럼 사람들의 가슴에 흉터를 남긴단다."

해설

16 (A)에서 똑똑하고 잘생겼으나 이기적이고 성질이 까다로워 주변 사람들에게 종종 상처 주는 말을 하는 소년에 대해 소개하고 있다. 이 소년을 The boy로 받으며 시작하는 (D)에서 소년의 못된 성질을 걱정하여 아버지가 소년에게 화가 날 때마다 울타리에 못을 박으라고 했고 소년이 첫날 37개의 못을 박았다는 내용이 나온다. 그 다음 (B)에서 소년은 마침내 못을 박는 것보다 화를 참는 것이 더 쉽다는 것을 배웠고, 아버지는 이제 화를 참을 때마다 못을 한 개씩 뽑으라고 말한다. 마지막으로, 못을 다 뽑은 후의 울타리가 예전의 울타리와 같지 않듯이 다른 사람에게 상처를 주는 말도 그들의 가슴에 흉터를 남긴다는 교훈을 소년에게 상기시킨 내용의 (C)가 와야 한다. 따라서 ④ (D) – (B) – (C)가 순서로 가장 적절하다.

17 ①, ②, ③, ⑤는 소년을 가리키지만, ④는 소년에게 교훈을 말해 주는 소년의 아버지를 가리킨다.

18 The number of nails the boy drove into the fence each day gradually decreased.를 통해 소년이 하루에 박은 못의 수는 점점 줄어들었다고 했으므로, ②가 글의 내용과 일치하지 않는다.

오답 노트

16 ① ➡ (D)에서 소년이 처음에는 화를 참지 못하여 울타리에 못을 많이 박았다고 이야기했으므로, 시간이 지나며 박은 못의 수가 줄어들었다고 이야기한 (B)보다 (D)가 먼저 나와야 한다.

②, ③ ➡ 아버지가 소년에게 못을 다 뽑은 후의 울타리가 예전의 울타리와 같지 않은 것처럼 다른 사람에게 상처를 주는 말도 마찬가지라는 교훈을 상기시킨 내용인 (C)는 결말이므로 글의 맨 마지막에 위치해야 한다.

⑤ ➡ (D)에서 울타리에 못을 박고, 그 다음에 화를 참을 때마다 못을 뽑은 (B)가 바로 와야 한다.

구문 해설

[2행] However, he was very selfish, and his temper was **so difficult that** nobody wanted to be his friend.

▶ 〈so + 형용사[부사] + that〉은 결과를 나타내는 접속어구로 '너무 ~해서 …한[하게]'이라는 뜻이다.

[5행] **The number** of nails the boy drove into the fence each day gradually decreased.

▶ The number of는 '~의 수'라는 뜻으로, '많은'이라는 뜻의 a number of와 헷갈리지 않도록 유의해야 한다. nails와 the boy 사이에는 목적격 관계대명사 that[which]이 생략되었다. gradually는 부사, decreased는 동사이다.

[19행] "**Every time** you get angry, **take** a nail, **and drive** it into that old fence **as hard as you can**."

▶ Every time은 '~할 때마다'의 의미를 가진 부사이다. 이 문장은 주어 없이 동사가 앞에 나오는 명령문으로 take와 drive가 접속사 and로 인해 병렬 구조를 이룬다. 뒤의 〈as + 원급 + as + 주어 + can〉은 '가능한 한 ~하게'의 뜻으로, 〈as + 원급 + as possible〉, 즉 이 문장에서는 as hard as possible로 바꾸어 쓸 수 있다.

어휘

selfish 이기적인 **temper** 성질 **hurtful** 상처 주는, 마음을 아프게 하는 **gradually** 점점, 서서히 **hold one's temper** 화를 참다 **drive** (못)을 박다 **nail** 못 **hammer** 망치 **pull out** (박혀 있던 것을) 뽑다 **be proud of** ~을 자랑스러워하다 **pay attention to** ~에 주목하다 **scar** 흉터 **be concerned about** ~을 걱정하다 **furious** 화가 난

실전 모의고사 3회

• 본문 100~111쪽

1 ②	2 ⑤	3 ⑤	4 ⑤	5 ②	6 ⑤
7 ③	8 ⑤	9 ③	10 ②	11 ②	12 ④
13 ②	14 ③	15 ③	16 ③	17 ⑤	

1 ②

해석

John Smith 씨께,

저는 Eastville 도서관의 직원이며, 평일 오후에 일하고 있습니다. 매일 학교가 끝나면 수십 명의 학생들이 과제를 하거나 도서관 컴퓨터를 사용하거나, 혹은 안전한 장소에서 사회화 활동을 하기 위해 도서관으로 옵니다. 이런 많은 학생들이 그렇지 않으면(도서관에 머무르지 않으면) 빈집으로 귀가할 것인데, 도서관은 집에 혼자 있는 것에 대한 안전하고 감독 기능을 지닌 대안책을 제공하는 장소입니다. 비용 절감의 방안으로 월요일마다 도서관 문을 닫는 것에 대한 당신께서 제안하신 정책은 이런 아이들에게 해를 끼칠 수 있으며, 저는 돈을 절약할 수 있는 다른 방법들이 있을 거라고 확신합니다. 저는 당신과 다른 시의회 대표들께 그 계획을 취소하고 계속해서 도서관을 개방할 것을 촉구합니다!

진심을 담아,

Kyle Tucker 드림

해설

도서관 직원인 필자는 비용 절감을 위해 매주 월요일에 도서관 휴관을 주장하는 시의회의 계획이 학생들에게 해를 끼칠 수 있다고 우려를 표하고 그 계획을 취소할 것을 촉구하고 있다. 따라서 이 글의 목적으로 가장 적절한 것은 ② '도서관 정기 휴관 정책의 취소를 요청하려고'이다.

오답 노트

① 도서관 신설을 위한 예산 확보를 부탁하려고 ➡ 예산 확보가 아니라 비용 절감에 대한 내용이다.

③ 도서관 직원의 근무 환경 개선을 제안하려고 ➡ 필자가 도서관 직원이긴 하지만 근무 환경에 대한 내용은 언급하지 않았다.

④ 도서관 안전 점검 일정에 대해 문의하려고 ➡ 안전 점검과 관련된 내용은 언급되지 않았다.

⑤ 도서관 컴퓨터 추가 구입을 건의하려고 ➡ 도서관 컴퓨터의 사용에 대한 내용은 있으나, 추가 구입은 언급되지 않았다.

구문 해설

[3행] Each day, **as** school closes, dozens of students come to the library **to do** homework, **use** the library's computers, **or socialize** in a safe place.

▶ as는 때를 나타내는 접속사로 '~할 때, ~하자마자'의 의미를 나타낸다. to do는 부사적 용법 중 목적을 의미하는데, (to) use, (to) socialize와 접속사 or로 인해 병렬 구조를 이룬다.

[7행] Your proposed policy of closing libraries on Mondays **as** a cost cutting measure **could** be harmful to these children, **and** I'm certain there are other ways **to save** money.

▶ Your proposed policy ~ children과 I'm ~ money의 두 절이 and로 연결된 구조이다. 앞의 절의 주어는 Your proposed policy이고, 동사는 could be이다. 과거분사 proposed는 앞에서, of ~ measure는 뒤에서 policy를 수식하고 있다. as는 전치사로, '~로서'라는 의미의 자격이나 기능을 나타내며, 조동사 could는 '~일 수 있다'라는 가능성을 나타낸다. 뒤 절에서 certain과 there

사이에는 접속사 that이 생략되었고 to save는 to부정사의 형용사적 용법으로 앞의 other ways를 수식한다.

어휘

staff member 직원 dozens of 수십의, 많은 socialize 사회적으로 활동하다 supervised 감독을 받는, 관리되는 alternative 대안(책) cost cutting 비용 절감 measure 조치, 수단, 대책 urge 촉구하다 city council 시의회 representative 대표; 대리인

2 ⑤

해석

11세 소녀인 Clara는 창문을 내린 채 어머니 차의 뒷좌석에 앉았다. 바깥으로부터의 바람이 그녀의 상아색의 창백한 피부에 갈색 머리카락을 흩날리게 했다. 그녀가 한숨을 깊이 쉬었다. 그녀는 이사하는 것에 대해 슬퍼했고 웃고 있지 않았다. 그녀의 마음이 아픈 것 같았다. 그녀가 알고 있었던 모든 것을 떠나야 한다는 사실이 그녀의 마음을 아프게 했다. 11년, 그것은 한곳에 머물며 추억을 쌓고 친구를 사귄 긴 시간이었다. 그녀는 자신의 친구들과 함께 학년을 마칠 수 있었고, 그것이 좋았는데, 여름 전체와 다가올 학년을 홀로 마주할 것을 두려워했다. Clara는 한숨을 크게 쉬었다.

해설

Clara는 11년간 살던 동네에서 다른 곳으로 이사를 가는 상황이므로 마음이 아프면서도 앞으로 직면하게 될 새로운 환경에 대해 두려운 감정이 든다고 했다. 따라서 Clara의 심경으로 가장 적절한 것은 ⑤ '슬프고 걱정하는'이다.

오답 노트

① 차분하고 안도하는 ➡ 이사 가는 것에 대해 안도하는 것이 아니라 슬퍼하고 걱정하는 마음이 나타나 있다.

② 질투하고 짜증나는 ➡ 질투하고 짜증나는 감정은 본문에서 나타나지 않았다.

③ 신이 나고 재미있어 하는 ➡ 신이 나고 재미있어 하는 심경과 반대의 상황이다.

④ 지루하고 무관심한 ➡ 정든 곳을 떠나면서 슬퍼하는 마음이므로 지루하고 무관심하지 않다.

구문 해설

[4행] Her heart felt **like** it hurt.

▶ like는 접속사로 '마치 ~인 것처럼'이라는 뜻이다.

[4행] The fact **that** she had to leave everything she knew broke her heart.

▶ 주어는 The fact이고 동사는 broke이다. that은 The fact와 뒤 절이 같음을 나타내는 동격의 접속사이고, everything과 she 사이에는 목적격 관계대명사 that이 생략된 채 she knew가 everything을 수식하고 있다.

[6행] She **had been** able to finish out the school year with her friends**, which** was nice, but she feared she would face the whole summer and the coming school year alone.

▶ 원래 문장은 She had been ~ with her friends, but she feared ~ year alone으로, had been은 과거완료 시제로 특정 과거 시점 이전에 발생한 일이 과거 시점에 영향을 미칠 때 사용한다. 콤마(,)와 함께 쓰인 which는 관계대명사의 계속적 용법인데 여기서 which는 앞 문장 전체를 받고 있다. feared와 she 사이에는 명사절을 이끄는 접속사 that이 생략되어 있다.

어휘

back seat 뒷좌석 ivory 상아색의 pale 창백한 sigh 한숨을 쉬다 break one's heart 마음이 아프다, 몹시 실망하다 memory 추억 make friends 친구가 되다, 친구를 사귀다 fear 두려워하다 face 마주하다, 직면하다 coming 다가올

3 ⑤

해석

강한 부정적인 감정은 인간 삶의 일부이다. 이러한 감정을 통제하거나 피하려고 지나치게 노력하면 문제가 발생한다. 강한 부정적인 감정에 대처하기 위해서는 그 감정을 있는 그대로 받아들이는 것이 도움이 된다. 그것들은 당신을 안전하게 지켜주기 위해 당신의 몸과 마음이 보낸 메시지이다. 예를 들어, 당신이 업무 프레젠테이션을 두려워한다면, 불안을 피하려고 애쓰는 것은 당신의 자신감을 감소시키고 두려움을 증가시킬 수도 있다. 그 대신 대부분의 다른 사람들처럼, 사람들 앞에서 말하는 것에 대해 당신도 아마 긴장해 있다는 신호로 그 불안을 받아들이도록 노력해라. 그러면, 당신의 자신감을 높이고 프레젠테이션을 훨씬 더 쉽게 해 주면서 불안과 스트레스 수준은 낮출 수 있다.

해설

try to accept your anxiety ~ most other people에서 잘 알 수 있듯이 불안과 같은 강한 부정적인 감정을 통제하려고만 하지 말고 그저 긴장의 신호로 받아들일 것을 권하는 내용이다. 따라서 필자가 주장하는 바로 가장 적절한 것은 ⑤ '부정적인 감정을 있는 그대로 받아들여라.'이다.

오답 노트

① 자신의 생각을 정확하게 전달하라.

② 타인에 대한 공감능력을 향상시켜라.

③ 익숙한 상황을 비판적 관점으로 보라.

➡ ①, ②, ③은 모두 본문과 관계 없는 내용이다.

④ 정서적 안정을 위해서 자신감을 키워라. ➡ 부정적인 감정을 피하려고 한다면 자신감이 떨어지는 결과를 낳지만 그것을 있는 그대로 받아들여 정서적으로 안정된다면 자신감이 향상될 거라는 내용으로 본문의 내용과 맞지 않다.

구문 해설

[2행] **For coping** with strong negative feelings, **it** is helpful **to take** them as they are.

▶ coping은 전치사 for의 목적어로 쓰인 동명사이다. it은 가주어이며 to take는 명사적 용법으로 쓰인 to부정사로 진주어이다. 〈take A as B〉는 'A를 B로 받아들이다'라는 의미이다.

[4행] For instance, if you are afraid of a work presentation, **trying to avoid** your anxiety will likely reduce your confidence and increase your fear.

▶ if가 이끄는 조건절 다음에 나오는 trying ~ anxiety가 문장의 주어이며, 동사는 will reduce와 (will) increase이다. 이는 and로 병렬 연결되며 반복되는 부분이 생략되었다. 〈try + to부정사〉는 '~하려고 노력하다[애쓰다]'라는 뜻이다.

어휘

negative 부정적인 occur 발생하다 avoid 피하다 cope with ~을 다루다, ~에 대처하다 for instance 예를 들어 presentation 프레젠테이션, 발표 anxiety 불안 likely ~할 것 같은 confidence 자신감 lower 낮추다, 내리다

4 ⑤

해석

여러분의 선택이 다른 사람들의 선택에 영향을 미칠지를 결정하는

중요한 한 요인이 있는데, 바로 모두가 볼 수 있는 선택의 결과들이다. Adélie 펭귄들의 사례를 들어 보자. 그들이 먹이를 찾아 물가를 향해 큰 무리를 지어 거니는 것이 종종 발견된다. 하지만 얼음같이 차가운 물에는 위험이 기다리고 있다. 표범물개가 한 예인데, 그것은 식사로 펭귄 먹기를 좋아한다. Adélie 펭귄은 무엇을 할까? 펭귄의 해결책은 대기 전술을 펼치는 것이다. 그들은 자기들 중 한 마리가 포기하고 뛰어들 때까지 물가에서 기다리고, 기다리고 또 기다린다. 바로 그 순간, 나머지 펭귄들은 다음에 무슨 일이 일어날지를 보기 위해 기대감을 갖고 지켜본다. 만약 그 선두 주자가 살아남으면, 다른 모두가 그를 따라 물에 들어갈 것이다. 만약 그것이 죽는다면, 그들은 돌아설 것이다. 한 펭귄의 운명이 나머지 모든 펭귄들의 운명을 바꾼다. 그들의 전략은 '배워서 산다'라고 말할 수 있다.

해설

위험이 도사리고 있는 물에 먼저 뛰어든 선두 주자가 살아남으면 나머지도 따라 뛰어들고, 선두가 죽으면 살기 위해 돌아선다는 것이 Adélie 펭귄의 전략 즉, learn and live라고 했다. 따라서 밑줄 친 부분이 의미하는 바로 가장 적절한 것은 ⑤ '오직 다른 이의 행동이 안전하다고 증명될 때만 따르다'이다.

오답 노트

① 안전을 위해 경쟁자의 영역을 차지한다 ➡ 경쟁자의 영역으로 뛰어들기는 하지만 안전을 위해서가 아니라 위험을 무릅쓰고 뛰어드는 것이다.
② 누가 적인지 파악해서 먼저 공격한다 ➡ 물에 뛰어드는 것이 표범물개를 공격하기 위한 행위는 아니다.
③ 다음 세대와 생존 전술을 공유한다 ➡ 생존 전술을 공유하기 위한 전략인 것은 맞지만 그 무리들이 모두 다음 세대는 아니다.
④ 최상의 결과를 위해 지도자의 결정을 지지한다 ➡ 선두 주자가 지도자라는 언급은 없으며 그의 결정을 무조건 따르는 것은 아니다.

구문 해설

[1행] There is a critical factor **that** determines **whether** your choice will influence **that** of others**:** the results of the choice that everyone can see.

▶ 주격 관계대명사 that이 이끄는 절이 보어인 선행사 a critical factor를 수식하고 있다. 관계대명사절의 목적어는 whether(~인지 아닌지)가 이끄는 명사절이며, that of others의 that은 choice를 가리킨다. 또, 콜론(:) 다음에 나온 것은 a critical factor를 구체적으로 설명한 것이다.

[5행] There is the leopard seal, **for one, which** likes **to have** penguins for a meal.

▶ for one은 차가운 물속에 도사리고 있는 것 중 '한 가지로'라는 의미이다. which는 계속적 용법으로 쓰인 주격 관계대명사로 and it으로 바꾸어 쓸 수 있다. to have는 명사적 용법으로 쓰인 to부정사로 likes의 목적어이다.

어휘

factor 요인 **determine** 결정하다 **stroll** 거닐다, 산책하다 **edge** 가장자리 **solution** 해결책 **expectation** 기대 **pioneer** 선구자, 개척자 **turn away** 돌아서다 **destiny** 운명 **alter** 바꾸다 **fate** 운명 **strategy** 전략

5 ②

해석

수력 발전은 깨끗하고 재생 가능한 에너지원이다. 하지만 댐에 관해 알아야 할 몇 가지 중요한 것들이 있다. 수력 발전 댐을 건설하기 위해서, 댐 뒤의 넓은 지역이 반드시 물에 잠겨야 한다. 때때로 지역 사회 전체가 다른 지역으로 이주되어야 한다. 숲 전체가 물에 잠길 수도 있다. 댐에서 방류된 물은 평소보다 더 차서 이것이 하류의 강 생태계에 영향을 미칠 수 있다. 그것은 또한 강기슭을 유실되게 하고 강바닥의 생물을 파괴할 수도 있다. 댐의 가장 나쁜 영향은 연어에서 관찰되어 왔다. 연어들은 알을 낳기 위해 흐름을 거슬러 올라가야 한다. 그 여정이 댐으로 막히면, 연어의 생활 주기는 완결될 수 없다.

해설

깨끗하고 재생 가능한 에너지원이라는 수력 발전의 장점을 소개한 뒤에 역접의 접속사 however로 시작해서 수력 발전용 댐에 관해 알아야 할 점들을 나열하는데, 주로 댐이 주는 악영향들이다. 따라서 이 글의 주제로 가장 적절한 것은 ② '수력 발전 댐의 어두운 면'이다.

오답 노트

① 에너지 절약의 필요성 ➡ 에너지 절약에 관한 언급은 없다.
③ 수력 발전소의 유형 ➡ 수력 발전소가 주는 영향에 관한 글로 그 유형에 관한 내용은 없다.
④ 재생 가능한 에너지원의 인기 ➡ 수력 발전이 재생 가능한 에너지원이긴 하지만 그에 대한 인기에 대해 언급하고 있지 않다.
⑤ 환경 보호의 중요성 ➡ 수력 발전이 주변 환경에 주는 영향에 대한 내용이긴 하지만 환경 보호에 초점이 맞춰져 있지는 않다.

구문 해설

[2행] **To build** a hydroelectric dam, a large area **must be flooded** behind the dam.

▶ To build는 부사적 용법의 to부정사로 '~하기 위해'라는 의미의 목적을 나타낸다. 〈must be + 과거분사〉는 조동사 뒤에 수동태가 온 형태로 '~되어야 한다'라는 의미이다.

[5행] The water released from the dam can be **colder than usual** and **this** can affect the ecosystems in the rivers downstream.

▶ 두 개의 문장이 접속사 and로 병렬 연결된 구조이다. 앞 문장은 주어가 The water이고 동사는 can be이며, released from the dam은 The water를 뒤에서 수식하는 과거분사구이다. 〈비교급 + than usual〉은 '평소보다 더 ~한'의 의미이다. and 다음의 this가 가리키는 것은 바로 앞부분의 내용이다.

어휘

renewable 재생 가능한 **power source** 에너지원 **flood** 잠기게 하다, 범람시키다 **community** 지역 사회 **drown** (물에) 잠기게 하다 **release** 방류[방출]하다 **affect** 영향을 미치다 **downstream** 하류로, 하류에 **wash away** ~을 유실되게 하다 **riverbank** 강기슭, 강둑 **destroy** 파괴하다 **salmon** 연어 **upstream** 흐름을 거슬러 올라가, 상류로 **lay an egg** 알을 낳다 **power plant** 발전소

6 ⑤

해석

여러분을 미소 짓게 만드는 온갖 사건들은 여러분이 행복감을 느끼게 하고, 여러분의 뇌에서 기분을 좋게 하는 화학 물질을 만들어낸다. 심지어 스트레스를 받거나 불행하다고 느낄 때조차 억지로 미소를 지어보라. 미소에 의해 만들어지는 안면 근육의 형태는 뇌의 모든 '행복 연결망'과 연결된다. 그리고 그것은 자연스럽게 여러분을 안정시키고 기분을 좋게 하는 동일한 화학물질들을 방출함으로써 뇌의 화학 작용을 변화시킬 것이다. 연구자들은 스트레스가 상당한 상황에서 진짜 미소와 억지 미소가 개개인들에게 미치는 영향을 연구하였다. 연구자들은 참가자들에게 미소 짓지 않거나, 미소 짓거나,

(억지 미소를 짓게 하기 위해) 입에 젓가락을 옆으로 물고서 스트레스를 수반한 과업을 수행하도록 했다. 연구 결과는 미소가, 억지이든 진정한 것이든, 스트레스가 상당한 상황에서 인체의 스트레스 수준을 줄였고, 스트레스로부터 회복한 후의 심장박동 수도 낮추었다는 것을 보여 주었다.

해설
연구에 따르면 미소는 그것이 진정한 것이든 억지로 만든 것이든 스트레스 상황을 극복하는 데 도움을 준다고 했다. 따라서 이 글의 제목으로 가장 적절한 것은 ⑤ '억지 미소도 스트레스를 줄이는 데 도움이 될까?'이다.

오답 노트
① 스트레스가 상당한 일의 원인과 결과 ➡ 스트레스를 받는 일의 원인과 결과에 대해서는 언급되지 않았다.
② 스트레스의 개인적인 징후와 양상 ➡ 스트레스의 징후와 양상에 대해서는 언급되지 않았다.
③ 신체와 정신이 스트레스에 반응하는 방식 ➡ 이 글은 미소가 스트레스에 반응하는 방식에 어떤 영향을 미치는지에 관한 것으로, 너무 포괄적인 제목이라 적절하지 않다.
④ 스트레스: 행복의 필요악 ➡ 스트레스와 행복 간의 관계에 대한 글이 아닌 미소가 스트레스에 미치는 영향에 관한 글이다.

구문 해설
[1행] **Every event that** causes you to smile **makes** you **feel** happy and **produces** feel-good chemicals in your brain.
▶ 주어는 Every event이고, 두 개의 동사 makes와 produces가 접속사 and로 병렬 연결된 구조이다. every가 붙는 말은 단수로 취급하므로 동사의 형태도 단수형(causes, makes, produces)이 왔다. 주격 관계대명사 that이 이끄는 절이 주어인 Every event를 수식하고 있다. 또 사역동사 make의 목적어가 사람이므로 목적격 보어로 동사원형 feel이 사용되었다.
[7행] The researchers **had** participants **perform** stressful tasks **while** not smiling, smiling, or holding chopsticks crossways in their mouths (to **force** the face **to form** a smile).
▶ 문장의 동사 had가 사역동사이며 목적어가 사람이므로 목적격 보어로 동사원형 perform이 왔다. while not smiling은 분사구문으로 '~하는 동안'의 동시동작을 나타낸다. 동사 force는 목적격보어로 to부정사를 취하므로 to form이 왔다.

어휘
chemicals 화학 약품 **force** ~하도록 강요하다 **link to** ~와 관련시키다 **naturally** 자연스럽게 **calm ~ down** ~을 진정시키다 **chemistry** 화학 작용 **release** 방출하다 **genuine** 참된, 진정한 **individual** 개인 **crossways** 옆으로

7 ③

해석
George Boole은 1815년 영국에서 태어났다. Boole은 아버지의 사업이 실패한 후 16세의 나이에 학교를 그만두어야 했다. 그는 수학, 자연 철학, 여러 언어를 독학했다. 그는 독창적인 수학적 연구를 만들어 내기 시작했고 수학 분야에서 중요한 공헌을 했다. 그러한 공헌으로 1844년 그는 Royal Society에서 수학으로 금메달을 받았다. Boole은 인간 정신의 작용을 기호 형태로 표현하는 것에 매우 관심이 많았다. 그리고 이 주제에 대한 그의 책 두 권, 〈The Mathematical Analysis of Logic〉과 〈An Investigation of the Laws of Thought〉는 오늘날의 컴퓨터 과학의 기초를 이룬다. 1849년 그는 아일랜드의 Queen's College의 첫 번째 수학 교수로 임명되어 1864년에 생을 마감할 때까지 그곳에서 가르쳤다.

해설
he was awarded a gold medal for mathematics by the Royal Society를 통해 화학이 아닌 수학으로 금메달을 받았음을 알 수 있다. 따라서 글의 내용과 일치하지 않는 것은 ③이다.

오답 노트
① 아버지의 사업 실패 후 학교를 그만두게 되었다. ➡ Boole had to leave school at the age of sixteen after his father's business collapsed.
② 수학, 자연 철학, 여러 언어를 독학했다. ➡ He taught himself mathematics, natural philosophy and various languages.
④ 오늘날 컴퓨터 과학의 기초를 형성한 책들을 저술했다. ➡ And his two books on this subject, *The Mathematical Analysis of Logic* and *An Investigation of the Laws of Thought* form the basis of today's computer science.
⑤ Queen's College의 교수로 임명되었다. ➡ In 1849, he was appointed the first professor of mathematics at Queen's College in Ireland and taught there until his death in 1864.

구문 해설
[3행] He began **to produce** original mathematical research and made important contributions to areas of mathematics.
▶ 문장의 동사 began과 made가 등위 접속사 and로 병렬 연결된 구조이다. to produce는 명사적 용법의 to부정사로 목적어로 쓰였다.
[7행] And **his two books** on this subject, ***The Mathematical Analysis of Logic* and *An Investigation of the Laws of Thought*** form the basis of today's computer science.
▶ his two books와 *The Mathematical Analysis of Logic* and *An Investigation of the Laws of Thought*는 동격으로, 문장의 주어이다. 동사는 form이다.

어휘
collapse 실패하다, 무너지다 **teach oneself** 독학하다 **various** 여러 가지의 **contribution** 공헌, 기여 **award** 수여하다 **deeply** 깊이 **symbolic** 기호적인, 상징적인 **subject** 주제 **appoint** 임명하다

8 ⑤

해석
로봇 진공청소기
– 사용 설명서 –
▣ 배터리 충전하기
• 배터리가 완전히 충전되는 데 90분이 소요됩니다.
• 로봇 진공청소기는 완전히 충전되면 40분 동안 작동할 수 있습니다.
• 로봇 진공청소기가 충전되는 동안 배터리 표시등이 빨간색으로 깜박거립니다.
• 완전히 충전되면 배터리 표시등이 파란색으로 전환됩니다.
▣ 진공청소기 작동시키기
• 전원 버튼을 눌러서 진공청소기를 켭니다.
• 다음의 청소 모드가 제공됩니다: 자동 모드, (오염) 장소 모드 및 수동 모드
• 진공청소기를 끄면 현재 시각을 제외한 모든 설정이 리셋됩니다.
• 시각은 리모컨으로만 설정할 수 있습니다.

해설

마지막 문장 The time can be set only with the remote control.을 통해 시각은 리모컨으로만 설정된다는 것을 알 수 있다. 따라서 안내문의 내용과 일치하는 것은 ⑤이다.

오답 노트

① 배터리를 완전히 충전하는 데 40분이 소요된다. ➡ It takes 90 minutes for the battery to be fully charged.
② 완전히 충전되면 배터리 표시등이 빨간색으로 변한다. ➡ When fully charged, the battery indicator light turns blue.
③ 네 가지 종류의 청소 모드를 제공한다. ➡ The following cleaning modes are provided: Auto Mode, Spot Mode, and Manual Mode
④ 전원을 끄면 현재 시각이 리셋된다. ➡ Turning off the vacuum will reset all settings except for the current time.

구문 해설

[6행] The robotic vacuum can operate for 40 minutes **when** fully charged.
▶ when과 같은 시간을 나타내는 접속사가 이끄는 부사절에서 주절과 주어와 동사가 같은 경우는 생략하기도 한다. 여기서도 when it is fully charged에서 it is가 생략되었다.
[13행] The **following** cleaning modes are provided**:** Auto Mode, Spot Mode, and Manual Mode.
▶ following은 현재분사로 뒤의 cleaning modes를 수식하며, The following cleaning modes의 자세한 내용은 콜론(:) 다음에 나열한다.

어휘

robotic 로봇의 **vacuum cleaner** 진공청소기 **manual** 설명서 **charge** 충전하다 **operate** 작동하다 **indicator** 표시등 **blink** 깜박거리다 **setting** 설정 **except** 제외하고는 **current** 현재의

9 ③

해석

뇌는 몸무게의 2퍼센트만을 차지하지만 우리의 에너지의 20퍼센트를 사용한다. 뇌의 성장이 그들을 소진시키는 갓 태어난 아기의 경우, 그 비율은 65퍼센트에 달한다. 그것은 부분적으로 아기들이 항상 잠을 자고 많은 체지방을 보유하는 이유이다. 지방은 그들로 하여금 필요할 때 보유한 에너지로 사용할 수 있게 하기 위해 그곳에 존재한다. 근육은 전체의 약 4분의 1 정도로 훨씬 더 많은 에너지를 사용하기도 하지만, 우리는 많은 근육을 가지고 있기도 하다. 실제로, 물질 단위당, 뇌는 다른 기관보다 훨씬 많은 에너지를 사용한다. 그것은 우리 장기 중 뇌가 가장 에너지 소모가 많다는 것을 의미한다. 하지만 그것은 또한 놀랍도록 효율적이다. 뇌는 하루에 약 400칼로리의 에너지만 필요로 하는데, 블루베리 머핀 하나에서 얻는 것과 거의 같다. 머핀 하나로 24시간 동안 노트북을 작동시켜서 얼마나 가는지 보라.

해설

(A) 뇌의 에너지 소비에 관한 내용이므로 '~을 소진하다'라는 의미의 exhaust가 적절하다.
(B) 근육이 많은 에너지를 소비하긴 하지만 근육 양은 많기 때문에 물질 단위당으로 보면 뇌는 몸 전체에 대한 비율이 낮은 것을 고려할 때 다른 장기보다 훨씬 많은 에너지를 소비한다고 하는 것이 의미에 맞으므로 more가 적절하다.
(C) 뇌는 하루에 400칼로리의 에너지만 필요하다고 했으므로 의미상 효율적(efficient)이라고 하는 것이 적절하다.

오답 노트

(A) 뇌가 성장하는 데 에너지가 많이 든다는 내용이므로 warn(경고하다)은 적절하지 않다.
(B) 뇌는 다른 장기보다 훨씬 에너지를 많이 소모한다(most expensive)고 했으므로 less(더 적은)는 적절하지 않다.
(C) 뇌는 하루에 겨우 400칼로리만 필요할 뿐이라고 했으므로 creative(창의적인)는 적절하지 않다.

구문 해설

[2행] In newborns **whose** growing brains exhaust **them**, **it**'s **no less than** 65 percent.
▶ 소유격 관계대명사 whose가 이끄는 절이 선행사인 newborns를 수식하고 있다. them은 newborns를 가리키고, 주어 it은 앞 문장의 percent of our energy를 가리킨다. no less than은 '꼭 ~만큼, 자그마치, 무려'의 뜻을 나타낸다.
[3행] **That**'s partly **why** babies sleep all the time and have a lot of body fat.
▶ 주어 That은 앞 문장을 가리킨다. why로 시작되는 간접의문문이 보어로 왔는데, 간접의문문이 문장에서 주어, 목적어, 보어로 쓰일 때는 〈의문사 + 주어 + 동사〉의 어순이 된다. 이 문장의 간접의문문은 두 개의 동사구가 and로 병렬 연결된 구조이다.
[7행] **That** means **that** the brain is the most expensive of our organs.
▶ 주어가 앞 문장을 가리키는 지시대명사 That이고, 접속사 that이 이끄는 명사절(that the brain ~ our organs)이 목적어로 쓰였다.

어휘

make up ~을 이루다 **weight** (몸)무게 **newborn** 신생아 **fat** 지방 **reserve** 비축물 **muscle** 근육 **a quarter of** ~의 4분의 1 **per** ~당 **unit** 단위 **matter** 물질 **by far** 훨씬 **organ** 장기 **expensive** 에너지 소모가 많은; 비싼 **marvelously** 놀라울 만큼

10 ②

해석

다른 과학자의 실험 결과물을 읽을 때, 그 실험에 대해 비판적으로 생각하라. 스스로에게 물어라. 관찰들이 실험 도중에 혹은 후에 기록되었나? 결론이 타당한가? 그 결과들은 반복될 수 있는가? 정보의 출처는 신뢰할 만한가? 당신은 실험을 수행한 그 과학자나 그룹이 한쪽으로 치우치지 않았는지 또한 물어봐야 한다. 한쪽으로 치우치지 않음은 당신이 실험의 결과로 특별한 이익을 얻지 않는다는 것을 의미한다. 어느 제약 회사가 그 회사의 새로운 제품 중 하나가 얼마나 잘 작용하는지 시험해보기 위한 실험에 비용을 지불한다고 하자. 그러면 그 회사는 연관된 특별한 이해관계가 있는 것이다. 즉, 만약 실험이 그 제품이 효과 있음을 보여 준다면, 그 회사는 이익을 얻는다. 따라서, 그 실험자들은 객관적이지 않다. 그들은 결론이 제약 회사에 우호적이고 이익이 되도록 할지도 모른다. 결과들을 평가할 때, 있을 수 있는 어떤 치우침에 대해 생각하라!

해설

다른 사람의 연구 결과를 볼 때는 그것이 편향적인지 아닌지를 살펴야 하는데, 이해 당사자인 회사가 비용을 대서 하는 연구인 경우는 연구자들이 회사에 유리하도록 치우침이 있을 수 있다는 내용이다. 그런데 빈칸의 문장이 부정문이므로 '객관적이지' 않다는 것이 의미에 맞다. 따라서 빈칸에 들어갈 말로 가장 적절한 것은 ② '객관적인'이다.

오답 노트

① 독창적인 ➡ 창의성에 대해서는 언급되지 않았다.

③ 신뢰할 수 없는 ➡ 매력적인 선택지이긴 하지만 빈칸이 포함된 문장이 부정문이므로 정반대의 의미가 된다.
④ 믿을 수 없는 ➡ 매력적인 오답으로, 빈칸이 포함된 문장이 부정문이기 때문에 '믿을 수 없지 않다' 즉 '믿을 만하다'가 되므로 적절하지 않다.
⑤ 결단력 있는 ➡ 회사의 이해관계가 얽혀 있어서 실험자들이 결단력이 없을 수도 있지만 글의 내용과는 관련이 없다.

구문 해설

[4행] You should also ask **if** the scientist or group conducting the experiment **was** unbiased.
▶ if는 '~인지 아닌지'를 의미하며 동사 ask의 목적어인 명사절을 이끄는 접속사이다. if절의 주어는 the scientist or group인데, 접속사 or로 연결되어 있어 둘 중 하나가 주어인 셈이므로 동사는 단수형 was이다. 현재분사구 conducting the experiment가 주어 the scientist or group을 뒤에서 수식하고 있다.
[6행] **Let's say** a drug company pays for an experiment **to test** how well **one** of **its** new products **works**.
▶ Let's say ~.는 '~라고 하자.'라는 의미로 예를 들어 설명할 때 쓸 수 있는 표현이다. say 다음에 명사절 접속사 that이 생략되었다. to test는 형용사적 용법의 to부정사로 an experiment를 수식한다. how well ~ works는 test의 목적어로 온 간접의문문이다. 간접의문문의 주어는 one이므로 단수 동사 works가 왔다. its는 the company's를 받는다.

어휘

critically 비판적으로 **experiment** 실험 **observation** 관찰 **make sense** 타당하다 **source** 출처 **reliable** 믿을 만한 **conduct** 수행하다 **interest** 이익 **involved** 관련된 **ensure** 반드시 ~이게 하다 **assess** 평가하다 **bias** 치우침 **present** 존재하는

11 ②

해석

학생들은 자료의 내용을 알지 못할 때조차도 알고 있다고 생각할 지도 모른다. 그 주된 이유 중 하나는 친숙함을 이해로 착각하기 때문이다. 그것이 작동하는 방식이 여기에 있다. 여러분은 읽을 때 아마도 중요 표시를 하면서, 그 장을 한 번 읽는다. 그러고 나서 나중에, 아마도 중요 표시된 자료에 집중하면서, 그 장을 다시 읽는다. 그것을 다시 읽을 때는, 이전에 읽은 것으로부터 그것을 기억하기 때문에 자료가 친숙하다. 그리고 이러한 친숙함이 "좋아, 나는 그것을 알고 있어."라고 생각하게 할지도 모른다. 문제는 이런 친숙한 느낌이 반드시 자료를 아는 것과 같은 것은 아니라는 것이다. 그것은 시험에서 답을 생각해내야 할 때 아무런 도움이 되지 않을 수도 있다. 사실, 당신이 익숙해 보이는 선택지를 선택할 수 있기 때문에 친숙함은 종종 선다형 시험에서 오류를 일으킬 수 있다. 따라서 그것이 당신이 전에 읽었던 것이긴 하지만 그것이 사실은 그 질문에 대한 가장 좋은 해답은 아니었다는 것을 나중에 알게 된다.

해설

여러 번 읽어서 친숙해진 것과 그것을 이해한 것은 별개라서, 종종 시험에서 친숙해 보인다는 이유로 택한 선택지가 오답으로 판명되는 경우가 있다는 내용이다. 따라서 빈칸에 들어갈 말로 가장 적절한 것은 ② '그것이 사실은 그 질문에 대한 가장 좋은 해답은 아니었다'이다.

오답 노트

① 당신이 눈에 띄게 표시했던 부분을 기억하지 못했다 ➡ 기억하지 못했기 때문에 오답을 고른 것이 아니라 친숙함에 근거해서 골랐기 때문이라고 했다.
③ 그 친숙함은 당신의 이해에 근거한 것이었다 ➡ 친숙함은 이해한 것이 아님에도 이해로 착각한다고 했으므로 적절하지 않다.
④ 반복을 통해 당신은 정답을 선택할 수 있었다 ➡ 반복을 통해 친숙해지고 그 친숙함을 근거로 고른 답이 오답으로 판명되는 경우에 대한 내용이므로 적절하지 않다.
⑤ 그것은 친숙함이 자연스럽게 형성됨을 보여 주었다 ➡ 단순히 친숙함의 형성에 관한 내용이 아니다.

구문 해설

[1행] **One** of the main reasons why **is that** they **mistake** familiarity **for** understanding.
▶ 주어가 One이므로 단수 동사 is가 왔고, 보어로 접속사 that이 이끄는 명사절이 왔다. 〈mistake A for B〉는 'A를 B로 착각하다[잘못 생각하다]'라는 뜻이다.
[2행] Here is **how it works**: You read the chapter once, perhaps **highlighting as you go**.
▶ 도치 구문으로, 주어로 간접의문문 how it works가 쓰였고, 그 작용 방법이 콜론(:) 다음에 설명되어 있다. highlighting은 동시동작을 나타내는 분사구문으로 '중요 표시를 하면서'라는 뜻이다. 부사절 as you go는 '읽을 때'라는 의미로 여기서 go는 read의 의미이다.

어휘

material 자료 **mistake A for B** A를 B로 혼동하다 **familiarity** 친숙함 **chapter** (책의) 장 **highlight** 눈에 띄게 표시하다 **read ~ over** ~을 다시 읽다 **not necessarily** 반드시 ~하지 않다 **equal** 동일한 **be of no** 전혀 소용이 없다 **come up with** ~을 생각해내다 **recall** 기억해내다 **indicate** 나타내다, 보여 주다

12 ④

해석

중독을 일으킬 수 있는 많은 산림 식물 중에서 야생 버섯은 가장 위험한 것들 중의 하나일 것이다. 이는 사람들이 종종 독성이 있는 품종과 먹을 수 있는 품종을 혼동하거나 혹은 품종에 대해 확실한 확인을 하지 않고 버섯을 먹기 때문이다. 많은 사람들은 야생 버섯 종들이 훌륭한 식용 버섯이고 매우 귀하게 여겨지기 때문에 봄에 야생 버섯 종을 찾아다니는 것을 즐긴다. 그러나 몇몇 야생 버섯은 위험해서 버섯의 독성으로 인해 사람들의 목숨을 잃게 한다. (합리적인 비용으로 높은 품질의 상품을 재배하는 것이 이윤을 위해 식용 버섯을 기르는 데 있어서 핵심적인 측면이다.) 안전을 위해서 사람들은 야생 버섯을 먹기 전에 식용 버섯을 식별할 수 있어야 한다.

해설

야생 버섯을 독성이 있는 것과 없는 것으로 구별하지 못한다면 사람들이 목숨을 잃을 수도 있다고 했다. 그래서 식용 버섯을 식별하는 것이 중요하다는 내용의 글인데, 버섯 재배의 비용 문제에 대한 내용은 전체 흐름상 관련이 없다. 따라서 전체 흐름과 관계 없는 문장은 ④이다.

오답 노트

① ➡ 야생 버섯이 가장 위험한 것들 중 하나라고 말한 후에 그 이유가 무엇인지에 대한 내용이다.
② ➡ 식용 야생 버섯은 매우 귀해서 많은 사람들이 봄에 그것을 찾아다닌다는 내용이다.
③ ➡ 독성을 함유한 야생 버섯의 위험성에 대한 문장으로 전체 글의 흐름과 관련이 있다.
⑤ ➡ 야생 버섯의 식용 가능 여부를 식별할 수 있어야 한다는 내용

으로 이 글의 핵심 문장이다.

구문 해설

[1행] **Of** the many forest plants **that** can cause poisoning, wild mushrooms may be among the most dangerous.

▶ 긴 부사구가 문두에 오는 문장으로 Of는 '~중에서'를 의미하며, 주격 관계대명사절 that ~ poisoning이 the many forest plants를 수식한다. most dangerous 뒤에는 forest plants가 생략되어 있다. 〈the + 형용사의 최상급〉 다음에는 문맥상 의미가 분명할 경우 명사를 생략하기도 한다.

[2행] **This is because** people sometimes confuse the poisonous and edible varieties, **or** they eat mushrooms **without** making a positive identification of the variety.

▶ This is because ~는 이유를 강조하기 위한 구문으로, '이는 ~이기 때문이다'라는 뜻이다. because 뒤에 people ~ edible varieties와 they ~ variety의 두 절이 or로 인해 병렬로 이어지고 있다. without은 전치사로, 전치사의 목적어로는 명사나 명사상당어구가 와야 하므로 동명사 making이 왔다.

어휘

poisoning 중독, 음독 **mushroom** 버섯 **confuse** 혼동하다 **poisonous** 독성이 있는 **variety** 품종 **positive** 확실한, 분명한 **identification** 확인 **species** 종 **highly** 대단히, 매우 **prize** 소중하게[귀하게] 여기다 **high-quality** 고급의 **reasonable** 합리적인 **aspect** 측면 **farming** 농사, 재배

13 ②

해석

우리 주변에는 언제나 많은 세균이 있다. 그들은 거의 모든 곳에 산다. 공기, 토양, 우리 몸의 다양한 부분들, 그리고 심지어 우리가 먹는 음식들에도. 그러나 걱정하지 말라! (B) 대부분의 세균은 우리에게 유익하다. (세균) 일부는 우리의 소화기관에 살며 우리가 음식을 소화시키는 것을 돕는다. 또 일부는 자연 환경에 살면서 산소를 생산해서 우리가 지구상에서 숨 쉬며 살 수 있다. (A) 하지만 불행하게도, 이 경이로운 생물체들 중 약간은 때때로 우리를 아프게 할 수 있다. 이때가 우리가 병원에 가야 할 때이고, 의사는 감염병을 다스릴 약을 처방해 줄 수 있다. (C) 그런데 이 약들은 정확히 무엇이고 어떻게 세균들과 싸우는가? 이 약들은 '항생제'라고 불리는데, '세균의 생명에 대항하다'라는 뜻이다. 항생제는 세균을 죽이거나 그것들이 성장하는 것을 막는다.

해설

우리 주변 모든 곳에 세균이 있지만 걱정하지 말라는 내용의 주어진 글에 이어서 세균이 우리에게 유익한 점을 설명한 (B)가 오고, 역접의 연결사 but 다음에 세균이 우리를 아프게 하는 경우 병원에서 약을 처방받아야 함을 설명한 (A)가 온 다음 그 약에 대한 설명이 이어지는 (C)의 흐름이 가장 자연스럽다. 따라서 이어질 순서로 가장 적절한 것은 ② (B) – (A) – (C)이다.

오답 노트

① ➡ 주어진 글에서 걱정하지 말라고 했는데, 바로 (A)에서 세균이 우리를 아프게 하는 경우가 이어지는 것은 자연스럽지 않다.

③ ➡ (C)의 첫 문장에 있는 these medicines에 대한 언급이 (B)에 없으므로 (B) 다음 (C)가 오는 것은 부자연스럽다.

④ ➡ (C)의 첫 문장에 있는 these medicines에 대한 언급이 주어진 글에 없고, 항생제에 대한 설명과 세균 때문에 아프면 약을 처방받을 수 있다는 말의 순서가 뒤바뀌어 있다.

⑤ ➡ 문맥상 (C)가 마지막 순서가 되는 것이 자연스럽다.

구문 해설

[5행] **This is when** we need to see a doctor**, who** may prescribe medicines **to control** the infection.

▶ This is when ~.은 '이것이 ~하는 때이다.'라는 의미이다. 주격 관계대명사 who 앞에 콤마(,)가 있으므로 계속적 용법으로 사용되었음을 알 수 있다. 여기서 who는 and he로 바꾸어 쓸 수 있다. to control은 형용사적 용법의 to부정사로 명사 medicines를 수식한다.

[12행] Antibiotics **either** kill bacteria **or** stop them from growing.

▶ 〈either A or B〉는 'A나 B 둘 중 하나'라는 의미로 '살균 작용과 세균 증식의 억제 둘 중 하나의 작용을 한다는 뜻이다.

어휘

bacteria 세균 **soil** 토양 **creature** 생물 **prescribe** 처방하다 **infection** 감염병 **digest** 소화하다 **oxygen** 산소 **breathe** 숨을 쉬다

14 ③

해석

우리의 뇌는 끊임없이 문제를 해결하고 있다. 우리가 무언가를 배우거나, 기억하거나, 이해할 때마다, 우리는 문제를 해결한다. 일부 심리학자들은 모든 유아 언어 학습을 문제 해결이라고 규정하였다. 그들은 이를 어린이에게 확장하여 그러한 과학적 절차들을 '실험을 통한 학습' 혹은 '가설 검증'으로 보았다. 어른들은 아이들에게 문법적인 규칙이 어떻게 작용하는지는커녕, 새로운 단어의 의미를 거의 설명하지 않는다. 대신에 그들은 대화에서 단어나 규칙을 사용하고, 무슨 일이 진행 중인지 알아내는 일을 아이들에게 맡긴다. 언어를 배우려면, 유아는 언어가 사용되는 맥락을 파악해야 한다. 즉, 문제가 해결되어야 한다. 우리 모두는 보통 우리가 무엇을 하고 있는지 알지 못한 채 어린 시절부터 이런 종류의 문제들을 해결해 왔다.

해설

주어진 문장은 어른들이 아이들에게 문법 규칙뿐만 아니라 새로운 단어에 대해 거의 설명하지 않는다는 내용으로, 이후 단어나 어법을 일상생활에서 사용하고, 아이들이 대화 속에서 이를 직접 찾게 한다는 내용으로 전개되는 것이 자연스럽다. 따라서 주어진 문장이 들어가기에 가장 적절한 곳은 ③이다.

오답 노트

① ➡ 우리 뇌는 끊임없이 문제를 해결하고 있다고 하며, 그것에 대해 좀 더 자세히 설명하는 문장으로 자연스럽게 이어지고 있다.

② ➡ 끊임없이 문제를 해결하기 때문에 일부 심리학자들은 유아들의 언어 학습 과정을 문제 해결로 규정한다는 말로 이어지고 있다.

④ ➡ 말의 의미나 규칙을 아이들이 알아내도록 놔두기 때문에 말을 배우기 위해 유아들이 어떻게 하는지에 관한 언급으로 이어지고 있다.

⑤ ➡ 문맥을 파악하는 것이 문제 해결 과정이며 우리 모두는 어렸을 때부터 알지 못하는 사이에 이런 과정을 거쳐 왔다는 내용으로 이어지고 있다.

구문 해설

[1행] Grown-ups **rarely** explain the meaning of new words to children, **let alone** how grammatical rules work.

▶ rarely는 '좀처럼 ~하지 않고'라는 부정적 의미의 부사이다. let alone은 '~은커녕'이라는 뜻으로 목적어로 〈의문사 + 주어 + 동사〉 어순의 간접의문문이 왔다.

[7행] Instead they use the words or the rules in conversation and leave it to children **to figure out** what is going on.
▶ 두 개의 동사구 use the words ~ in conversation과 leave it to ~ going on이 등위 접속사 and로 병렬 연결된 구조이다. to figure out은 부사적 용법의 to부정사로 목적을 나타낸다. figure out의 목적어로 간접의문문이 왔다.

어휘

rarely 좀처럼 ~하지 않는 **let alone** ~은커녕 **constantly** 끊임없이 **make sense of** ~을 이해하다 **psychologist** 심리학자 **define** 규정하다, 정의하다 **infant** 유아 **extend** 확장하다 **procedure** 절차 **context** 맥락 **childhood** 어린 시절

15 ③

해석

어떤 코치들은 선수들을 최대한으로 활용하는 반면 다른 코치들은 그렇지 않다는 것을 알아챘는가? 서투른 코치는 당신이 무엇을 잘못했는지 당신에게 알려 주고 나서 다시는 그러지 말라고 말할 것이다. "공을 떨어뜨리지 마라!" 그 다음엔 무슨 일이 일어날까? 머릿속에서 당신은 자신이 공을 떨어뜨리는 이미지를 보게 된다! 당연히, 당신의 마음은 그것이 들은 것을 바탕으로 방금 '본' 것을 재현한다. 놀랄 것도 없이, 당신은 코트에 걸어가서 공을 떨어뜨린다. 좋은 코치는 무엇을 하는가? 그 사람은 개선될 수 있는 것을 지적한다. 하지만 그 후에 당신이 어떻게 할 수 있는지 또는 어떻게 해야 하는지에 대해 말할 것이다. "나는 이번에는 네가 공을 완벽하게 잡을 거라는 걸 알아." 아니나 다를까, 다음으로 당신의 마음속에 떠오르는 이미지는 당신이 공을 잡고 득점하는 것이다. 다시 한 번, 당신의 마음은 당신의 마지막 생각을 현실의 일부로 만들지만, 이번에는, 그 '현실'이 부정적이지 않고, 긍정적이다.
➡ 선수의 (A) 실수에 초점을 맞추는 무능한 코치와 달리, 유능한 코치는 선수들이 성공적인 경기를 (B) 상상하도록 그들을 격려함으로써 향상되도록 돕는다.

해설

유능하지 못한 코치는 선수의 실수를 지적하기 때문에 선수들 머릿속에 자신들이 들은 것이 남아 경기에서 다시 실수를 하게 되지만, 유능한 코치는 선수들에게 어떻게 하면 잘할 수 있는지를 알려줌으로써 머릿속에 그려본 성공적인 장면이 실제 경기에서 재현되게 한다는 내용이다. 따라서 요약문의 빈칸에 들어갈 말로 가장 적절한 것은 ③ '실수 – 상상하다'이다.

오답 노트

① 득점 – 완성하다
② 득점 – 기억하다
➡ ①, ② 무능한 코치가 득점에 초점을 맞춘다는 내용은 없고, 유능한 코치가 성공적인 경기를 완성하거나 기억해내도록 격려한다는 언급이 없었다.
④ 실수 – 무시하다 ➡ 무능한 코치가 실수에 초점을 맞춘 것은 맞지만 유능한 코치가 성공적인 경기를 무시하게 한다는 것은 글의 내용과 맞지 않는다.
⑤ 장점 – 얻다 ➡ 무능한 코치는 무엇을 잘못했는지에 중점을 두고 말한다고 했으므로 선수들의 장점과 같은 긍정적인 것은 (A)에 들어갈 수 없다.

구문 해설

[1행] **Have** you **noticed** that **some** coaches get the most out of their athletes **while others** don't?
▶ 현재완료 중 경험을 나타내는 의문문으로, some과 others는 '일부는 ~하고 다른 일부는 …하다'라고 할 때 사용하는 부정대명사이다. 여기서 others는 other coaches를 가리킨다. 접속사 while은 '~한 반면'이라는 의미로 쓰였다.
[2행] A poor coach will tell you **what** you did wrong and then tell you **not to do** it again: ~.
▶ 두 개의 동사구 will tell you what you did wrong과 (will) tell you not ~ again이 등위 접속사 and로 병렬 연결된 구조이다. 앞 절의 what은 선행사를 포함하는 관계대명사로 '~한 것'이라는 의미이다. to do는 목적격보어로 쓰인 명사적 용법의 to부정사인데, '~하지 마라'라는 부정의 의미가 되어야 하므로 to 앞에 not이 왔다.
[10행] Once again, your mind **makes** your last thoughts part of reality — but this time, **that** "reality" is positive, not negative.
▶ 〈make A B〉는 'A를 B로 만들다'라는 의미이고, 5형식 문장이다. 여기서 A는 your last thoughts이고 B는 part of reality이다. that "reality"의 that은 '그'라는 의미의 지시형용사이다.

어휘

notice 알아차리다 **get the most out of** ~을 최대한으로 활용하다 **athlete** (운동)선수 **naturally** 당연히 **recreate** 재현하다 **point out** 지적하다 **score** 득점하다 **reality** 현실 **ineffective** 무능한

[16~17] 16 ③ 17 ⑤

해석

연구자들은 두 그룹의 11세 소년들을 Oklahoma에 있는 Robbers Cave 주립 공원의 여름 캠프에 데려왔다. 그 소년들은 서로 몰랐고 캠프에 도착하자마자 무작위로 두 그룹으로 나뉘었다. 그 그룹들은 약 1주일 동안 서로 떨어져 있었다. 그들은 수영하고, 야영하고, 하이킹을 했다. 각 그룹은 자기 그룹의 이름을 지었고, 소년들은 자신의 그룹 이름을 모자와 티셔츠에 새겼다. 그 후 두 그룹이 만났다. 그들 사이에 일련의 운동 시합이 마련되었다. 곧, 각 그룹은 서로를 적으로 여겼다. 각 그룹은 다른 그룹을 얕잡아 보게 되었다. 소년들은 먹을 것을 가지고 싸우기 시작하고 상대 그룹의 구성원으로부터 여러 물건들을 훔쳤다. 그래서 경쟁적인 환경에서 소년들은 재빨리 뚜렷한 그룹 경계를 그었다.
다음으로 연구자들은 운동 시합을 멈추고, 그 해결책으로 두 그룹 사이의 협력이 필요한 몇 가지 비상사태로 보이는 상황을 만들었다. 그러한 비상사태 중 하나는 캠프에 물을 공급하는 파이프가 새는 경우를 포함했다. 연구자들은 소년들을 두 그룹의 일원들로 구성된 팀에 배정했다. 그들의 임무는 파이프를 조사하고 새는 곳을 고치는 것이었다. 그러한 협력적인 활동을 몇 차례 한 후에, 소년들은 싸우지 않고 함께 놀기 시작했다. 일단 협력이 경쟁을 대체하고 그룹들이 서로를 얕잡아 보기 시작하자(→ 중단하자), 그룹 경계가 형성되었던 것만큼 빠르게 사라져 갔다.

해설

16 연구자들이 서로 알지 못하는 11세 소년들을 데리고 두 그룹으로 나눈 후 경쟁 상황과 협력 상황 아래 어떤 일이 벌어지는지를 실험한 내용의 글이다. 경쟁 상황에서는 소년들이 서로 적대감을 보이며 그룹 경계를 빠르게 그었다가, 협력 상황 아래 놓이자 싸우지 않고 함께 놀기 시작했으며 그룹 경계가 빠르게 사라졌다는 내용이다. 따라서 윗글의 제목으로 가장 적절한 것은 ③ '무엇이 그룹 경계를 사라지게 하는가?'이다.

17 소년들을 경쟁 상황이 아닌 협력 상태에 두었을 때 협력이 경쟁을 대체하면서 서로 얕잡아 보는 것을 '시작한(started)' 것이 아니라 '그만두었다(stopped)'고 하는 것이 글의 흐름상 자연스럽다. 따라서 문맥상 낱말의 쓰임이 적절하지 않은 것은 ⑤이다.

오답 노트

16 ① 운동 시합은 어떻게 십 대에게 도움이 되는가? ➡ 소년들을 경쟁 상황에 놓기 위해 두 그룹으로 나누어 운동 시합을 시키긴 했지만 그것이 어떻게 도움이 되는지는 언급되지 않았다.
② 대비: 비상사태 예방의 비결 ➡ 적대 관계에 있던 소년들이 비상사태를 어떻게 해결하는가를 살펴보기는 했지만 예방에 대한 것은 글의 내용과 관련이 없다.
④ 팀 내 개인차를 존중하라 ➡ 개인의 차이를 존중하라는 내용은 언급되지 않았다.
⑤ 무임승차자: 팀의 골칫거리 ➡ 팀에서 문제가 되는 사람에 대한 내용은 언급되지 않았다.
17 ① ➡ 이어지는 내용에 두 그룹의 소년들이 서로 얕잡아 보고 싸우기 시작했다고 했으므로 '적'은 자연스럽다.
② ➡ 소년들이 경쟁적인 상황에 놓였을 때 상대 그룹에 대해 뚜렷한 적대감을 보였으므로 그룹 경계를 '그었다'는 자연스럽다.
③ ➡ 두 그룹의 경쟁을 멈추고 협력을 '필요로 하는' 상황을 만들어 어떻게 되는지 보고자 했다.
④ ➡ 캠프에 물을 공급하는 파이프가 새는 것과 같이 협력이 필요한 비상사태에서 어떻게 행동하는지 살폈다고 했으므로 '협력적인' 활동은 자연스럽다.

구문 해설

[2행] The boys were strangers to **one another** and **upon** arrival at the camp, were randomly separated into two groups.
▶ The boys가 주어이고, 두 개의 were가 동사이다. were strangers ~ another와 were randomly ~ two groups가 and에 의해 병렬 연결되어 있다. one another는 셋 이상일 때 '서로'를 나타내는데, 둘 사이의 '서로'는 each other을 쓴다. upon은 '~하자 마자'라는 뜻을 나타내는 전치사로 on으로 바꾸어 쓸 수 있다.
[7행] Soon, each group considered **the other** an enemy.
▶ 〈consider A B〉는 'A를 B로 여긴다'라는 뜻인데, 여기서 A는 the other, B는 an enemy이다. 소년들을 두 그룹으로 나누고 각 그룹이 자신의 그룹이 아닌 '다른' 그룹을 적으로 여긴다는 의미이므로 the other이 왔다.
[12행] The researchers next **stopped** the athletic competitions and **created** several apparent emergencies **whose** solution required cooperation **between** the two groups.
▶ 문장의 주어는 The researchers이고, 동사는 stopped와 created이다. whose solution ~ two groups는 소유격 관계대명사절로 앞의 several apparent emergencies를 수식한다. between은 '둘 사이에'를 뜻하는데, '셋 이상의 사이에'는 among을 쓴다.

어휘

randomly 무작위로, 임의로 **separate into** ~으로 나누다 **hike** 하이킹을 하다 **athletic competition** 운동 시합 **look down on** ~을 얕잡아 보다 **steal** 훔치다 **competitive** 경쟁적인 **sharp** 뚜렷한, 선명한 **boundary** 경계(선) **emergency** 비상사태, 위급 **involve** 포함하다 **leak** 새는 것, 누출 **look into** ~을 조사하다 **replace** 대체하다 **melt away** 차츰 사라지다 **free rider** 무임승차자

실전 모의고사 4회

• 본문 112~123쪽

1 ③	2 ①	3 ①	4 ⑤	5 ④	6 ①
7 ④	8 ⑤	9 ③	10 ②	11 ⑤	12 ④
13 ②	14 ④	15 ①	16 ③	17 ⑤	18 ④

1 ③

해석

Wellington 폐수 처리 시설에 대한 개선 공사가 2018년 7월 30일 월요일에 시작될 예정입니다. 공사는 약 28개월이 걸릴 것이고, Baker 가와 그 주변의 공사 때문에 Baker 가를 따라서 교통량의 증가로 이어질 수 있습니다. 주요 공사 현장에 접근하기 위해 공사 차량 또한 이 거리를 이용할 것입니다. 저희는 겪게 될 어떤 불편 사항에 대해서라도 진심으로 사과드립니다. 저희는 이러한 불편을 최소화하기 위해 노력할 것입니다. 이 공사는 우리 도시의 기초 시스템과 서비스를 유지하고 향상시키기 위한 꾸준한 노력의 일환입니다. 질문이 있으시면, 022-807-4725로 전화를 거셔서 Ronald Brown에게 연락을 주십시오.

해설

필자는 Wellington 폐수 처리 시설 개선 공사가 2018년 7월 30일부터 시작해 28개월간 진행될 것이라고 하면서 공사로 인해 겪게 될지도 모르는 모든 불편 사항에 대해 사과를 하고 양해를 구하고 있다. 따라서 이 글의 목적으로 가장 적절한 것은 ③ '공사로 인한 불편에 대해 양해를 구하려고'이다.

오답 노트

① 시설 이전의 필요성을 홍보하려고 ➡ 시설을 개선하는 것이지 이전하는 것은 아니다.
② 침수로 인한 우회로 이용을 안내하려고 ➡ 침수나 우회로에 관한 정보는 언급되지 않았다.
④ 건설 현장의 안전 지침 준수를 당부하려고 ➡ 건설 현장에 대한 내용이 나오지만 안전 지침에 대한 내용은 없다.
⑤ 주차 공간 부족에 대한 해결책을 제시하려고 ➡ 교통량이 증가한다고 했지, 주차와 관련된 내용은 언급되지 않았다.

구문 해설

[2행] The construction will take **about** 28 months and may lead to **increased** traffic along Baker Street **due to** work on and around it.
▶ 동사 will take와 may lead가 등위 접속사 and로 이어진 구조이다. 이 문장에서 about은 '약, 대략'의 의미이며, increased는 과거분사로 뒤의 traffic을 수식한다. 〈due to + 명사(구)〉는 '~때문에'라는 뜻인데, 〈because of + 명사(구)〉로 바꾸어 쓸 수 있다.
[5행] We sincerely apologize for **any** inconveniences **that** may be experienced.
▶ 긍정문에 쓰이는 any는 '어떤 ~이라도'라는 의미이다. that은 주격 관계대명사로, that이 이끄는 관계대명사절이 inconveniences를 수식한다.
[7행] This work is part of our continuous effort **to maintain and improve** the basic systems and services of our city.
▶ to maintain and improve는 to부정사의 형용사적 용법으로 앞의 effort를 수식하며 뒤에 목적어 the basic ~ our city가 왔다.

어휘

construction 공사 **vehicle** 차량 **access** 접근 **site** 현장, 지역 **sincerely** 진심으로 **apologize** 사과하다 **minimum** 최소화, 최저(치)

continuous 꾸준한 maintain 유지하다 contact 연락하다

2 ①

해석

어느 날 밤, 나는 2층으로 이어지는 문을 열었고, 복도 전등이 꺼진 것을 알아차렸다. 내가 켤 수 있는 전등 스위치가 계단 옆에 있다는 것을 알았기 때문에 나는 그것에 대해 아무렇지 않게 생각했다. 다음에 일어난 일은 내 간담을 서늘하게 한 어떤 것이었다. 첫 칸에 발을 내디뎠을 때 나는 계단 아래에서 어떤 움직임을 느꼈다. 내 눈은 계단 아래의 어둠에 이끌렸다. 일단 이상한 어떤 일이 일어나고 있다는 것을 깨닫자 내 심장은 빠르게 뛰기 시작했다. 갑자기 나는 손 하나가 계단 사이로부터 뻗어 나와서 내 발목을 잡는 것을 보았다. 나는 그 구역을 따라 쭉 들릴 수 있는 무시무시한 비명을 질렀지만, 아무도 대답하지 않았다!

해설

어느 날 밤, 복도의 전등이 모두 꺼진 상태에서 계단 사이에서 어떤 손이 나타나 필자의 발목을 잡자 놀라서 비명을 지르고 있는 상황이다. 따라서 'I'의 심경으로 가장 적절한 것은 ① '무서워하는'이다.

모답 노트

② 지루한 ➡ 간담이 서늘해졌으므로 지루함을 느끼는 상황은 아니다.
③ 부끄러운 ➡ 부끄러움을 느낄만한 상황은 없다.
④ 만족한 ➡ 두려움으로 인해 심장이 빠르게 뛰는 상황이므로 만족감을 느꼈을 것이라고 짐작할 수 없다.
⑤ 기쁜 ➡ 무서움에 비명을 지르는 상황이므로 기쁜 감정과는 거리가 멀다.

구문 해설

[1행] One night, I opened the door **that** led to the second floor, **noting that** the hallway light was off.
▶ 앞의 that은 주격 관계대명사로 that ~ floor가 the door를 수식한다. noting은 분사구문으로 and I noted로 바꾸어 쓸 수 있으며, noting 뒤의 that은 명사절을 이끄는 접속사이다.

[2행] I thought nothing of it **because** I knew there was a light switch next to the stairs **that** I could turn on.
▶ 이유를 나타내는 접속사 because에 이어지는 절에서 knew와 there 사이에는 명사절을 이끄는 접속사 that이 생략되어 있다. 뒤의 that은 목적격 관계대명사로 that ~ turn on이 a light switch를 수식한다.

[7행] Suddenly, I **saw** a hand **reach** out from between the steps and **grab** my ankle.
▶ 지각동사 see의 목적격보어로 동사원형이 와야 하므로 reach와 grab이 왔다. 지각동사의 목적어의 동작이 진행 중임을 강조할 때는 현재분사가 올 수도 있다.

어휘

hallway 복도 **chill one's blood** 간담을 서늘하게 하다 **put ~ down** ~을 내려놓다 **draw** (시선을) 끌다 **beneath** ~ 아래에 **beat** (심장이) 뛰다, 고동치다 **reach out** (손 등을) 뻗다 **let out** (소리 등을) 내다 **terrifying** 무서운 **block** 구역

3 ①

해석

대부분의 사람들이 글을 쓰기 시작할 때 그들에게 어떤 생각이 밀려온다. 그들은 친구들에게 이야기할 경우에 사용할 법한 말과는 다른 언어로 글을 쓴다. 하지만 만약 사람들이 당신이 쓴 것을 읽고 이해하기를 원한다면 구어체로 글을 써라. 문어체는 더 복잡한데, 이것은 읽는 것을 더욱 수고롭게 만든다. 또한 더 형식적이고 거리감이 들게 하는데, 이것은 독자로 하여금 주의를 잃게 만든다. 생각을 표현하기 위해 복잡한 문장이 필요하지는 않다. 심지어 어떤 복잡한 분야의 전문가들조차 자신의 생각을 표현할 때에는 그들이 점심으로 무엇을 먹을지에 대해 이야기할 때 사용하는 것보다 더 복잡한 문장을 사용하지는 않는다. 만약 당신이 그저 구어체로 글을 쓰게 된다면, 당신은 작가로서 좋은 출발을 하는 것이다.

해설

If, however, you want people ~ write it in spoken language.가 이 글의 주제문으로 필자의 주장을 드러내고 있다. 복잡하고 형식적인 문어체는 독자의 관심을 잃게 하고, 전문가들조차도 생각을 표현할 때 복잡한 문장을 사용하지 않는다고 했다. 즉, 일상 대화에서 사용하는 구어체로 간결하게 글을 쓸 것을 권하는 내용이다. 따라서 필자가 주장하는 바로 가장 적절한 것은 ① '구어체로 간결하게 글을 쓰라.'이다.

모답 노트

② 자신의 생각을 명확하게 표현하라. ➡ 다른 사람들이 자신의 글을 이해하기를 원한다면 구어체로 글을 쓰라는 말이 나오지만 자신의 생각을 명확하게 표현하는 방법에 관한 내용은 없다.
③ 상대방의 입장을 고려하여 말하라. ➡ 본문과 관련이 없는 내용이다.
④ 글을 쓸 때 진부한 표현을 자제하라. ➡ 글을 쓸 때 진부한 표현을 자제하라고 한 게 아니라 문어체로 복잡한 표현을 쓰지 말라고 했다.
⑤ 친근한 소재를 사용하여 대화를 시작하라. ➡ 친근한 소재나 대화와 관련된 내용은 언급되지 않았다.

구문 해설

[3행] If, however, you **want** people **to read and understand what** you write, write it in spoken language.
▶ 조건을 나타내는 If가 이끄는 부사절 뒤에 명령문 주절이 오는 구조이다. 조건절의 want는 목적격보어로 to부정사가 오는 동사이므로 목적어 people 뒤에 to부정사 to read and (to) understand가 왔다. what you write는 read and understand의 목적어로 what은 선행사를 포함하는 관계대명사이다.

[4행] Written language is more complex**, which** makes **it** more work **to read**.
▶ 콤마(,) 뒤의 which는 관계대명사의 계속적 용법으로, 선행사는 앞의 절 전체이며 and it으로 바꾸어 쓸 수 있다. makes 뒤의 it은 가목적어이며 뒤의 to read가 진목적어이다.

[6행] Even when specialists in some complicated field express their ideas, they don't use sentences any more complex than they **do** when talking about **what to have** for lunch.
▶ Even when이 이끄는 절의 주어는 specialists로 in ~ field의 수식을 받고, 동사는 express이다. 주절의 sentences는 목적어로 any more complex의 수식을 받는다. than they do의 do는 앞의 use를 대신해서 쓰인 동사이며, when과 talking 사이에는 they are가 생략되었다. 〈what + to부정사〉는 전치사 about의 목적어로 '무엇을 ~할지'라는 뜻이다.

어휘

come over (생각·감정 등이) 밀려오다 **spoken language** 구어 **written language** 문어, 문자 언어 **formal** 형식적인 **distant** 먼, 거리가 있는 **lose attention** 관심[주의력]을 잃다 **specialist** 전문가 **field** 분야 **simply** 그저, 단순히

4 ⑤

해석

대기업의 CEO가 큰 검은색 리무진에서 내렸다. 평소처럼, 그는 정문으로 향하는 계단을 걸어 올라갔다. 그가 커다란 유리문을 막 통과하려 할 때, "정말 죄송합니다만, 사장님, 저는 신분증이 없이 당신을 들여보낼 수가 없습니다."라고 말하는 목소리를 들었다. 회사에서 수년 동안 근무해 온 경비원이 얼굴에 감정을 전혀 드러내지 않은 채 사장의 눈을 똑바로 쳐다보았다. CEO는 말문이 막혔다. 그는 주머니를 더듬었으나 허사였다. 그는 아마도 그의 신분증을 집에 두고 온 듯 했다. 그는 미동도 하지 않는 경비원을 다시 한 번 쳐다보고 생각에 잠겨 그의 턱을 긁적거렸다. 그런 다음 그는 발걸음을 돌려 그의 리무진으로 돌아갔다. 경비원은 내일 이맘때 그가 경비 책임자로 승진하게 되리라는 것을 알지 못한 채 서 있었다.

해설

①, ②, ③, ④는 회사의 CEO를 가리키지만, ⑤는 경비원을 가리킨다.

오답 노트

① ➡ 정문 계단을 올라가서 대형 유리문을 통과하려던 사람은 CEO이다.
② ➡ 신분증을 찾으려고 주머니를 더듬은 사람은 CEO이다.
③ ➡ 신분증을 집에 두고 온 사람은 CEO이다.
④ ➡ 결국 신분증이 없어서 자신의 리무진으로 돌아간 사람은 CEO이다.

구문 해설

[2행] He **was** just **about to step** through the large glass doors **when** he **heard** a voice **say**, "I'm very sorry, sir, but I cannot let you in without ID."

▶ 〈be about + to부정사〉는 '막 ~하려고 하다'라는 뜻의 관용어구이다. 뒤에 때를 나타내는 접속사 when으로 시작하는 부사절이 이어지는데, hear이 지각동사이므로 목적격보어로 동사원형인 say가 왔다.

[4행] The security guard**, who had worked** for the company for many years, looked his boss straight in the eyes, **showing** no sign of emotion on his face.

▶ 계속적 용법의 주격 관계대명사절 who ~ years가 선행사 The security guard를 부연 설명하는데, 주절의 동사 looked보다 앞서 일어나서 그 시점까지 영향을 미치고 있으므로 과거완료 had worked가 왔다. showing 이하는 동시동작을 나타내는 분사구문으로 as he showed ~로 바꾸어 쓸 수 있다.

[9행] The security guard was left standing, **not knowing that** by this time tomorrow, he **was going to be promoted** to head of security.

▶ not knowing 이하가 전부 분사구문이다. 분사구문의 부정형은 분사 바로 앞에 not을 써야 하므로 not knowing의 형태가 되었다. 명사절을 이끄는 접속사 that 이하가 knowing의 목적어인데, that 뒤에 by this time tomorrow가 삽입되었다. was going to be promoted는 미래를 나타내는 〈be going to + 동사원형〉에 수동태 〈be + 과거분사〉가 온 형태이다.

어휘

step out of ~에서 나오다 **security guard** 경비원 **straight** 똑바로 **speechless** 말문이 막힌, 말없는 **feel one's pocket** 주머니를 뒤지다[찾다] **to no avail** 헛되이, 보람 없이 **motionless** 미동 없는, 움직임 없는 **scratch** 긁다 **chin** 턱 **turn on one's heel** 발걸음[발길]을 돌리다 **promote** 승진하다, 진급하다 **head** 책임자, 수장

5 ④

해석

인간은 다른 사람과의 관계를 형성하고 유지하려는 타고난 욕구에 의해 이끌린다. 이러한 관점으로부터 사람들은 근본적인 욕구를 충족시키기 위해 관계를 추구한다. 이러한 욕구는 일생 동안 많은 감정, 행위, 그리고 결정의 기초가 된다. 아마도 소속 욕구는 사회적 종으로서 인간 진화 역사의 산물이다. 인간은 음식의 공급, 포식자로부터의 보호, 그리고 본질적 지식의 학습을 위해서 오랫동안 타인의 협력에 의존해 왔다. 사회적 유대의 형성과 유지가 없었다면 초기 인간은 아마도 물리적 환경에 잘 대처하거나 적응하지 못했을 것이다. 따라서 친밀함과 의미 있는 관계를 추구하는 것은 오랫동안 인간의 생존에 필수적이었다.

해설

사회적 유대의 형성과 유지가 없었다면 초기 인간이 물리적 환경에 잘 대처하지 못했거나 적응하지 못했을 것이므로 친밀하고 의미 있는 관계를 추구하는 것이 인간의 생존에 필수적이었다는 내용의 글이다. 따라서 이 글의 주제로 가장 적절한 것은 ④ '인간 생존을 위한 사회적 유대감 형성의 필요성'이다.

오답 노트

① 진화에서 필수적인 요소로서의 감정 ➡ 감정이 아니라 대인 관계의 중요성이 중심 소재이다.
② 다른 사람들과 협력할 때의 어려움 ➡ 타인과의 협력의 중요성은 강조하고 있지만 어려움에 대해서는 언급하지 않았다.
③ 다른 사람과 밀접한 관계를 유지하는 방법 ➡ 타인과 관계를 맺는 것은 본능적 욕구라고 언급했지만, 그 관계를 유지하는 방법은 언급되지 않았다.
⑤ 인간의 진화가 환경에 미치는 영향 ➡ '인간 진화의 역사'라는 표현이 언급되지만 일부의 내용일 뿐이다.

구문 해설

[1행] Human beings **are driven by** a natural desire **to form and maintain** relationships with others.

▶ 〈be동사 + 과거분사 + by〉의 수동태 문장이다. to form and (to) maintain은 to부정사의 형용사적 용법으로 사용되어 a natural desire를 수식한다.

[4행] Probably, the need **to belong** is a product of human beings' evolutionary history **as** a social species.

▶ 주어는 the need, 동사는 is, a product ~ species가 주격보어인 문장으로, to belong은 앞의 the need를 수식하는 형용사적 용법의 to부정사로 쓰였다. as는 '~로서'라는 자격을 의미한다.

[7행] **Without** the formation and maintenance of social bonds, early human beings probably **would not have been** able **to cope with or adapt** to their physical environments.

▶ Without이 사용된 가정법 과거완료의 문장인데, 이는 과거의 상황과 반대되는 일을 가정하며 If it had not been for ~로 바꾸어 쓸 수 있다. 가정법 과거완료 주절의 동사는 〈would[should/could] + have + 과거분사〉가 되어야 하는데 부정을 뜻하는 not이 would와 have사이에 위치하고, be able to cope ~ or (to) adapt가 병렬 구조를 이룬다. cope with의 목적어는 뒤의 their physical environments로, 동사 이하는 원래 would not have been able to cope with (their physical environments) or (would not have been able to) adapt to their physical environments이다.

어휘

natural desire 타고난[선천적] 욕구, 본능 **perspective** 관점, 시각

fundamental 근본적인 **belong** 소속되다, 속하다 **evolutionary** 진화의 **species** (분류상의) 종(種) **cooperation** 협력 **supply** 공급 **predator** 포식자 **maintenance** 유지 **adapt to** ~에 적응하다 **closeness** 친밀함

6 ①

해석

포유류는 다른 동물군보다 덜 화려한 경향이 있지만, 얼룩말은 눈에 띄게 흑백 옷을 입고 있다. 이렇게 대비가 큰 무늬는 어떤 목적을 수행할까? 그 색깔의 역할이 언제나 명백한 것은 아니다. 줄무늬를 가짐으로써 얼룩말이 무엇을 얻을 수 있는가에 대한 질문은 1세기가 넘도록 과학자들을 곤란하게 만들어왔다. 이러한 미스터리를 풀기 위해서 야생동물 생물학자인 Tim Caro는 탄자니아에서 10년 이상을 얼룩말을 연구하며 보냈다. 그는 정답을 찾기 전에 이론을 하나 하나씩 배제시켰다. 즉, 줄무늬는 얼룩말을 시원하게 해 주지 않고, 줄무늬는 포식자를 혼란스럽게 만들지도 않는다. 2013년, 그는 얼룩말 가죽으로 뒤덮인 파리 덫을 설치했고, 비교를 위해 영양의 가죽으로 덮인 다른 덫도 설치했다. 그는 파리가 줄무늬 위에 앉는 것을 피하는 것처럼 보인다는 점을 알아냈다. 더 많은 연구를 한 후에 그는 줄무늬가 질병을 옮기는 곤충으로부터 얼룩말을 말 그대로 구할 수 있다고 결론 내렸다.

해설

야생동물 생물학자인 Tim Caro는 10년이 넘는 연구 끝에 얼룩말의 줄무늬가 파리와 같은 질병을 옮기는 곤충으로부터 얼룩말을 구할 수 있다고 결론 내렸다고 했다. 따라서 이 글의 제목으로 가장 적절한 것은 ① '얼룩말의 줄무늬: 파리를 막아 주는 자연의 방어법'이다.

오답 노트

② 어떤 포유류가 가장 화려한 피부를 가지고 있는가? ➡ 얼룩말의 흑백 무늬가 중심 소재이지, 동물들의 피부나 가죽을 비교하는 것은 아니다.
③ 어떤 동물이 얼룩말의 포식자인가? ➡ 얼룩말의 포식자에 대한 언급은 없었다.
④ 무늬: 숨기 위한 것이 아니라 자랑하기 위한 것 ➡ 동물의 무늬가 소재이긴 하지만, 자랑하기 위해서라는 내용은 언급되지 않았다.
⑤ 각각의 얼룩말은 자신만의 고유한 줄무늬를 가지고 태어난다 ➡ 고유한 줄무늬를 가지고 태어나는지의 여부에 관해서는 언급되지 않았다.

구문 해설

[3행] **The question** of what zebras can gain from having stripes **has puzzled** scientists for more than a century.
▶ 문장의 주어는 The question이고 동사는 현재완료형 has puzzled이다. 전치사 of의 목적어로 간접의문문 what ~ stripes가 왔다.
[8행] In 2013, he set up **fly traps** covered in zebra skin **and**, for comparison, **others** covered in antelope skin.
▶ 문장의 주어는 he이고, 동사는 set up이다. 목적어는 fly traps와 others인데, 뒤에 각각 과거분사구가 수식하고 있고, for comparison이 삽입되어 있어 복잡해 보인다. (which were) covered in zebra skin이 fly traps를 수식하고, (which were) covered in antelope skin이 others, 즉 other fly traps를 수식하고 있다.
[9행] He saw **that flies seemed to avoid** landing on the stripes.
▶ that은 명사절을 이끄는 접속사이며, flies seemed to avoid ~는 it seemed that flies avoided ~로 바꾸어 쓸 수 있다.

어휘

mammal 포유류 **strikingly** 눈에 띄게, 현저하게 **contrast** 대비, 차이 **obvious** 명백한 **puzzle** 혼란시키다, 곤란하게 만들다 **century** 1세기, 100년 **wildlife** 야생동물 **decade** 10년 **rule out** 배제시키다 **fly trap** 파리 덫 **for comparison** 비교를 위해 **literally** 말 그대로 **disease-carrying** 질병을 옮기는

7 ④

해석

2016년 하계 올림픽 메달 집계
위 그래프는 국제 올림픽 위원회(IOC)의 메달 집계를 바탕으로 2016년 하계 올림픽 동안 상위 5개 국가들이 획득한 메달의 수를 보여 주고 있다. 5개 국가들 중, 미국이 약 120개로 통틀어 가장 많은 메달을 획득하였다. 영국은 중국보다 더 많은 금메달을 획득하였다. 중국, 러시아, 독일은 각각 20개 미만의 은메달을 획득하였다. 미국이 획득한 동메달 수는 독일 것의 두 배보다 적었다(→ 많았다). 상위 5개 국가는 총 40개 이상의 메달을 각각 획득하였다.

해설

도표를 보면 미국이 획득한 동메달의 수는 38개이고 독일이 획득한 동메달은 15개이므로 미국은 독일이 획득한 것의 2배가 넘는 동메달을 획득했다. 따라서 ④는 도표의 내용과 일치하지 않는다.

오답 노트

① ➡ 도표를 보면, 미국이 총 121개로 가장 많은 메달을 획득했다.
② ➡ 영국의 금메달은 27개이고 중국은 26개이므로 영국이 더 많은 금메달을 획득했다.
③ ➡ 중국은 18개, 러시아는 17개, 독일은 10개의 은메달을 획득했으므로 모두 각각 20개 미만의 은메달을 획득했다.
⑤ ➡ 5위인 독일의 총 메달 수가 42개이므로 상위 5개 국가 모두 40개가 넘는 메달을 획득했다.

구문 해설

[1행] The above graph shows the number of medals **won by** the top 5 countries during the 2016 Summer Olympic Games, **based on** the medal count of the International Olympic Committee(IOC).
▶ 과거분사구인 won by ~ Olympic Games가 명사 medals를 수식하고 있고, based on은 '~에 근거하여'라는 뜻으로 과거분사구이다.
[6행] The number of bronze medals won by the United States was **less than twice that** of Germany.
▶ 주어는 The number이고 동사는 was이다. less than twice는 '~의 두 배보다 적은'이라는 의미로 여기서 that이 가리키는 것은 the number of bronze medals이다.

어휘

above 위의 **the number of** ~의 개수 **count** 총계 **in total** 통틀어, 전체로서

8 ⑤

해석

Milton 여름 댄스 캠프 2018
Milton Dance Studio는 여름 동안 아이들에게 춤을 배울 기회를

제공하게 되어 기쁩니다. 당신의 자녀를 저희의 신나는 춤추기 활동에 참여시키세요!
〈프로그램〉
• 클래식 발레 프로그램: 3～11세 아이들 대상
• 재즈 댄스 프로그램: 12세 이상 아이들 대상
〈날짜, 시간 및 비용〉
• 날짜: 2018년 7월 23일～26일
• 시간: 13:30～17:30
• 비용: 아이 1인당 80달러
〈공지〉
• 각 수업은 10명으로 제한됩니다.
• 적어도 열흘 전에 미리 예약이 필요합니다.
더 많은 정보를 원하시면, 저희의 웹사이트 www.miltondance.com을 방문하세요.

해설
Booking is required at least 10 days in advance.를 통해서 적어도 열흘 전에 예약이 필요하다는 것을 알 수 있다. 따라서 안내문의 내용과 일치하는 것은 ⑤이다.

오답 노트
① 12세 이상은 클래식 발레를 배운다. ➡ Jazz Dance Program: for kids aged 12 & older
② 5일간 운영된다. ➡ Dates: July 23–26, 2018
③ 나이에 따라 참가비가 다르다. ➡ Cost: $80 per kid
④ 각 수업에는 인원 제한이 없다. ➡ Each class is limited to 10 kids.

구문 해설
[2행] Milton Dance Studio is pleased **to offer** your kids the opportunity **to learn** dancing during the summer.
▶ to offer는 to부정사의 부사적 용법으로 감정(pleased)의 원인을 나타낸다. to learn은 형용사적 용법으로 the opportunity를 수식한다.
[3행] **Have** your child **join** us for some exciting dancing!
▶ have는 사역동사로 목적어와 목적격보어가 능동 관계일 때 목적격보어로 동사원형이 오므로 join이 왔다.
[7행] Jazz Dance Program: for kids **aged** 12 & older
▶ kids와 aged 사이에는 〈주격 관계대명사 + be동사〉인 who are가 생략되어 과거분사구가 되었다. aged 이하는 kids를 수식한다.

어휘
be pleased to ～하여[하게 되어] 기쁘다 **opportunity** 기회 **join** 함께 하다 **cost** 비용 **notice** 공지사항, 공고문 **booking** 예약 **at least** 적어도 **in advance** 미리, 사전에

9 ③

해석
플라스틱은 극히 느리게 분해되고 물에 떠다니는 경향이 있는데, 이 점이 플라스틱을 해류를 따라 수천 마일을 돌아다니게 한다. 대부분의 플라스틱은 자외선에 노출될 때 점점 더 작은 조각으로 분해되어 미세 플라스틱을 형성한다. 이러한 미세 플라스틱은 일단 그것들을 수거하는 데 일반적으로 사용되는 그물망을 통과할 만큼 충분히 작아지면 측정하기가 매우 어렵다. 미세 플라스틱이 해양 환경과 먹이 그물에 어떤 영향을 미치는지는 아직도 제대로 이해되지 않고 있다. 이 미세한 조각들은 다양한 동물에게 먹혀 먹이 사슬 속으로 들어간다고 알려져 있다. 바다 속에 있는 대부분의 플라스틱 조각들은 매우 작기 때문에 바다를 청소할 실질적인 방법은 없다. 비교적 적은 양의 플라스틱을 수거하기 위해 엄청난 양의 물을 여과해야 할 수도 있다.

해설
③ collect의 목적어는 의미상 주체인 the nets와 같지 않고 앞의 these microplastics를 받는다. 따라서 themselves는 them으로 고쳐야 한다.

오답 노트
① ➡ 앞 문장 전체를 선행사로 하는 계속적 용법의 관계대명사 which는 적절하다.
② ➡ 분사구문으로, 주어인 플라스틱이 미세 플라스틱을 형성하는 주체이므로 현재분사형인 forming은 적절하다.
④ ➡ 주어가 복수 명사 particles이므로 수가 일치하는 동사 are는 적절하다.
⑤ ➡ 형용사 small을 수식하므로 부사 relatively는 적절하다.

구문 해설
[4행] These microplastics are very difficult **to measure once** they are small enough **to pass** through the nets typically used **to collect** them.
▶ to measure는 부사적 용법의 to부정사로 형용사 difficult를 수식해서 '측정하기에 어려운'이라는 뜻을 나타낸다. 접속사 once는 '일단 ～하면'이라는 뜻으로 부사절을 이끈다. to pass는 형용사 small을 수식하는 부사적 용법의 to부정사이고, to collect는 목적을 나타내는 부사적 용법으로 쓰였다.
[7행] These tiny particles **are known to be eaten** by various animals and **to get** into the food chain.
▶ 동사구 are known 뒤에 to be eaten ~ animals와 to get into ~ chain이 등위 접속사 and로 병렬 연결된 구조이다. 〈be known + to부정사〉는 '～하는 것으로 알려져 있다'라는 의미이다.

어휘
extremely 극히 **tend to** ～하는 경향이 있다 **float** 떠다니다 **break down** 분해되다 **expose** 노출시키다 **measure** 측정하다 **once** 일단 ～하면 **marine** 해양의 **particle** 입자, 조각 **practical** 실질적인 **filter** 여과하다 **enormous** 엄청난

10 ②

해석
동기 부여의 한 가지 결과는 상당한 노력을 필요로 하는 행동이다. 예를 들면, 만약 좋은 차를 사고자 하는 동기가 있다면, 당신은 온라인으로 차들을 검색하고, 광고를 자세히 보며, 자동차 대리점을 방문하는 것 등을 할 것이다. 마찬가지로, 몸무게를 줄이고자 하는 동기가 있다면, 당신은 저지방 식품을 사고, 더 적은 1인분의 양을 먹으며, 운동을 할 것이다. 동기 부여는 목표를 더 가까이 가져오는 최종 행동을 이끌 뿐만 아니라, 준비 행동에 시간과 에너지를 쓸 의지를 만들기도 한다. 따라서 새 스마트폰을 사고자 하는 동기가 있는 사람은 그것을 위해 추가적인 돈을 벌고, 가게에 가기 위해 폭풍 속을 운전하며, 그것을 사려고 줄을 서서 기다릴지도 모른다.

해설

첫 문장이 이 글의 주제문이고, 이어지는 예시에서 어떤 것에 대한 동기가 있으면 그 목표를 이루기 위해 노력을 많이 한다는 것을 보여 주고 있다. 또한, 동기 부여는 준비 행동에 시간과 에너지를 쓸 의지를 만든다고 했다. 따라서 빈칸에 들어갈 말로 가장 적절한 것은 ② '노력'이다.

오답 노트

① 위험 ➡ 스마트폰을 사려고 가게에 가기 위해 폭풍 속을 운전한다는 내용으로 만든 함정으로, 이것만으로 동기 부여가 위험이 따르는 행동을 초래한다고 보기는 어렵다.
③ 기억 ➡ 동기 부여와 기억 간의 관계에 관해서는 전혀 언급되지 않았다.
④ 행운 ➡ 동기 부여로 인해 행운을 요구하는 행동이 나타난다는 말은 없었다.
⑤ 경험 ➡ 동기 부여가 경험이 필요한 행동을 초래한다는 내용은 언급되지 않았다.

구문 해설

[5행] Motivation **not only** drives the final behaviors **that** bring a goal closer **but also** creates willingness **to expend** time and energy on preparatory behaviors.
▶ 주어 Motivation 뒤에 동사가 'A뿐만 아니라 B도'라는 뜻의 상관 접속사 〈not only A but also B〉로 연결된 문장이다. that은 주격 관계대명사로 관계대명사절인 that bring ~ closer가 선행사 the final behaviors를 수식하고 있다. to expend는 to부정사의 형용사적 용법으로, willingness를 수식한다.
[7행] Thus, someone **motivated** to buy a new smartphone **may** earn extra money for it, drive through a storm **to reach** the store, and then wait in line **to buy** it.
▶ 문장의 주어는 someone이고, 동사는 may earn, drive, wait이다. drive와 wait 앞에 may가 생략되었고 and로 인해 동사원형이 병렬 연결되어 있다. 과거분사 motivated ~ smartphone이 someone을 수식하고, 조동사 may는 '~할지도 모른다'라는 가능성을 의미한다. to reach와 to buy는 to부정사의 부사적 용법 중 목적의 의미로 사용되었다.

어휘

outcome 결과 **motivation** 동기 **considerable** 상당한 **likewise** 마찬가지로 **lose weight** 체중을 감량하다 **portion** 1인분의 양 **drive** 이끌다 **willingness** 의지 **expend** (시간·노력을) 쓰다, 쏟다, 들이다

11 ⑤

해석

자연적 발달 과정에서, 지각은 두드러진 구조적 특징 파악에서 시작된다는 충분한 증거가 있다. 예를 들어, 2살 어린이와 침팬지에게 상자 2개가 주어졌다. 상자들 중 하나에 특정 크기와 모양의 삼각형이 있다. 그들은 곧 삼각형이 있는 상자에는 항상 맛있어 보이는 음식이 있다는 것을 알게 되었다. 그들은 그들이 배운 것을 다른 모양의 삼각형에 적용했다. 삼각형은 더 작아지거나 더 커지거나 아래위로 뒤집혔다. 외곽선이 있는 삼각형은 단색의 것으로 바뀌었다. 이런 변화가 인식을 방해하는 것처럼 보이지 않았다. 유사한 결과가 쥐에서도 얻어졌다. 심리학자인 Karl Lashley는 이런 유형의 단순한 치환이 인간을 포함하여 모든 동물에게 보편적이라고 주장했다.

해설

크기와 색깔 등이 바뀌어도 삼각형의 형태를 파악할 수 있었다는 예로 보아, 지각은 구조적 특징을 알아보는 것에서 시작된다. 따라서 빈칸에 들어갈 말로 가장 적절한 것은 ⑤ '두드러진 구조적 특징 파악'이다.

오답 노트

① 다른 몸짓의 해석 ➡ 몸짓에 관한 언급은 없다.
② 사회 구조의 확립 ➡ 사회 구조에 관한 언급은 없다.
③ 색깔 정보 인식 ➡ 색깔 정보를 달리 해도 같은 삼각형으로 인지했다고 했다. 색깔보다 형태에 주목한 것이므로 답이 아니다.
④ 환경으로부터 자신을 분리 ➡ 환경과 자신에 관한 언급은 없다.

구문 해설

[5행] They applied what they learned to triangles with different appearance.
▶ what은 선행사를 포함한 관계대명사로 the thing which[that]로 바꾸어 쓸 수 있다.
[9행] Karl Lashley**,** a psychologist, **has claimed that** simple transpositions of this type **are** universal in all animals including humans.
▶ Karl Lashley와 a psychologist는 쉼표로 연결된 동격이며, 문장의 시제는 계속적 용법의 현재완료로 '주장해 왔다'라는 의미이다. 목적어는 접속사 that이 이끄는 명사절인데, 명사절의 주어는 simple transpositions로 복수이므로 복수 동사 are가 왔다.

어휘

evidence 증거 **perception** 지각, 인식 **appearance** 모습 **switch** 바꾸다 **solid** 단색의 **interfere** 방해하다 **recognition** 인식 **obtain** 얻다 **claim** 주장하다 **universal** 보편적인 **interpret** 해석하다 **establish** 확립하다 **outstanding** 두드러진 **feature** 특징

12 ④

해석

나는 많은 회사들이 제품과 서비스를 시장에 너무 서둘러 출시하는 것을 보아 왔다. 이런 행동을 하는 데는 비용을 만회하거나 제출 마감을 맞추려는 필요를 포함한 많은 이유들이 있다. 그러나 지나치게 급한 행동의 문제점은 그것이 창의적 과정에 해로운 영향을 미친다는 것이다. 위대한 아이디어들은 훌륭한 와인과 같이 적절한 숙성, 즉 완벽한 풍미와 품질을 만들어내는 데 시간이 필요하다. (그 결과 많은 회사들은 나이, 교육, 사회적 배경과 상관없이 근로자들을 고용하고 있다.) 창의적 과정을 서두르는 것은 추가적인 시간이 확보되면 성취될 수도 있을 탁월한 수준을 밑도는 결과를 초래할 수 있다.

해설

많은 회사들이 너무 성급하게 제품과 서비스를 출시한다고 하면서 회사가 높은 수준의 성취와 창의적인 결과를 얻으려면 서두르기보다는 충분한 시간을 확보해야 한다고 했다. 그런데 결과적으로 많은 회사들이 나이, 교육, 사회적 배경과 상관없이 근로자들을 고용하고 있다는 문장은 전체 내용과 무관하다. 따라서 전체 흐름과 관계 없는 문장은 ④이다.

오답 노트

① ➡ 회사들이 성급하게 제품과 서비스를 시장에 출시하고 있다는 도입부에 이어서 이런 행동을 하는 이유를 말하는 문장이다.
② ➡ 회사들이 급하게 제품과 서비스를 시장에 출시하는 것의 결과적인 문제점을 지적하고 있는 문장이다.
③ ➡ 와인을 숙성하는 데 시간이 필요하듯 위대한 아이디어들을 완벽한 품질로 만드는 데에는 시간이 필요하다고 했으므로 글의 핵심 소재와 일관성이 유지된다.
⑤ ➡ 창의적인 과정을 서두르는 것이 성취될 수도 있는 수준에 못 미치는 결과를 초래할 수 있다는 문장이다.

구문 해설

[3행] The problem **with** moving too quickly, however, is **that** it has a harmful impact on the creative process.
▶ 전치사구 with ~ quickly가 주어 The problem을 수식하고, 동사는 is이다. 명사절을 이끄는 접속사 that 이하(that it ~ process)가 주격보어이다.

[7행] **Rushing** the creative process can lead to results **that** are below the standard of excellence **that** could have been achieved with additional time.
▶ 동명사구 Rushing the creative process가 주어이고, results 뒤의 주격 관계대명사 that 이하(that are ~ additional time)가 results를 수식한다. 뒤의 that 역시 주격 관계대명사로 앞의 the standard of excellence를 수식하고 있다.

어휘

rush 급히 행동하다, 재촉하다, 서두르다 **take action** 행동에 옮기다 **meet** 맞추다, 충족시키다 **have an impact on** ~에 영향을 미치다 **proper** 적절한 **aging** (술 등의) 숙성; 나이 듦 **flavor** 풍미 **lead to** (결과를) 초래하다 **standard** 수준 **excellence** 탁월함

13 ②

해석

양쪽 모두 상대방이 제공해야 하는 것을 원하지 않으면 거래는 성립되지 않을 것이다. (B) 이것은 필요의 이중적 일치라고 불린다. 농부가 빵 한 덩어리를 얻기 위해 제빵사와 계란을 거래하기를 원한다고 가정해 보자. 제빵사가 계란에 대한 필요나 욕구가 없다면 농부는 운이 없어서 빵을 얻지 못한다. (A) 그러나 농부가 진취적이고 마을 친구들의 인맥을 활용한다면, 그는 제빵사가 자신의 빵을 식혀 줄 새로운 무쇠 삼각 거치대를 필요로 한다는 것을 발견할 것이고, 때마침 대장장이는 새 양털 스웨터를 필요로 하는 일이 발생한다. (C) 조금 더 조사하자마자 농부는 직조공이 지난주 내내 오믈렛을 원하고 있었다는 것을 알게 된다. 그러면 농부는 계란을 스웨터와, 그 스웨터를 삼각 거치대와, 그 삼각 거치대를 갓 구운 빵 한 덩어리와 거래할 것이다.

해설

주어진 글에서 거래의 성립 조건을 언급했고, (B)에서 이와 관련된 용어 설명과 농부와 제빵사의 예를 제시했다. 그런 다음 (A)에서 두 사람 사이에 대장장이가 등장하고, (C)에서 직조공이 등장해서 거래가 이루어지는 과정을 보여 준다. 따라서 이어질 글의 순서로 가장 적절한 것은 ② (B) – (A) – (C)이다.

오답 노트

① ➡ (B)의 This는 주어진 글의 전체 내용에 관한 것이므로 가장 앞에 와야 한다.
③ ➡ (B) 다음에 (C)가 바로 오면 등장인물들의 순서가 자연스럽지 않다. 즉, 농부와 제빵사가 나오고 (A)에서 양털 스웨터가 언급된 다음 (C)에서 직조공이 등장하는 것이 자연스럽다.
④, ⑤ ➡ 직조공이 등장하는 (C)는 결론에 해당하므로 맨 앞에 올 수 없다.

구문 해설

[1행] Trade will not occur **unless** both parties want **what** the other party has to offer.
▶ unless는 '~하지 않으면'이라는 뜻의 조건을 나타내는 접속사로 if both parties don't want ~로 바꾸어 쓸 수 있다. what은 선행사를 포함하는 관계대명사로 the thing which[that]로 바꾸어 쓸 수 있다.

[3행] However, **if** the farmer is enterprising and utilizes his network of village friends, he might discover **that** the baker is in need of some new cast-iron trivets for cooling his bread, and **it** just so happens **that** the blacksmith needs a new lamb's wool sweater.
▶ if가 이끄는 부사절의 동사는 is와 utilizes로 and로 인해 병렬구조를 이룬다. 주절의 동사 might discover 뒤의 that은 명사절을 이끄는 접속사이다. and it just ~의 it은 가주어, that ~ sweater가 진주어이다.

[11행] **Upon** further investigation, the farmer discovers **that** the weaver **has been wanting** an omelet for the past week.
▶ 전치사 Upon은 '~하자마자'의 뜻을 나타내며, that은 명사절을 이끄는 접속사이다. has been wanting은 현재완료진행 시제로, 과거에 시작된 어떤 동작이 현재까지 계속될 때 쓴다.

어휘

trade 거래; 거래하다 **enterprising** 진취적인 **utilize** 활용하다 **network of friends** 인맥 **be in need of** ~을 필요로 하다 **be referred to as** ~로 불리다 **double** 이중의, 이중적인 **coincidence** 일치 **loaf** 덩어리, 덩이 **investigation** 조사 **weaver** 직조공 **fresh-baked** 갓 구운

14 ④

해석

내가 아주 어렸을 때 공룡과 용의 차이를 구별하는 데 어려움이 있었다. 그러나 그들 사이에는 중요한 차이가 있다. 용은 그리스 신화, 영국 아서왕의 전설, 중국의 새해 행렬, 그리고 인류 역사에 걸친 많은 이야기에 등장한다. 그러나 비록 그들이 오늘날 만들어진 이야기에서 중요한 역할을 한다 해도, 그들은 항상 인간 상상의 산물이었으며 결코 존재하지 않았다. 그러나 공룡은 한때 실제로 살았다. 비록 인간이 결코 그들을 보지는 못했지만, 그들은 아주 오랫동안 지구에 살았다. 그들은 2억 년 쯤 전에 존재했고, 그 뼈가 화석으로 보존되어 있기 때문에 우리는 그들에 대해 알고 있다.

해설

주어진 문장에 however가 있으므로 상반되는 내용이 앞에 나왔음을 알 수 있다. ④의 앞까지 나온 they는 용을 가리키고 ④의 뒤로부터 they는 공룡을 가리킨다. 따라서 주어진 문장이 들어가기에 가장 적절한 곳은 ④이다.

오답 노트

① ➡ 공룡과 용의 차이를 구별하는 것이 어렵다고 말하고 나서 둘 사이에 중요한 차이가 있다는 내용으로 이어진다.
② ➡ 공룡과 용 사이에 중요한 차이가 있다고 말한 후에 용에 대한 내용이 자연스럽게 이어지고 있다.
③ ➡ 용이 많은 이야기에 등장하지만 결코 실재하지 않았다는 흐름으로 연결되고 있다.
⑤ ➡ They는 앞 문장에 나온 they에서 그대로 이어지는 것으로 공룡을 가리킨다.

구문 해설

[6행] But **even if** they feature in stories **created** today, they **have** always **been** the products of the human imagination and never **existed**.
▶ even if는 '비록 ~일지라도, ~에도 불구하고'라는 양보의 뜻을 나타내는 접속사로 even though, although, though로 바꾸어 쓸 수 있다. 과거분사구 created today는 stories를 수식하며, 주절의 동사는 모두 현재완료 시제로, have been과 (have) existed가 등위 접속사 and로 인해 병렬 연결된 구조이다.
[9행] They existed **around** 200 million years ago, and we know about them because their bones **have been preserved as** fossils.
▶ around는 '약, 대략'의 의미이며, 접속사 because가 이끄는 절의 동사 have been preserved는 현재완료 수동태이다. 뒤의 as는 '~로서'라는 자격을 나타낸다.

어휘

have a difficulty -ing ~하는 데 어려움이 있다 **significant** 중요한 **parade** 행렬, 퍼레이드 **feature** 중요한 역할을 하다 **product** 산물, 결과물 **imagination** 상상(력) **exist** 존재하다 **walk the earth** 지구에 살다 **preserve** 보존하다 **fossil** 화석

15 ①

해석

호주의 한 연구에 따르면, 주방에서 어떤 사람이 가지는 자신감은 자신이 즐겨 먹는 경향이 있는 음식의 종류와 관계가 있다. 평균적인 사람과 비교해서, 자신이 만든 요리를 자랑스러워하는 사람들은 채식주의자를 위한 음식과 건강에 좋은 음식을 먹는 것을 더 즐기는 경향이 있다. 게다가, 이러한 집단은 평균적인 사람보다 샐러드와 해산물 요리부터 햄버거와 감자 튀김에 이르기까지 다양한 종류의 음식을 먹는 것을 즐길 가능성이 더 크다. 대조적으로, "나는 요리를 하기보다는 차라리 청소를 하겠어."라고 말하는 사람들은 음식에 대한 이런 폭넓은 열정을 공유하지 않는다. 그들은 평균적인 사람보다 다양한 종류의 음식을 즐길 가능성이 더 낮다. 일반적으로, 패스트푸드 식당에서 음식을 먹을 때를 제외하면 그들은 평균적인 사람보다 외식을 더 적게 한다.
➡ 일반적으로, (A) 요리에 자신 있는 사람들은 그렇지 않은 사람들보다 (B) 다양한 음식을 즐길 가능성이 더 크다.

해설

자신이 만든 요리를 자랑스러워하는 사람들은 그렇지 않은 사람들에 비해 다양한 종류의 음식을 먹을 가능성이 크다는 내용이다. 따라서 요약문의 빈칸에 들어갈 말로 가장 적절한 것은 ① '요리 – 다양한'이다.

오답 노트

② 요리 – 특정한 ➡ 요리에 자신 있는 사람들은 '다양한' 음식을 즐긴다고 했는데 '특정한'은 이와 반대되는 의미이다.
③ 맛보기 – 유기농의 ➡ 주방에서의 자부심이라고 했으므로 '맛보기'와는 관련 없는 내용이며, '유기농' 음식에 대해서도 언급되지 않았다.
④ 다이어트 하기 – 건강한
⑤ 다이어트 하기 – 이국적인
➡ ④, ⑤처럼 '다이어트'와 관련된 내용은 언급되지 않았고, '건강식'은 사례 중 일부분으로 등장했을 뿐이다. 또한 '이국적인' 음식에 대한 언급도 없었다.

구문 해설

[5행] Moreover, this group **is more likely than** the average person **to** enjoy eating diverse kinds of food: from salads and seafood to hamburgers and hot chips.
▶ 〈be likely + to부정사〉는 '~할 것 같다'라는 뜻을 나타내는데, 비교급 more than이 삽입되어 '…보다 더 ~할 것 같다'라는 의미이다.
[7행] In contrast, people **who** say "I **would rather** clean **than** make dishes." don't share this wide-ranging enthusiasm for food.
▶ 주격 관계대명사 who가 이끄는 절에 인용문이 있는 형태로 people이 주어, don't share가 동사인 문장이다. 〈would rather A than B〉는 'B하느니 차라리 A하다'라는 의미이다.

어휘

according to ~에 따르면 **confidence** 자신감, 자부심 **be linked to** ~와 연관되다 **vegetarian** 채식주의의, 채식의 **diverse** 다양한 **in contrast** 대조적으로, 그에 반해서 **wide-ranging** 폭넓은, 광범위한 **in general** 일반적으로, 보통 **eat out** 외식하다 **when it comes to** ~에 관한 한

[16~18] 16 ③ 17 ⑤ 18 ④

해석

(A) Kevin은 차를 닦으며 쇼핑몰 앞에 있었다. 그는 방금 세차장에서 나와서 아내를 기다리고 있었다. 사회가 걸인이라고 여길 만한 한 노인이 주차장 건너편에서 그를 향해 다가오고 있었다. 그의 행색으로 보아, 그는 집도 돈도 없어 보였다. 여러분이 관대하다고 느낄 때도 있지만 그저 방해받고 싶지 않은 그런 때도 있다.
(C) 이번이 그런 '방해받고 싶지 않은' 때 중의 하나였다. "저 노인이 나에게 돈을 요구하지 않으면 좋겠어."라고 Kevin은 생각했다. 그는 그렇게 하지 않았다. 그는 다가와 버스 정류장 앞 벤치에 앉았지만 심지어 버스 탈 돈도 충분히 가지고 있는 것처럼 보이지 않았다. 몇 분 후 그가 입을 떼었다. 그는 "차가 참 멋지네요."라고 말했다. 그는 누더기 옷을 입고 있었지만 그는 그의 주변에 위엄의 기운을 가지고 있었다. Kevin은 "고맙습니다."라고 말하고는 자신의 차를 계속 닦았다.
(D) Kevin이 차를 닦고 있을 때 그는 잠자코 거기에 앉아 있었다. 예상했던 돈의 요구는 전혀 없었다. 그들 사이의 침묵이 길어지자, Kevin은 "혹시 도움이 필요하세요?"라고 물었다. Kevin이 결코 잊지 못할 간단하지만 심오한 세 단어로 그가 대답했다. "우리 모두 그

렇지(도움이 필요하지) 않나요?" Kevin은 그 세 단어가 그에게 강한 인상을 주기 전까지 자신이 성공하고 중요한 사람이라고 느끼고 있었다. 우리 모두 그렇지 않은가?
(B) Kevin 또한 도움이 필요했다. 아마 버스비나 잠 잘 곳(에 대한 도움)은 아니겠지만, 그는 도움이 필요했다. 그는 지갑을 열었다. 그리고 Kevin은 그에게 버스비를 낼 뿐만 아니라, 따뜻한 식사를 할 만큼 충분히 (돈을) 주었다. 여러분이 아무리 가진 것이 많아도, 아무리 많이 이루었더라도, 여러분 역시 도움이 필요하다. 여러분이 아무리 가진 것이 없어도, 아무리 골칫거리가 많다고 하더라도, 심지어 돈이나 잠잘 곳이 없더라도, 여러분은 도움을 줄 수 있다.

해설

16 쇼핑몰 앞에 있던 Kevin에게 걸인처럼 보이는 노인이 다가왔다는 내용의 (A) 다음에는 Kevin이 그 노인이 자신에게 돈을 요구하지 않았으면 좋겠다고 생각했고, 노인은 그저 벤치에 앉아 있다가 한참 후 차가 멋지다는 말만 했다는 내용의 (C)가 온다. 그 후에, 침묵이 길어지자 Kevin은 노인에게 도움이 필요한지를 물었고 노인은 '우리 모두가 그렇지 않냐'고 반문했다는 내용의 (D)가 온 다음 마지막으로 (B)에서 Kevin은 노인의 대답에서 큰 깨달음을 얻고 노인에게 버스비와 식사를 할 수 있을 만큼의 돈을 주었다는 흐름이 자연스럽다. 따라서 ③ (C)-(D)-(B)가 순서로 가장 적절하다.
17 ①, ②, ③, ④는 노인을 가리키지만, ⑤는 Kevin을 가리킨다.
18 I hope the old man doesn't ask me for any money, He came and sat on the bench in front of the bus stop, He sat there quietly를 통해 버스 정류장 앞 벤치에 앉아 있었던 사람은 Kevin이 아닌 누더기를 걸친 노인이었음을 알 수 있다. 따라서 ④가 글의 내용과 일치하지 않는다.

오답 노트

16 ①, ② ➡ Kevin이 지갑을 연 상황은 Kevin이 노인에게 도움이 필요하냐고 물은 후 노인이 '우리 모두 도움이 필요하지 않냐'고 다시 물어본 뒤의 일이다. 따라서 (B)는 (D) 앞에 올 수 없다.
④, ⑤ ➡ (D)에서 노인이 가만히 앉아 있었다는 것은 (C)에서 노인이 버스 정류장 앞 벤치에 앉았다는 내용과 이어지므로 (D)는 (C) 뒤에 와야 한다.

구문 해설

[2행] An old man **whom** society would consider a beggar was coming toward him from across the parking lot.
▶ whom은 목적격 관계대명사로 whom ~ a beggar가 An old man을 수식한다. 구어체에서는 whom 대신 who를 쓰기도 한다.
[9행] **No matter how** much you have, **no matter how** much you **have accomplished**, you need help too.
▶ no matter how는 '아무리 ~하더라도'라는 뜻의 양보의 부사절을 이끄는 접속사이다. 뒤의 부사절에는 have accomplished로 현재완료 시제가 쓰였다.
[22행] He answered in three simple but profound words **that** Kevin **shall** never forget: "Don't we all?"
▶ three simple but profound는 앞에서 words를 수식하고, that 이하의 목적격 관계대명사절(that ~ forget)은 뒤에서 words를 수식한다. shall은 '~할 것이다'라는 미래 의지를 나타내는 조동사이다.

어휘

beggar 걸인, 거지 **generous** 관대한 **bother** 방해하다, 신경 쓰이게 하다 **not only A but (also) B** A뿐만 아니라 B도 **accomplish** (업적 등을) 이루다 **load** 가득 안겨주다 **air** 기운, 인상, 태도 **request** 요구 **profound** 심오한

실전 모의고사 5회

● 본문 124~135쪽

1 ①	2 ③	3 ①	4 ①	5 ②	6 ④
7 ④	8 ③	9 ⑤	10 ①	11 ③	12 ④
13 ④	14 ⑤	15 ①	16 ③	17 ⑤	

1 ①

해석

관계자께,
제 아내와 저는 Lakeview Senior 아파트 단지의 주민입니다. 저희는 이곳의 몇몇 주민들로부터 혼자 힘으로 마을을 다닐 수 있는 능력을 향상시키도록 저희가 도울 수 있을지 알아봐 달라는 요청을 받았습니다. 가장 가까운 버스 정류장은 가파른 언덕 아래 아파트 단지로부터 0.5마일 내려간 곳에 있습니다. 이곳 주민들 중 버스 정류장까지 걸어 다니는 것을 (그리고 특히 버스 정류장으로부터 걸어 올라오는 것을) 편안하게 느끼는 사람은 거의 없습니다. 저희는 15번 버스 노선이 언덕을 따라 단지로 올라오도록 약간 변경될 수 있을지 문의드립니다. 저는 여러 승객들이 매일 올라가고 내려가며 매우 감사해 할 것이라고 당신께 약속드릴 수 있습니다. 당신의 답을 곧 듣기를 기대합니다.
진심을 담아,
Ron Miller 드림

해설

후반부의 We are asking if the route for bus 15 could be changed slightly ~.에 글의 목적이 잘 드러나 있다. 필자는 아파트 단지의 버스 정류장이 가파른 언덕 아래에 위치해 있고 너무 멀어 불편하다고 호소하며 주민들의 편의를 위해 약간의 조치를 취해 달라고 요청하고 있다. 따라서 이 글의 목적으로 가장 적절한 것은 ① '버스 노선의 변경을 요청하려고'이다.

오답 노트

② 버스 노선 운영의 중단을 공지하려고
③ 아파트 주변 산책로 조성을 건의하려고
④ 버스 기사의 친절한 서비스에 감사하려고
⑤ 아파트 관리비 과다 청구에 대해 항의하려고
➡ ②, ③, ④ ⑤는 모두 본문에서 언급되지 않은 내용이다.

구문 해설

[3행] We **have been asked** by some of the residents here **to see if** we can help improve their ability **to get** around town independently.
▶ have been asked는 현재완료 수동태로, 목적어로 명사적 용법의 to부정사 to see가 왔다. 명사절을 이끄는 접속사 if는 '~인지 아닌지'의 의미로 whether로 바꾸어 쓸 수 있고, to get은 to부정사의 형용사적 용법으로 쓰여 their ability를 수식한다.
[5행] **Very few** of the residents here **feel comfortable walking** all the way to (and especially from) the bus stop.
▶ 문장의 주어는 Very few of the residents로 very few는 '극히 적은'의 의미이며, 동사는 feel이다. 〈feel comfortable -ing〉는 '~에 편안함을 느끼다'라는 뜻이다.

어휘

resident 주민, 거주자 **complex** (건물) 단지 **independently** 혼자 힘으로, 자유롭게 **steep** 가파른 **route** 노선, 경로, 길 **slightly** 약간 **grateful** 감사하는 **rider** 승객 **look forward to** ~을 기대하다

2 ③

해석

Annemarie는 막 모퉁이에 도착했을 때 숨을 몰아쉬며 올려다보았다. 그녀는 매우 긴장했다. "Halte!(정지!)" 단호한 목소리로 그 군인이 명령했다. 그 독일어 단어는 무서운 만큼이나 익숙한 것이었다. Annemarie는 전에 그 말을 충분히 자주 들어 왔지만 지금까지는 그 말이 자신을 겨냥했던 적은 없었다. 그녀 뒤에서 Ellen 또한 속도를 늦추고 멈추었다. Annemarie는 위를 응시했다. 두 명의 군인이 있었다. 그것은 두 개의 헬멧, 그녀를 노려보는 두 쌍의 차가운 눈, 그리고 집으로 가는 그녀의 길을 막으며 보도를 확고하게 딛고 있는 네 개의 높고 반짝거리는 부츠를 의미했다. 그리고 그것은 군인들의 손 안에 꽉 쥐어진 두 개의 총을 의미했다. 그녀는 그 총을 보고는 움직일 수 없었다.

해설

Annemarie가 그녀를 노려보며 길을 가로막는, 총을 든 두 명의 군인 앞에서 느꼈을 감정은 몸을 움직일 수 없을 정도의 긴장감과 두려움임을 추측할 수 있다. 따라서 Annemarie의 심경으로 가장 적절한 것은 ③ '긴장되고 두려운'이다.

오답 노트

① 자랑스럽고 만족스러운 ➡ 자랑스럽고 만족스러운 심경을 느낄 만한 상황이 아니다.
② 부러워하고 몹시 화가 난 ➡ 군인들이 길을 막는 상황에서 부러워할 만한 단서는 없다.
④ 지루해하고 무관심한 ➡ 군인들이 총을 들고 위협하는 상황이 지루하다고 할 수 없다.
⑤ 안도하며 자신감 있는 ➡ 안도하는 것과 정반대의 상황이다.

구문 해설

[1행] Annemarie looked up, **panting**, just **as** she reached the corner.
▶ panting은 동시동작을 나타내는 분사구문으로 as she panted로 바꾸어 쓸 수 있다. 뒤의 as는 때를 나타내는 부사로 when과 바꾸어 쓸 수 있다.
[3행] Annemarie **had heard** it often enough before, but it **had never been directed** at her until now.
▶ had heard는 과거완료 시제로 과거 시점 이전에 발생한 일이 과거 시점에 영향을 미칠 때 사용하며, had never been directed는 과거완료 수동태로 never가 있으므로 과거완료 경험 용법으로 쓰였다.
[6행] That meant two helmets, two sets of cold eyes **glaring** at her, and four tall shiny boots **planted** firmly on the sidewalk, **blocking** her path to home.
▶ 문장의 주어는 That이고, 동사는 meant이다. meant의 목적어가 등위 접속사 and로 연결되며 병렬 구조를 이루는데, 분사구가 목적어를 꾸미는 구조이다. 현재분사구 glaring at her는 cold eyes를, planted ~ sidewalk는 boots를 수식한다. blocking ~ home은 동시동작을 나타내는 분사구문이다.

어휘

one's heart skips a beat (심장이 멎을 정도로) 긴장하다, 놀라다 **direct at** ~을 겨냥하다 **stare up** 위를 응시하다 **glare at** ~을 노려보다(쏘아보다) **firmly** 확고하게 **block** 막다, 차단하다 **grip** 꽉 쥐다 **motionless** 움직이지 않는, 정지한

3 ①

해석

아이들은 대부분 본보기에 의해 배운다. 그들은 부모와 그들보다 나이가 많은 형제자매들을 본받아 자신의 행동을 형성한다. 만약 당신의 아이들이 나쁜 식습관을 가지고 있다면, 그것이 애초부터 어떻게 생겼는지 당신 자신에게 질문하라. 만약 당신이 아이들 앞에서 스스로 건강하지 않은 식단으로 먹거나, 건강을 소홀히 하거나, 혹은 흡연을 하고 음주를 한다면, 당신의 아이들이 똑같은 길을 가게 될 때 놀라지 말아야 한다. 따라서 훌륭한 역할 모델이 되어 집에서 그리고 가족 외식을 할 때 건강한 식사 환경을 조성하라. 말보다 행동이 더 큰 소리를 내는 법이다. 당신의 아이가 스스로 그들에게 무엇이 좋은지 알 것이라고 기대하지 마라.

해설

So be a good role model ~ you eat out as a family.에서 필자의 주장이 잘 나타난다. 필자는 아이들이 건강한 식습관을 갖도록 하기 위해서 부모가 훌륭한 역할 모델로서 모범을 보여야 한다고 말하고 있다. 따라서 필자가 주장하는 바로 가장 적절한 것은 ① '자녀의 건강한 식습관 형성을 위해 모범을 보여라.'이다.

오답 노트

② 가족이 함께 식사할 수 있는 시간을 확보하라. ➡ 가족의 식사 시간에 대한 내용은 언급되지 않았다.
③ 비만을 예방하기 위해 채소 섭취를 늘려라. ➡ 비만 예방에 대한 것이 아니라 식습관에 대한 내용이다.
④ 건강을 해치는 무리한 다이어트를 피하라. ➡ 본문의 diet는 체중 감량이 아니라 '식단'을 의미한다.
⑤ 자녀의 체질을 고려하여 식단을 짜라. ➡ 체질과 관련된 내용은 본문에 언급되지 않았다.

구문 해설

[2행] **If** your kids have bad eating habits, ask yourself **how that** happened in the first place.
▶ If가 이끄는 조건절 뒤에 명령문이 오는 구조이다. how 이하(how that ~ the first place)는 ask의 목적어로 쓰인 간접의문문이다. that은 지시대명사로 your kids ~ habits를 가리킨다.
[3행] If you **eat** a poor diet yourself, **neglect** your health, or **smoke and drink** in front of them, you **should**n't be surprised **when** your children go down the same road.
▶ If가 이끄는 절의 동사는 eat, neglect, smoke and drink로 or로 인해 병렬 구조를 이룬다. 주절의 동사 should는 '~해야 한다'라는 의미이다. when 이하는 때를 나타내는 부사절이다.
[7행] **Do not expect** your kids **to know** for themselves **what** is good for them.
▶ 부정명령문으로 시작하는 문장에서 〈expect + 목적어 + to부정사〉 구문이 쓰였다. what 이하(what is ~ them)는 know의 목적어로 간접의문문 형태로 왔다.

어휘

model 모범에 맞추다; 역할 모델 **sibling** 형제자매 **in the first place** 애초에, 처음에 **neglect** 소홀히 하다, 간과하다 **go down the same road** 똑같은 길을 가다 **set the stage for** ~을 위한 환경을 조성하다[자리를 마련하다]

4 ①

해석

만약 당신이 갓 구운 빵 냄새가 나는 방으로 걸어 들어간다면, 당신

은 꽤나 기분 좋은 그 냄새를 금방 알아차리게 된다. 하지만, 몇 분 동안 방에 머무르면 그 냄새는 사라지는 것처럼 보일 것이다. 사실, 냄새를 다시 감지하는 유일한 방법은 방을 나간 후 다시 들어오는 것이다. 정확히 똑같은 개념이 행복을 포함한 우리 삶의 많은 영역에 적용된다. 모든 사람에게는 행복을 느끼는 무언가가 있다. 아마도 사람들은 소중한 동반자, 건강, 만족스러운 직업, 편안한 집, 혹은 충분한 음식을 갖고 있을 것이다. 그러나 시간이 지남에 따라, 사람들은 그들이 가진 것에 익숙해진다. 그리고 마치 갓 구운 빵 냄새처럼, 이런 소중한 것들은 마음에서 사라진다. 속담에서 말하듯이, 사람들은 우물이 마른 후에야 물의 소중함을 알게 된다.

해설

시간이 흐름에 따라 사람들이 갓 구운 빵 냄새에 익숙해져서 그 냄새를 맡지 못하게 되는 것처럼, 사람들은 자신의 소중한 것들에 익숙해지면 그것들의 가치를 잊게 된다는 내용이다. 따라서 밑줄 친 부분이 의미하는 바로 가장 적절한 것은 ① '잃어봐야 그 소중함을 깨닫는다.'이다.

오답 노트

② 지나가버린 일에 얽매일 필요가 없다.
③ 하찮다고 소중하지 않은 것이 아니다.
④ 물 흐르듯 자연의 이치에 순응해야 한다.
⑤ 인생사에서 아무리 작은 일이라도 놓쳐서는 안 된다.
➡ ②, ③, ④, ⑤는 모두 본문의 내용과 관련이 없다.

구문 해설

[2행] However, **stay** in the room for a few minutes**, and** the smell will seem to disappear.
▶ 〈명령문, and ~.〉로 '…하라, 그러면 ~할 것이다.'라는 의미이다.
[3행] In fact, the only way **to detect** it again is **to walk** out of the room and **come** back in.
▶ 주어는 the only way이고, 동사는 is이다. to detect는 the only way를 수식하는 형용사적 용법의 to부정사이다. 보어인 명사적 용법의 to부정사구 to walk out ~ room과 (to) come back in이 등위 접속사 and로 병렬 연결된 구조이다.
[7행] **As** time passes, however, they **get used to what** they have.
▶ 접속사 As는 '~함에 따라, ~하면서'라는 의미의 부사절을 이끈다. get used to는 '~에 익숙해지다'라는 의미로 이때 to는 전치사이기 때문에 뒤에 명사상당어구가 온다. 여기서는 선행사를 포함하는 관계대명사 what이 이끄는 명사절이 왔다.

어휘

detect 감지하다 **rather** 꽤 **pleasant** 기분 좋은 **disappear** 사라지다 **apply to** ~에 적용되다 **including** ~을 포함하여 **asset** 자산, 소중한 것 **proverb** 속담 **till** ~까지 **well** 우물

5 ②

해석

우주왕복선 Challenger 호가 폭발한 후 어느 날, Ulric Neisser가 한 학급의 106명 학생들에게 그들이 그 소식을 들었을 때 어디에 있었는지를 정확히 써 달라고 요청했다. 2년 반 후, 그는 그들에게 똑같은 질문을 했다. 그 두 번째 면담에서 학생들 중 25퍼센트는 완전히 다른 대답을 했다. 절반은 중대한 오류를 범했고, 10퍼센트 미만이 정확하게 기억했다. 이것이 사람들이 자신이 몇 달 전 목격한 범죄를 묘사해야 할 때 증인석에서 실수를 저지르는 하나의 이유이다. 1989년과 2007년 사이 미국에서는 201명의 수감자들이 DNA 증거를 통해 무죄라고 밝혀졌다. 이러한 수감자들 중 75퍼센트가 잘못된 목격자 진술에 기초하여 유죄로 판결을 받았었다.

해설

우주왕복선 Challenger 호가 폭발했다는 소식을 들었을 때 어디에 있었는지에 대한 질문을 사건 직후와 2년 반 후에 똑같이 했을 때 많은 학생들이 다른 대답을 했다는 연구를 통해 시간이 지남에 따라 사람들이 갖고 있는 기억의 내용이 부정확할 가능성이 높아진다는 내용의 글이다. 따라서 이 글의 주제로 가장 적절한 것은 ② '시간이 지남에 따라 회상된 정보의 부정확성'이다.

오답 노트

① 주요한 우주 (탐사) 임무 실패의 원인 ➡ 우주 탐사 임무 실패의 원인이 아니라 폭발 사고 소식에 대한 기억의 정확성을 비교하는 내용이다.
③ 목격자를 위협으로부터 보호하는 것의 중요성 ➡ 목격자를 위협으로부터 보호하는 것에 대한 내용은 언급되지 않았다.
④ 사람의 장기 기억을 향상시키는 요인 ➡ 장기 기억 향상 요인에 관한 내용은 언급되지 않았다.
⑤ 범죄 수사에서 DNA 증거를 수집하는 방법 ➡ DNA 증거 수집 방법에 대한 내용은 언급되지 않았다.

구문 해설

[1행] One day after the space shuttle *Challenger* exploded, Ulric Neisser **asked** a class of 106 students to write down exactly **where they were when** they heard the news.
▶ 주절은 asked가 동사, a class of 106 students가 목적어, to write 이하가 목적격보어이다. write down의 목적어로 때를 나타내는 부사절 when ~ the news를 포함한 간접의문문 where ~ the news가 왔다.
[6행] This is one reason **why** people make mistakes on the witness stand when they have to describe a crime they saw months before.
▶ 관계부사 why 이하(why people ~ before)가 선행사 one reason을 수식하고 있는데, reason과 why 중 하나는 생략이 가능하다. crime과 they 사이에는 목적격 관계대명사 that이 생략되었고 they saw ~ before가 a crime을 수식한다.

어휘

space shuttle 우주왕복선 **explode** 폭발하다 **significant** 중대한 **witness stand** 증인석 **prisoner** 수감자, 죄수 **innocent** 무죄인 **declare** 선언하다 **guilty** 유죄의 **eyewitness** 목격자 **account** 진술

6 ④

해석

2000년에 스코틀랜드의 Glasgow 시 정부는 주목할 만한 범죄 예방책을 우연히 발견한 것으로 보였다. 공무원들이 눈에 잘 띄는 다양한 장소에 일련의 파란색 전등을 설치함으로써 도시를 아름답게 하기 위해 팀을 고용했다. 이론상으로, 파란색 전등은 밤에 도시의 상당 부분을 밝히는 노란색과 흰색 전등보다 더 매력적이고 차분하며, 실제로 그 파란색 전등들이 진정시키는 빛을 발하는 듯했다. 몇 달이 지나서 도시의 범죄 통계학자들이 주목할 만한 경향을 알아차렸는데, 새롭게 파란색으로 휩싸인 장소들이 범죄 활동의 극적인 감소를 경험했다는 것이다. Glasgow 시에서의 파란색 전등은 경찰차 위의 전등처럼 보여서 경찰이 언제나 지켜보고 있음을 암시하는 듯했다. 그 전등은 결코 범죄를 줄이기 위해 설계되지는 않았지만, 정확히 그 일은 파란색 전등이 하고 있는(범죄를 예방하고 있는) 것처럼 보였다.

해설

스코틀랜드 Glasgow 시 정부는 도시 미관을 위하여 파란색 전등을 설치했는데 뜻밖에도 파란색 전등이 설치된 장소들에서 범죄율이 낮아졌고, 이는 파란색 전등이 경찰차의 전등을 연상시켰기 때문이라는 내용의 글이다. 따라서 이 글의 제목으로 가장 적절한 것은 ④ '파란색 전등에서 생긴 예상치 못한 결과'이다.

오답 노트

① 지구를 위하여 전등을 꺼라 ➡ 환경 보호와는 무관한 내용이다.
② 파란색은 사람들이 외로움을 느끼도록 만든다 ➡ 파란색의 범죄 예방 효과에 대한 글이지 외로움에 대한 내용은 언급되지 않았다.
③ 정신을 고양시켜 주는 화려한 전등 ➡ 파란색에 초점을 맞춘 글이지 화려한 불빛에 대한 글은 아니다.
⑤ 더 깨끗한 거리가 더 낮은 범죄율을 이끈다 ➡ 거리의 깨끗함과 범죄율의 관계는 본문에서 언급되지 않았다.

구문 해설

[8행] The blue lights in Glasgow**, which** mimicked the lights atop police cars, seemed to imply **that** the police **were** always **watching**.
▶ which는 주격 관계대명사로 콤마(,) 뒤에 이어지면서 계속적 용법으로 쓰였다. which ~ police cars는 선행사 The blue light에 대해 부연 설명을 한다. that은 명사절을 이끄는 접속사이고, that 절 내의 동사는 were watching으로 과거진행 시제가 쓰였다.
[10행] The lights **were** never **designed to reduce** crime, but **that**'s exactly **what they** appeared to be doing.
▶ 주어인 The lights와 동사가 수동의 관계이므로 were designed의 수동태가 왔다. to reduce는 to부정사의 부사적 용법 중 목적의 의미로 쓰였다. that은 to reduce crime을 받고, what은 선행사를 포함한 관계대명사로 the thing which[that]로 바꾸어 쓸 수 있다. they는 the lights를 대신한다.

어휘

stumble on 우연히 발견하다 **remarkable** 주목할 만한 **prevention** 예방 **beautify** 아름답게 하다 **install** 설치하다 **noticeable** 눈에 잘 띄는 **illuminate** 밝히다, (빛을) 비추다 **soothing** 진정시키는, 진정하는 **glow** 빛, 불빛 **statistician** 통계학자 **striking** 주목할 만한 **bathe** (빛으로) 휩싸다 **atop** 꼭대기에, 맨 위에 **imply** 암시하다

7 ④

해석

Edith Wharton은 1862년에 뉴욕 시의 한 부유한 가정에서 태어났다. 가정에서 개인 교사들에 의해 교육을 받아서 그녀는 일찍이 독서와 글쓰기를 즐겼다. 그녀의 첫 번째 소설인 〈The Valley of Decision〉이 1902년에 출판된 후, 그녀는 많은 소설을 집필했고 몇몇은 그녀에게 폭넓은 독자층을 가져다주었다. Wharton은 또한 건축에 매우 큰 애정이 있었고, 그녀는 자신의 첫 번째 실제 집을 설계하여 건축했다. 제1차 세계대전 동안, 그녀는 프랑스와 벨기에의 고아들을 돕는 데 많은 시간을 쏟았고, 그들을 부양하기 위해 기금을 모으는 것을 도왔다. 전쟁 후, 그녀는 프랑스의 프로방스에 정착했으며 거기에서 〈The Age of Innocence〉의 집필을 끝마쳤다. 이 소설로 Wharton은 1921년 Pulitzer상을 받았고, 그녀는 이 상을 받은 최초의 여성이 되었다.

해설

After the war, she settled in Provence, France, and she finished writing *The Age of Innocence* there.라고 했으므로 Edith Wharton은 전쟁이 끝난 후에 〈The Age of Innocence〉의 집필을 끝냈음을 알 수 있다. 따라서 글의 내용과 일치하지 않는 것은 ④이다.

오답 노트

① 1902년에 첫 소설이 출판되었다. ➡ After her first novel, *The Valley of Decision*, was published in 1902, she wrote many novels and some gained her a wide audience.
② 건축에 관심이 있어 자신의 집을 설계했다. ➡ Wharton also had a great love of architecture, and she designed and built her first real home.
③ 프랑스와 벨기에의 고아를 도왔다. ➡ During World War I, she devoted much of her time to assisting orphans from France and Belgium and helped raise funds to support them.
⑤ 여성 최초로 Pulitzer상을 받았다. ➡ This novel won Wharton the 1921 Pulitzer Prize, making her the first woman to win the award.

구문 해설

[2행] **Educated** by private tutors at home, she enjoyed reading and writing early on.
▶ Educated by ~ at home은 이유를 나타내는 분사구문으로, As she was educated by ~ at home으로 바꾸어 쓸 수 있다.
[5행] During World War I, she **devoted** much of her time **to assisting** orphans from France and Belgium and **helped raise** funds **to support** them.
▶ she가 주어, devoted와 helped가 동사로 and에 의해 병렬 연결되었다. 〈devote + 목적어 + to〉는 '~에 전념하다, 몰두하다'라는 뜻으로 devote의 목적어로 much of her time이 왔다. 여기서 to는 전치사이므로 뒤에 목적어로 명사나 명사상당어구가 와야 하므로 동명사인 assisting이 왔다. helped의 목적어로 동사원형 raise가 왔는데, to raise가 올 수도 있다. 뒤의 to support는 to부정사의 부사적 용법으로 목적의 의미로 쓰였다.
[9행] This novel won Wharton the 1921 Pulitzer Prize, **making** her the first woman **to win** the award.
▶ making 이하는 동시상황을 나타내는 분사구문으로, and made ~로 바꾸어 쓸 수 있다. to win은 to부정사의 형용사적 용법으로 the first woman을 수식한다.

어휘

wealthy 부유한 **private tutor** 가정 교사 **architecture** 건축 **assist** 돕다 **orphan** 고아 **raise funds** 기금을 모으다 **settle in** ~에 정착하다

8 ③

해석

The Goodtime DIY 핼러윈 의상 경연 대회
DIY(do-it-yourself) 핼러윈 의상을 만들어서 여러분의 창의력을 뽐내세요.
〈참가 가능자〉
– 참가자는 Wisconsin 주에 거주해야 합니다.
〈규칙과 지침〉
– 참가자 1명 당 단 한 개의 출품작
– 저희는 여러분이 제작한 의상을 입고 있는 여러분의 사진 한 장만을 받을 것입니다. (영상은 허용되지 않습니다.)
– 사진은 10월 25일까지 제출되어야 합니다.

〈상품〉
- 상위 10개 출품작은 대중의 온라인 투표를 통해 선정될 것이고, 저희의 패션 디자이너들이 최종 수상자들을 결정할 것입니다.
- 1등: 태블릿 PC와 핼러윈 의상 세트
- 2등과 3등: 100달러 상당의 Goodtime 상품권

해설

We will accept only one photo of you wearing the costume you made.를 통해 직접 만든 의상을 입고 찍은 사진만 받는다는 것을 알 수 있다. 따라서 안내문의 내용과 일치하는 것은 ③이다.

오답 노트

① 참가 자격에 제한이 없다. ➡ Contestants must live in the state of Wisconsin.
② 1인당 여러 개의 작품을 제출할 수 있다. ➡ Only one entry per contestant
④ 패션 디자이너들이 출품작 중 상위 10개를 선정한다. ➡ The top 10 entries will be picked through public online voting, and our fashion designers will decide the final winners.
⑤ 1등 상품으로 100달러 상당의 상품권이 주어진다. ➡ First place: Tablet PC & Halloween costume set

구문 해설

[9행] We will accept only one photo of you **wearing** the costume you made.
▶ 현재분사구인 wearing the costume이 앞의 you를 수식한다. costume과 you 사이에는 목적격 관계대명사 that이 생략되었고, you made가 앞의 the costume을 수식한다.
[10행] Photos **must be submitted by** October 25.
▶ must be submitted는 〈조동사+수동태〉의 형태로 must는 '~해야 한다'라는 의무를 나타낸다. 전치사 by는 '~까지'의 의미로 쓰였다.

어휘

DIY 자기가 직접 만든 것(= do-it-yourself) **costume** 의상 **show off** ~을 자랑하다 **contestant** 참가자 **guideline** 지침 **entry** 출품작 **submit** 제출하다 **voting** 투표 **gift certificate** 상품권

9 ⑤

해석

"나는 네가 참 자랑스러워."라는 칭찬에 있어 잘못된 점이 무엇일까? 많다. 당신의 자녀에게 거짓된 칭찬을 하는 것이 현명하지 못하듯, 자녀의 모든 성취에 대해 보상하는 것 또한 실수이다. 보상이 꽤 긍정적으로 들리기는 하지만, 그것은 종종 부정적인 결과로 이를 수 있다. 이는 그것이 배움의 즐거움을 깎아내릴 수 있기 때문이다. 만약 당신이 자녀의 성취에 대해 지속적으로 보상을 해 준다면, 당신의 자녀는 보상을 얻기 위해 그녀가 하는 일 자체보다는 보상을 얻는 것에 좀 더 집중하기 시작한다. 자녀의 즐거움의 초점이 배움 그 자체를 즐기는 것에서 당신을 기쁘게 하는 것으로 옮겨 간다. 만약 당신이 자녀가 글자를 알아볼 때마다 박수를 쳐 준다면, 자녀는 결국 당신이 칭찬하는 것을 듣기 위해서보다 알파벳 그 자체를 배우는 것에 흥미를 덜 갖게 되는 칭찬 애호가가 될 수도 있다.

해설

⑤ 주격 관계대명사 who가 이끄는 관계대명사절의 주어는 선행사 a praise lover로 단수이다. 따라서 become은 becomes로 고쳐야 한다.

오답 노트

① ➡ 가주어 it이 대신하는 진주어 역할을 하는 것이 와야 하므로 to부정사 to offer는 적절하다.
② ➡ sound 같이 감각을 나타내는 동사는 보어로 형용사가 오므로 positive는 적절하다.
③ ➡ 선행사인 명사를 포함하는 관계대명사가 와야 하므로 what은 적절하다.
④ ➡ shift from A to B(A에서 B로 옮겨가다)에서 to는 전치사이므로 뒤에는 명사 또는 명사상당어구가 와야 한다. 따라서 동명사인 pleasing은 적절하다.

구문 해설

[4행] **It is because** they can take away from the love of learning.
▶ It is because ~.는 '그것은 ~ 때문이다.'라는 뜻이며, 이때 주어 it이 가리키는 것은 앞 문장이다.
[8행] **If** you applaud every time your child identifies a letter, she may become a praise lover **who** eventually becomes **less** interested in learning the alphabet **for its own sake than** for hearing you applaud.
▶ 접속사 If가 이끄는 조건의 부사절과 주절이 연결된 구조이다. who가 이끄는 주격 관계대명사절이 선행사인 a praise lover를 수식하고 있다. less than은 '~보다 덜 …한'의 뜻인 열등 비교 구문이다. 알파벳 학습에 흥미를 갖게 되는 목적을 서술한 for its own sake와 for hearing you applaud가 접속사 than으로 연결되어 있다. for its own sake는 '그 자체를 위해서'라는 뜻인데 여기서 its가 가리키는 것은 alphabet's이다.

어휘

compliment 칭찬 **plenty** 많은 **unwise** 현명하지 못한 **praise** 칭찬 **consequence** 결과 **take away from** ~을 깎아내리다[폄하하다] **steadily** 끊임없이 **excitement** 흥분, 즐거움 **shift** 이동하다 **applaud** 박수치다; 칭찬하다

10 ①

해석

〈Journal of Experimental Social Psychology〉에 실린 한 연구는 협상을 더 원활하게 만드는 한 방법을 제안한다. 이 연구는 온라인 메신저를 통해 오토바이의 구매를 협상했던 대학생들을 조사했다. 참가자들은, 자신이 물리적으로 멀리 떨어져 있다(15마일 넘게)고 믿을 때, 자신이 더 가까이 있다(몇 피트)고 믿을 때보다 협상이 더 쉬웠고 더 많은 타협을 보았다고 대답했다. 연구자들은 사람들이 더 멀리 떨어져 있을 때 요인들을 좀 더 추상적으로 고려한다고 설명한다. 그러는 동안, 그들은 덜 중요한 것들에 매달리기보다 주요 사안들에 집중한다. 그러므로 당신이 다음에 복잡한 거래를 성사시켜야 할 때에는 먼 거리에서 시작하는 것이 가치가 있을 수 있다고 연구자들은 말한다.

해설

연구 결과, 사람들은 가까이 있다고 믿을 때보다 멀리 떨어져 있다고 믿을 때 협상이 더 쉬웠고 타협도 수월했다. 그래서 복잡한 거래를 할 때는 멀리 떨어져 있다고 믿게 하는 것이 좋다는 내용의 글이다. 따라서 빈칸에 들어갈 말로 가장 적절한 것은 ① '먼 거리에서 시작하는 것'이다.

오답 노트

② 명확한 시한을 정하는 것 ➡ 시한에 관한 언급은 없다.
③ 진짜 의도를 감추는 것 ➡ 의도에 관한 언급은 없다.

④ 사소한 문제들을 먼저 처리하는 것 ➡ 타협을 쉽게 보기 위해서는 멀리 떨어져 있어야 하고, 주요 사안에만 집중해야 한다고 했으므로 글과 반대되는 선택지이다.
⑤ 서로 친해지는 것 ➡ 거리와 협상의 성공 여부 사이의 관계에 대한 것이지 친분과 관련된 내용이 아니다.

구문 해설

[3행] The participants answered **that** when they believed they were physically far apart (more than 15 miles), negotiations were **easier** and showed **more compromise than** when they believed they were closer (a few feet).
▶ 문장의 목적어로 접속사 that이 이끄는 명사절이 왔는데, 명사절은 다시 ⟨시간을 나타내는 부사절 + 주절⟩로 이루어졌다. 이 주절은 ⟨동사 + 비교급 and 동사 + 비교급 than ~⟩의 구조로, 여기서 비교하는 것은 '거리가 멀다고 믿었을 때와 가까이 있다고 믿었을 때'의 시간 부사절이다.
[9행] **So next time** you have to work out a complex deal, the researchers say, **it** may be worthwhile **to begin** from a distance.
▶ 접속사 So로 시작되므로 이 문장은 앞 문장의 결과를 나타내고, next time은 시간을 나타내는 부사절을 이끈다. 문장 중간에 삽입된 the researchers say가 문장의 진짜 주절인데, say의 목적어가 되는 절의 주어 it은 가주어이고 진주어는 명사적 용법의 to부정사인 to begin이다.

어휘

suggest 제안하다 **survey** 조사하다 **negotiate** 협상하다 **purchase** 구매 **compromise** 타협하다 **abstract** 추상적인 **get hung up on** ~에 매달리다 **worthwhile** 가치 있는 **intention** 의도

11 ③

해석

관리자들에게 그들의 직원을 지도하는 방법과 그들에게 효과적인 피드백을 주는 방법을 가르치려고 노력하는 데 매년 많은 돈과 시간이 든다. 하지만 이런 훈련의 상당 부분은 효과가 없으며, 많은 관리자들은 형편없는 코치인 채로 남아 있다. 이는 왜일까? 연구는 왜 기업의 훈련이 종종 실패하는지 해명한다. Peter Hesling과 그의 동료들이 실시한 연구는 많은 관리자들이 개인적인 변화를 믿지 않는다는 것을 보여 준다. 이런 관리자들은 처음에 직원들을 유능하거나 무능하다고 판단해 버린다. 그들은 지도를 거의 하지 않으며 직원들이 발전했을 때에도 알아차리지 못한다. 게다가 그들이 직원들로부터 비판적인 피드백을 구하거나 받아들일 가능성은 훨씬 더 적다. 직원들이 변할 수 없다면 왜 성가시게 그들을 지도하며, 당신이 변할 수 없다면 왜 그들로부터 피드백을 받겠는가?

해설

빈칸 이후의 문장에 이 글에서 언급한 연구의 결과에 대한 내용이 나와 있다. 즉, 많은 관리자들이 처음부터 직원들을 자의적으로 판단해 버린 후, 직원들이 개인적으로 발전하더라도 알아채지 못하고 그들로부터 비판적인 피드백을 구하거나 받아들이지 않는다는 내용의 글이다. 따라서 빈칸에 들어갈 말로 가장 적절한 것은 ③ '개인적인 변화를 믿지 않는다'이다.

오답 노트

① 재정적 장려금을 거의 제공하지 않는다
② 그들의 결정을 너무 자주 바꾼다
④ 그들의 목표를 비현실적으로 높게 설정한다
⑤ 신중히 숙고하지 않고 위험을 감수한다
➡ ①, ②, ④, ⑤는 모두 본문에서 언급되지 않은 내용이다.

구문 해설

[1행] A lot of money and time is spent each year **trying to teach** managers **how to coach** their employees and **give** them effective feedback.
▶ 동사가 is spent로 수동태인 문장이다. ⟨spend + 시간 + -ing⟩는 '~하는 데 시간을 쓰다'라는 뜻이고 try가 동명사 trying 형태로 왔다. managers는 teach의 간접목적어이고, how to ~ effective feedback이 직접목적어이다. ⟨how + to부정사⟩는 '~하는 방법' 또는 '어떻게 ~하는지'라는 뜻이며, and와 give 사이에 반복되는 how to가 생략되었다.
[4행] Studies by Peter Hesling and his colleagues show **that** many managers do not believe in personal change.
▶ by ~ colleagues는 주어 Studies를 수식하는 전치사구이고, 동사는 show이다. that은 명사절을 이끄는 접속사이다.
[7행] What's more, they **are** far less **likely to seek** or **accept** critical feedback from their employees.
▶ ⟨be likely + to부정사⟩는 '~할 가능성이 있다'라는 뜻인데, less가 삽입되어 열등 비교로 '~할 가능성이 적다'라는 뜻이다. far는 비교급 less를 강조하기 위해 쓰였다. 이는 much, even, a lot 등과 바꾸어 쓸 수 있다.

어휘

ineffective 효과가 없는 **shed light on** 해명하다, ~에 빛을 비추다 **corporate** 기업의 **colleague** 동료 **competent** 유능한 **seek** 구하다, 추구하다 **critical** 비판적인 **bother** 성가시게 하다, 괴롭히다

12 ④

해석

흰올빼미의 귀는 외부에서는 보이지 않지만 놀라운 청력을 가지고 있다. 흰올빼미의 얼굴 털은 소리를 귀로 인도하고 인간이 들을 수 없는 것들을 듣는 능력을 준다. 양쪽 귀는 크기가 다르며, 하나가 다른 하나보다 더 높이 있다. 양쪽 귀의 다른 크기와 위치는 이 올빼미가 소리들 간에 구별을 하는 데 도움이 된다. 이 올빼미는 큰 사슴의 먼 발굽소리, 위에 있는 새의 날개의 펄럭임 소리 그리고 아래에 있는 작은 동물이 땅 파는 소리를 동시에 들을 수 있다. (실제로 그것은 어둠 속에서와 먼 거리에서도 잘 볼 수 있는 시력을 가지고 있다.) 어떤 소리가 이 올빼미의 흥미를 가장 끄는지를 선택한 후, 흰올빼미는 최상의 수신 상태를 포착하기 위해 거대한 원형 안테나처럼 자신의 머리를 움직인다.

해설

이 글은 흰올빼미의 놀라운 청력에 관한 내용인데 중간에 흰올빼미의 시각 능력이 뛰어나다는 내용이 왔다. 따라서 전체 흐름과 관계없는 문장은 ④이다.

오답 노트

① ➡ 흰올빼미의 귀의 크기와 높이에 관한 내용으로 청력과 관련이 있다.
② ➡ 앞서 언급한 흰올빼미의 양쪽 귀의 크기와 위치가 다른 점이 청력에 도움이 된다는 내용이다.
③ ➡ 흰올빼미의 놀라운 청력이 어느 정도인지 자세히 설명하고 있다.
⑤ ➡ 흰올빼미가 여러 청각 자극 중 흥미를 끄는 것에 주의를 기울인다는 내용이다.

구문 해설

[2행] The feathers on a snowy owl's face guide sounds to its

ears, **giving it** the ability **to hear** things humans cannot.

▶ giving 이하(giving it ~ cannot)는 분사구문으로 and they give ~로 바꾸어 쓸 수 있다. 여기서 it은 giving의 간접목적어로 a snowy owl을 받는다. to hear는 to부정사의 형용사적 용법으로 the ability를 수식한다. things와 human 사이에는 목적격 관계대명사 that 또는 which가 생략되었고, humans cannot 뒤에는 hear이 생략된 채 things를 수식한다.

[3행] **Each** of its ears **is** a different size, and **one** is **higher than the other**.

▶ Each는 '각자, 각각'의 뜻으로 단수 취급해야 하므로 단수 동사 is가 왔다. higher than은 비교 구문이며, 귀는 두 개이므로 one, the other가 쓰였다.

[8행] After choosing **which** sound interests it most, the snowy owl moves its head **like** a large circular antenna **to pick up** the best reception.

▶ which는 의문형용사로 sound를 수식하며, choosing의 목적어로 간접의문문 which ~ most가 왔다. like는 전치사로 '~처럼'이라는 의미이며, to pick up은 to부정사의 부사적 용법 중 목적의 의미로 쓰였다.

어휘

visible (눈에) 보이는, 시각의 **incredible** 놀라운, 믿을 수 없는 **feather** 깃털 **differing** 다른, 상이한 **distinguish** 구별하다 **flap** 펄럭임 **digging** 땅 파기; 채굴 **circular** 원형의 **reception** 수신 상태

13 ④

해석

조직 행동 전문가인 Frank Barrett은 일상을 방해하고 다른 사람의 관점에서 상황을 바라보는 것이 새로운 해결책으로 이어질 수 있다고 설명한다. (C) 한 강연에서, Barrett은 고객 서비스에 대한 많은 불만을 다루고 있었던 항공사의 이야기를 공유한다. 그 항공사의 임원들은 고객들을 위해 더 나은 경험을 만들어내는 방법에 중점을 둔 워크숍을 열었다. (A) 워크숍 첫날, 다른 모든 사람들이 회의에 참석하는 동안, 그 항공사의 마케팅 부사장은 각 임원들의 호텔 방 침대를 비행기 좌석으로 교체하게 했다. (B) 비행기 좌석에서 그날 밤을 보낸 후, 그 회사의 임원들은 몇몇 '근본적인 혁신안'을 생각해 냈다. 만약 그가 임원들의 일상적 수면을 방해하지 않고 그들이 고객의 불편을 경험하도록 하지 않았다면, 그 워크숍은 주목할 만한 변화 없이 끝났을지도 모른다.

해설

주어진 글에서는 타인의 관점에서 상황을 바라볼 때 새로운 해결책을 얻을 수 있다는 Frank Barrett의 주장이 나온다. 그에 대한 예시로 어느 항공사의 워크숍에 대해 언급하는 (C)가 이어지고, 그 항공사의 워크숍에서 부사장이 임원들의 방에 비행기 좌석을 설치했다는 (A)가 등장한 다음, 고객의 입장에서 불편을 경험하고서 획기적인 아이디어가 많이 나왔다는 (B)가 오는 것이 자연스럽다. 따라서 이어질 글의 순서로 가장 적절한 것은 ④ (C) – (A) – (B)이다.

오답 노트

① ➡ 주어진 글 다음에 워크숍 첫날에 있었던 이야기인 (A)가 먼저 온 다음 워크숍 개최를 했다는 내용인 (C)가 나오는 것은 어색하다.

②, ③, ⑤ ➡ (B)의 that night은 워크숍의 첫날밤을 의미하므로 (A)의 앞에 올 수 없다.

구문 해설

[1행] Frank Barrett**,** an organizational behavior expert, explains **that** disrupting routines and looking at a situation from another's perspective can lead to new solutions.

▶ Frank Barrett과 an organizational behavior expert는 같은 사람을 나타내므로 동격의 콤마(,)가 삽입되었다. explains가 문장의 동사이고, 명사절을 이끄는 접속사 that이 이끄는 절이 목적어이다. that절의 주어는 동명사구 disrupting ~ perspective이며 동사는 can lead이다.

[4행] **While** everyone else was in meetings on the first day of the workshop, the airline's vice president of marketing **had** the beds in each leader's hotel room **replaced** with airline seats.

▶ While은 '~하는 동안'이라는 때를 나타내는 접속사이다. 주절의 동사는 had, 목적어는 the beds ~ room인데, 목적어가 '교체되는' 것이므로 뒤에 과거분사 replaced가 왔다. '~가 …되게 하다'는 의미이다.

[8행] **If** he **had not disrupted** their sleeping routines **and allowed** them to experience their customers' discomfort, the workshop **may have ended** without any noteworthy changes.

▶ 〈If + 주어 + had + 과거분사 ~, 주어 + may[would/could/might] + have + 과거분사〉의 형태로 온 가정법 과거완료이다. 가정법 과거완료는 '만약 ~했다면 …했을 텐데'라는 뜻으로 과거 사실에 반대되는 일을 가정할 때 쓴다. 조건절이 had not disrupted와 (had not) allowed로 and에 의해 병렬 구조를 이룬다.

어휘

organizational 조직의 **disrupt** 방해하다 **routine** 일상 **perspective** 관점, 시각 **replace** 교체하다, 대체하다 **discomfort** 불편 **noteworthy** 주목할 만한 **lecture** 강연 **complaint** 불만

14 ⑤

해석

분노 조절의 목적은 건강한 방식으로 분노를 표출하기 위해 당신이 가지는 선택사항을 늘리는 것이다. 다양한 분노 조절 전략을 배움으로써 당신은 분노 감정에 대응하는 방식에 있어 통제, 선택사항들, 그리고 융통성을 발전시킨다. 분노를 조절하는 다양한 방식을 배운 사람은 더 유능하고 자신감이 있다. 그리고 능력과 자신감이 좌절과 분노를 유발한 상황들을 대처하기 위해 필요한 힘을 가져다준다. 일련의 그런 기술의 개발은 우리에게 닥치는 도전에 효과적으로 대처할 수 있는 낙천성을 더 향상시킨다. 반대로, 매번 동일한 방식으로 분노에 대응하는 사람은 다양한 상황에 자신의 대응을 건설적으로 적응시키는 능력을 거의 가지고 있지 않다. 그러한 사람들은 좌절감을 느끼기 쉽고 다른 사람들 그리고 자신과의 갈등을 겪을 가능성이 더욱 높다.

해설

분노를 조절하는 다양한 방식을 배운 사람은 자신감을 가지고 자신에게 닥친 도전에 효과적으로 대응할 수 있다는 내용의 글이 이어지다가 마지막 문장에서 Such individuals는 좌절하기 쉽고 남들이나 자신과 갈등을 겪을 가능성이 높다는 정반대의 경우로 논리가 전개되었다. 주어진 문장은 '대조'를 뜻하는 연결사로 시작하고 있으며 Such individuals가 지칭하는 사람에 대한 언급이 있다. 따라서 주어진 문장이 들어가기에 가장 적절한 곳은 ⑤이다.

오답 노트

① ➡ 분노 조절의 목적에 이어 다양한 분노 조절 전략을 배우면 어떤 점이 좋은지에 대해 설명하고 있다.

②, ③, ④ ➡ 다양한 분노 조절 방법을 배운 사람은 유능하고 자신

감이 있으며, 그 능력과 자신감은 좌절과 분노의 상황에 대처할 수 있게 해 줄 뿐만 아니라 맞닥뜨린 도전에 효과적으로 대처하는 낙천성도 향상된다는 내용으로 자연스럽게 글이 이어지고 있다.

구문 해설

[1행] **In contrast**, the individual **who** responds to anger in the same way every time has **little** capacity **to** constructively **adapt** his responses to different situations.

▶ In contrast는 '그에 반해서, 반대로'라는 의미로 역접을 나타내는 연결사이다. 주어는 the individual이고 동사는 has인데 주격 관계대명사 who가 이끄는 절이 the individual을 수식하고 있다. little은 셀 수 없는 명사 capacity를 수식하여 '거의 없는'이라는 부정의 의미를 나타낸다. to adapt는 명사 capacity를 수식하는 형용사적 용법의 to부정사이다.

[5행] **By learning** a variety of anger management strategies, you develop control, choices, and flexibility in **how you respond to angry feelings**.

▶ By는 '~로써'라는 의미의 수단을 나타내는 전치사이므로 목적어로 동명사 learning이 왔다. how you ~ feelings는 전치사 in의 목적어로 쓰인 간접의문문이다.

[8행] And competence and confidence brings the strength **needed to cope with** situations **that** cause frustration and anger.

▶ needed ~ anger는 목적어인 the strength를 뒤에서 수식하는 과거분사구이다. to cope는 목적을 나타내는 부사적 용법의 to부정사인데, cope with는 '~에 대처하다'라는 의미이다. 주격 관계대명사 that이 이끄는 절이 선행사인 situations를 수식하고 있다.

어휘

in contrast 반대로 **capacity** 능력 **adapt** 적응하다 **management** 관리, 처리 **flexibility** 융통성 **handle** 다루다 **competent** 유능한, 능숙한 **enhance** 향상시키다 **optimism** 낙천주의 **effectively** 효과적으로 **be likely to** ~할 것 같다 **conflict** 갈등

15 ①

해석

Timothy Wilson은 한 실험을 했는데 그 실험에서 그는 학생들에게 다섯 개의 다른 미술 포스터에 대한 선택권을 주었고, 그러고 나서 나중에 그들이 자신의 선택을 여전히 좋아하는지를 알아보기 위해 조사했다. 자신의 선택을 의식적으로 검토하라고 들은 사람들은 몇 주 후 그들의 포스터에 가장 덜 만족스러워했다. 포스터를 짧게 본 후에 선택한 사람들이 가장 만족했다. 그 다음 또 다른 연구자는 가구 상점의 서재용 가구를 가지고 실제 상황에서도 그 결과를 반복했다. 가구 선택은 소비자가 하는 가장 인지적으로 힘든 선택 중 하나이다. 덜 의식적으로 검토한 후 서재용 가구를 선택했던 사람들은 매우 주의 깊게 검토한 후에 구입했던 사람들보다 더 만족했다.

➡ 실험에 따르면, 무엇을 선택할지에 대해 더 (A) 신중하게 생각했던 사람들은 자신들의 선택에 대해 덜 (B) 만족스러워 했다.

해설

Timothy Wilson과 다른 연구자는 실험을 통해 자신의 선택에 대해 의식적으로 더 깊이 검토할수록 선택에 대해서 덜 만족스러워한다는 결과를 얻었다. 따라서 요약문의 빈칸에 들어갈 말로 가장 적절한 것은 ① '신중하게 – 만족스러운'이다.

오답 노트

② 긍정적으로 – 실망한
③ 비판적으로 – 화난
④ 부정적으로 – 실망한
➡ ②, ③, ④처럼 '긍정적, 비판적, 부정적'으로 생각하는지 아닌지로 나눠서 실행한 실험이 아니다.
⑤ 짧게 – 만족스러운 ➡ '짧게' 생각하고 선택했다면 덜 '불만족스러운' 상태가 되어야 한다.

구문 해설

[1행] Timothy Wilson did an experiment **in which** he gave students a choice of five different art posters, and then later surveyed **to see if** they still liked their choices.

▶ in which는 〈전치사+관계대명사〉로, 선행사인 an experiment를 수식하는 절을 이끌며, 접속사와 부사의 역할을 동시에 하는 관계대명사 where로 바꾸어 쓸 수 있다. to see는 to부정사의 부사적 용법 중 목적의 의미로 사용되었고, if 이하는 see의 목적어이다. if는 '~인지 아닌지'를 의미하는데 whether로 바꾸어 쓸 수 있다.

[7행] Furniture selection is **one of the most cognitively demanding choices** any consumer makes.

▶ 〈one of the+최상급+복수 명사〉는 '가장 ~한 것 중의 하나'라는 뜻이다. choices와 any 사이에는 목적격 관계대명사 that이 생략되었는데 any consumer makes는 선행사 the most ~ choices를 수식한다.

[8행] The people **who** had made their selections of a study set after less conscious examination were **happier than those who** made their purchase after a lot of careful examination.

▶ 주어는 The people, 동사는 were인 비교급 문장이다. 앞의 who는 주격 관계대명사로, who ~ examination이 The people을 수식한다. those who는 '~한 사람들'이라는 뜻으로 주격 관계대명사 who 이하(who made ~ careful examination)가 those를 수식한다.

어휘

replicate 반복하다; 복사하다, 복제하다 **a study set** 서재용 가구 **selection** 선택 **cognitively** 인지적으로 **demanding** 힘든

[16~17] 16 ③ 17 ⑤

해석

역사를 잠깐 살펴보면 인간은 오늘날 대부분의 발전된 세계에서 즐기는 풍족한 음식을 항상 누려왔던 것은 아니다. 사실, 역사상 음식이 꽤 부족했던 수많은 시기들이 있었다. 그 결과, 사람들은 끼니를 다시 챙길 수 있을지 의문스러웠기 때문에 음식이 있을 때는 더 많이 먹곤 했다. 그런 시기의 과식은 생존을 보장하는 데 필수적이었으며, 인간들은 당장의 목적을 위해 필요한 것보다 더 많이 먹는 것으로부터 만족을 느꼈다. 그에 더하여, 가장 큰 즐거움은 가장 칼로리가 높은 음식을 먹는 데서 왔는데, 이는 더 오래 지속되는 에너지 비축을 초래했다.

불행히도 세계의 일부 지역들에서는 아직도 음식이 부족하다. 하지만 오늘날 세계 인구의 대부분은 생존하고 번영하기 위해 먹을 수 있는 음식이 많다. 그러나 이런 풍족함은 새로운 것이고, 당신의 몸은 따라잡지 못해서 아직도 필요한 것보다 더 많이 먹고 가장 칼로리 높은 음식을 먹는 것에 대해 당신에게 자연스레 보상을 한다. 이런 것들은 타고난 습관이지 단순한 중독이 아니다. 그것들은 당신 몸에서 시작된 자기 보전 기제로 앞으로의 생존을 보장하지만 이제는 적절하지 않다. 따라서 음식이 풍족한 새로운 환경과 과식의 타고난 습관을 강화할(→ 버릴) 필요성에 대해서 당신의 몸과 소통하는 것은 당신의 책임이다.

해설

16 음식이 부족했던 역사를 지나면서 생존을 보장하기 위해 음식이 있을 때 과식했던 타고난 습관은 세계 일부 지역을 제외하면 음식이 풍족해진 오늘날에는 적절하지 않다는 내용이다. 따라서 윗글의 제목으로 가장 적절한 것은 ③ '과식: 우리의 유전자에 그 뿌리가 깊다'이다.

17 글의 후반부를 보면, 음식이 풍부해진 오늘날의 환경에 몸이 따라가지 못하고 여전히 과식과 고칼로리 음식을 먹는 것으로 보상을 한다고 했으므로 과식을 향한 부정적인 시각을 드러내고 있다. 즉, 변화한 환경에 적응하여 과식을 했던 습관을 '강화하는' 것이 아니라 '버리고' '바꿔야'하므로 kick 또는 change로 고쳐야 한다. 따라서 문맥상 낱말의 쓰임이 적절하지 않은 것은 ⑤이다.

오답 노트

16 ① 맛있는 음식 혹은 건강에 좋은 음식, 어느 것이 더 나은가? ➡ 맛있는 음식과 건강에 좋은 음식을 비교한 글이 아니다.

② 더 균형 있는 식단을 위한 간단한 조치 ➡ 균형 잡힌 식단에 관한 언급은 없다.

④ 고칼로리 음식이 어떻게 우리 몸을 망치는가 ➡ 고칼로리 음식을 먹는 데서 만족을 얻는다고 했지만 그것이 우리 몸을 어떻게 해롭게 하는지에 대한 언급은 없다.

⑤ 우리의 식습관이 우리의 성격을 반영한다 ➡ 우리의 식습관을 성격과 관련짓지 않고 유전자와 관련지어서 타고난 것으로 설명한 글이다.

17 ① ➡ 다음 식사를 할 수 있을지 '의문스러워서' 음식이 있을 때 필요 이상으로 더 먹는다는 내용이므로 자연스럽다.

② ➡ 고칼로리 음식을 먹어서 '더 오래' 에너지를 비축할 수 있게 한다는 의미이므로 자연스럽다.

③ ➡ 음식이 풍족해진 환경을 따라잡지 못한 몸이 아직도 과식과 고칼로리 섭취로 '보상'한다는 내용이므로 자연스럽다.

④ ➡ 앞으로의 생존을 보장하기 위해 있을 때 더 많이 먹던 습관들은 이제 음식이 풍족해졌으므로 '적절하지 않다'는 내용이므로 자연스럽다.

구문 해설

[1행] A quick look at history shows **that** humans have **not always** had abundant food **that is** enjoyed throughout most of the developed world today.

▶ 문장의 주어는 A quick look at history, 동사는 shows이고, 접속사 that이 이끄는 명사절(that ~ world today)이 목적어이다. not always는 부분 부정의 표현으로 '항상 ~한 것은 아니다'라는 의미이다. 뒤의 that은 주격 관계대명사로 that이 이끄는 절이 명사절의 목적어인 abundant food를 수식하고 있다. food는 보통 셀 수 없는 명사로 쓰이므로 관계대명사절의 동사는 단수 동사인 is가 왔다.

[4행] As a result, people **used to** eat more when food was available **since it** was questionable **if** they would be able to eat again.

▶ used to는 과거의 습관을 나타내는 말로 '~하곤 했다'라는 뜻이다. 이유를 나타내는 접속사 since가 이끄는 부사절에서 it은 가주어이고, 진주어는 if절로 '~인지 아닌지'의 의미이다.

[14행] They are self-preserving mechanisms **initiated** by your body, **ensuring** your future survival, but they are irrelevant now.

▶ initiated ~ body는 self-preserving mechanisms를 뒤에서 수식하는 과거분사구인데, mechanisms가 '시작되어지는' 대상이므로 과거분사형으로 쓰였다. ensuring ~은 분사구문으로 your body가 '보장하는' 주체이므로 현재분사형으로 쓰였다. 이는 and they ensure ~로 바꾸어 쓸 수 있다.

[16행] Therefore, **it** is your responsibility **to communicate** with your body **regarding** the new environment of food abundance **and** the need to kick the inborn habit of overeating.

▶ it은 가주어이고, 명사적 용법의 to부정사 to communicate 이하가 진주어이다. regarding은 '~와 관련하여, ~에 대해서'라는 의미로 여기서는 관련된 내용 두 가지가 등위 접속사 and로 연결되었다.

어휘

abundant 풍부한 **scarce** 부족한 **overeat** 과식하다 **ensure** 보장하다 **survival** 생존 **satisfaction** 만족 **on top of that** 게다가 **reserve** 비축물 **population** 인구 **thrive** 번영하다 **abundance** 풍부함 **catch up** 따라잡다 **addiction** 중독 **initiate** 시작하다 **inborn** 타고난

memo

me
mo

memo

memo